KB174697

인체의 구조와 기능에서 본

병태생리 1

호흡기질환
순환기질환

visual map

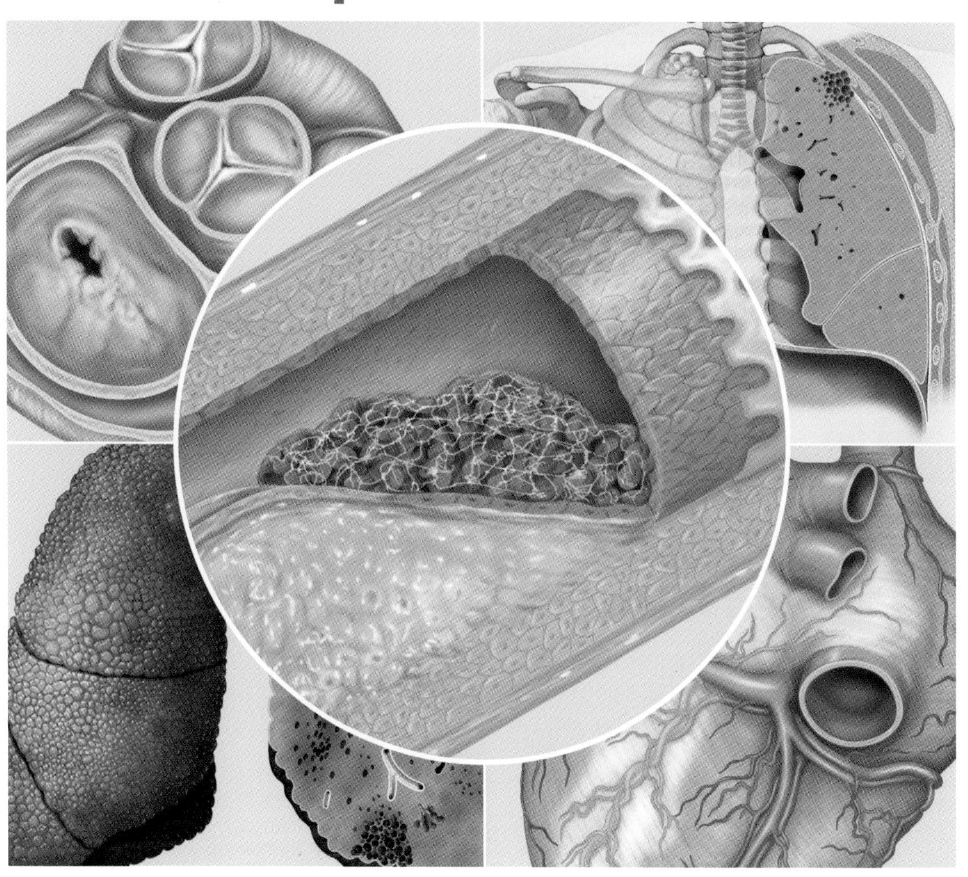

저자

佐藤千史

도쿄의과치과대학대학원 보건위생학연구과 교수·건강정보분석학

井上智子

도쿄의과치과대학대학원 보건위생학연구과 교수·첨단침습완화케어간호학

군자출판사

주의

본서에 기재되어 있는 치료법이나 환자케어에 관해서 출판시점의 최신 정보에 근거하여, 정확을 기하도록, 저자, 편집자 및 출판사는 각각 최선의 노력을 기울였습니다. 그러나 의학, 의료의 진보로 기재된 내용이 모든 점에서 정확하고 완전하다고 보증할 수는 없습니다.

따라서 활용시에는 항상 최신 데이터에 입각하여, 본서에 기재된 내용이 정확한지, 독자 스스로 세심한 주의를 기울일 것을 요청드립니다. 본서 기재의 치료법·의약품이 그 후의 의학연구 및 의료의 진보에 따라서 본서 발행 후에 변경된 경우, 그 치료법·의약품에 의한 불의의 사고에 관해서, 저자, 편집자 및 출판사는 그 책임을 지지 않습니다.

주식회사 의학서원

본서에 기술된 사회보험, 법규, 약제 등은 일본의 경우이므로 국내와 일치하지 않을 수도 있음을 참고하시기 바랍니다.

군자출판사

인체의 구조와 기능에서 본
병태생리 1 호흡기질환 순환기질환

첫째판 1쇄 인쇄 2014년 1월 5일
첫째판 1쇄 발행 2014년 1월 10일
첫째판 2쇄 발행 2015년 4월 27일

지 은 이 佐藤千史 · 井上智子
발 행 인 장주연
출판·기획 한수인
편집디자인 심현정
표지디자인 전선아
발 행 처 군자출판사
등록 제4-139호(1991.6.24)
본사 (110-717) 서울시 종로구 인의동 112-1 동원회관 BD 6층
전화 (02)762-9194/9195 팩스 (02)764-0209
홈페이지 | www.koonja.co.kr

人体の構造と機能からみた 病態生理ビジュアルマップ [1] 呼吸器疾患, 循環器疾患
ISBN 978-4-260-00976-8 編集 : 佐藤 千史・井上 智子

published by IGAKU-SHOIN LTD., TOKYO Copyright© 2010

ISBN 978-89-6278-821-1
ISBN 978-89-6278-820-4 (세트)
정가 25,000원 / 125,000원 (세트)

서두에

여러분이 개개의 "병"에 관하여 어떤 이미지를 가지고 있는지 떠올려 보자. 예를 들어 폐암의 경우, 기도에 종양이 생기고 그것이 기침이나 호흡곤란으로 진행되는데, 이것은 비교적 이미지를 그리기 쉬운 편이다. 그렇다면 간경변, 파종성혈관내응고, 신증후군, 류마티스 관절염 등의 경우는 어떨까?

본서는 병태생리를 필두로 하여, 주요 질환의 병태·진단·치료·환자의 케어포인트를 주로 간호사·간호학생·코메디컬 스태프 대상으로 해설한 것이다.

동일한 취지의 서적이 이미 몇 가지 시중에 나와 있지만, 본서는 특히 '병태의 이미지를 전달하는 것', '병태와 증상·진단·치료·환자케어의 지식이 연결되는 것'에 역점을 두고 있다.

'병태의 이미지'에 관해서는 병태의 원인, 병변, 증상, 경과까지의 흐름을 한 눈에 알 수 있도록, 가시적인 일러스트를 사용하여 이미지화를 시도하고 있다. 그리고 그 이미지가 증상·진단·치료·환자케어의 이해에 직결되도록 구성하고 있다. 각 분야에서 두각을 나타내는 전문가들이 최신내용을 반영해서 집필해 주신 점도 본서의 큰 장점일 것이다.

병태생리란, 사람의 체내에서 어떤 변화가 일어나면서 건강이 손상되는지에 관한 "story"를 설명한 것이다. 이 스토리를 이해할 수 있으면, '왜 이 증상이 나타나는가', '왜 이 검사치를 주시해야 하는가', '왜 이 약을 적용하는가'에 대한 진단·치료의 의미, 인과관계를 이해할 수 있게 된다.

본서가 여러분의 일상의 학습, 임상현장에서의 관찰이나 정보수집, 케어 포인트나 치료를 이해하는 데에 도움이 된다면 크게 기쁠 것이다.

마지막으로, 본서의 간행취지에 찬성해 주시고, 각각 바쁘신 중에도 본서의 집필에 시간을 할애하여 편집자들의 의도를 상회하는 내용을 제공해 주신 집필진 선생님들께 진심으로 감사를 드리는 바이다.

2010년 9월

저자를 대표하여 佐藤千史

편집 · 집필자 일람

편집

佐藤　千史　도쿄의과치과대학대학원 보건위생학연구과교수·건강정보분석학
井上　智子　도쿄의과치과대학대학원 보건위생학연구과교수·첨단침습완화케어간호학

집필

의학해설

青沼　和隆　츠쿠바(筑波)대학대학원 인간종합과학연구과교수·병태제어의학 순환기내과학
淺野　　優　방위의과대학교 병원비상근강사·소아과
東(脇園)亮子　도쿄의과치과대학의학부 부속병원·순환제어내과
荒井　裕國　도쿄의과치과대학대학원 의치학종합연구과교수·심장혈관외과학
磯部　光章　도쿄의과치과대학대학원 의치학종합연구과교수·순환제어내과학
市岡　正彦　(재)도쿄보건의료공사 토시마(豊島)병원 부원장
臼井　　裕　사이타마(埼玉)의과대학 준교수·호흡기내과
久賀　圭祐　츠쿠바대학의학전문학군 준교수·인간종합과학연구과 순환기내과학
合屋　雅彦　고쿠라(小倉)기념병원 순환기과부장
下門顯太郎　도쿄의과치과대학대학원 의치학종합연구과교수·혈류제어내과학
神　　靖人　히라츠카(平塚)공제병원 호흡기과부장
高際　　淳　도쿄공제병원 호흡기과부장
千田　　守　리버사이드 요미우리(讀賣)빌딩 진료소소장
古家　　正　도쿄의과치과대학대학원 의치학종합연구과 비상근강사·종합호흡기병학
宮城　直人　도쿄의과치과대학대학원 조교·심장혈관외과학
三宅　修司　도쿄의과치과대학 보건관리센터교수
宮崎　泰成　도쿄의과치과대학대학원 의치학종합연구과준교수·수면제어학(호흡기내과)
吉澤　靖之　도쿄의과치과대학이사·부학장

환자케어해설

會田　信子　나고야대학의학부보건학과 간호학전공 준교수·임상간호학
有田　清子　요코하마창영단기대학 간호학과교수
磯見　智惠　후쿠이(福井)대학의학부 간호학과강사·임상간호학
龜井　智子　세이로카(聖路加)간호대학 간호학부교수·노년간호학
酒井　明子　후쿠이(福井)대학의학부 간호학과교수·임상간호학
坂本　祐子　도쿄의료보건대학 히가시가오카(東が丘) 간호학부강사
櫻井　文乃　도쿄의과치과대학대학원 보건위생학연구과 박사후기과정·첨단침습완화케어간호학
茂野香おる　세이부(西武)문리대학 간호학부간호학과교수
立野　淳子　야마구치(山口)대학대학원 의학계연구과강사·임상간호학
月田佳壽美　후쿠이(福井)대학의학부 간호학과강사·성인·노인간호학
友政　淳子　간사이(關西)노재병원
中島惠美子　교린(杏林)대학보건학부 간호학과교수·성인·고령자간호학
三浦　英惠　일본적십자간호대학강사·성인간호학
山崎　智子　도쿄의과치과대학대학원 보건위생학연구과특임준교수·재택케어간호학

본서의 구성과 사용법

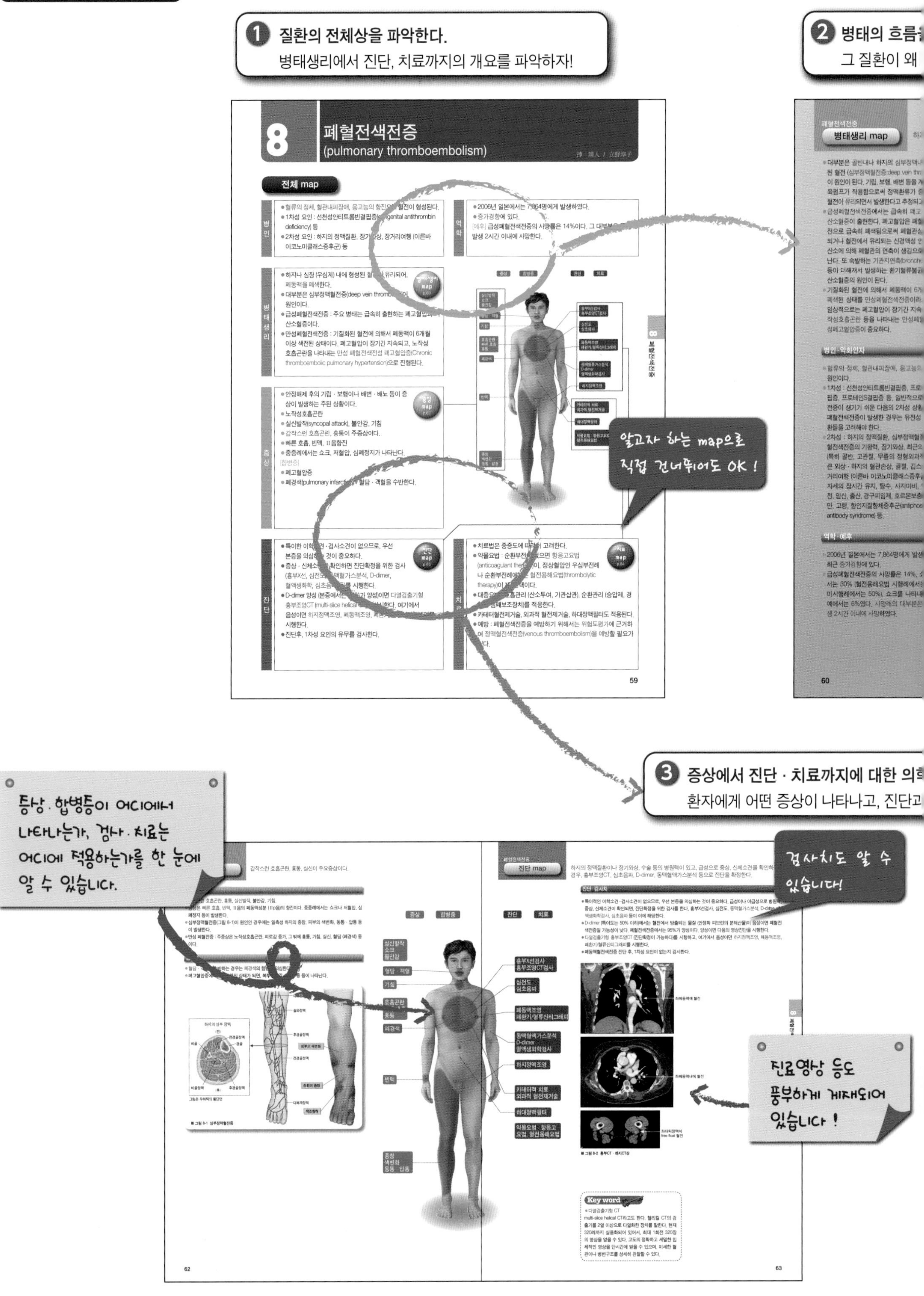

1 질환의 전체상을 파악한다.
병태생리에서 진단, 치료까지의 개요를 파악하자!
2 병태의 흐름
그 질환이 왜
8
폐혈전색전증
(pulmonary thromboembolism)
전체 map
알고자 하는 map으로 직접 건너뛰어도 OK!
병태생리 map
3 증상에서 진단 · 치료까지에 대한 의
환자에게 어떤 증상이 나타나고, 진단과
증상 · 합병증이 어디에서 나타나는가, 검사 · 치료는 어디에 적용하는가를 한 눈에 알 수 있습니다.
진단 map
검사치도 알 수 있습니다!
진료영상 등도 풍부하게 게재되어 있습니다!
Key word

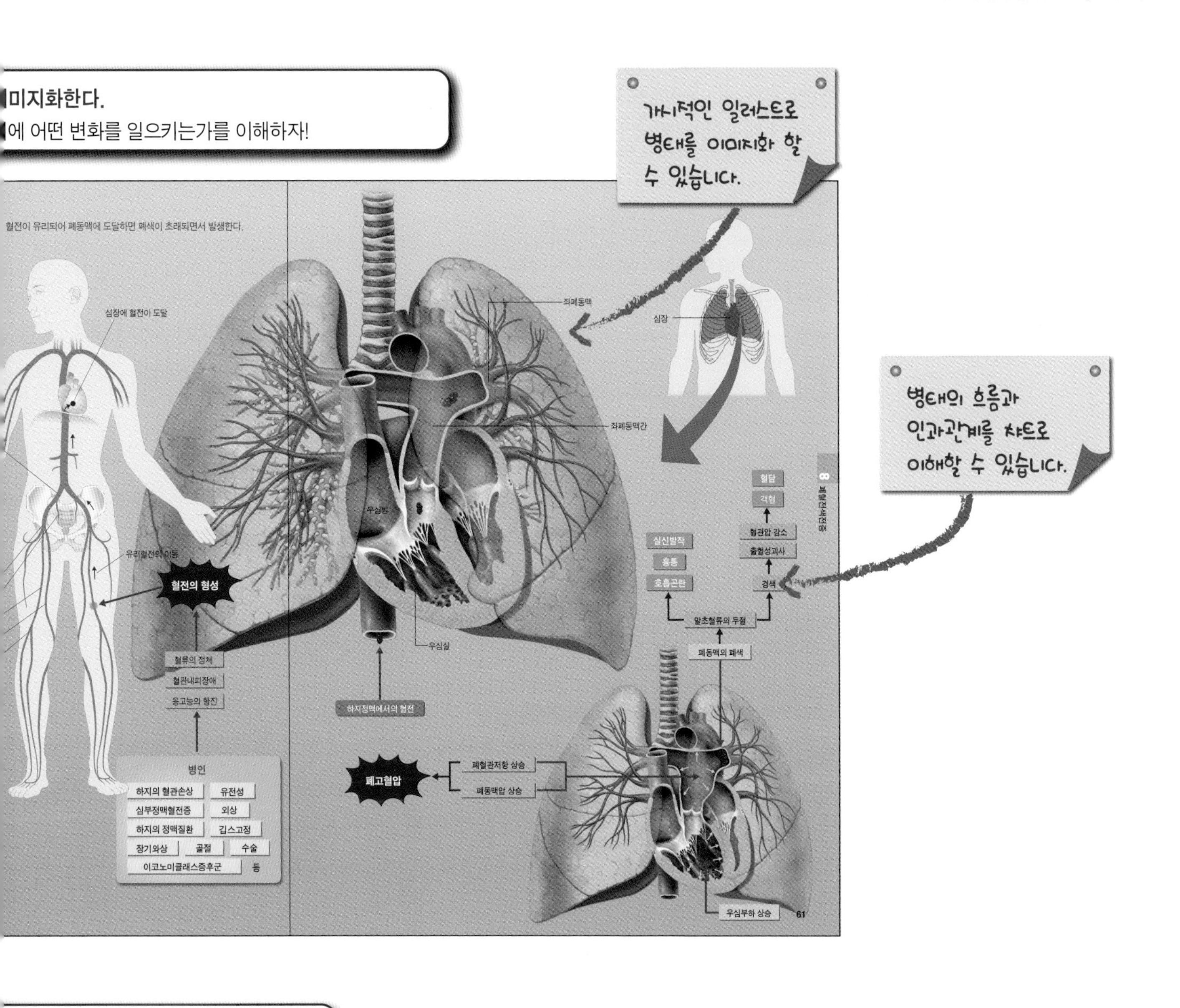
미지화한다.
에 어떤 변화를 일으키는가를 이해하자!
가시적인 일러스트로 병태를 이미지화 할 수 있습니다.
병태의 흐름과 인과관계를 챠트로 이해할 수 있습니다.
혈전이 유리되어 폐동맥에 도달하면 폐색이 초래되면서 발생한다.
심장에 혈전이 도달
유리혈전의 이동
혈전의 형성
혈류의 정체
혈관내피장애
응고능의 항진
병인
하지의 혈관손상
유전성
심부정맥혈전증
외상
하지의 정맥질환
깁스고정
장기와상
골절
수술
이코노미클래스증후군
등
좌폐동맥
좌폐동맥간
우심방
우심실
하지정맥에서의 혈전
폐고혈압
폐혈관저항 상승
폐동맥압 상승
심장
혈담
객혈
혈관압 감소
출혈성괴사
실신발작
흉통
호흡곤란
경색
말초혈류의 두절
폐동맥의 폐색
우심부하 상승
61

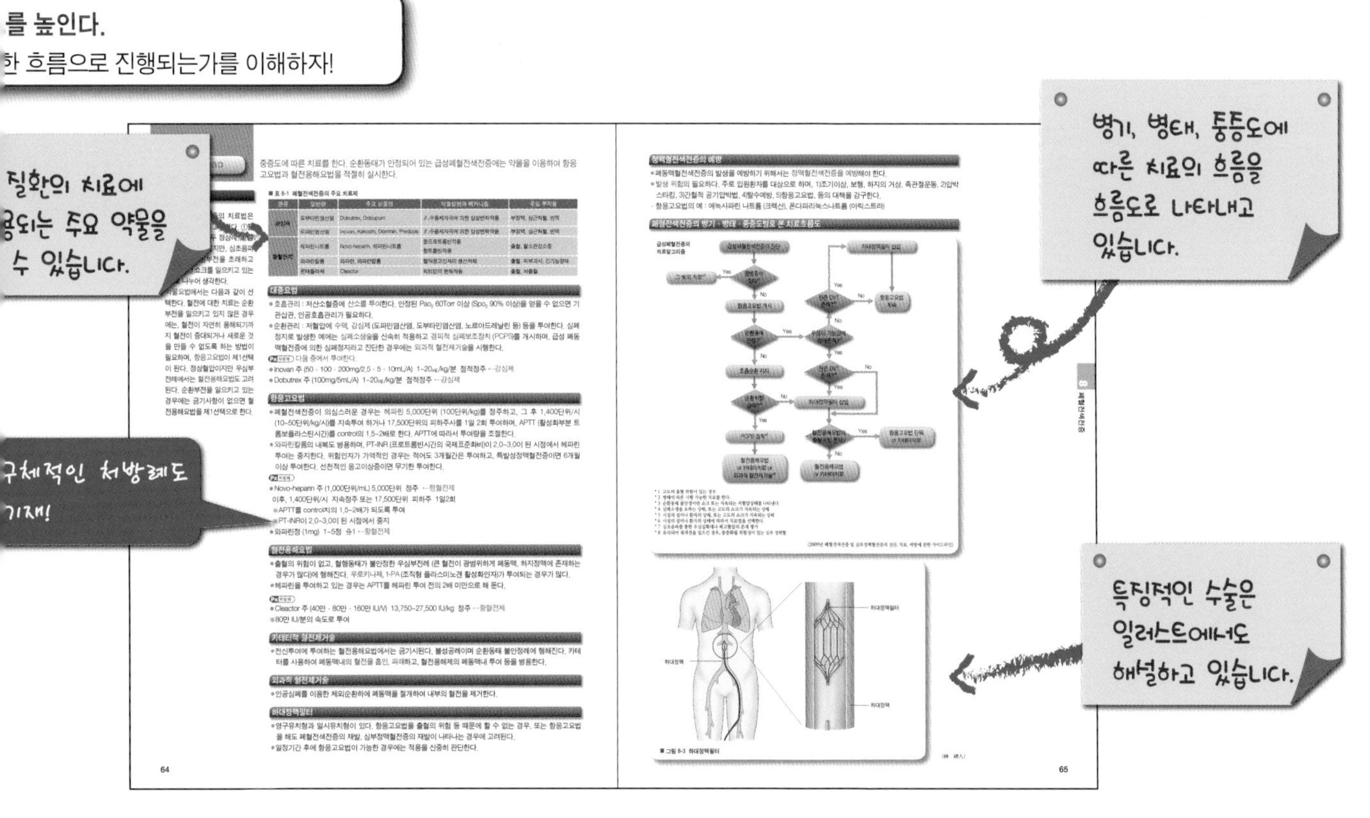
를 높인다.
한 흐름으로 진행되는가를 이해하자!
질환의 치료에 사용되는 주요 약물을 알 수 있습니다.
구체적인 처방례도 기재!
병기, 병태, 중증도에 따른 치료의 흐름을 흐름도로 나타내고 있습니다.
특징적인 수술은 일러스트에서도 해설하고 있습니다.
64
65

4 환자의 케어 포인트를 파악한다.

병태생리, 진단 · 치료의 흐름과 관련지어 이해하자!

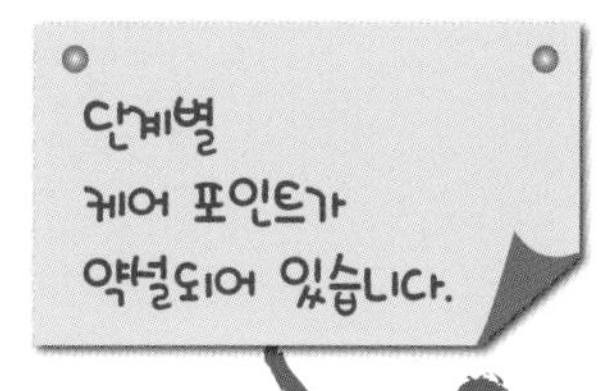

폐혈전색전증

환자케어

가스교환장애, 현기증이나 실신, 부정맥에 기인한 신체손상의 위험회피, 치료에 수반하는 합병증 예방이 중심이 된다. 회복 후에는 재발방지에 힘쓴다.

병기 · 병태 · 중증도에 따른 케어

【급성기】 폐혈류의 감소에 따른 가스교환장애나 조직순환장애에 수반하는 현기증이나 실신, 부정맥에 기인한 신체손상의 위험회피, 치료 (혈전흡인, 혈전제거술, 항응고요법)에 수반하는 합병증 예방에 관한 케어가 중심이 된다. 본 질환의 중증도는 전혀 무증상인 것에서 돌연사를 초래하는 중증인 것까지 범위가 넓다. 심폐정지를 일으킨 경우에는 적절한 심폐소생법을 실시하여, 호흡 · 순환 유지에 힘쓴다.

【회복기】 계속되는 치료 (항응고요법)에 수반하는 합병증 (출혈, 감염) 예방이나 재발방지에 관한 케어가 중심이 된다.

【만성기】 예후나 재발 등의 불안에 대한 심리적 케어, 재발방지나 계속치료를 위한 교육적 개입이 중심이 된다.

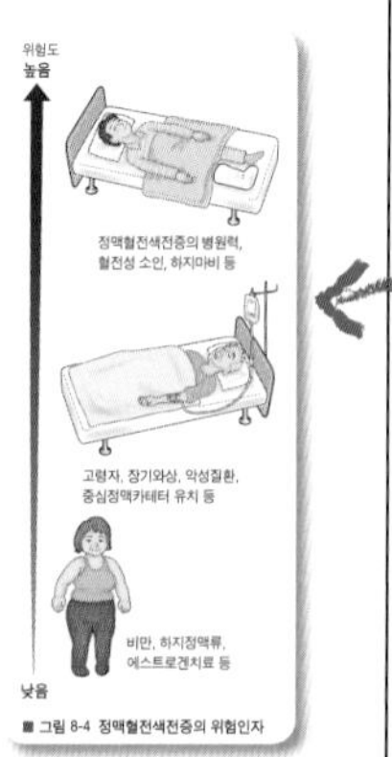

■ 그림 8-4 정맥혈전색전증의 위험인자

여러 곳에 도설을 마련하여 이해를 돕고 있습니다

케어의 포인트

진찰 · 치료의 지지

- 발생 직후에는 심전도, 흉부X선검사, 심초음파, 동맥혈가스분석, 흉부CT 또는 MRI 등의 검사가 행해지므로, 필요한 물품을 준비하거나 그에 맞춰 환경을 정비한다. 환자나 가족에게는 의사의 설명 후에 준비나 소요시간 등에 관하여 설명한다.
- 치료방법 (수술, 카테테법 등)에 맞는 준비를 신속히 한다.
- 항응고제가 투여되므로, 적절히 관리한다.
- 부작용으로 출혈이 보일 때는 출혈부위나 출혈량을 관찰하고, 지혈법을 실시한다. 대량 출혈이 발생하거나 지혈이 어려운 경우에는 신속히 의사에게 보고한다.
- 순환동태의 지표가 되는 관혈적 동맥압모니터나 Swan-Ganz 카테터에 의한 모니터링 등이 행해지므로, 정기적으로 관찰하고, 환자의 상태를 파악한다. 이상이 있을 시에는 원인을 파악함과 동시에, 의사에게 신속히 보고한다.

낙상이나 외상의 회피

- 조직순환장애에 수반되는 현기증이나 실신으로 인해서 낙상의 위험성이 높아지므로, 항상 침상 주위의 환경을 정비하여, 외상을 예방한다.
- 너스콜은 손이 닿는 위치에 설치하고, 이동시에는 간호사를 부르도록 설명한다.

감염예방

- 카테터 삽입부나 수술창의 감염징후의 유무를 정기적으로 관찰하여, 이상의 조기발견에 힘쓴다.
- 삼출액 등에 의한 오염이 있는 경우에는 드레싱을 교환한다.
- 장갑을 장착하는 등 표준적 예방책 (standard precautions)를 시행하여, 감염을 예방한다.

심리 · 사회적 문제에 대한 지지

- 질환에 관하여 환자 · 가족에게 알기 쉽게 설명하고, 불안을 경감시키도록 지지한다.
- 재발을 예방하기 위한 방법 (심부정맥혈전증 예방)이나 증상출현시의 대증방법에 관하여 설명하고, 사회복귀에 대한 불안을 경감시키도록 지지한다.
- 내복약의 올바른 복용방법이나 부작용, 일상생활에서의 주의점에 관하여 지도한다.

퇴원지도 · 요양지도

- 규칙적인 복용을 하도록 지도한다.
- 와파린칼륨 내복 중에는 약물의 작용을 억제하는 비타민K가 많이 함유된 식품을 섭취하지 않도록 지도한다.
- 수술이나 발치 등이 필요한 경우에는 사전에 항응고제를 내복 중이라는 점을 의사에게 상담하도록 지도한다.
- 항응고제 복용 중의 임신에 관해서는 의사와 충분히 상담하도록 지도한다.
- 외상이나 타박 등 출혈을 유발하는 경우는 피하도록 지도한다.
- 정기적으로 진찰받고, 응고능검사를 받도록 지도한다.
- 호흡곤란이나 흉통 등의 자각증상이 나타난 경우나 지혈이 어려운 출혈 (치은출혈, 비출혈을 포함), 혈뇨 · 혈변, 혈담을 확인한 경우에는 바로 진찰받도록 지도한다.

(立野淳子)

66

입원 중뿐만 아니라, 퇴원 후도 확인하는 케어 포인트가 있습니다.

병태생리map에 관하여

일러스트 중에서 병인, 악화인자, 병변, 증상 등에 관하여, 그 관련성을 화살표로 나타내고 있다. 원칙적으로「병변」은 하늘색 또는 보라색 (2차적 병변 또는 장애 결과) 박스로,「증상」은 황녹색 박스로 색깔별로 나누고 있다. 붉은색 박스는 특히 중요한 병변·장애를 나타낸다.

[기재례]

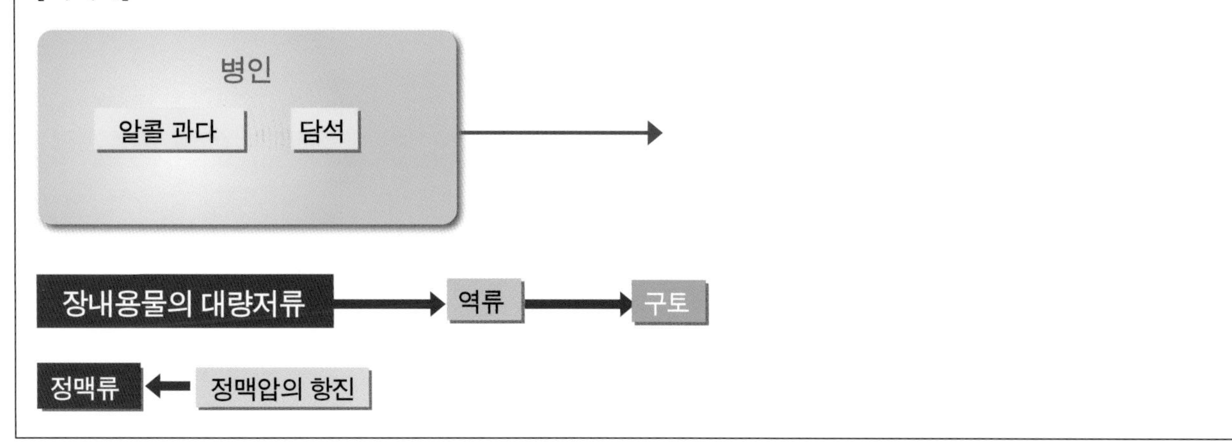

약물요법에 관하여

각 질환의 처방례를 제시하고 있다. 처방례는 원칙적으로, 약제명 (상품명), 제형, 규격단위, 투여량, 용법을 기재하고, 마지막에 화살표로 분류명을 나타내고 있다. 투여량은 1일량이며, 용법의「分○」는 1일량을 ○회로 나누어 투여(복용)한다는 의미이다.

[기재 예시]

지스로맥스정 (250mg) 2정 分1 3일간 ←마크롤라이드계 항균제

병태생리 1 호흡기질환 순환기질환
visual map

호흡기질환

1 기흉 (pneumothorax)

高際 淳 / 中島惠美子

전체 map

병인

- 자연기흉 : 원발성은 기종성낭포 (bulla, bleb)가 파열하여 생긴다. 속발성은 폐기종·폐암·폐결핵 등의 기초질환으로 발생한다.
- 외상성기흉 : 흉부타박, 골절의 합병증으로 나타난다.
- 특수한 것으로 의원성기흉(iatrogenic pneumothorax), 인공기흉(artificial pneumothorax)이 있다.

역학

- 원발성자연기흉의 연간 발생빈도(미국)는 인구 10만명당 남성 7.4명, 여성 1.2명이다.
- 원발성은 키가 크고 마른 젊은층에서 호발하고, 속발성은 고령자에서 호발한다.

[예후] 50~60% 정도로 재발률이 높은 편이다.

병태생리

- 흉강내로 공기가 새면서 벽측흉막과 장측흉막 사이에 공기가 저류되어 폐가 허탈해지는 병태이다.

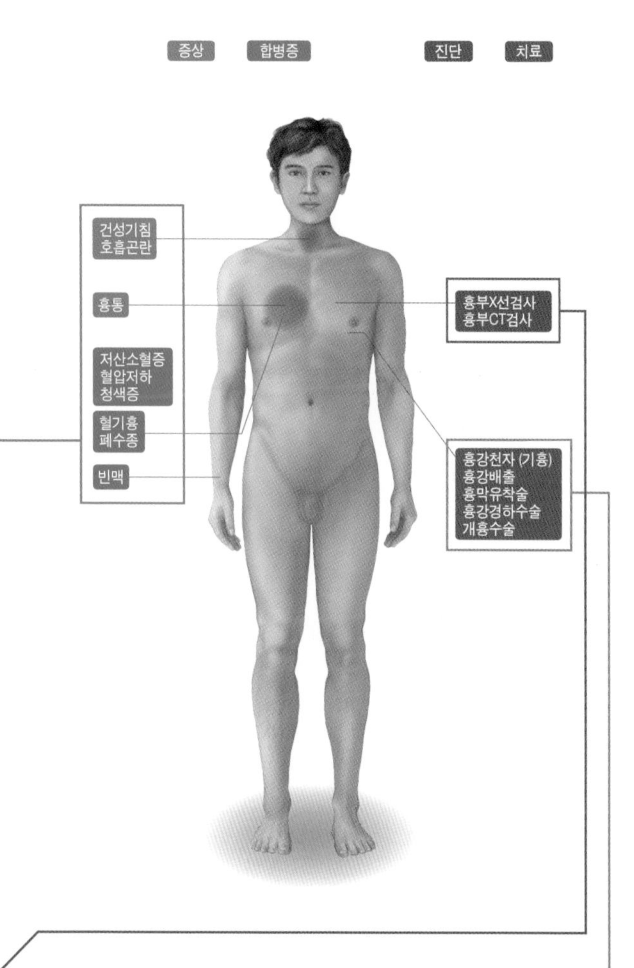

증상

- 흉통, 호흡곤란, 건성기침(dry cough)이 주증상이다.
- 신체활동 시보다 안정시에 발생하는 경우가 많다.
- 흉통은 갑자기 발생한다.
- 원발성자연기흉은 무증상으로 건강검진시에 우연히 발견되기도 한다.
- 이학소견 : 청진에서는 호흡음의 감약~소실, 음성진탕음의 감약이 있고, 타진에서는 고장음이 느껴진다.

[합병증]

- 긴장성기흉(tension pneumothorax) : 응급으로 흉강천자하여 공기를 제거한다.
- 혈기흉(hemopneumothorax) : 고도의 혈압저하는 응급개흉수술을 필요로 한다.
- 재팽창성폐수종

진단

- 흉부X선검사 또는 흉부CT검사에서 폐의 허탈이 확인되면, 진단이 확정된다.
- 폐허탈도(pulmonary collapse) : 흉부X선검사로 평가한다. 일본 기흉 · 낭포성 폐질환학회의 자연기흉 치료 가이드라인에서는 기흉의 폐허탈도를 경도, 중등도, 고도의 3가지로 분류하고 있다.

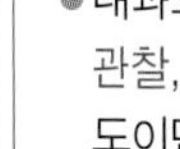

치료

- 폐허탈도와 임상소견에 따라서 치료방침을 결정한다.
- 내과요법 : 폐허탈이 경도~중등도이면 안정, 경과 관찰, 흉강천자 (공기제거)를 적용한다. 중등도~고도이면 흉강배출을 적용하는데, 흉강배출로 개선되지 않으면 흉막내에 유착제를 주입 (흉막유착술)한다.
- 외과치료 : 내과요법으로는 공기가 계속 새는 경우에는 흉강경하수술을, 흉막유착이 심각한 상태여서 흉강경하수술이 어려운 경우에는 개흉수술을 적용한다.

병태생리 map

기흉은 흉막강내 새어나온 공기가 벽측 흉막과 장측 흉막 사이에 저류하면서 폐가 허탈해진 병태를 말한다.

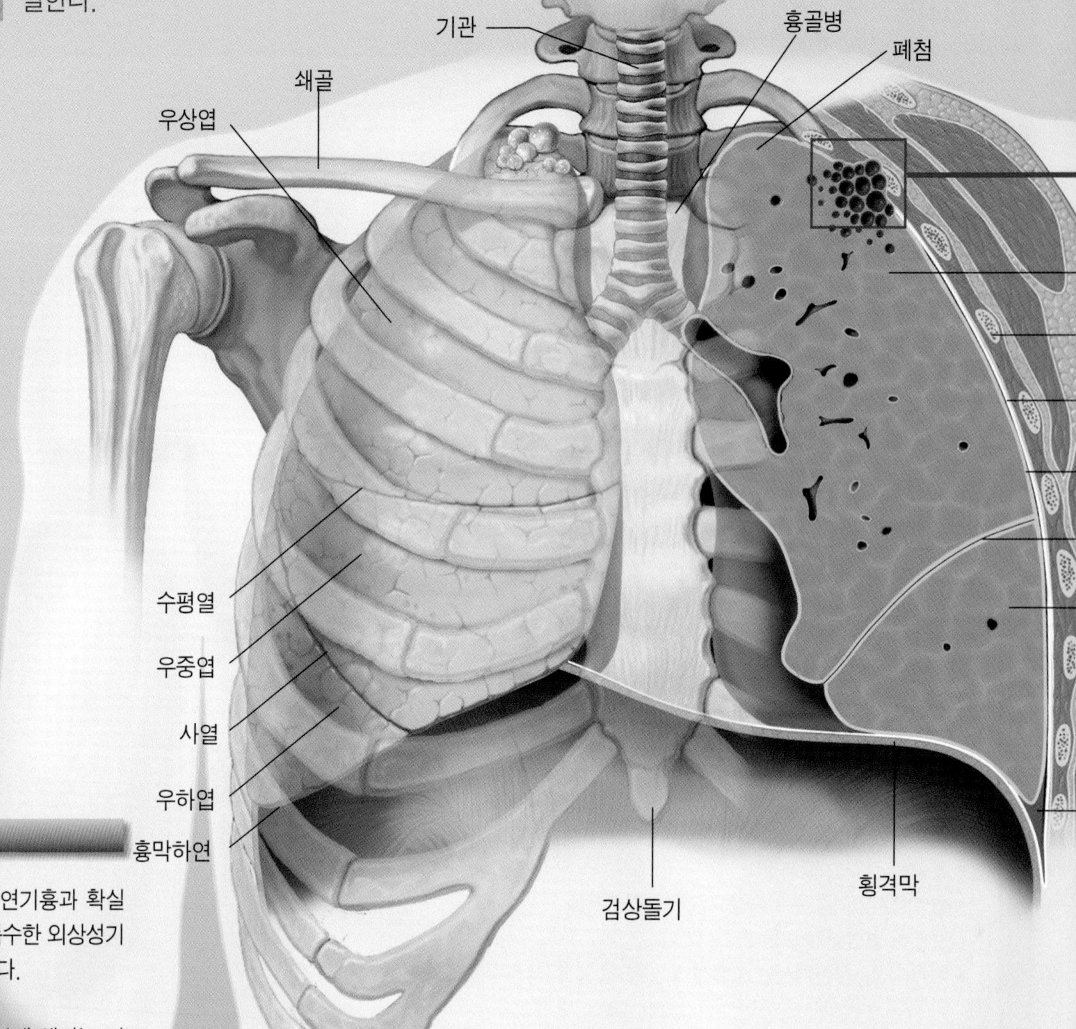

병인·악화인자

발생메커니즘이 확실하지 않은 자연기흉과 확실한 외상성기흉으로 크게 나뉜다. 특수한 외상성기흉으로 의원성기흉, 인공기흉이 있다.

- 자연기흉
  1. 원발성자연기흉 : 주로 폐첨단부에 생기는 기종성낭포(bulla), 흉막하낭포(bleb)가 파열됨으로써 생긴다.
  2. 속발성자연기흉 : 원인이 되는 기초질환이 있어서 발생한다. 기초질환으로 폐기종, 폐암, 폐결핵, 특발성폐섬유증, 폐렴, 이소성자궁내막증 등이 있다.
- 외상성기흉 : 흉부타박, 골절의 합병증으로 생긴다.
  1. 의원성기흉 : 의료행위 (쇄골하정맥천자, 경기관지폐생검)의 합병증으로 생긴다.
  2. 인공기흉 : 진단이나 치료목적으로 의도적으로 폐를 허탈시킨다. 기흉CT 등이 이에 해당된다.

역학·예후

- 미국 통계에서는 원발성자연기흉이 남성에서는 인구 10만명에 1년에 7.4명, 여성에서는 1.2명이 발생한다고 보고되어 있다. 일본에서는 보고가 없다.
- 원발성자연기흉은 키가 크고 마른 젊은층에서 호발한다. 속발성자연기흉은 기초질환의 영향으로 고령자에서 발생빈도가 높아진다.
- 재발률이 높아서 50~60%에 이른다.

병인

원발성자연기흉 : 원인불명

속발성자연기흉 : 폐기종 | 폐암 | 특발성폐섬유증 | 등

외상성기흉 : 흉부타박 | 골절 | 의료행위 | 등

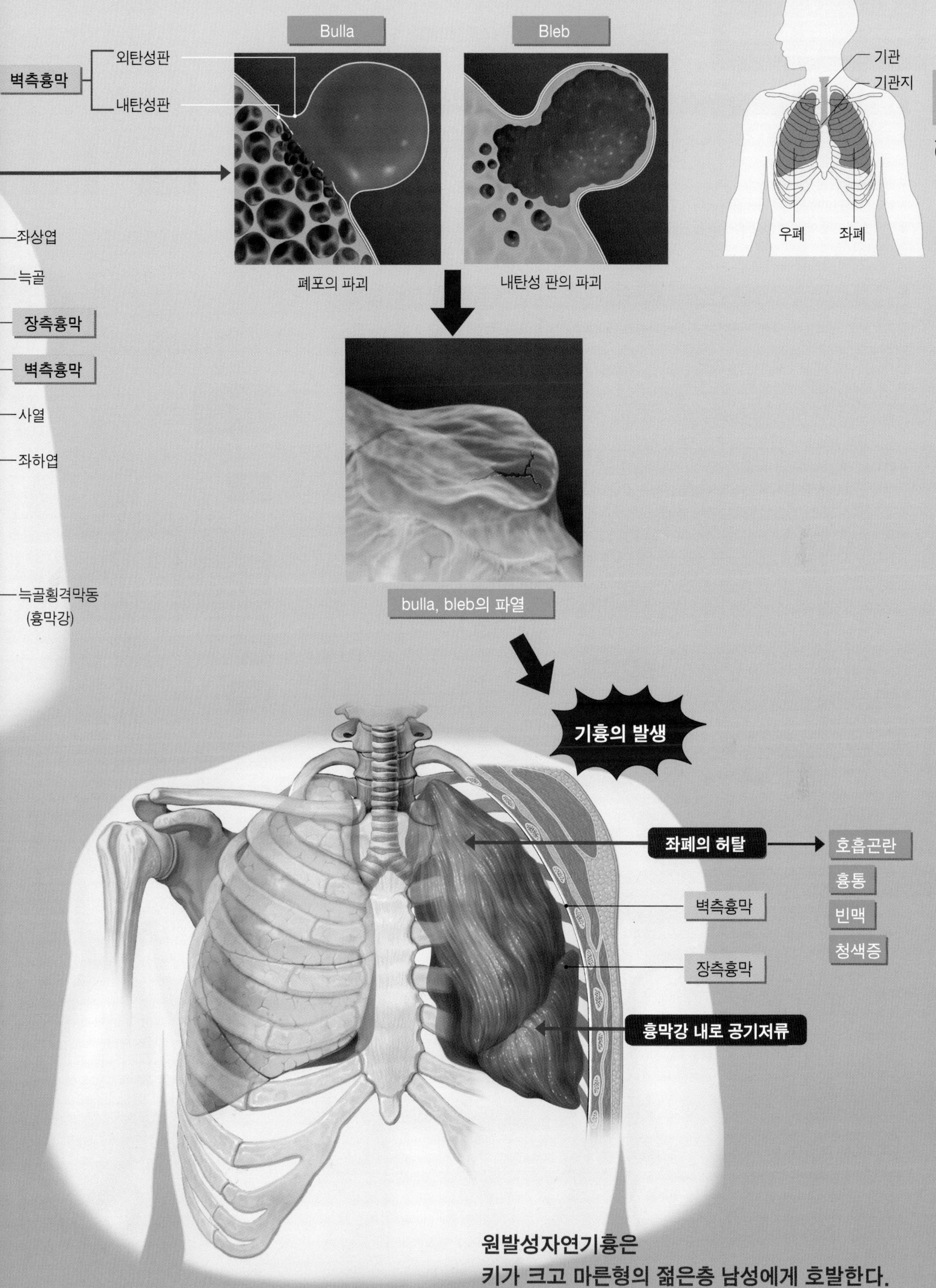

원발성자연기흉은
키가 크고 마른형의 젊은층 남성에게 호발한다.

기흉

증상 map

흉통, 호흡곤란, 건성기침이 주요 증상이다.

증상

- 흉통은 갑자기 발생하는 것이 특징이며, 발생한 시간을 특정할 수 있는 경우가 많다. 호흡곤란, 건성기침을 확인한다.
- 운동시나 심한 기침시 등의 활동 시보다 안정시에 발생하는 경우가 많다.
- 원발성자연기흉인 경우, 무증상이다가 건강검진 등에서 우연히 발견되기도 한다.
- 이학소견으로 흉부청진상 환측의 호흡음의 감약~소실, 음성진탕음의 감약, 타진상 고장음을 확인한다.

합병증

응급처치를 요하는 특수한 기흉에는 긴장성기흉과 혈기흉이 있다. 재팽창성폐수종은 치료에 수반되는 합병증이다.

- 긴장성기흉 (그림 1-1) : 공기의 누출부위가 한방향판이 되어, 흉강내로 일방적으로 공기가 누출되면서, 흉강내가 양압이 된 기흉이다. 흉부 X선검사에서는 종격의 반대측으로 편위나 횡격막의 저위가 보인다. 고도의 저산소혈증(hypoxemia), 혈압저하, 빈맥이 보이고, 방치하면 쇼크상태가 되어 생명이 위험해질 수 있으므로 응급으로 삽관하여 공기를 제거해야 한다.
- 혈기흉 : 흉강내에 공기와 함께 혈액이 저류하는 기흉이다. 외상으로 인한 것, 폐가 허탈할 때에 흉막의 혈관을 포함한 유착부가 박리되어 출혈하는 것 등이 있다. 천자를 적용하여 혈액을 흡인함으로써 진단한다. 고도의 빈혈이 나타나거나 혈압저하에 빠지는 경우에는 응급 개흉수술을 적용한다.
- 재팽창성폐수종 : 최저 3일 이상 허탈해 있던 폐를 급속히 재확장한 경우, 동일 부분에 폐수종이 출현하는 수가 있다. 출현하는 것은 재팽창을 얻은 직후부터 1시간 이내가 많지만, 몇 시간 후에 발생하기도 한다. 증상으로 기침, 포말상의 가래, 호흡곤란, 청색증(cyanosis) 등이 나타난다. 산소요법만으로 자연히 낫는 경우가 많지만, 이뇨제나 부신피질호르몬제제를 같이 적용하는 경우도 있다.

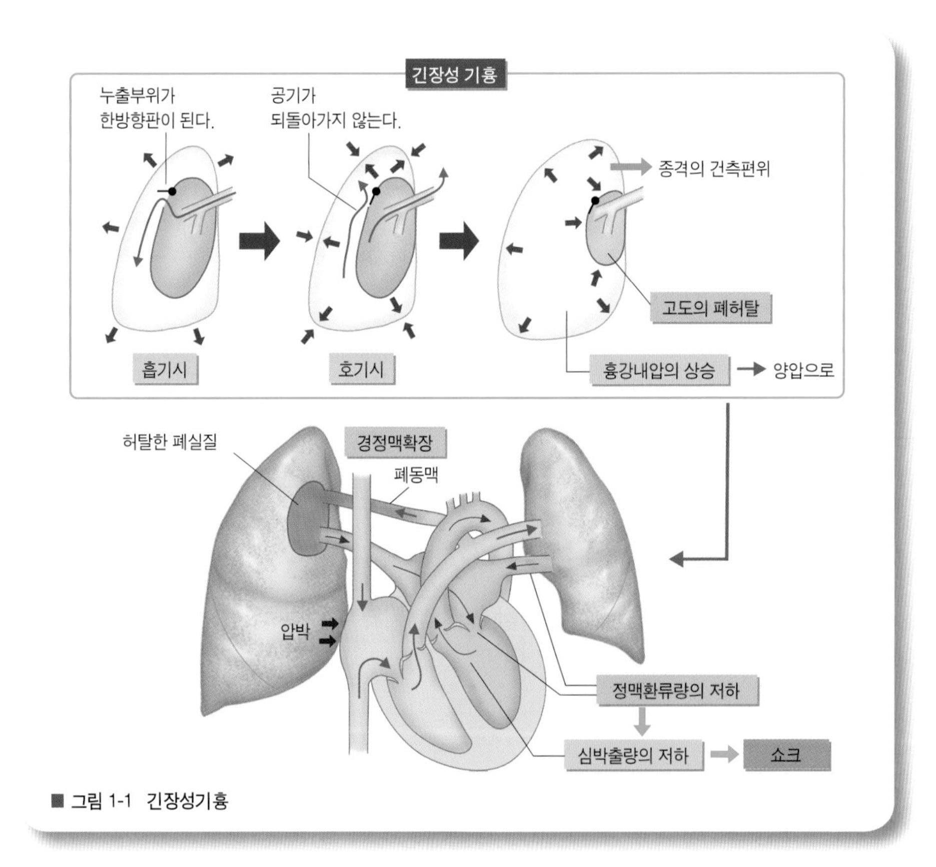

■ 그림 1-1 긴장성기흉

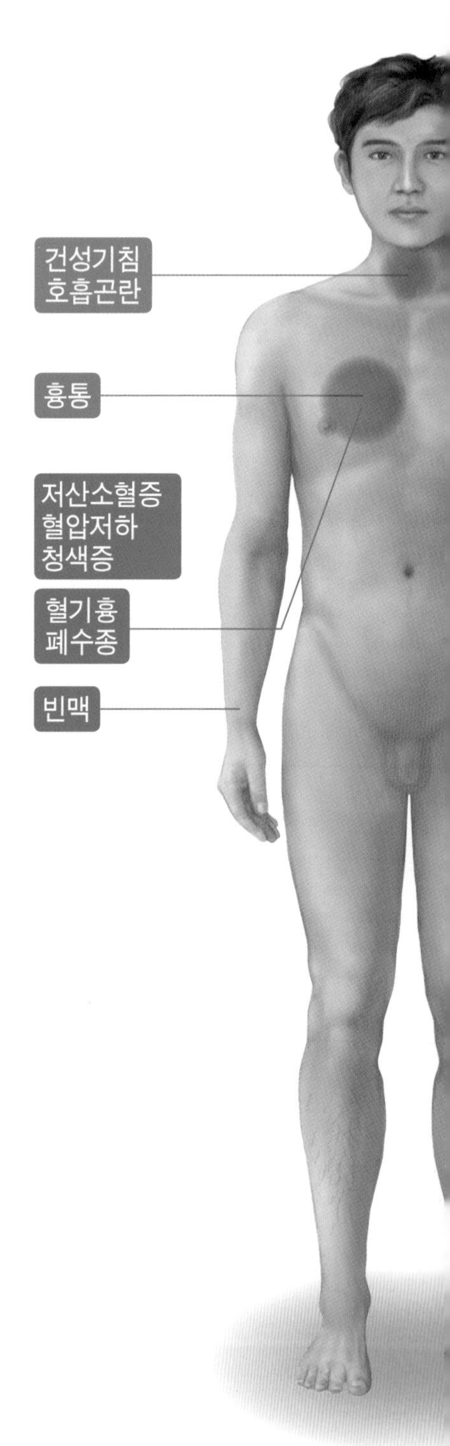

흉부X선검사 또는 흉부CT검사로 폐의 허탈을 확인하면, 진단이 확정된다.

진단 치료

흉부X선검사
흉부CT검사

흉강천자 (공기 제거)
흉강배출
흉막유착술
흉강경하수술
개흉수술

진단·검사치

- 흉부X선검사, 흉부CT검사에서 평가된 허탈의 정도는 치료방침의 선택시 매우 중요한 지침이 된다. 일본 기흉·낭포성 폐질환학회의 자연기흉치료 가이드라인에서는 표1-1의 3가지로 분류되고 있다 (그림1-2).
- 검사치
- 특이한 이상을 나타내는 혈액검사는 없다.

■ 표 1-1 기흉의 폐허탈도 분류

경도	폐첨이 쇄골수준 또는 그보다 위쪽에 있거나 또는 이것에 준한 정도
중등도	경도와 고도의 중간정도
고도	전체허탈 또는 이것에 가까운 정도

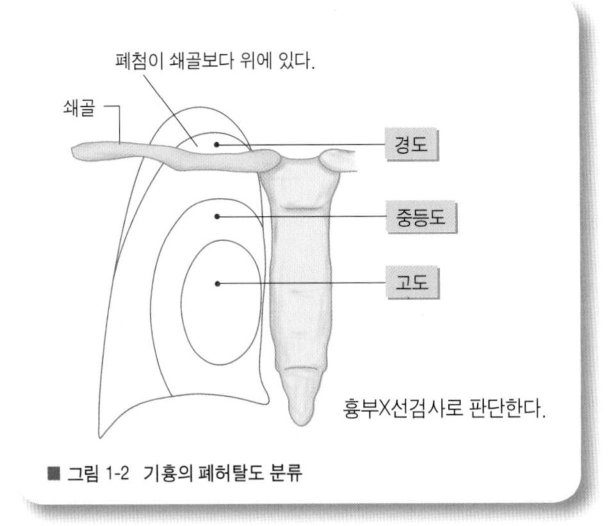

■ 그림 1-2 기흉의 폐허탈도 분류

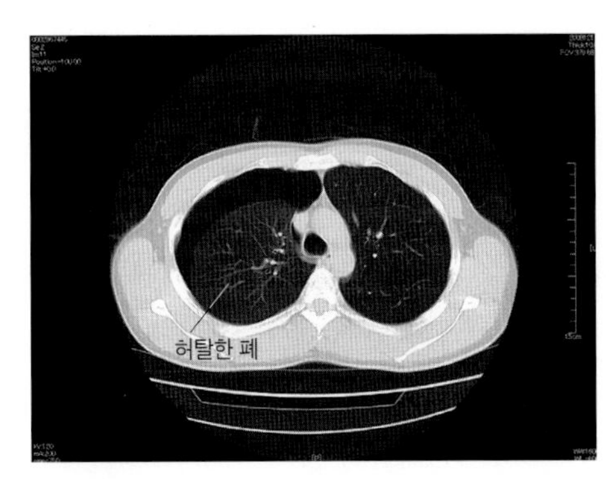

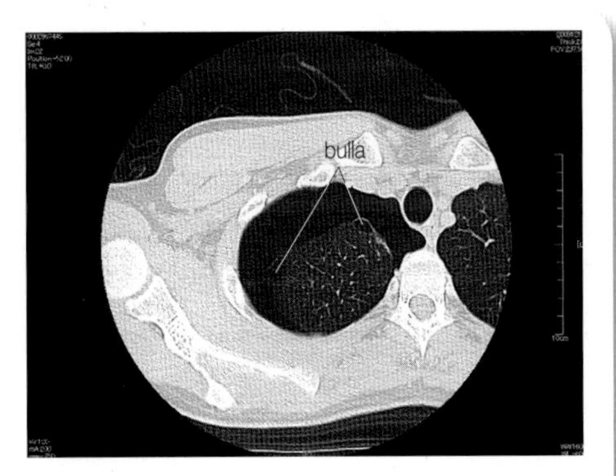

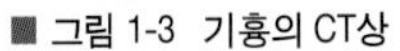

■ 그림 1-3 기흉의 CT상

치료 map

폐허탈의 정도와 임상소견에 따라서 치료방침을 결정한다 (치료흐름도 참조).

치료방침

- 폐허탈이 경도~중등도이면 안정, 경과관찰, 흉강천자(공기 제거)를 적용한다.
- 중등도~고도이면 흉강배출, 흉강배출로 개선되지 않으면 흉강 내에 유착제를 주입(흉막유착술)한다.
- 내과치료로는 공기가 계속 새는 경우에는 흉강경하수술을 적용한다.
- 흉막유착이 심각한 상태여서 흉강경하수술이 어려운 경우는 개흉수술을 적용한다.

Key word

- SURFLO® 유치침

주로 정맥용에 사용하는 유치침. SURFLO®는 상품명이다.

- 트로카(trocar)

트로칼이라고도 한다. 관강장기나 체강을 천자하여, 카테터나 튜브를 삽입하기 위한 투관침.

내시경치료

- 안정, 경과관찰
- 흉강천자(공기 제거) : 3-way stopcock을 연결한 18G SURFLO® 유치침을 흉강에 삽입하고, 주사기로 공기를 제거한다.
- 흉강배출 : 트로카카테터를 흉강에 삽입하고, 저압지속배출을 실시한다.
- 흉막유착술 : 전신상태가 불량하거나 기초질환 때문에 수술이 어렵고, 흉강배출만으로 개선되지 않는 경우에 적용한다. 흉막유착제 [테트라사이클린계 항균제, 자가혈, 항악성종양용련균제제(OK-432) 등을 적용한다]를 흉강 내에 주입하여, 벽측흉막과 장측흉막을 인공적으로 유착시켜서 치료한다.

외과치료

- 수술적응 : (1)재발을 반복하는 경우, (2)공기가 계속 새는 경우, (3)양측성 기흉, (4)현저한 혈흉, (5)폐팽창부전, (6)사회적 적응 등.
- 흉강경하수술(그림 1-3) : 흉강경하에서 bulla를 봉합한다. 자동봉합기 (stapler)로 절제하는 방법이 일반적이다. 수술침습이 적고 수술 후의 통증이 경도이며, 입원기간도 짧다.
- 개흉수술 : 흉막유착이 심각한 수준이라 흉강경하수술이 어려운 경우에 행해진다.

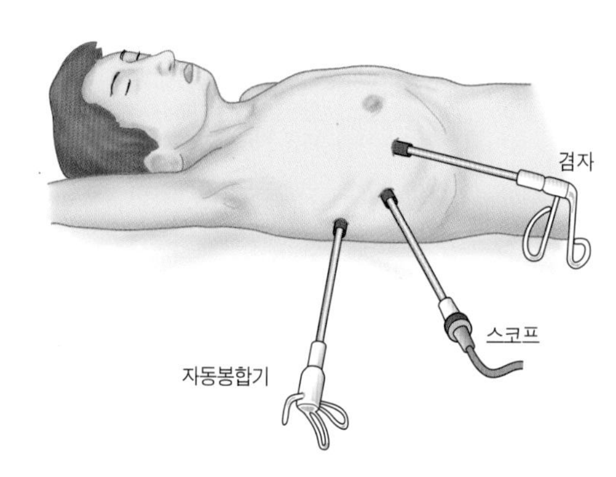

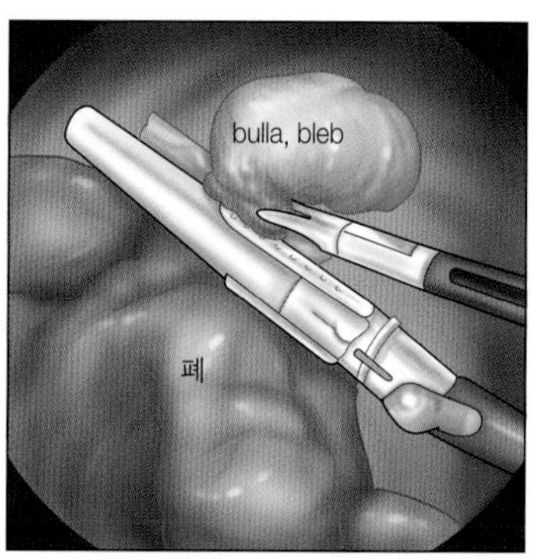

자동봉합기에 의한 bulla, bleb의 절제

■ 그림 1-4 흉강경하수술

기흉의 병기 · 병태 · 중증도별로 본 치료흐름도

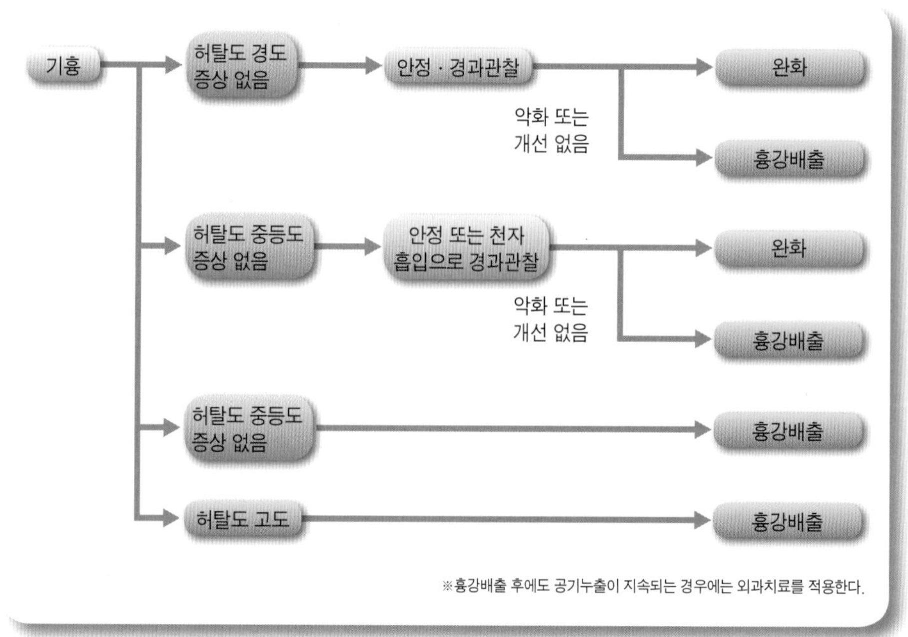

※흉강배출 후에도 공기누출이 지속되는 경우에는 외과치료를 적용한다.

(高際 淳)

기흉

환자케어

발생초기에는 호흡곤란, 흉통을 주의깊게 관찰해야하며, 호흡방법이나 체위에 대한 지도가 중요하다. 치료 중에는 흉강배출관 삽입에 수반되는 간호가 중요하고, 치료 후에는 재발방지를 위한 환자교육이 중요하다.

병기·병태·중증도에 따른 케어

【검사 · 진단기】 발생초기에는 환기장애 때문에 호흡곤란이 있으며, 격통으로 인해 쇼크증상이 수반되는 흉통도 있으므로, 주의 깊게 관찰해야 한다. 또 효과적인 산소공급을 할 수 있도록 호흡방법이나 체위에 대한 지지도 중요하다. 신체활동이 제한됨에 따라서 셀프케어가 부족해지거나 구속감을 쉽게 느끼게 되므로, 이러한 고통을 완화해 주어야 한다.

【치료기】 흉강배출관 삽입 상태가 장기간이 되는 경우, 활동성의 저하 때문에 신체구속감이나 여러 가지 불안을 쉽게 느끼게 되어 스트레스를 유발할 수 있으므로, 심리적인 케어도 충분히 배려해야한다.

【원격전이 · 재발기】 재발률이 높으므로, 예방을 위한 환자교육을 실시하고, ADL이나 사회생활에 대한 적응을 무리없이 할 수 있도록 돕는다.

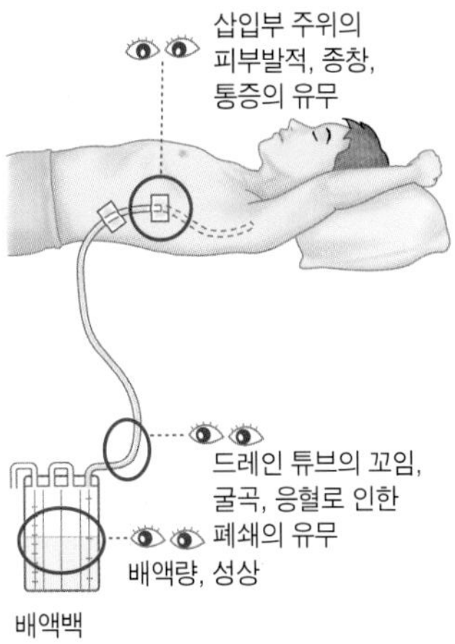

케어의 포인트

환기장애에 대한 지지
- 호흡상태를 관찰한다.
- 편안한 호흡을 할 수 있도록 지지한다.
- 효과적인 호흡방법을 지도한다.
- 심신의 안정을 유지하고, 산소소비량을 최소한으로 한다.

통증에 대한 지지
- 통증부위, 출현상황, 정도를 관찰한다.
- 배출관을 확실히 고정한다.
- 신체활동 시에는 통증이 수반되지 않도록 배려한다.
- 심한 통증인 경우에는 필요에 따라서 통증을 완화하도록 한다.
- 통증을 참지 말고 얘기하도록 권한다.

셀프케어에 대한 지지
- ADL의 정도를 관찰한다.
- 안정적인 범위 내에서 활동량을 조정한다.
- ADL에서는 과도한 신체적 부담이 가해지지 않도록 지지한다.
- 환자의 상태에 맞춘 청결수준을 유지한다.

감염예방에 대한 지지
- 감염징후를 관찰한다.
- 배출관 삽입부 주위의 청결을 유지한다.
- 신체의 청결을 유지한다.
- 이동이나 신체활동에 따른 역행성감염을 방지한다.

재발예방에 대한 지지
- 환자의 질환 재발에 관한 지식과 이해를 파악한다.
- 지도에 대한 환자 반응을 확인한다.
- 이해할 수 있는 표현으로 설명하고, 공포심이나 불안감을 주지 않도록 주의한다.
- 재발예방을 위한 ADL에 관하여 구체적으로 설명한다.

■ 그림 1-5 드레인의 관리

퇴원지도·요양지도

- 재발예방을 위해서 정기적으로 진찰을 받도록 권한다.
- 재발의 징후에 관하여 설명한다.
- 재발의 위험을 수반하는 ADL에 관하여 지도한다.
- 변비예방, 금연의 필요성에 관하여 설명한다.

(中島惠美子)

Memo

2 폐렴 (pneumonia)

千田 守 / 坂本祐子

전체 map

병인

- 시중폐렴 : 폐렴구균, 인플루엔자균, 마이코플라즈마, 클라미디아, 레지오넬라 등
- 원내폐렴(nosocomial pneumonia) : 녹농균, 인플루엔자균, 클레브시엘라속, 황색포도구균 등

[악화인자] 기초질환, 인공호흡기 관리, 흡인

역학

- 이환율은 고령이 될수록 급격히 증가한다.
- 남성에게 다소 많이 발생하고, 80세 이상에서는 사인의 제2위, 90세 이상에서는 제1위를 차지한다.

[예후] 젊은층에서는 기초질환이 없으면 사망률이 1% 미만이지만, 가장 중증인 군에서는 사망률이 30%에 육박한다.

병태생리

- 폐실질의 급성 · 감염성염증으로, 폐에 일종의 병원미생물이 침입하여 발생한다.
- 시중폐렴 : 병원 외에서 사회생활을 하고 있는 사람에게 발생한 폐렴을 의미한다. 세균성폐렴과 비정형폐렴이 있다.
- 원내폐렴 : 입원후 48시간 이상 경과한 후 발생한 폐렴을 말한다. 면역력이 저하된 숙주, 흡인 등으로 인한 병원체의 과잉침입, 교차감염이 쉬운 병원 환경 등이 원인이 된다.

증상

- 발열, 기침, 가래, 호흡곤란이 주증상이다.
- 전형적인 증상 : 국소증상 (기침, 가래, 흉통, 호흡곤란 등)과 함께 전신증상 (발열, 전신권태감 등)이 갑자기 발생한다.
- 고령자 : 식욕부진, 기운저하 등, 막연한 증상인 경우도 있다.

[합병증]

- 탈수증 (dehydration)
- 저알부민혈증 (hypoalbuminemia)
- 호흡부전

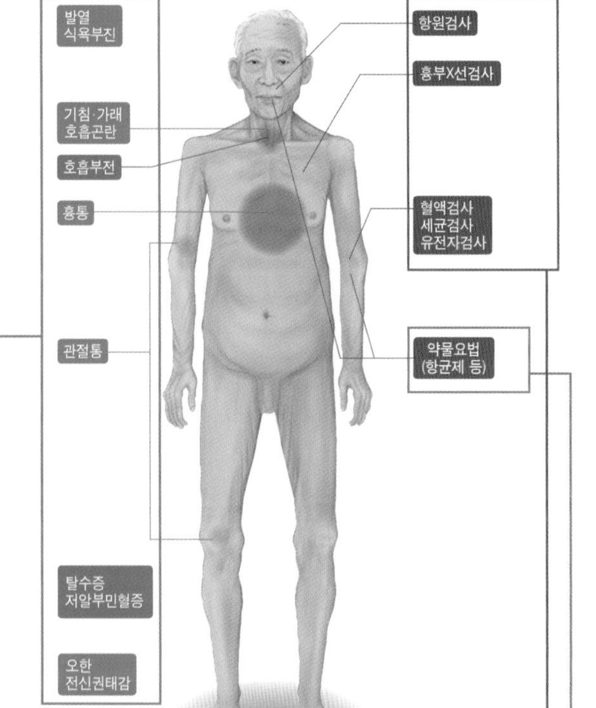

진단

- 진단은 흉부X선검사와 제외진단을 통해 결정한다.
- 임상증상 : 발열, 기침, 가래, 흉통, 호흡곤란 등이 나타난다.
- 흉부X선검사 : 새로운 침윤영이 보인다.
- 혈액검사 : 백혈구 증가, CRP양성, 적혈구침강속도항진 등의 급성염증을 나타내는 소견이 보인다.
- 병원미생물의 확정 : 세균검사, 항원검사, 유전자검사를 이용한다.
- 중증도의 판정 : 신체소견, 연령에 따라서 분류한다(일본호흡기학회의 「폐렴의 중증도 분류」).

치료

- 약물요법 : 항균제를 초기에 투약하는데, 진단후 4시간 이내에 병원미생물을 예측하여 항균제를 투약하고 (실험식치료;empiric treatment), 병원미생물이 판명되면 항균제의 감수성을 재검토하고, 판명되지 않으면 항균제의 속행 · 변경 · 추가를 검토한다.
- 항균제의 선택 : 시중폐렴에서는 중증도와 세균성폐렴(bacterial pneumonia)인지 비정형폐렴(atypical pneumonia)인지에 따라서 항균제를 선택한다. 원내폐렴에서는 중증도에 숙주의 위험인자를 가미하여 항균제를 선택한다.

병태생리 map

폐렴은 일종의 병원미생물이 폐에 침입하여 발생하는 폐실질성의 급성감염성염증이다.

- 병원미생물이 기침반사나 점액섬모수송계 등의 방어기구를 빠져나가서 폐포영역에 도달한다고 해서, 반드시 폐렴으로 진행되는 것은 아니다. 병원성이 강한 병원미생물이 다수 침입하므로 폐포소식세포만으로 처리하지 못하고, 호중구나 소식세포가 동원되면서 폐에 염증이 생겨서 폐렴이 된다.
- 일반사회생활을 하고 있는 사람에게 발생하는 폐렴을 시중폐렴이라고 한다. 고령자나 당뇨병, 교원병 등 여러 기초질환이 있는 사람에게 발생하는 경우에도 입원 중의 발생이 아니면 시중폐렴이라고 한다. 병원미생물과 항생물질의 감수성에 따라서 시중폐렴은 다시 세균성폐렴과 비정형폐렴으로 분류된다.
- 입원시 이미 감염되어 있던 증례를 제외하고, 입원후 48시간 이상 경과한 후 발생한 폐렴은 원내폐렴이라고 한다. 원내폐렴의 발생에는 ①숙주가 면역력이 저하된 경우가 많은 점, ②흡인 등으로 인한 병원체의 과잉침입, ③병원 내가 교차감염되기 쉬운 장소라는 점 등이 관여한다.

병인·악화인자

- 시중폐렴의 원인이 되는 병원미생물은 주로 폐렴구균, 인플루엔자균, 마이코플라즈마, 클라미디아, 레지오넬라 등이다. 원내폐렴의 원인이 되는 병원미생물은 주로 녹농균, 인플루엔자균, 클레브시엘라속, 황색포도구균 등이다.
- 시중폐렴에서는 폐렴구균, 레지오넬라 등이 중증폐렴의 원인균이 되기 쉽다. 원내폐렴에서는 만성 호흡기질환, 심부전, 당뇨병, 암질환, 인공호흡기 사용, 흡인 등이 악화인자가 된다.

역학·예후

- 이환율, 사망률 모두 남성에게 다소 높다. 이환율은 고령이 되면서 급격히 증가한다.
- 일본의 경우, 폐렴은 전체 사망순위 중 제4위를 차지해 연간 약 9만명이 폐렴으로 사망하고 있다. 이환율, 사망률 모두 연령과 더불어 증가하고, 80세 이상인 남성에서는 사인의 제2위, 90세 이상의 남성에서는 사인의 제1위이다.
- 예후는 연령이나 기초질환 등을 포함한 중증도에 따라서 다르며, 젊은층에서 기초질환이 없고 경증이면 사망률이 1% 미만이지만, 가장 중증인 군에서는 사망률이 30%에 이른다.

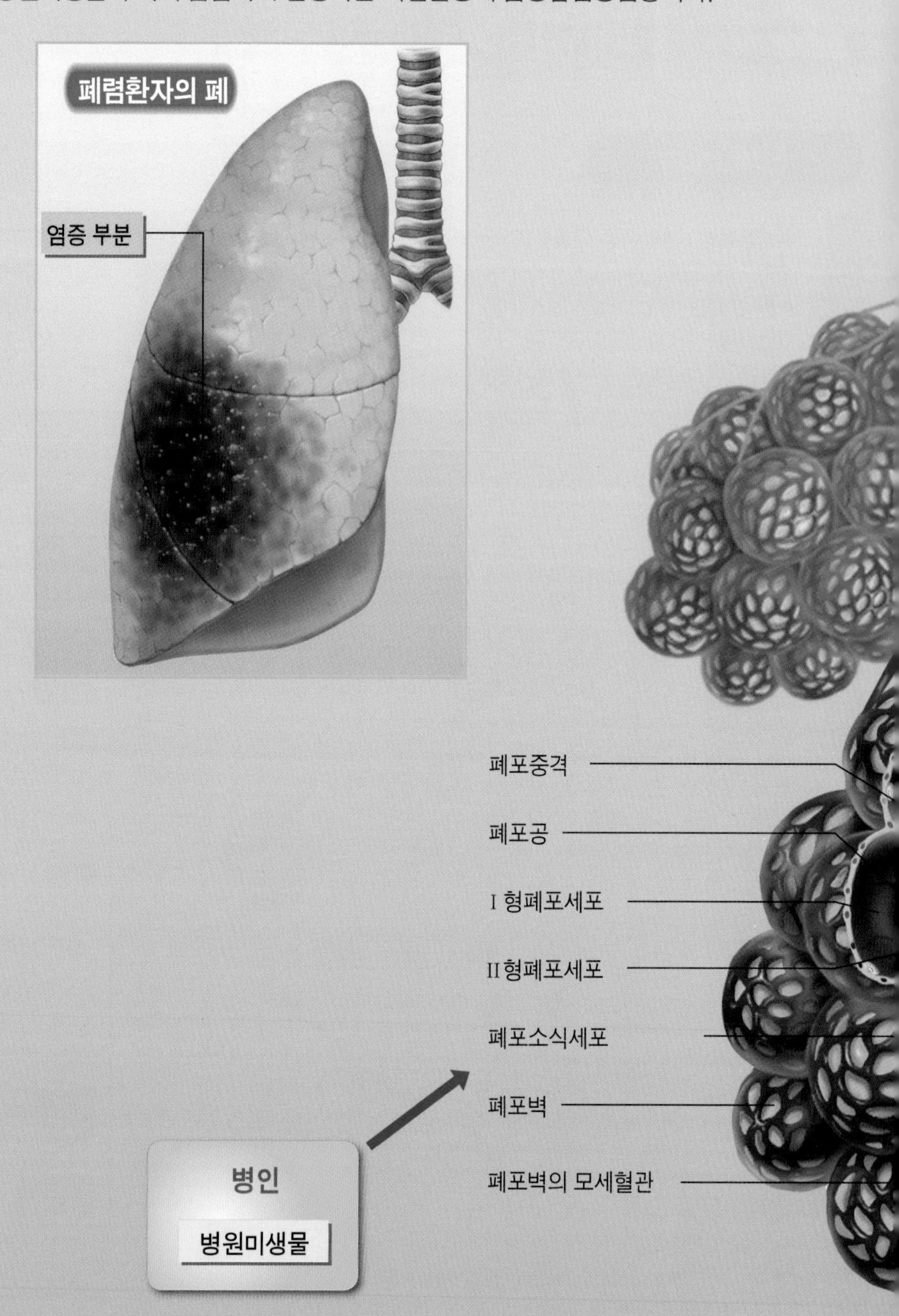

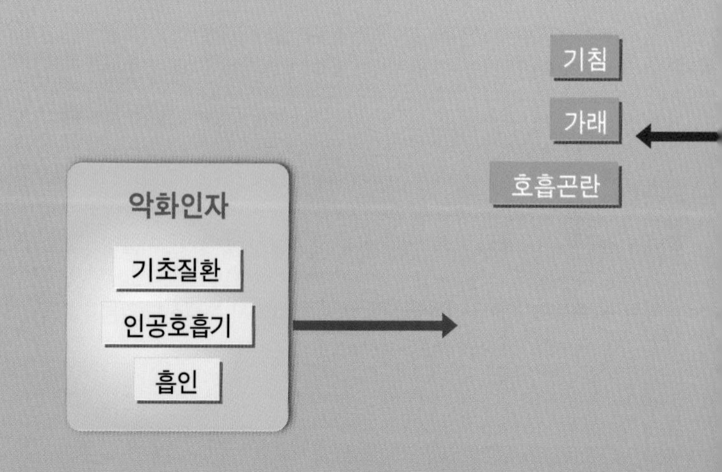

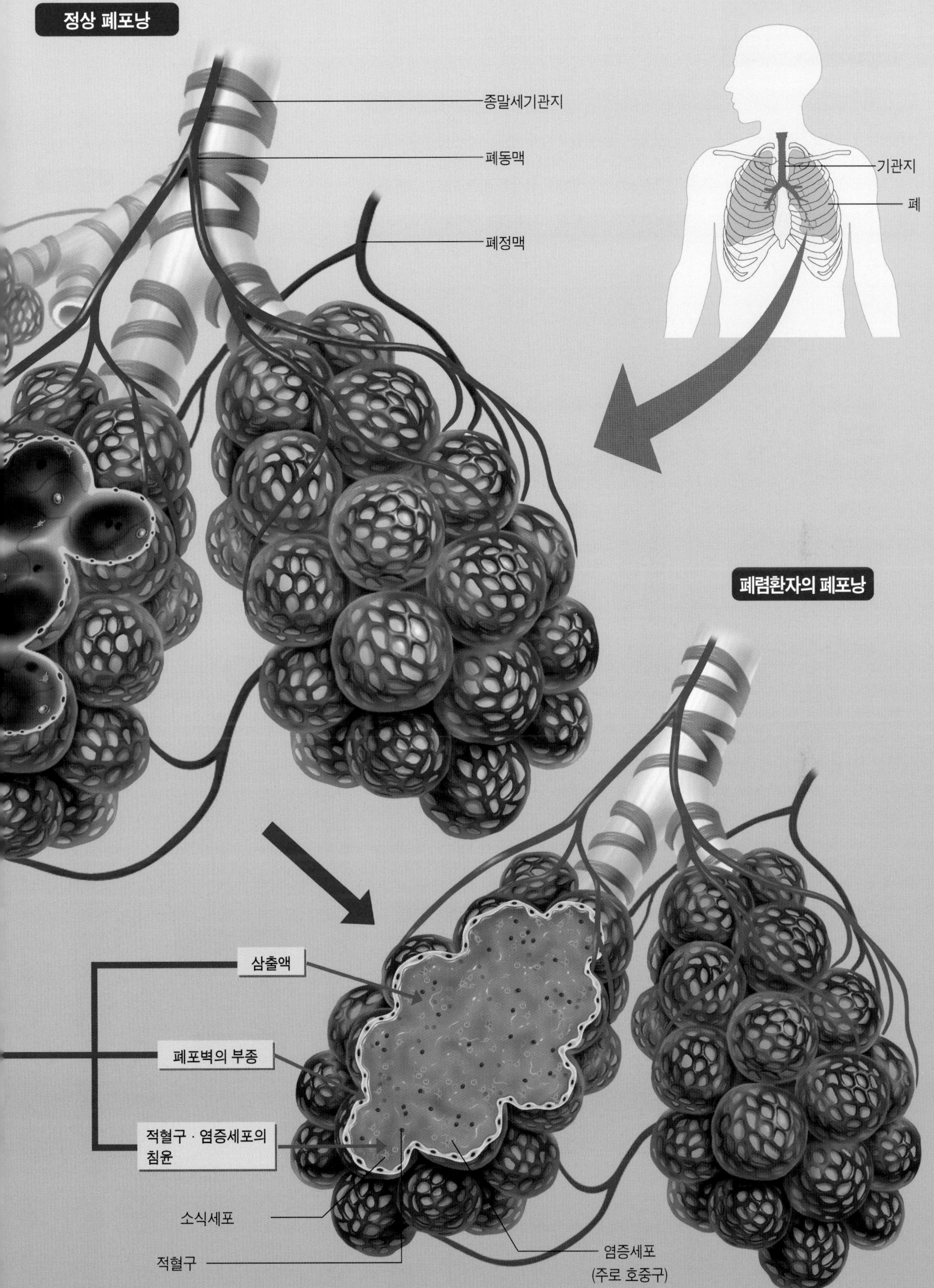

정상 폐포낭

종말세기관지

폐동맥

폐정맥

기관지

폐

폐렴환자의 폐포낭

삼출액

폐포벽의 부종

적혈구 · 염증세포의 침윤

소식세포

적혈구

염증세포 (주로 호중구)

증상 map

주요 증상은 발열, 기침, 가래, 호흡곤란이다.

증상

- 전형적인 증상은 기침, 가래, 흉통, 호흡곤란 등의 국소증상과 함께 발열, 전신권태감 등의 전신증상이 갑자기 발현되는 것이다. 연령이나 기초질환의 유무에 따라서 전형적인 증상이 나타나지 않는 경우도 있으며, 고령자에서는 식욕부진, 기운저하 등의 막연한 증상인 경우도 있다 (그림 2-1).

합병증

- 탈수증
- 저알부민혈증
- 호흡부전

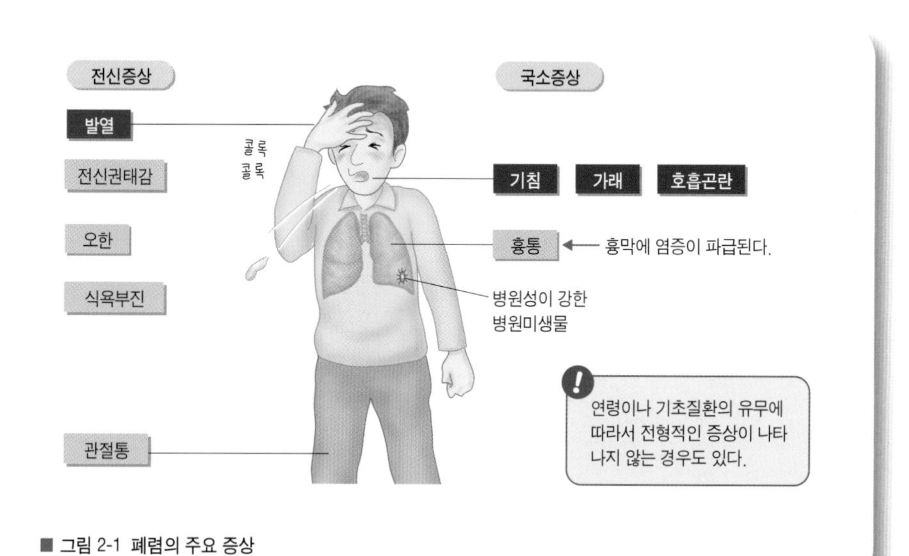

■ 그림 2-1 폐렴의 주요 증상

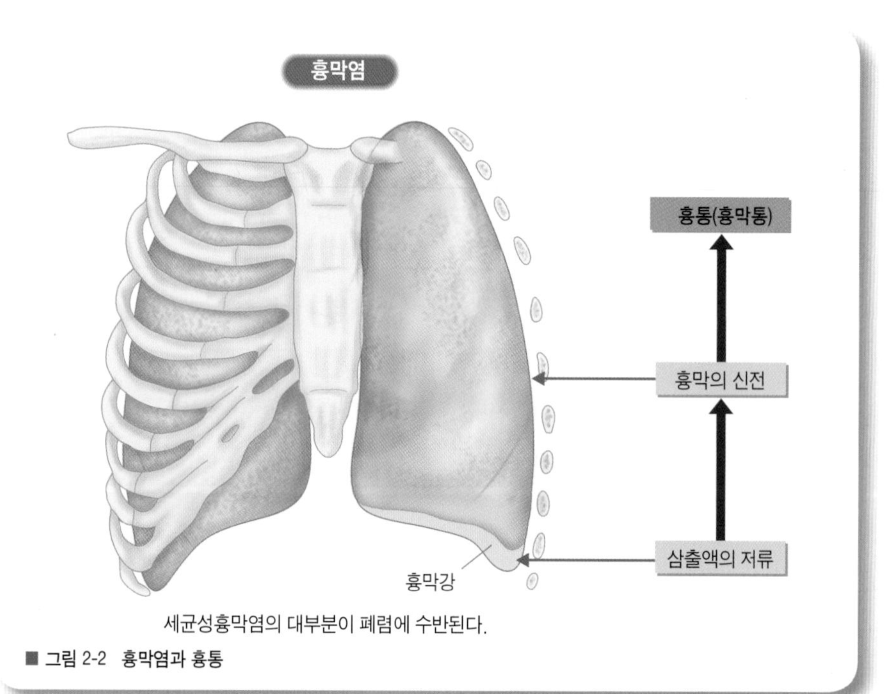

■ 그림 2-2 흉막염과 흉통

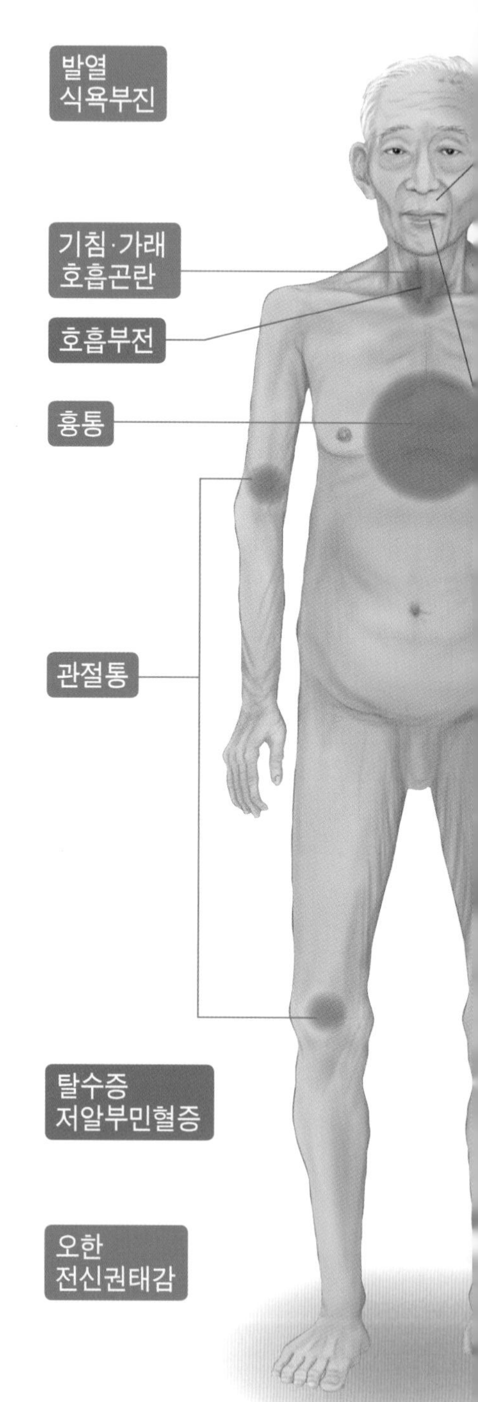

흉부X선과 제외검사로 진단을 확정한다.

진단 치료

항원검사

흉부X선검사

혈액검사
세균검사
유전자검사

약물요법
(항균제 등)

진단 · 검사치

- ①기침, 가래, 발열 등 폐렴이 의심스러운 증상이 나타난다, ②흉부X선검사에서 새로운 침윤영이 보인다, ③급성염증을 반영하는 혈액검사소견 (백혈구증가, CRP양성, 적혈구침강속도항진 등)이 보이는 경우 등은 대개 폐렴이라고 진단한다.
- 폐렴의 확정진단, 병원미생물의 확정을 위해서는 객담의 세균검사나 항원검사, 유전자검사가 필요하다. 항균제로 개선되지 않는 경우, ①사용하고 있는 항균제가 효과가 없는 감염성폐렴, ②기타 폐렴 (약물성, 호산구성폐렴, 기질화폐렴 등), ③다른 질환 (폐암, 심부전, 폐색전증 등)을 고려해야 한다. 감별진단에는 흉부CT가 중요하다.
- 중증도는 신체소견, 연령 등에 따라서 분류한다 (표 2-1).
- 검사치
- 혈액검사 : 백혈구수치, CRP는 염증의 정도 파악과 세균성폐렴과 비정형폐렴의 감별에 중요하다(세균성폐렴에서는 백혈구 증가가 보이지만, 비정형폐렴에서는 정상 또는 경도 증가에 머문다).
- 세균검사 : 배양검사는 폐렴의 기염균을 알기 위한 최적표준(gold standard)이다. 그람염색은 세균성폐렴의 기염균 신속진단에 유용하다.
- 항원검사 : 폐렴구균, 레지오넬라는 요검체에 따라서 간편하게 측정할 수 있다. 인플루엔자 유행기에는 비강청결액에 따른 인플루엔자 바이러스항원검사도 감별진단에 유용할 수 있다.
- 유전자검사 : 폐결핵, 비결핵성항산균증(Gram stain)을 신속히 감별하는 데에 유용하다.

■ 표 2-1 폐렴의 중증도 분류 (일본호흡기학회)

사용하는 지표	중증도 분류
1. 남성 70세 이상, 여성 75세 이상	경증 : 왼쪽의 5가지 항목 중 어느 하나도 해당되지 않는 것
2. BUN 21mg/dL 이상 또는 탈수 발생	중등증 : 왼쪽의 항목 중 1가지 또는 2가지 해당
3. SpO_2 90% 이하 (PaO_2 60 Torr 이하)	중증 : 왼쪽의 항목 중 3가지 해당
4. 의식장애	초중증 : 왼쪽의 항목 중 4가지 또는 5가지 해당
5. 혈압(수축기) 90mmHg 이하	단, 쇼크가 있으면 1항목만 해당되어도 초중증이라고 한다.

(일본호흡기학회 호흡기감염증에 관한 가이드라인 작성위원회 : 성인시중폐렴진단 가이드라인, p.8. 일본 호흡기학회, 2005)

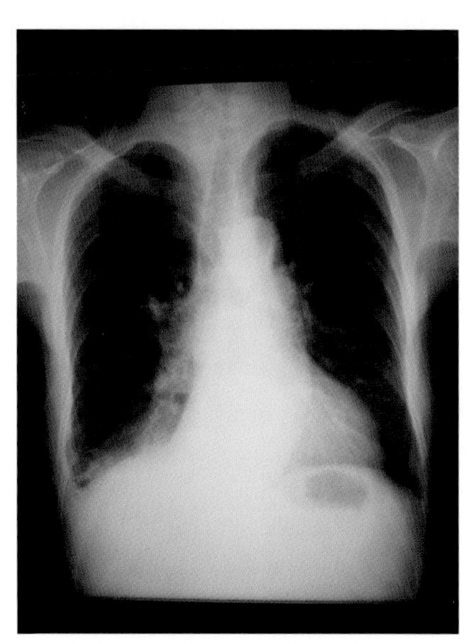

■ 그림 2-3 침윤영이 보이는 흉부X선사진
우하폐야(右下肺野)에 침윤영이 보인다.

치료 map

항균제를 조기에 투약한다. 치료 전에는 원인이 되는 병원미생물의 판명비율이 낮기 때문에 조기에 치료를 시작하지 않으면 예후가 나빠진다.

■ 표 2-2 폐렴의 주요 치료제

분류	일반명	주요 상품명	약효발현의 메커니즘	주요 부작용
마크롤라이드계 항균제	클라리스로마이신	클래리스, 클래리시드	비정형폐렴이 의심스러운 증상・중등증의 외래치료에 이용하는 항균제	간기능장애, 설사・연변, 복통, 호산구증가, QT연장, 쇼크
	록시스로마이신	루리드		
	아지스로마이신수화물	지스로맥스		
	에리스로마이신에틸호박산에스테르	에리스로신	비정형폐렴이 의심스러운 중등증의 입원치료에 사용하는 항균제	
신퀴놀론계 항균제	레보플록사신수화물	크라비트	비정형폐렴이 의심스러운 경증・중등증 세균성폐렴이 의심스러운 경증・중등증의 외래치료에 사용하는 항균제	설사・연변, 간기능장애, 두통, 아밀라제상승, 경련, 저혈당, 신기능장애
	목시플록사신염산염	아벨록스		
	가레녹사신메실산염수화물	제니낙스		
	시프로플록사신	Ciproxan		
	파즈플록사신메실산염	파주크로스, 파실		
케톨라이드계 항균제	텔리슬로마이신	케텍	비정형폐렴이 의심스러운 경증・중등증 세균성폐렴이 의심스러운 경증・중등증의 외래치료에 사용하는 항균제	간기능장애, 설사・연변, 두통, 호산구증가, 의식소실・의식수준의 저하, QT연장
페니실린계 항균제	아목시실린수화물	Sawacillin, 아모린, Pasetocin	비정형폐렴이 의심스러운 경증・중등증 세균성폐렴이 의심스러운 경증・중등증의 외래치료에 사용하는 항균제	설사・연변, 발진, 간기능장애, 혈액장애, 급성신부전, 쇼크
	설타미시린토실산염수화물	Unasyn		
	암피실린나트륨・설박탐나트륨배합(2 : 1)	Unasyn-S	세균성폐렴이 의심스러운 경증・중등증의 외래치료에 사용하는 항균제	
페넴계 항균제	파로페넴나트륨수화물	Farom	세균성폐렴이 의심스러운 증등증의 입원치료에 사용하는 항균제	간기능장애, 설사・연변, 복통, 발진, 급성신부전, 대장염, 간질성폐렴
테트라사이클린계 항균제	미노사이클린염산염	Minomycin	비정형폐렴이 의심스러운 중등증의 입원치료에 사용하는 항균제	오심・식욕부진, 간기능장애, 혈관통, 현기증, 간부전, SLE증상
세펨계 항균제	세프트리악손나트륨수화물	로세핀	세균성폐렴이 의심스러운 중등증의 입원(외래)치료에 사용하는 항균제	간기능장애, 설사・연변, 발진, 복통, 급성신부전, 대장염, 쇼크
	세프타지딤수화물	Modacin	세균성폐렴이 의심스러운 중증폐렴이나 원내폐렴의 치료에 상용하는 항균제. 항녹농균작용이 있는 제3・제4세대 세펨계 주사약	
	세페핌염산염수화물	맥스핌		
카르바페넴계 항균제	메로페넴수화물	메로펜	세균성폐렴이 의심스러운 중증폐렴이나 원내폐렴의 입원치료에 사용하는 항균제	간기능장애, 호산구증가, 발진, 설사・연변, 급성신부전, 대장염, 혈액장애
	비아페넴	Omegacin		
	도리페넴수화물	피니박스		

치료방침

- 폐렴이라고 진단한 시점에서, 병원미생물을 예측하여 항균제를 사용한다(실험식치료 : 진단후 4시간 이내 항균제의 투약이 권장되고 있다).
- 병원미생물이 판명된 경우에는 항균제의 감수성을 재검토한다. 병원미생물이 판명되지 않은 경우에는 치료시작 후 3일간의 치료효과를 판정하고, 항균제의 속행・변경・추가를 검토한다.
- 항균제의 투약중지는 해열, 말초혈 백혈구수의 정상화, CRP의 개선, 흉부X선 음영의 확실한 개선 등의 기준이 충족된 후 이루어진다.

내시경치료

- 시중폐렴에서는 임상증상, 흉부X선사진소견, 검사소견 등에 따라서 중증도와 세균성폐렴인지 비정형폐렴인지를 판단하여 항균제를 선택한다.
- 원내폐렴은 폐렴 자체의 중증도에 숙주가 가지는 위험인자를 감안하여 항균제를 선택한다.

Px 처방례 경증~중등증인 비정형폐렴이 고려되는 시중폐렴 (외래치료)

1) 지스로맥스정 (250mg) 2정 分1 3일간 ←마크롤라이드계 항균제
2) 뮤코다인정 (250mg) 6정 分3 (식후) ←거담제
3) Medicon정 (15mg) 3정 分3 (식후) ←진해제

※기관지염증상이나 기침이 심할 때는 처방례 2)와 3)을 병용한다.

Px 처방례 경증~중등증인 세균성폐렴, 페니실린내성 폐렴구균일 가능성이 있는 시중폐렴 (외래치료)

- 기침, 가래가 심할 때는 위의 2)와 3)을 병용한다.
- 케텍정 (300mg) 2정 分1 7일간 ←케톨라이드계 항균제

Px 처방례 중등증인 비정형폐렴이 고려되는 시중폐렴 (입원치료)

- 파주크로스주 (300mg) 1회300mg 1일2회 점적정주 ←신(新)퀴놀론계 항균제

Px 처방례 경증~중등증인 세균성폐렴이 고려되는 시중폐렴. 페니실린내성 폐렴구균일 가능성을 생각하기 어려운 경우 (입원치료)

- Unasyn-S주 (3g) 1회 3g 1일2회 점적정주 ←β락타마제저해제배합 페니실린계 항균제

Px 처방례 입원치료가 필요한 시중폐렴 중증례 (입원치료)

- 메로펜주 (1g) 1회 1g 1일2회 점적정주 ←카르바페넴계 항균제
- Minomycin주 (100mg) 1회100mg 1일2회 점적정주 ←테트라사이클린계 항균제

※양자의 병용요법.

Px 처방례 위험인자가 있는 중등증 원내폐렴(입원치료)

- Modacin주 (1g) 1회2g 1일2회 점적정주 ←항녹농균작용이 있는 제3세대 세펨계 항균제

폐렴의 병기 · 병태 · 중증도별로 본 치료흐름도

■ 성인시중폐렴 초기치료의 기본흐름도

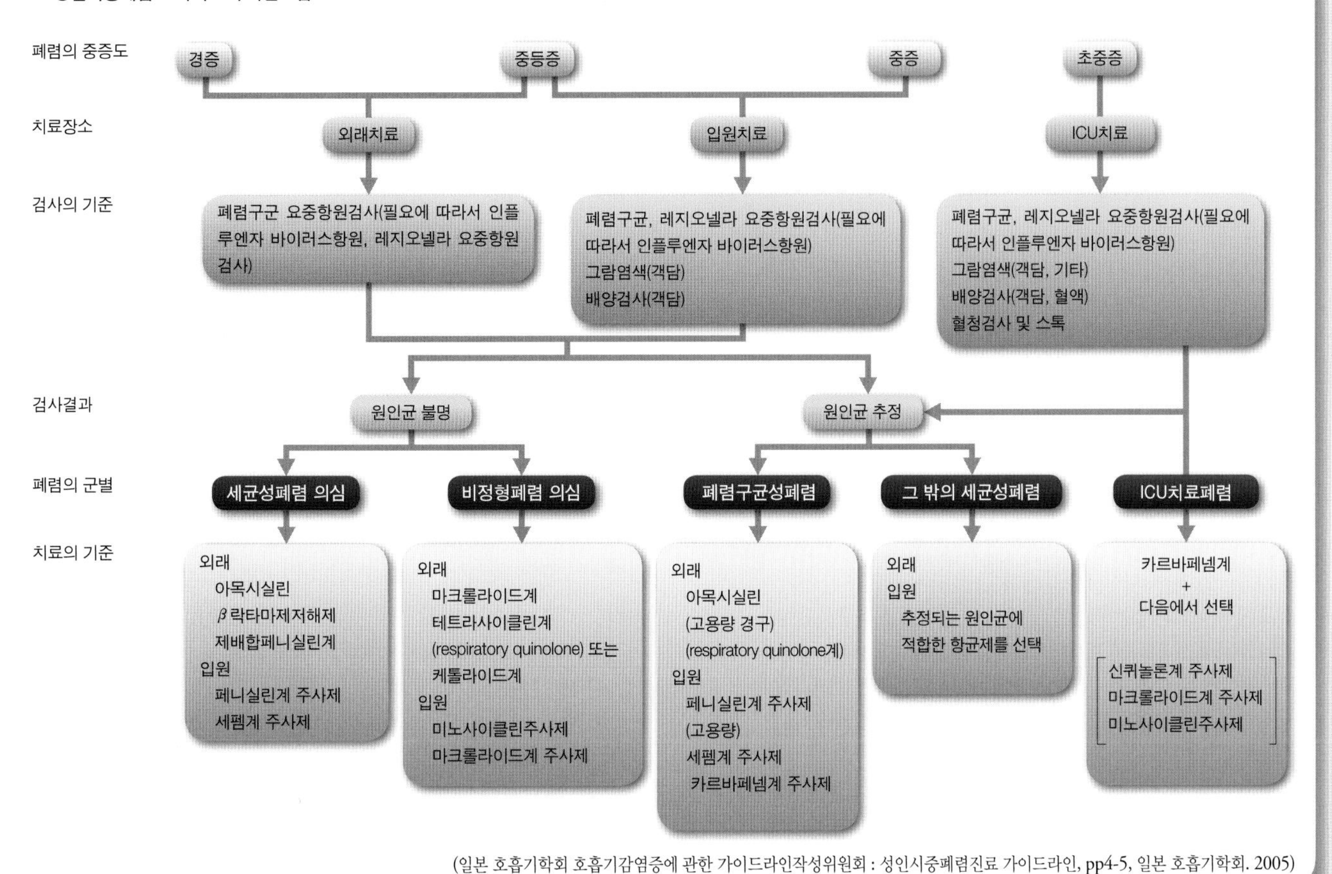

(일본 호흡기학회 호흡기감염증에 관한 가이드라인작성위원회 : 성인시중폐렴진료 가이드라인, pp4-5, 일본 호흡기학회. 2005)

■ 원내폐렴예방의 흐름도

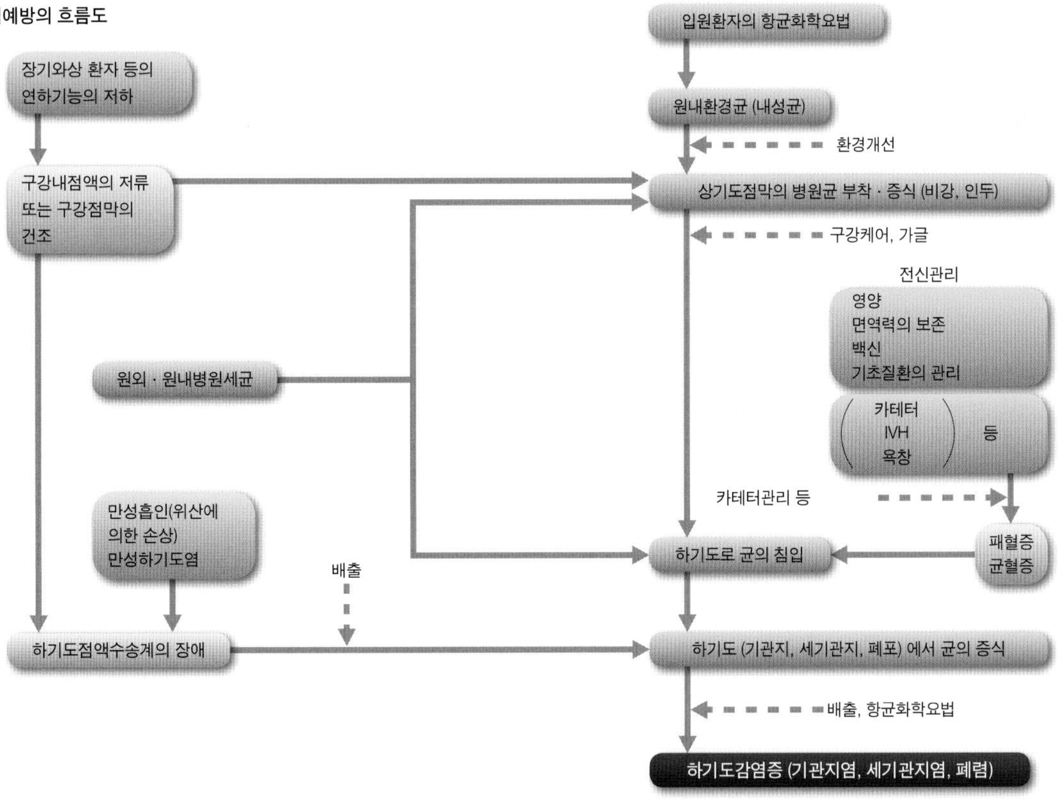

장기와상 환자 등의 연하기능의 저하 → 구강내점액의 저류 또는 구강점막의 건조 → 하기도점액수송계의 장애	입원환자의 항균화학요법 → 원내환경균 (내성균)
	환경개선 ⇢
구강내점액의 저류 또는 구강점막의 건조 →	상기도점막의 병원균 부착 · 증식 (비강, 인두)
	구강케어, 가글 ⇢
	전신관리: 영양, 면역력의 보존, 백신, 기초질환의 관리
	(카테터, IVH, 욕창) 등 → 카테터관리 등 ⇢ 패혈증 균혈증
원외 · 원내병원세균 →	상기도점막의 병원균 부착 · 증식 / 하기도로 균의 침입
만성흡인(위산에 의한 손상) 만성하기도염 → 하기도점액수송계의 장애	패혈증 균혈증 → 하기도로 균의 침입
하기도점액수송계의 장애 → (배출 ⇣)	하기도 (기관지, 세기관지, 폐포) 에서 균의 증식
	배출, 항균화학요법 ⇢
	하기도감염증 (기관지염, 세기관지염, 폐렴)

(일본 호흡기학회 호흡기감염증에 관한 가이드라인작성위원회 : 성인원내폐렴진료의 기본적 견해, p.13 일본 호흡기학회. 2002)

(千田　守)

환자케어

급성기에는 고통의 완화, 영양상태의 개선을 통하여 안정을 추구해야 한다. 중증 폐렴은 생명에 위험을 초래하므로, 감염면역력의 강화와 합병증의 조기발견에 힘써야 한다.

병기·병태·중증도에 따른 케어

【급성기】 염증에 의한 호흡기증상과 체력소모로 인한 고통이 커서 일상생활에 지장이 생기기 쉽다. 또 영양상태의 악화가 조장된다. 저영양상태는 면역학적 방어기구를 파기하고, 염증의 중증화나 합병증의 발병위험을 초래한다. 고통의 완화, 영양상태의 개선을 통하여 안정을 추구해야 한다. 또 증상으로 인해 일상생활에 지장이 발생하므로 이를 도와야 한다. 호흡곤란을 자각하게 되면 정신적 영향을 크게 받아 불안감을 갖기 쉬우므로 심리적 지지도 필요하다.

【회복기】 일상생활과 휴식의 균형을 조정하고, 활동능력의 회복에 힘쓴다. 효과적인 치료 (진료, 복용 등)의 계획적인 참가나 감염면역력을 높이기 위한 셀프케어 강화에 필요하다.

【병태 · 중증도】 숙주의 감염면역력에 따라서 병원체의 종류가 달라진다. 병태의 이해에는 병인의 파악과 증상의 관찰이 중요하다. 감염면역력이 저하되어 있는 경우는 중증화되기 쉽다. 중증 폐렴은 생명에 위험을 초래한다. 치료의 장소와 방법에 따라서 생활상의 제약도 커져서, 환자의 고통이나 불안이 증가할 수 있다. 감염면역력을 강화하고, 합병증의 조기발견에 힘쓰며, 중증화를 예방하는 것이 중요하다.

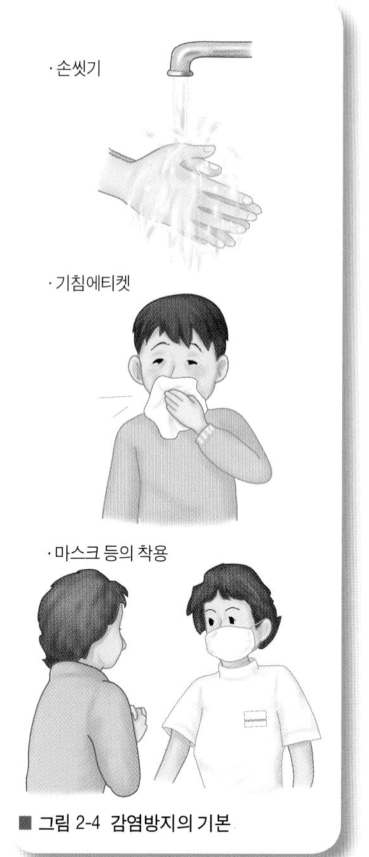

■ 그림 2-4 감염방지의 기본

케어의 포인트

호흡기증상의 개선, 심신고통의 완화

- 기도에 저류되어 있는 객담의 배출을 효과적으로 추구하고, 환기상태를 개선한다.
- 불쾌한 증상을 완화하고, 불안에 대한 관리를 강화한다.
- 호흡기증상은 정신적인 영향이 크므로, 신체적 측면과 심리적 측면을 관련지으면서 지지한다.
- 불쾌증상으로 불편을 겪게 되는 일상생활을 지지한다.

진찰 · 치료의 지지

- 정확히 투약한다(유효혈중농도를 유지할 수 있도록 정확한 시간에 투약한다).
- 약물치료 효과의 판정에 참가 (신체증상을 관찰)한다.
- 중증 유해작용을 예방, 조기발견하고, 발생시에는 적절히 대처한다 (유해작용을 관찰하고, 신속히 의사에게 보고하여 투약량이나 투약시간을 조절한다).

일상생활기능의 유지

- 충분한 휴식을 취할 수 있는 환경을 마련한다.
- 필요한 식사량의 섭취를 추구하고, 영양상태를 개선한다. 활동내성을 강화하기 위해서 적절한 범위에서 활동을 추구한다.

감염예방행동의 강화

- 숙주의 감염면역력의 회복 (영양상태 및 구강 내의 위생환경 개선)을 추진한다.
- 감염을 확대시키지 않기 위해서 환경을 조정한다(표준예방책 실시).

퇴원지도·요양지도

일상생활기능의 회복

- 에너지소비가 적은 행동메커니즘을 이용하여 생활할 수 있는 방법을 환자와 함께 생각한다.
- 활동과 휴식의 적절한 균형을 이루어 생활하는 방법을 환자와 함께 계획한다.

감염예방행동의 강화

- 감염면역력을 높이는 방법 (영양상태의 개선, 휴식의 필요성)을 환자와 함께 생각한다.
- 감염면역력을 강화함과 동시에, 감염확대를 방지하기 위한 방법 (위생학적 손씻기, 호흡기위생, 기침에티켓)을 익히도록 지지한다.
- 감염예방에 효과적으로 가정환경을 정비할 수 있도록, 가족끼리 서로 대화하는 기회를 마련한다.

치료에의 계속적인 참가가 갖는 효력에 대한 지도

- 올바른 약물복용을 지속적으로 할 수 있도록 지도한다.
- 증상이 없는 경우에도 검진받아야 하는 필요성을 이해시켜서, 계속적으로 내원할 수 있도록 지도한다.
- 다시 증상이 나타났을 때에 적절한 대응을 할 수 있도록 지도한다.

(坂本祐子)

3 폐섬유증
(미만성간질성폐렴; pulmonary fibrosis)

宮崎泰成·吉澤靖之 /
磯見智惠·酒井明子

전체 map

병인

- 여러 가지 원인 (약제, 무기분진 · 유기분진의 흡인, 교원병 (collagen disease)이나 사르코이도시스 (sarcoidosis) 등의 전신성 질환) 이 있지만, 원인을 특정할 수 없는 것도 있다.

[급성 악화인자] 스테로이드제의 부적절한 또는 급격한 감량

역학

- IPF는 남성에게 많고, 50세 이후에 발생한다.
- IPF의 인구 10만명당 유병률은 3.4명이고, 사망률은 남성 3.3명, 여성 2.5명이다.

[예후] 진단확정 후의 생존기간은 2.5~5년이다.

병태생리

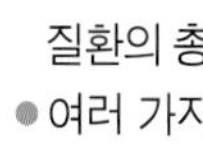

- 폐포격벽을 염증성 · 섬유화병변의 발원지로 삼는 질환의 총칭으로, 단일 질환을 일컫는 것이 아니다.
- 여러 가지 원인으로 일어나는 것과, 원인을 특정할 수 없는 특발성간질성폐렴 (IIPs)이 있다.
- IIPs는 특발성폐섬유증 (IPF), 비특이성간질성폐렴 (NSIP), 특발성기질화폐렴 (COP/idiopathic BOOP), 급성간질성폐렴 (AIP), 박리성간질성폐렴 (DIP), 호흡세기관지염관련간질성폐질환 (RB-ILD), 림프구성간질성폐렴 (LIP)의 7가지로 분류된다.

증상

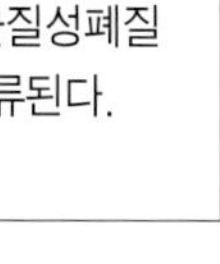

- 건성기침, 노작성호흡곤란 (exertional dyspnea)이 주증상
- 신체소견 : 곤봉형손가락 (clubbed finger), 청진시 염발음

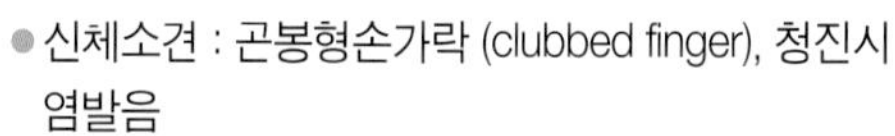
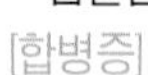

[합병증]

- 폐암
- 급성악화 (acute exacerbation)
- 폐섬유증, 종격기종 (mediastinal emphysema)
- 호흡부전, 폐고혈압(pulmonary hypertension), 우심부전
- 감염증

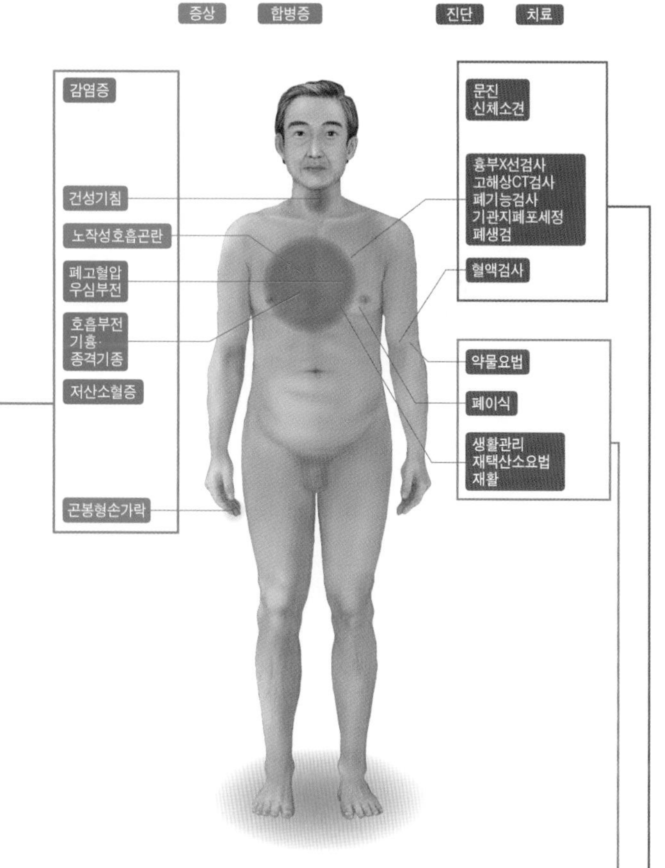

진단

- 상세한 문진 · 신체소견 : 생활환경, 직업력 (분진흡인력), 복용력이나 교원병을 시사하는 증상, 감염증상 등을 확인한다.
- 흉부X선검사 : 미만성폐병변을 확인한다.
  초기에는 불투명유리상음영이, 진행되면 선상 · 망상 · 윤상영, 폐용적의 감소가 나타난다.

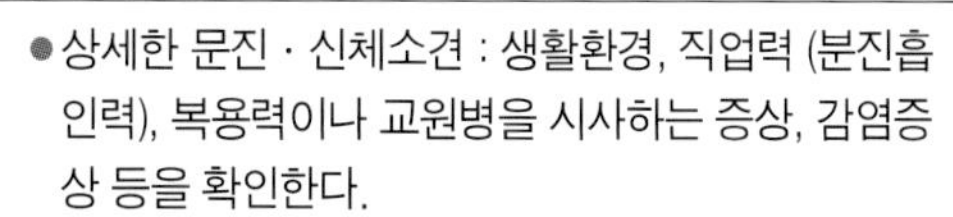

- 고해상CT (HRCT) : 간질성폐렴의 진단에 필수적이다.
- 폐기능검사 : 호흡기능검사는 진단에, 혈액가스검사와 SpO_2는 중증도의 판정에 유용하다.
- 기관지폐포세정 : 제외진단에 유용하다.
- 병리학적 검사 : 종합적인 진단에 사용한다.

치료

- 생활관리 : 금연은 필수이다.
- 표준요법 : 폐섬유증의 표준요법은 없다. 원인이 확실한 것은 그 치료를 우선한다. IIPs는 7가지 질환으로 치료법이 각각 다르다.
- 약물요법 : IPF, 섬유화형 NSIP는 스테로이드제 (+면역억제제), 세포침윤형 NSIP, COP는 스테로이드제, AIP, IPF의 급성악화시에는 스테로이드제+면역억제제, 그 밖에 항섬유화작용이 있는 N-아세틸시스테인, 피르페니돈도 도입되고 있다.
- 재택산소요법과 호흡재활도 실시된다.
- 폐이식 : 종래 치료에 불응성인 IPF에 적용한다.

병태생리 map

간질성폐렴은 광의로서는 간질[1]을 의미하고, 주로 폐포격벽[2]을 염증성 · 섬유화병변의 기본적인 발원지로 삼는 질환의 총칭으로서, 단일 질환을 일컫는 것이 아니다.

- 여러 가지 원인, 약제, 무기분진 (진폐증 등) · 유기분진 (과민성폐렴 등) 흡인 등으로 인한 경우 및 교원병이나 사르코이도시스 등의 전신성질환에 수반하여 일어나는 경우와, 원인을 특정할 수 없는 특발성간질성폐렴 (idiopathic interstitial pneumonias ; IIPs) 등이 있다. IIPs는 병리조직 양상에 입각하여 다음의 7가지로 나누어진다.
  - · 특발성폐섬유증
    (idiopathic pulmonary fibrosis ; IPF)
  - · 비특이성간질성폐렴
    (nonspecific interstitial pneumonia ; NSIP)
  - · 특발성기질화폐렴
    (cryptogenic organizing pneumonia ; COP, idiopathic bronchiolitis obliterans organizing pneumonia ; idiopathic BOOP)
  - · 급성간질성폐렴
    (acute interstitial pneumonia ; AIP)
  - · 박리성간질성폐렴
    (desquamative interstitial pneumonia ; DIP)
  - · 호흡세기관지염관련 간질성폐질환
    (respiratory bronchiolitis-associated interstitial lung disease ; RB-ILD)
  - · 림프구성간질성폐렴
    (lymphocytic interstitial pneumonia ; LIP)
- 만성염증이 폐포격벽에 발생하고, 여기에 이어서 치유메커니즘 이상으로 섬유화가 일어나게 되는데, 최근 연구에서는 섬유화에는 염증여부가 의미없고 그 대신 폐포상피의 손상 (염증결과 일어나는 경우도 있다)와 그 창상치유메커니즘의 이상이 중요하다고 여겨지고 있다. 그러나 아직 가정단계이다.

1) 광의의 간질 : 기관지혈관 주위, 소엽간격벽, 흉막하조직 및 폐포격벽.
2) 폐포격벽 : 폐포상피의 기저막에 끼인 영역으로, 탄성섬유망, 약간의 교원섬유 및 지지세포인 섬유아세포로 이루어진다.

병인 · 악화인자

- 앞에서 기술한 바와 같이 병인은 여러 가지이다.
- 급성악화 : 폐섬유증의 경과 중에 급속한 호흡부전의 진행이 보이는 병태. 그 원인은 스테로이드제의 부적절한 또는 급격한 감량, 수술후, 기관지폐포세척 등의 검사수기 시행후, 약제 등이 있다. 또 감염증에 의해서도 똑같은 임상상이 나타난다. 원인불명인 경우도 많다.

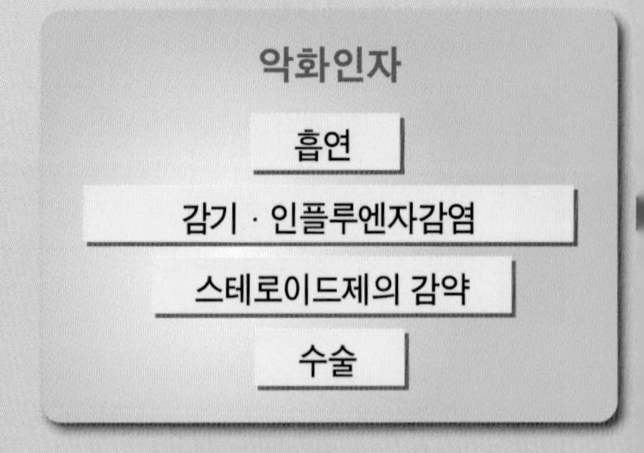

역학 · 예후

- 특발성폐섬유증 (IPF)에 관해서는 어느 정도 역학연구가 있다. 남성에게 많으며, 발생은 50세 이후이다. 진단확정 후 평균 생존기간은 2.5~5년간이다. 일본의 IPF의 유병률은 인구 10만명당 3.40명, 사망률은 10만명당 남성은 3.3명, 여성은 2.5명이다. 미국에서는 IPF의 이환율이 10만명당 남성은 10.7명, 여성은 7.4명이다. 또 IPF에서는 폐암의 합병률이 높은 비율로 보고되어 있다.
- 나가노(長野)현의 CT에 의한 주민검진의 유병자수는 IIPs에서 남성 2,131명, 여성 2,851명이며, IPF에서는 남성 370명, 여성 201명이다. 상당히 높은 숫자로, 추후 검토가 필요하다.

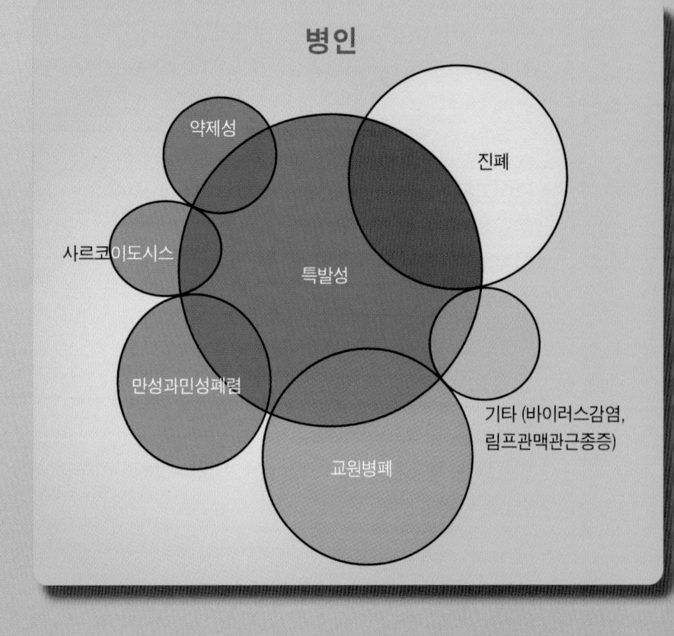

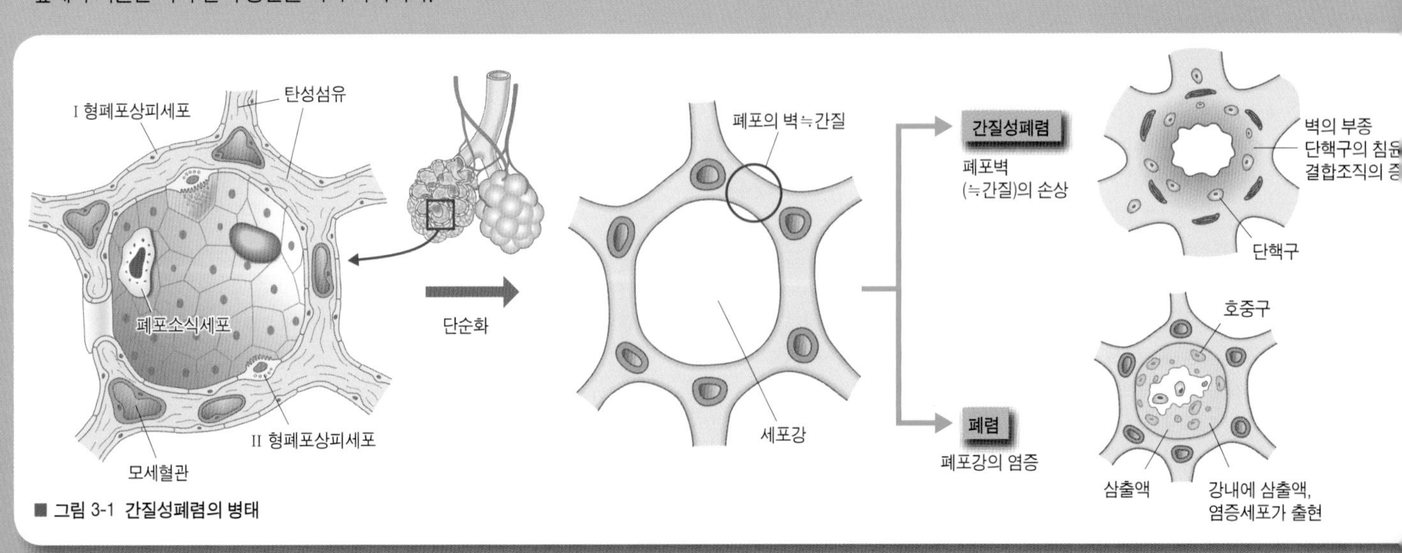

■ 그림 3-1 간질성폐렴의 병태

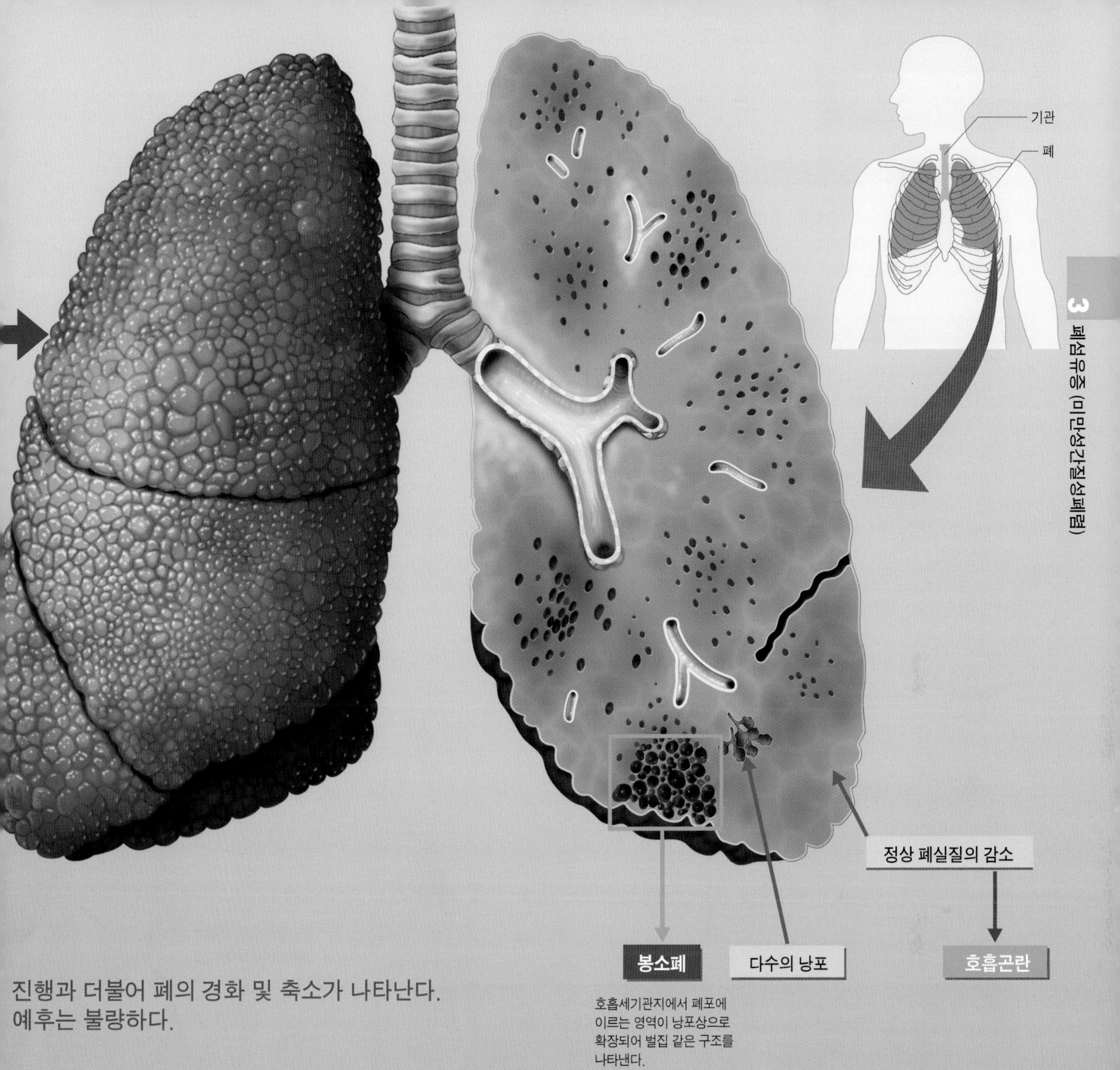

진행과 더불어 폐의 경화 및 축소가 나타난다.
예후는 불량하다.

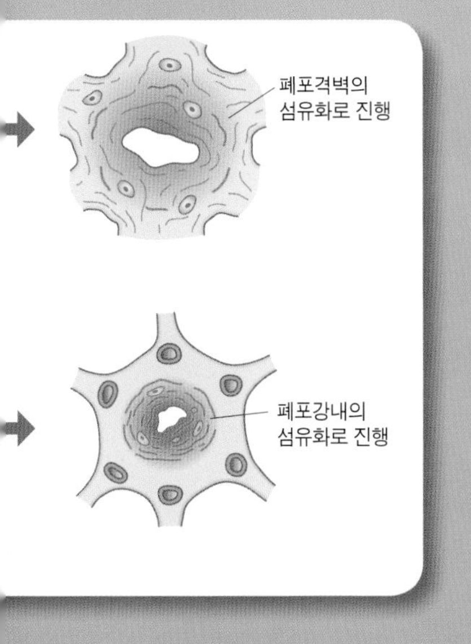

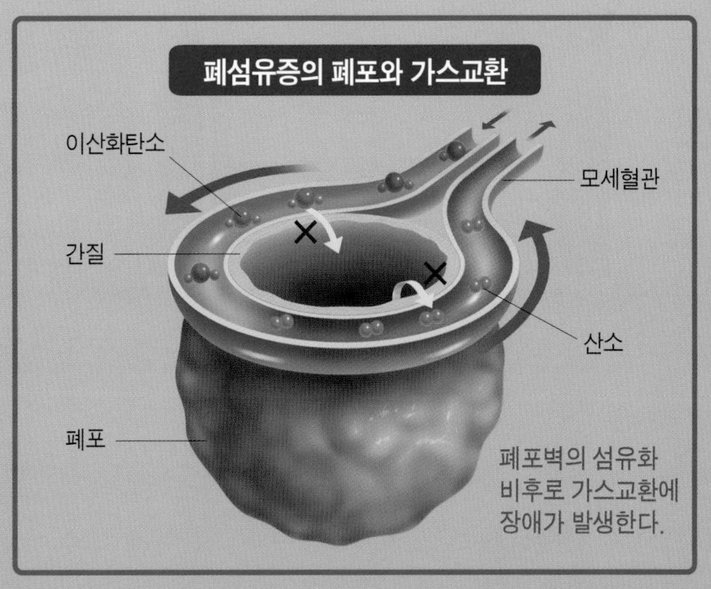

폐섬유증

증상 map

주증상은 건성기침 및 노작성호흡곤란이지만, 초기에는 무증상인 경우가 많다.

증상

- 주요 증상은 건성기침과 노작성호흡곤란이며, 환자의 80% 정도에서 확인된다.
- 신체소견 : 흉부의 청진소견에서는 염발음이 흉부 배면하부에서 들리고, 진행과 더불어 배면의 상부나 전흉부에서도 청진된다. 곤봉형손가락도 확인된다. 수년이 경과함에 따라서 확실해지는 경우도 있다.

합병증

- 폐암 : 간질성폐렴에서는 기존의 폐병변에 감추어져 폐암의 진단이 늦어질 가능성이 있다. 또 특발성폐섬유증 (IPF)에서는 폐암의 합병률이 10~30%로 높은 비율이며, 상대위험은 7~14배가 된다. CT시 주의 깊은 관찰이 필요하다.
- 급성악화 : IPF의 합병증으로 일본에서 전해진 개념으로서, 다른 간질성폐렴에도 합병되는 등 예후를 규정하는 인자가 되고 있다.
- 기흉, 종격기종
- 호흡부전, 폐고혈압, 우심부전 : 폐병변의 진행과 더불어 호흡부전, 2차성 폐고혈압이나 우심부전으로 진행된다.
- 감염증 : 장기적으로 스테로이드제, 면역억제제를 투여해야 한다. 고령자에게서 발생이 많다는 점에서, 감염증대책이 필수이다.

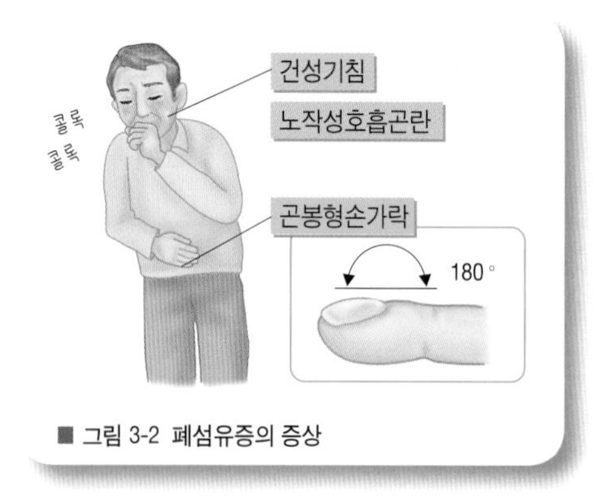

■ 그림 3-2 폐섬유증의 증상

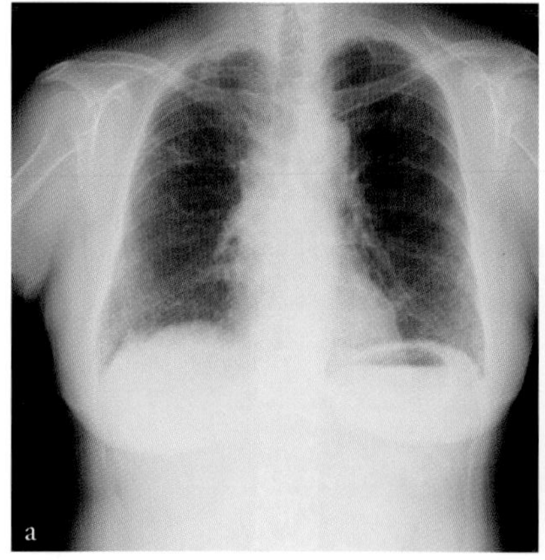
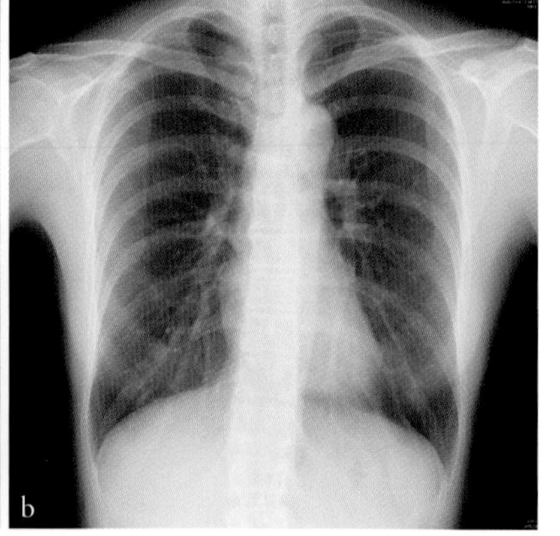

■ 그림 3-3 흉부X선상
a. 정상, b. 간질성폐렴

증상
합병증
감염증
건성기침
노작성호흡곤란
폐고혈압
우심부전
호흡부전
기흉 ·
종격기종
저산소혈증
곤봉형손가락

진단 map

우선 문진 실시 · 신체소견 파악을 통해 흉부X선검사로 미만성폐병변이 있는지를 확인한다.

진단 치료

문진
신체소견

흉부X선검사
고해상 CT검사
폐기능검사
기관지폐포세정
폐생검

혈액검사

약물요법

폐이식

생활관리
재택산소요법
재활

진단 · 검사치

- 상세한 문진 [자택환경 (자택의 건축연수, 일조의 정도, 욕조시설의 유무 등), 자택 주위의 환경 (비둘기집의 유무 등), 직업력 (분진흡입력 등), 취미, 애완동물의 사육력 등] 이나 신체소견 (교원병을 시사하는 증상 · 신체소견의 유무, 약물복용력, 감염증상의 유무)을 체크하고, 아래에 설명하는 검사에 따라서 진단한다.
- 흉부X선검사 (그림 3-3) : 초기의 병변은 작은 불투명유리상 음영 또는 산재성의 흐린 침윤영으로 보이지만, 병변의 진행과 더불어 선상영이나 망상영이 눈에 띄고, 봉소폐를 시사하는 윤상영이 나타난다. 폐용적의 감소도 중요소견이다.
- 고해상CT (high resolution CT ; HRCT) (그림 3-4) : CT로 3차원적 폐병변의 확대 정보를 얻을 수 있으며, HRCT는 폐의 2차소엽 (소엽기관지에서 분기한 3~5줄기의 종말세기관지를 포함하고, 종말세기관지는 1~3차 호흡세기관지 · 폐포도 · 폐포낭으로 이어지는 범위) 내에서의 소견을 파악할 수 있어서, 간질성폐렴의 진단에서 빠질 수 없는 검사이다.
- 혈액검사 : 폐포상피를 구성하는 단백질인 KL-6, SP-A, SP-D는 병태의 모니터링, 치료반응성 평가에 유용하다. 단, 질환특이성이 없다. 역시 특이성은 낮지만, LDH, CRP도 증상의 지표가 된다. 교원병 관련의 간질성폐렴에서는 항핵항체나 류머티스인자, 또 특이자가항체 (항 ds-DNA, 항Sm, 항RNP, 항SS-A, 항SS-B, 항Centromere, 항Scl-70, 항Jo-1, p-ANCA, c-ANCA, 항GBM, 항CCP 등)도 검사한다.
- 폐기능검사 (그림 3-5) : 구속성장애 및 확산능장애를 확인한다. 확산능의 저하는 비교적 초기부터 확인되어 진단에 유용하다. 혈액가스소견 및 6분간 보행시의 SpO_2 (경피적 맥박산소측정기(pulse oximetry)에 의한 산소포화도)는 중증도 판정에 필요하다.
- 기관지폐포세정 : 기관지경을 기관지의 구역~아구역 기관지에 넣고, 측관에서 무균적으로 생리식염수를 주입 · 세정하여, 세포 · 액성성분을 채취하는 기법이다. 감염증의 제외진단에 유용하다. 폐포단백증이나 폐랑게르한스 (Langerhans) 세포조직구증 등 진단에 유용한 경우가 있지만, 일반적으로 보조적 진단에 사용한다.
- 병리학적 검사 : 경기관지폐생검 또는 외과적 폐생검으로 표본을 얻지만, 폐 전체의 병변을 반영하고 있는가가 문제가 된다. 임상의, 방사선진단의, 병리의가 임상경과, 신체소견, 영상, 병리소견을 모아서 서로 협조하여 진단해야 한다.

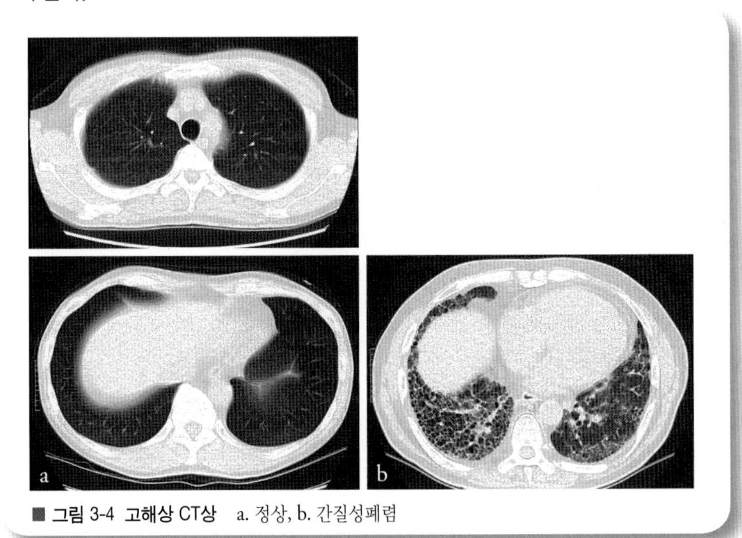

■ 그림 3-4 고해상 CT상 a. 정상, b. 간질성폐렴

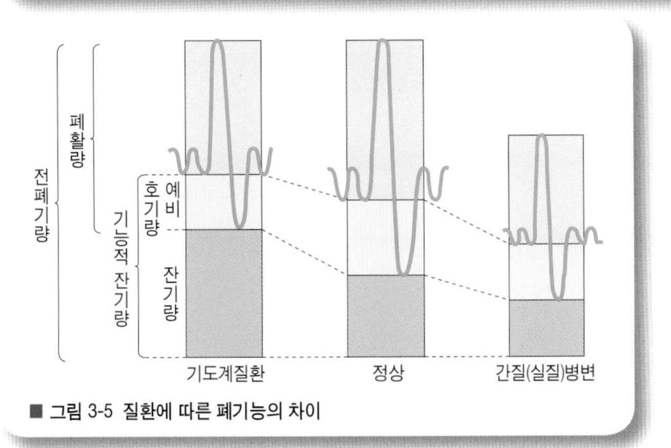

■ 그림 3-5 질환에 따른 폐기능의 차이

치료 map

현재 폐섬유증의 표준요법은 없다. 원인이 확실한 것에 관해서는 그 치료가 우선된다.

치료방침

- 현재 폐섬유증의 표준요법은 없다. 원인이 확실한 것에 관해서는 그 치료가 우선된다.

치료성적

- 생활관리 : 간질성폐렴의 위험요인의 하나로 흡연을 들 수 있다. 금연은 필수이다. 규칙적인 생활이 중요하다. 겨울철에 감기를 계기로 악화되는 것이 확인되고 있으므로, 감염예방을 위해 손씻기, 양치질, 인플루엔자백신, 폐렴구균백신의 접종 등이 권장된다.

■ 표 3-1 폐섬유증의 주요 치료제

분류	일반명	주요 상품명	약효발현의 메커니즘	주요 부작용
부신피질호르몬제제	프레드니솔론	Predonine, 프레드니솔론, Predohan	항염증작용, 면역억제작용이 있다	유발감염증, 감염증의 악화
	메틸프레드니솔론	Medrol		
면역억제제	아자티오프린	이뮤란, Azanin	강력한 면역억제작용이 있다	골수억제에 의한 기회감염증
	시클로스포린	산디문		신장 · 간 · 췌장장애
알킬화제	시클로포스파미드	엔독산	악성종양세포의 핵산대사를 저해	골수억제

치료법

- 약물요법 : 치료흐름도에서 상세하게 기술되어 있다.
- 재택산소요법과 호흡재활도 실시된다.
- 폐이식 : IPF는 폐이식 적응대상인 질환이다. 종래의 치료로 반응하지 않는 경우에 적용하지만, 심폐이식은 45세 미만, 양측 폐이식은 55세 미만, 편측 폐이식은 60세 미만에 적용한다.

합병증의 예방

- 뉴모시스티스폐렴(pneumocystis pneumonia) : 예방으로 설파메톡사졸 · 트리메토프림 (박타) 2정/일/주2회 또는 1정/일/연일.
- 진균감염증 : 암포테리신B (훈기존)의 함수, 또는 이트라코나졸 (Itrizole) 100~200mg/일의 내복.
- 혈액검사에 의한 모니터링

→호중구수, 림프구수, IgG농도 : 호중구수 500/μL 이하에서는 세균, 결핵, 진균, 뉴모시스티스 및 사이토메갈로바이러스감염(cytomegalovirus infection)의 위험이, IgG 500mg/dL 이하에서는 세균감염의 위험이 올라간다.

→β-D-글루칸 : 진균, 뉴모시스티스감염일 때에 상승한다.

→사이토메갈로바이러스 항원혈 : 사이트메갈로바이러스감염증에서 증가한다.

폐섬유증의 병기 · 병태 · 중증도별로 본 치료흐름도

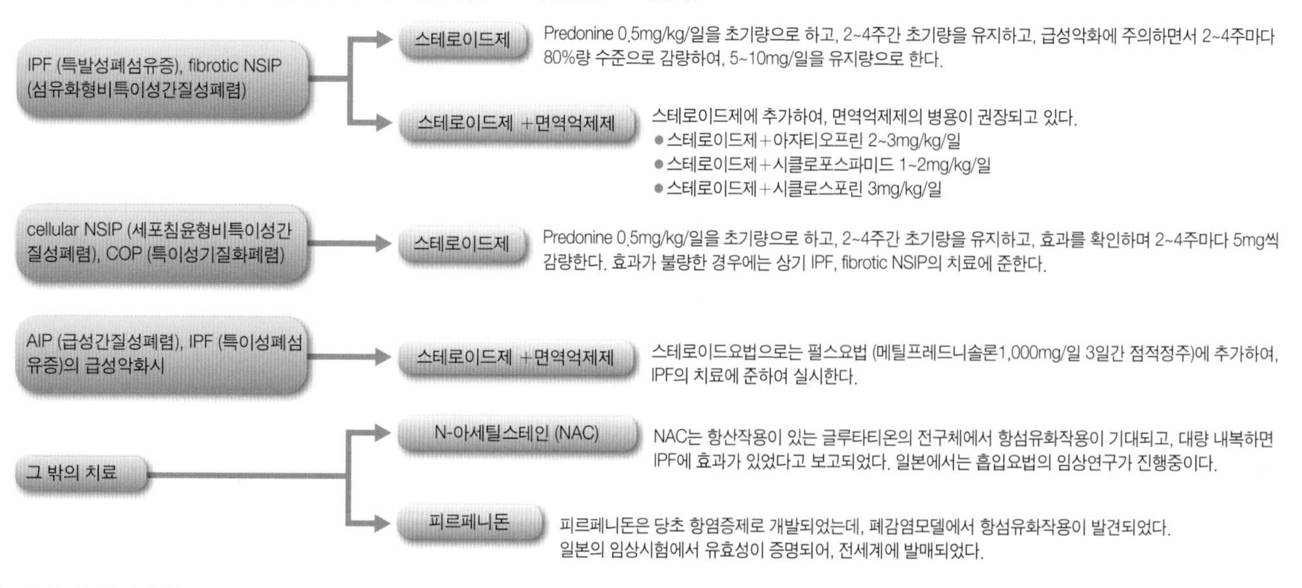

(宮崎泰成·吉澤靖之)

환자케어

증상의 급격한 변화에 주의해야 한다. 증상진행기에는 스테로이드제나 면역억제제가 투여되므로 부작용을 주의하여 관찰한다. 상태에 따라서는 재택산소요법이 적응된다.

병기·병태·중증도에 따른 케어

만성 경과를 나타내지만, 1개월 정도의 경과에서도 호흡곤란의 증강, 양측 폐야에 새로운 음영의 출현, 저산소혈증의 진행을 확인하는 경우가 있으므로, 증상의 급격한 변화에 주의하여 경과를 관찰해야 한다.

【증상안정기】 연령이나 전신상태를 고려하여 치료없이 경과를 지켜보는 경우도 있다.

【증상진행기】 스테로이드제나 면역억제제를 투여하므로, 부작용의 출현에 주의해야 한다. 노작성호흡곤란이나 저산소혈증이 심한 경우에는 재택산소요법을 적응한다.

Note

- 의료비 보조

특발성폐섬유증 (특발성간질성폐렴)은「특정질환 (난치병)」에 지정되어 있다. 중증도분류가 Ⅲ도 이상에 해당되는 경우, 의료비를 보조받을 수 있다.

케어의 포인트

진찰의 보조

- 건성기침, 활동시의 호흡장애, 호흡곤란, 곤봉형손가락, 청색증을 관찰한다.
- 호흡곤란에 수반하는 ADL의 저하나 식욕부진, 수면상태를 파악한다. 급격한 증상의 변화에 주의한다.

일상생활의 지지

- 활동시의 호흡곤란을 심하게 자각하게 되고 일상생활도 곤란해지므로, 활동수준에 따라서 지지한다. 식사의 내용이나 횟수를 살펴보고, 하루에 필요한 칼로리를 섭취할 수 있도록 지원한다. 호흡곤란이 있는 환자는 불안이나 공포감을 느끼고 있는 경우가 많다. 밝고 침착한 태도로 환자의 호소를 잘 듣고, 스트레스를 완화하기 위해 힘써야 한다.

급성악화의 회피

- 급성악화의 원인을 설명하고, 감염예방이나 일상생활 등에 관하여 지도한다.
- 자신의 몸상태를 셀프체크하고, 몸 상태에 변화가 있을 때는 즉시 진료를 받을 수 있도록 지도한다.

환자 · 가족에 대한 심리 · 사회적 지지

- 가족이나 재택산소요법 등에 관한 불안을 경감하도록 지지한다.
- 사회자원의 활용이 필요한 경우에는 정보를 제공하고, 필요한 지지도 제공한다.

퇴원지도·요양지도

- 적절한 영양섭취의 필요성을 이해하고, 실시할 수 있도록 지도한다.
- 약물복용의 필요성과 부작용에 관하여 설명하고, 지시량을 엄수하여 적절한 복용을 계속할 수 있도록 지지한다.
- 증상의 변화, 불안이나 걱정 등은 언제라도 전문가와 상담하는 것이 중요하다는 점을 이해시킨다.
- 증상의 악화가 나타나는 경우는 신속히 진료를 받을 수 있도록 지도한다.

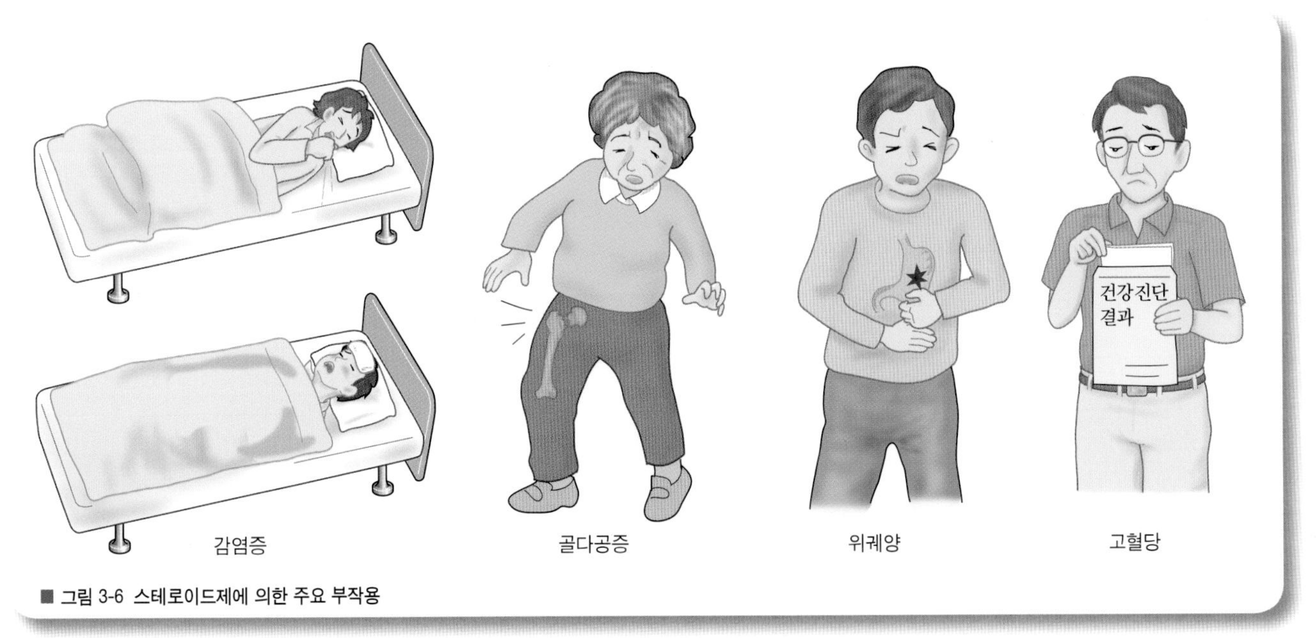

■ 그림 3-6 스테로이드제에 의한 주요 부작용

(磯見智惠·酒井明子)

Memo

4 결핵 (tuberculosis)

三宅修司 / 月田佳壽美

전체 map

병인

- 사람형 결핵균의 감염
- 체력저하, 불량한 영양상태가 발병의 원인이 된다.

[악화인자] 면역능 저하 (당뇨병, 간경변, 신부전, 스테로이드 복용 중 등)

역학

- 감소경향에 있지만, 10만명 중 약 20명에서 발병한다.
- 도시에 많고, 20대에서 증가하고 있다. 70세 이상이 환자의 약 50%를 차지한다.

[예후] 양호하다. 단, 다제내성결핵(multiple drug resistant tuberculosis)은 제외한다.

병태생리

병태생리 map p.26

- 사람형 결핵균에 의한 감염증으로, 폐결핵 (pulmonary tuberculosis)이 가장 많다.
- 결핵균은 건조나 산에 강한 항산균(acid-fast bacterium)으로, 공기감염된다.
- 감염되어도 발병하는 경우는 약 10%에 불과하다.
- 감염후, 증상이 나타나기 (발병하기)까지 걸리는 기간은 반년에서 1년 정도이다.
- 고령자에게는 내인성 재발 (2차결핵)이 많다.
- 기감염률의 감소로, 젊은층에서 집단감염될 위험성이 높다.

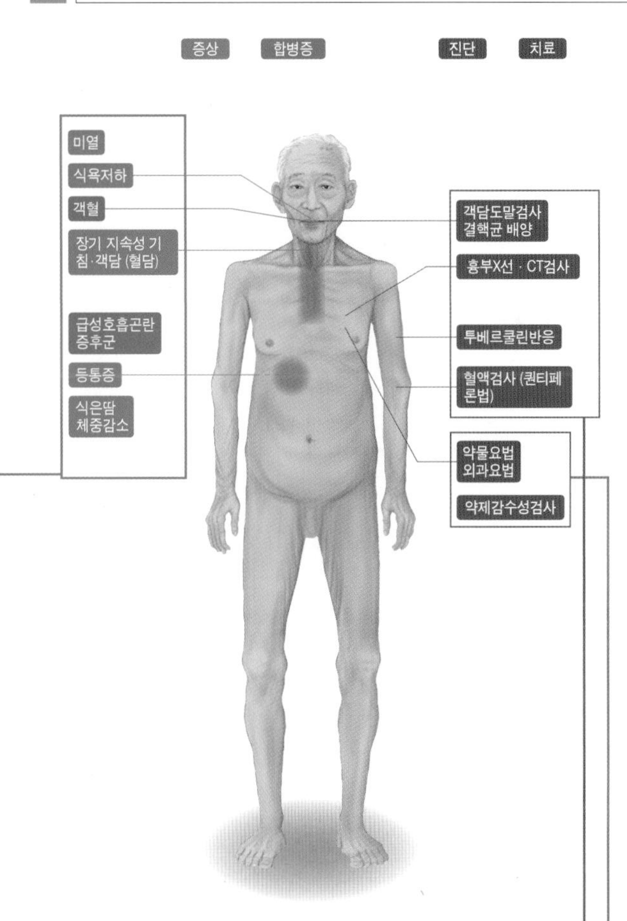

증상

증상 map p.28

- 2주 이상 계속되는 기침, 객담 (혈담), 미열이 주증상이다.
- 식은땀, 식욕저하, 체중감소, 등통증도 나타난다.
- 최근에는 경미한 증상이 많고, 경과 중에 일시 경감되는 경우도 있으므로 주의해야 한다.
- 결핵만의 특징적인 증상은 없다.

[합병증]

- 객혈
- 급성호흡곤란증후군 (acute respiratory distress syndrome, ARDS)

진단

진단 map p.29

- 진단은 의심하는 것에서 시작된다. 결핵균의 검출과 비결핵성항산균증의 제외가 중요하다.
- 투베르쿨린반응(tuberculin reaction), 퀀티페론법 (Quantiferon test) : 결핵균감염의 유무를 판단한다. 투베르쿨린반응은 비결핵성 항산균이나 BCG에서도 양성이 되지만, 퀀티페론법은 사람형 결핵균에만 반응한다.
- 객담도말검사 : 감염력의 유무를 판정한다.
- 결핵균배양 : 배양법은 시간이 걸리지만, 객담 내의 결핵을 증폭시키는 PCR법, MTD법은 신속하고 고감도이다.
- 약제감수성검사 : 약제에 대한 내성 유무를 검사한다. 다제내성결핵균은 치유가 어렵다.
- 흉부X선 · 흉부CT검사 : 음영이 출현한다.

치료

치료 map p.30

- 치료의 원칙 : 단기간에 치료한다 (내성화 예방). 약제감수성을 확인하고, 병기 · 병태 · 중증도에 상관없이 4제병용요법을 실시한다.
- 약물요법 : 4제병용요법인 이소니아지드+리팜피신+에탐부톨염산염+피라진아미드를 2개월간 투여한 후, 원칙적으로 이소니아지드와 리팜피신 2제를 4개월간 투여한다.
- 외과치료 : 드물다. 다제내성결핵의 경우에는 약물요법+외과적 치료를 하기도 한다.

병태생리 map

결핵이란 사람형 결핵균에 의한 감염증이다. 폐내의 병변에서 발견되는 폐결핵이 가장 많다.

- 결핵균은 세포벽에 다량의 지질을 함유하고 있어서, 건조나 산에 강하다 (항산균이라고도 하며, 위액 속에서도 생존하고 있다).
- 항산균은 결핵균과 비결핵성 항산균군으로 분류된다. 후자의 대표는 마이코박테리움 · 아비움콤플렉스 (Mycobacterium avium complex ; M.avium과 M.intracellulare의 총칭)이며, 사람에서 사람으로의 감염은 없다.
- 결핵은 환자의 기침과 타액에 함유된 결핵균을 흡입함으로써 감염된다. 건조에 강하므로, 작은 타액입자 (몇 μm의 비말핵) 속에서도 생존한다. 장시간 공중을 떠도는 점에서 공기감염으로 고려되며, 원거리에서도 감염될 수 있다.
- 감염과 발병은 다르다. 감염후 발병은 약 10%에 불과하다. 감염자의 대부분은 자각하지 못하는 사이에 결핵에 대한 면역 (투베르쿨린반응의 자연양전)을 획득하여, 평소대로 생활하고 있다.
- 감염후 발병하는 경우에도 대부분은 증상이 나타나기 (발병하기)까지 반년에서 1년 정도 걸린다.
- 고령자에게 발병하는 대부분의 경우는 과거 치유병소에서 발병 (=내인성 재발, 2차결핵)하는 것이다.
- 기감염률이 줄어든 결과, 젊은층에서 집단감염될 위험성이 높아지고 있다. 기숙사나 만화방, 노래방, 인터넷카페 등은 때로 집단감염의 발원지가 된다.

병인

사람형 결핵균의 감염

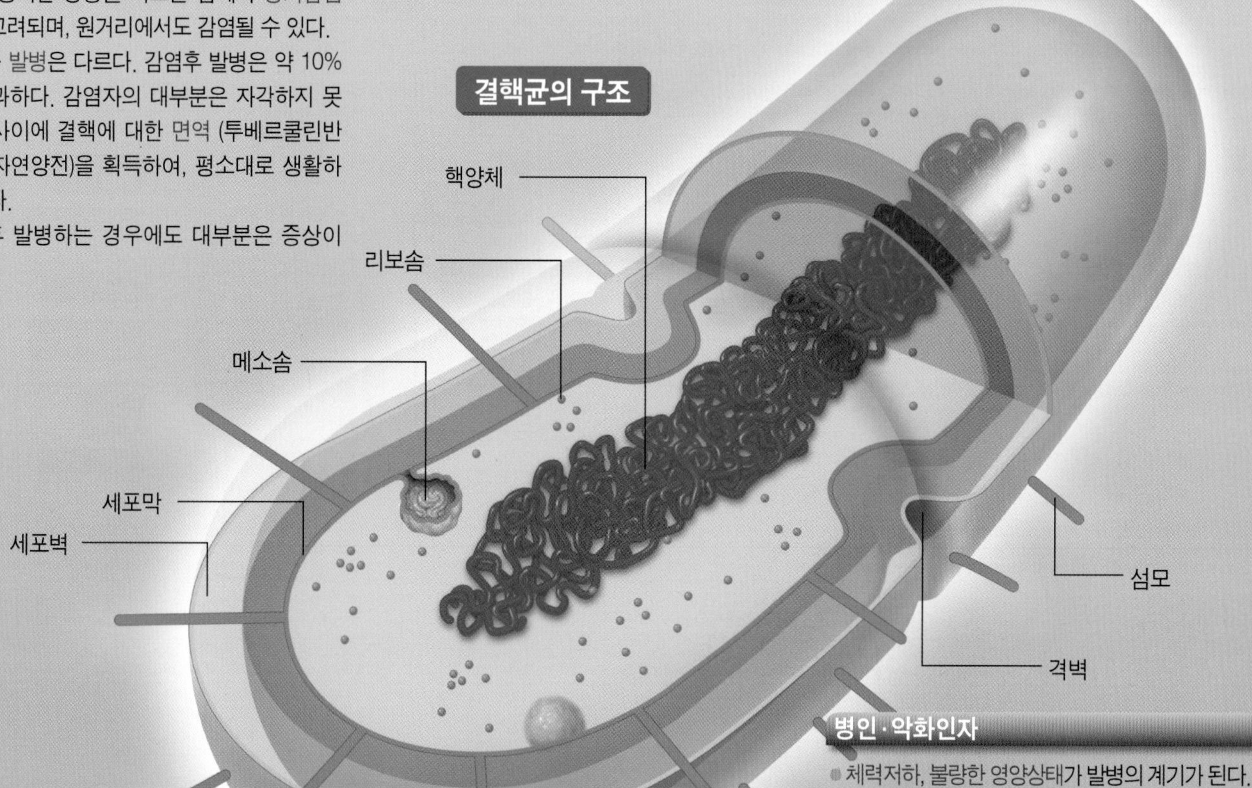

병인·악화인자

- 체력저하, 불량한 영양상태가 발병의 계기가 된다.
- 당뇨병이나 간경변, 신부전 외에 스테로이드제를 내복하고 있는 등, 면역력이 저하된 환자에게 발병할 위험성이 높다.

역학·예후

- 일본의 경우 감소경향에 있지만, 아직 10만명 중 약 20명의 발병률 (2008년)을 보이고 있으며, 외국과 비교하면 미국이나 영국, 프랑스보다도 현저히 높다.
- 오사카, 도쿄, 나가사키 순으로 이환율이 높으며, 대도시에 환자가 많은 것이 특징이다.
- 발병환자는 20대에서 증가하는 경향 외에는 70대 이상의 고령자가 약 50%를 차지하며, 이는 증가경향에 있다.
- 결핵은 치료로 완치되는 질환이지만, 때로 다제내성결핵균이 보고되고 있다.
- 예후는 양호하지만, 다제내성결핵균일 경우에는 그다지 양호하지 않다.

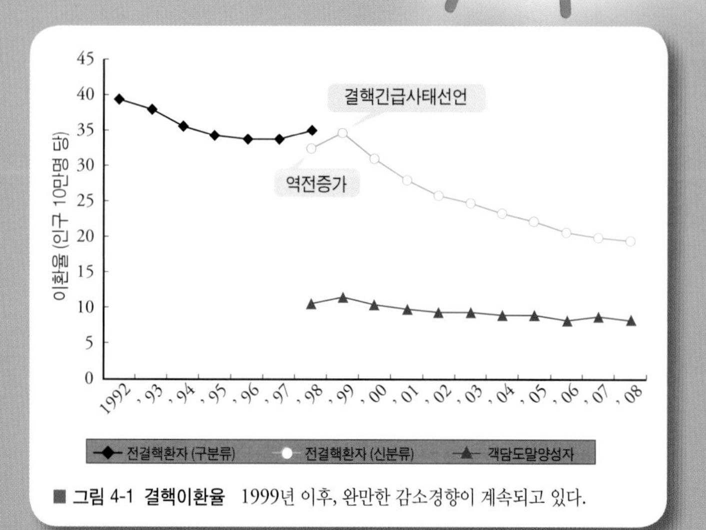

■ 그림 4-1 결핵이환율 1999년 이후, 완만한 감소경향이 계속되고 있다.

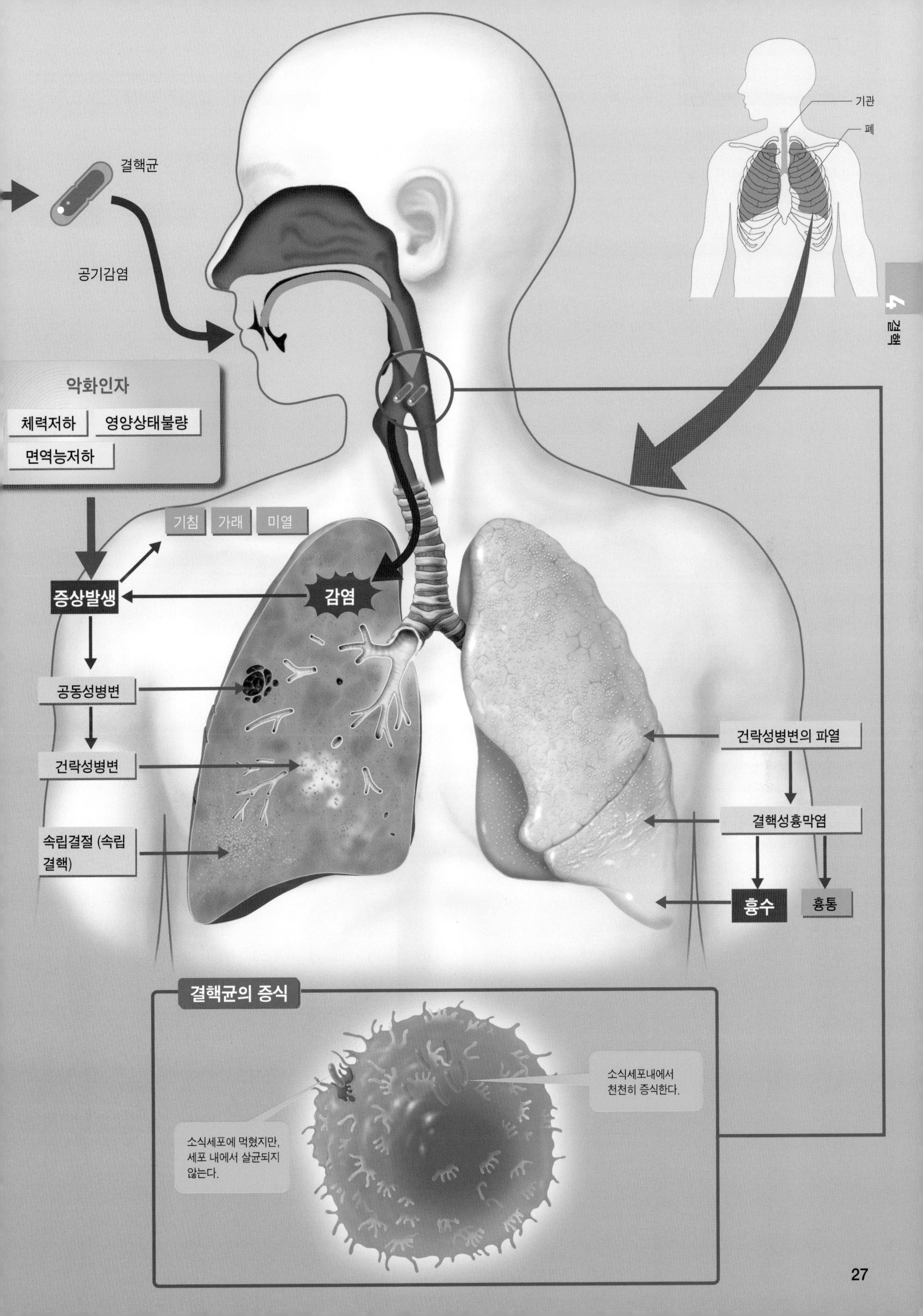

기관
폐
결핵균
공기감염
악화인자
체력저하
영양상태불량
면역능저하
기침
가래
미열
증상발생
감염
공동성병변
건락성병변
속립결절 (속립
결핵)
건락성병변의 파열
결핵성흉막염
흉수
흉통
결핵균의 증식
소식세포내에서
천천히 증식한다.
소식세포에 먹혔지만,
세포 내에서 살균되지
않는다.

증상 map

장기간 계속되는 기침이나 객담, 식은땀, 미열, 혈담, 식욕저하, 체중감소, 등통증 등 (최근에는 경미한 증상이 많고, 식은땀도 드물다. 2주 이상 기침이 계속될 시에는 결핵의 가능성을 고려해야 한다).

증상

- 결핵만의 특징적인 증상은 없다. 오래 계속되는 시에는 결핵일 가능성도 고려해야 한다.
- 증상은 경미한 경우가 많으며, 경과 중 일시 경감되기도 하므로, 쉽게 인정해서는 안된다.

합병증

- 객혈 : 폐결핵 중증환자에서는 객혈이 나타내기도 한다.
- ARDS : 속립결핵 (폐야에서 속립상영을 나타내는 폐결핵으로, 전신에 혈행성으로 산포한 결핵)에서는 중증시에 급성호흡곤란증후군 (acute respiratory distress syndrome ; ARDS)을 합병하기도 한다.

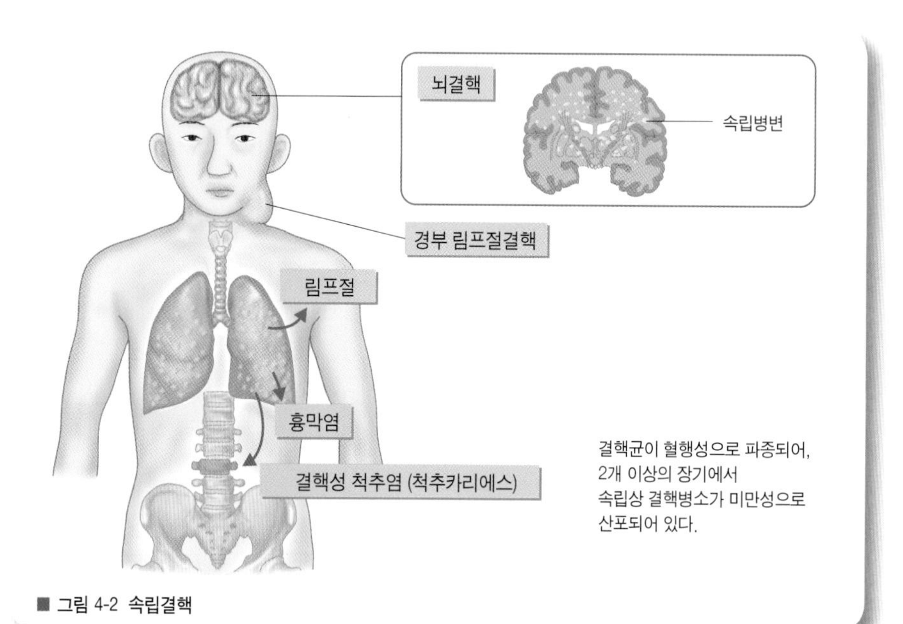

■ 그림 4-2 속립결핵

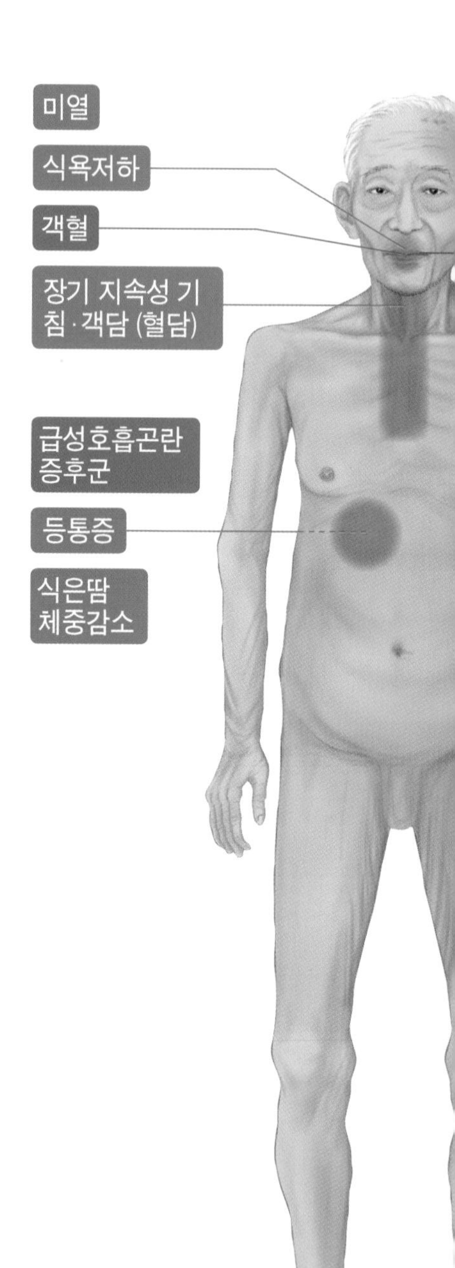

Key word

- 급성 호흡곤란증후군

폐 이외의 외상 · 수술, 폐 또는 타부위에서의 감염, 패혈증, 흡인 등을 계기로 발생한다. 중증 급성 호흡부전, 혈관투과성항진 폐수종을 특징으로 한다.

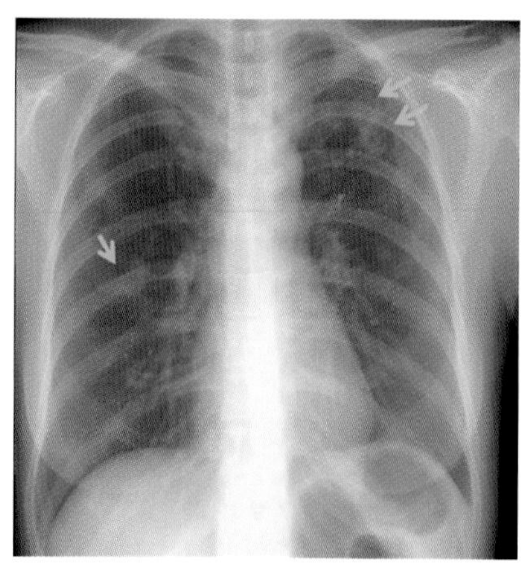

■ 그림 4-5 폐결핵의 흉부X선사진
좌상폐야와 우중폐야에서 소반상영이 확인된다.

진단 map

진단은 우선 의심하는 것에서 시작된다. 검체의 배양으로 결핵균을 검출하는 것이 중요하다. 비결핵성 항산균증을 제외하는 것도 잊지 않도록 한다.

진단　치료

객담도말검사
결핵균배양

흉부X선 · CT검사

투베르쿨린반응

혈액검사
(퀀티페론법)

약물요법
외과치료

약제감수성검사

진단·검사치

- 투베르쿨린반응, 퀀티페론법 : 지금까지는 투베르쿨린반응으로 결핵균에 대한 면역반응을 검사해 왔다. 결핵균의 단백성분(PPD)을 피내 주사했을 때 발적 지름 10mm이상을 양성이라고 판정한다. 결핵균에 대한 세포성 면역의 유무를 검사하는 방법이지만, 비결핵성 항산균감염이나 소형결핵균을 이용하는 BCG백신에서도 양성으로 나타나므로, 사람형 결핵균의 감염이 아닌 경우에도 반응하는 결점이 있었다. 최근, 사람형 결핵균에만 반응하는 혈액검사방법 (퀀티페론법)을 이용할 수 있게 되어, 주목받고 있다.
- 객담도말검사 (형광법이나 Ziehl-Neelsen염색에서의 경검) : 감염력의 유무 여부는 객담을 염색하여 결핵균을 확인하는 것으로 판정한다. 도말표본상 1개균이 검출된 경우를 가프키(Gaffkys scale) 1호라고 하고, 무수히 검출되는 경우를 가프키 10호라고 한다. 최근에는 가프키 1호를 ±, 가프키 2호를 1+, 가프키5호에서는 2+, 가프키 9호에서는 3+로 기재하게 되었다. 객담검사는 객담 1mL 중 2만개 가까운 균이 존재하여 비로소 1호로 검출될 수 있을 정도여서, 검출감도가 좋지 않다 (그림 4-3).
- 결핵균배양 : 종래에는 오가와배지(小川培地;Ogawa's medium)*에서 결핵균을 배양했는데 최종 보고까지 8주가 필요했다. 최근에는 액체배지를 이용하여, 약 4주 이내에 동일한 수준 이상의 감도로 보고가 나올 수 있게 되었다. 또 객담 중의 핵산을 증폭시킴으로써 도말보다도 훨씬 감도가 좋은 검사방법 (PCR법, MTD법)이 확립되어 있다. PCR법은 DNA를 증폭시키는 방법으로, 사균의 경우에도 증폭되어 양성결과가 나오는 결점이 있다. MTD법은 RNA를 증폭시키는 방법으로, 결핵균이 사멸되면 RNA가 분해되므로, 생균이 아니면 양성으로 나타나지 않는 이점이 있다(그림 4-4).
- 흉부X선사진, 흉부CT사진 : 발병했을 때에는 영상상에 음영이 출현한다 (그림 4-5, 6, 7).

* 오가와배지 : 일본에서 널리 사용되고 있는 항산성균 (특히 결핵균)의 배지로, 小川辰次연구팀이 개발하였다. 배지는 미생물 등의 배양에 사용하는 영양소를 포함한 액체·고체를 말한다.

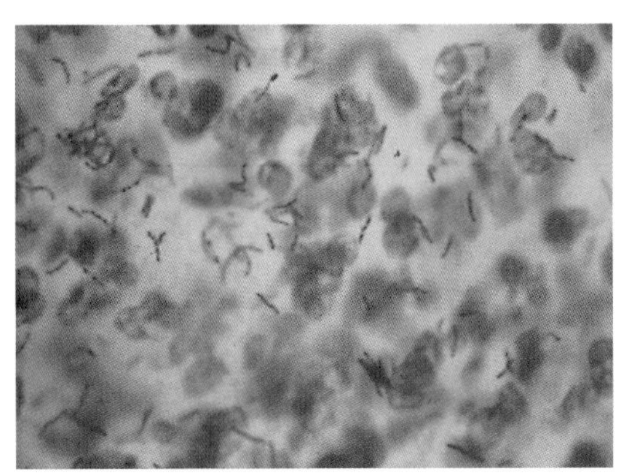

■ 그림 4-3 환자 객담의 Ziehl-Neelsen염색상
가늘고 길게 붉게 염색되어 있는 것이 결핵균이며, 백혈구도 다수 보인다.
(吉田眞一 : 결핵균. 男嶋洋一·吉田眞一 : 계통간호학강좌 전문기초 6 미생물학 제10판. p.244, 의학서원, 2005)

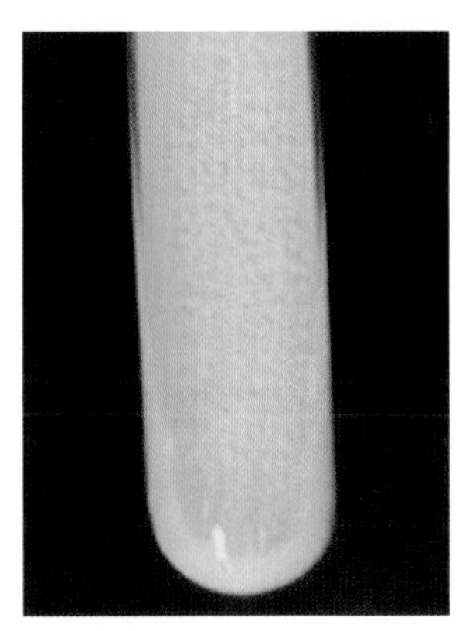

■ 그림 4-4 결핵균의 배양소견
오가와배지에서 증식한 결핵균집락 (황색의 콜로니)
(小林和夫 : 결핵, 山西弘一監 : 표준미생물학 제9판, p.287, 의학서원. 2005)

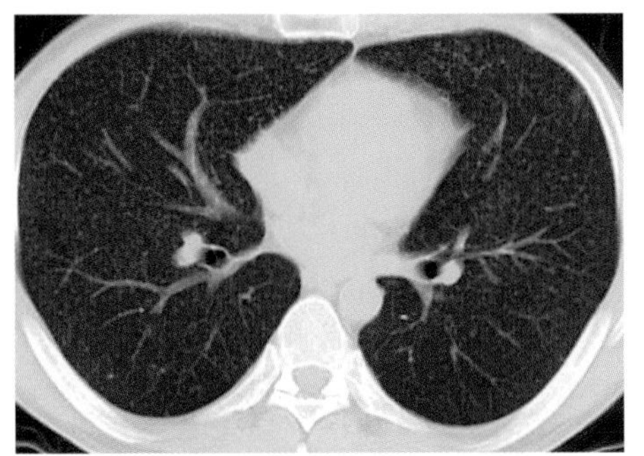

■ 그림 4-6 속립결핵의 흉부CT영상
폐야 전체에서 균일한 크기의 소립상영이 확인된다.

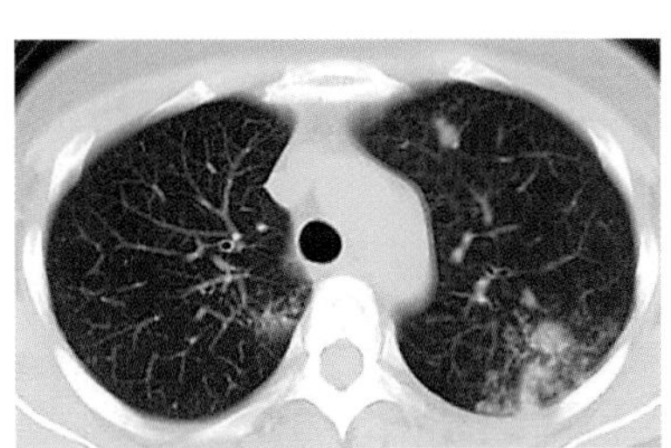

■ 그림 4-7 좌상폐야 음영레벨의 흉부CT영상
반상영과 소엽중심성 입상영이 확인된다.

치료 map

내성화를 예방하기 위해서 복수약제를 사용하여 단기간에 치료하는 것이 기본이다.
치료의 원칙은 4제병용요법이다.

치료방침

- 병기 · 병태 · 중증도에 상관없이 4제병용요법 (항결핵제)을 시행한다. 단기간에 충분한 치료를 적용한다.
- 약물요법의 원칙 : ①치료시작~2개월 : 4제병용요법. 이소니아지드+리팜피신+에탐부톨염산염+피라진아미드, ②①종료후 4개월 : 2제병용요법. 이소니아지드+리팜피신 (약제감수성이 있는 경우)

Key word

- 약제감수성검사 (chemosensitivity testing)

약제에 대한 내성 유무를 확인하는 검사이다. 결핵치료의 주요 4제 중에서 내성을 나타내는 빈도는 첫 회 치료례에서 10.2%, 재치료례에서는 42.4%이다 (1997년 전국조사). 첫 회에 충분한 치료를 하여, 내성균을 만들지 않는 것이 중요하다. 다제내성결핵균이란 이소니아지드 (INH)와 리팜피신 (RFP)에 완전내성을 나타내는 결핵균을 말한다. 이 2약제가 결핵균 치료에 가장 유효하므로, 다제내성결핵균에서는 결핵의 치유가 어려워지고, 치료저항성이나 재발의 위험성이 증가한다.

외과치료

- 현재는 약물요법이 주체이며, 외과적 치료를 하는 경우는 드물다. 다제내성결핵균에 의한 감염에서는 약물요법에 추가하여 외과적 치료를 시행하는 경우도 있다.

■ 표 4-1 결핵의 주요치료제

분류	일반명	주요 상품명	약효발현의 메커니즘	주요 부작용
항결핵제	이소니아지드 (INH)	Iscotin, Hydra	결핵균세포벽의 합성저해	말초신경염, 간기능장애
	리팜피신(RFP)	Rifadin, Rimactane	결핵균의 RNA합성저해	간기능장애
	에탐부톨염산염(EB)	에산부톨, Ebutol	세포증식을 저해하는 정균작용	시신경염, 약물 알레르기
	피라진아미드 (PZA)	Pyramide	치료조기의 산성환경에서 살균작용	간기능장애, 고요산혈증
아미노배당체계 항균제	스트렙토마이신유산염 (SM)	유산스트렙토마이신	리보솜에 작용하여 단백질합성을 저해	현기증, 난청, 이명

내과치료

- 단기간에 제대로 치료하는 것이 대원칙 (내성화 예방)이다.
- 약제의 감수성은 반드시 확인해야 한다.
- 결핵치료 시에는 4제병용요법이 대원칙이며, 병기 · 병태나 중증도에 차이가 있어도 치료방법은 동일하다. 피라진아미드 (PZA)를 복용할 수 없는 경우는 현저한 간장애, 신부전 등의 중증 장기장애나 통풍이 있어서 요산치가 높은 경우 뿐이다.

Px 처방례 치료의 원칙은 4제병용요법 [INH+RFP+EB (or SM)+PZA] 이며, 2개월간 4제를 투약한 후에는 원칙적으로 PZA와 EB를 제외한 2제로 4개월간 치료하고 종료한다.

- Iscotin (INH) 정 (100mg) 3정 分1 조식 후 ←항결핵제

※항균력이 가장 뛰어나다. 단, 지속생존균 (증식을 휴지한 상태에서 생존하는 균)에는 무효이다. 예방적 내복에서는 단독으로 사용한다. 말초신경염의 부작용에 주의한다.

- Rifadin (RFP) 캅셀 (150mg) 3캅셀 分1 조식 전 or 조식 후 ←항결핵제

※RNA 폴리메라제와 결합하여 RNA합성을 저해한다. 지속생존균에도 유효한 것이 특징이다. INH와 함께 치료의 중심적 역할을 하고 있는 약제이다.

- 에산부톨 (EB) 정 (250mg) 3정 分1 조식 후 ←항결핵제

※치료조합에서는 SM이나 EB 중에서 선택한다. 결핵균의 대사산물 합성을 저해한다. 시신경장애의 부작용에 주의한다.

- 유산스트렙토마이신 (SM)주(1g/V) 1g 주2회 근주 ←항균제

※결핵균의 단백합성을 저해한다. 위장에서 흡수되지 않으므로, 근육주사나 정맥주사로 투여한다. 현기증, 청력장애의 부작용에 주의한다.

- Pyramide (PZA) 말 1.5g 分1 조식 후 ←항결핵제

※병변이 산성인 상황에서만 효과를 발휘하는 약제이며, 치료초기의 2개월간만 투여한다. 간장애나 요산치 상승의 부작용에 주의한다.

결핵의 병기 · 사태 · 중증도별로 본 치료흐름도

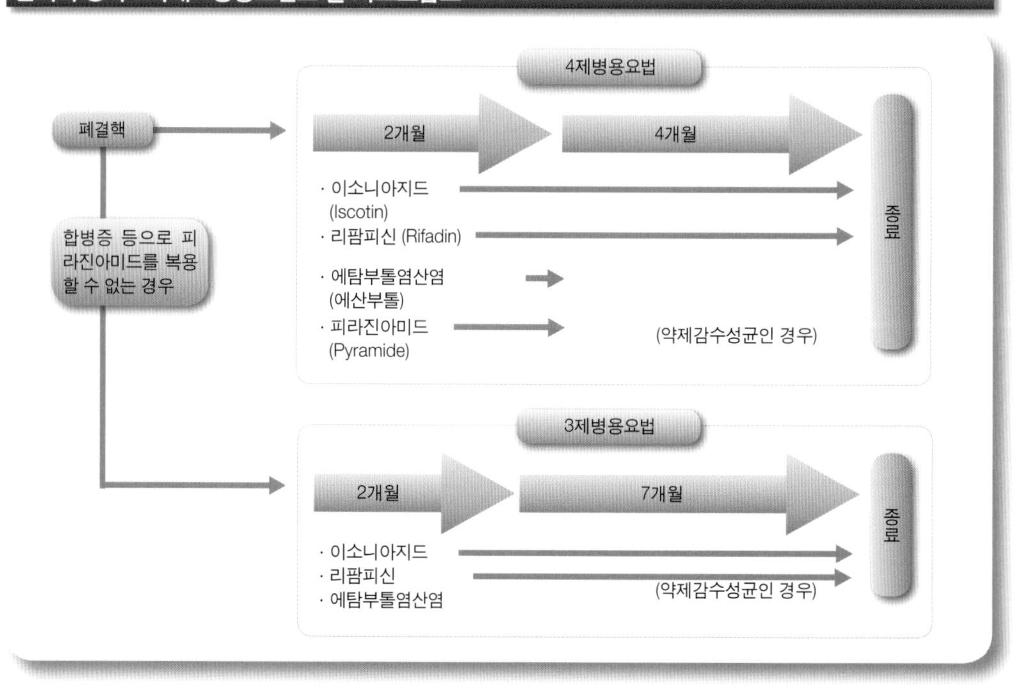

환자케어

항결핵제를 이용한 약물요법 시작 시에는 복용지도를 확실히 하고 부작용에 주의한다. 격리에 의해 부족해지는 셀프케어를 보충하는 케어와 심리적 지지가 필요하다. 치료는 장기간 시행되므로 질환이나 치료에 대한 바른 인식이 필요하며, 특히 계속적으로 치료법을 준수하도록 도와야 한다.

병기·병태·중증도에 따른 케어

【급성기】 기침, 객담, 발열 외에 객혈이나 호흡곤란 등 극심한 증상을 나타내는 수가 있으므로, 안정을 취하여 증상을 완화한다. 항결핵제에 의한 약물요법이 개시되므로, 복용지도를 확실히 하고 부작용의 출현에 주의한다. 배균 중인 환자는 공기감염예방책이 채택되어 격리되므로, 부족한 셀프케어를 보충하고, 불안을 완화시킨다.

【만성기】 복용과 부작용을 계속 관찰한다. 치료는 장기간 시행되므로, 질환이나 치료에 대해 올바른 인식을 가지며, 스스로 회복이나 사회복귀에 대한 의욕을 가질 수 있도록 지지한다.

【회복기】 배균을 확인할 수 없게 되면 퇴원하여 통원치료를 하는데, 항결핵제에 의한 화학요법은 6~12개월, 경우에 따라서는 그 이상이 걸린다. 불규칙한 복용은 약물내성을 유발하기 쉬우므로, 계속적으로 치료법을 준수하도록 도와야 한다. 또 과로나 불섭생, 스트레스는 발생요인이 되므로, 규칙적인 생활이 재구축되도록 지지한다.

케어의 포인트

기도의 청정화 · 호흡의 지지

- 습성기침이나 청진으로 객담의 저류가 확인되는 경우는 적극적으로 객담배출을 촉구한다.
- 갑자기 선홍색의 포말상 혈담을 대량으로 객혈하는 수가 있다. 이 때, 객출력이 약한 경우나 환측 폐의 유착이 강한 경우는 건측 기관지로 혈액이 넘어가, 응고되거나 흡인된다. 객혈한 경우는 신속히 기도를 확보하여 객출하고, 환측 폐를 아래로 하여 건측으로의 혈액유입을 방지한다[1].
- 호흡상태, 객담의 성상 · 양 · 객출상황, 기침력, 검사결과 등을 사정하고, 편안한 호흡을 할 수 있도록 지원한다.
- 기도분비물의 점조도를 낮춰서 객담의 객출을 촉진시킬수 있도록 수분섭취를 권한다. 의사의 지시에 입각하여, 거담제나 점액용해제를 사용한다.
- 청정한 공기와 적절한 실온 · 온도의 유지 등 병실환경을 정비한다.
- 정기적인 객담배출을 촉구한다. 자력으로 객담배출이 어려운 경우는 쥐어짜기(squeezing), 바이브레이터, 체위배액 등 객담배출에 대한 지지를 제공한다. 야간에 발생하는 기침으로 인한 수면부족을 방지하기 위해서, 취침 전에 충분히 객담배출한다.
- 심호흡, 기침, 객담배출의 필요성을 설명하고, 환자가 적극적으로 실시할 수 있도록 지도한다. 객담배출과 처리방법을 지도한다.
- 혈담이나 객혈은 소량이라도 불안해지므로, 배설물은 신속히 처리하고, 곁에 있으면서 안심할 수 있도록 지지한다.

안정의 지지[2]

- 안정으로 호흡수가 감소되면 병변부의 안정을 도모할 수 있어서 염증증상의 회복에 유효한 점 등, 안정의 효과와 필요성을 설명한다.
- 환자가 이해하기 쉬운 안정도표 등을 이용하여, 증상에 따른 생활일과를 이해할 수 있도록 지도한다.

영양섭취의 지지

- 영양상태, 식사섭취량, 영양소요량, 혈액데이터, 종래의 식생활, 기호, 처방되어 있는 약물의 작용과 부작용을 사정한다.
- 결핵은 소모성 질환이므로 회복을 위해서 균형잡힌 고영양 식사 (고단백, 고에너지, 고비타민)이 필요하다는 점을 설명한다.
- 식사시 환경을 정비하고, 식사하기 쉽도록 연구한다.
- 가족에게 환자의 기호에 맞는 식사를 준비하게 하는 등의 협조를 부탁한다.

확실한 복용과 부작용에 대한 지지

- 복용의 필요성, 치료효과, 내성균의 출현을 예방하기 위한 규칙적인 복용의 필요성, 출현할 가능성이 있는 부작용에 관하여 설명한다.
- 간호사 또는 의료종사자의 눈 앞에서 복용하게 하는 직접감시하복약요법 (DOT)에 관하여 설명한다.
- 복용에 대한 환자의 이해나 생각을 사정한다.
- 부작용의 조기발견을 위해서 의사의 지시에 따라서 정기적인 검사를 실시한다.
- 부작용이 나타난 경우에는 신속히 대처한다. 환자의 자각증상으로만 알 수 있는 부작용도 있으므로, 이 경우 주저하지 말고 보고하도록 지도한다[3].
- 알레르기반응은 감감작요법으로 극복할 수 있으므로 약물의 계속투여가 가능하다는 점을 설명하고, 안심시킨다[3].

스트레스 대처에 대한 지지

- 주변으로의 감염확대를 예방하기 위해서 격리된 상태에 있는 환자의 언동, 표정을 사정한다.

Key word

● 결핵의료비 조성

「감염증의 예방 및 감염증 환자에 대한 의료에 관한 법률」(감염증법)에 근거하여, 일반의료에서는 결핵의료에 필요한 비용의 95%를 보험자와 공비가 부담한다. 입원권고에 입각한 입원의료에서는 각종 의료보험을 적용한 의료비의 자기부담분을 공비가 부담한다.

- 수면상황이나 식사섭취량을 관찰한다.
- 질환, 입원환경, 치료, 검사, 처치에 관한 지식과 이해를 확인한다.
- 성격경향이나 평소의 스트레스 대처행동에 관하여 관찰하고, 사정한다.
- 불안이나 스트레스를 말로 표출하도록 격려하고, 수용적 태도로 사정한다.
- 경제적 문제가 있는 경우에는 감염증법에 의해 의료비를 지지받을 수 있다는 점을 설명한다.
- 감염예방 등을 준수하고 있는지를 피드백하고, 요양을 위해 들이고 있는 노력을 치하한다.
- 감염증이므로 타인에게 감염될 가능성이 있는 점을 설명하고, 일정기간 격리가 필요하다는 점을 설명한다.
- 감염위험이 높은 배균기간에 확실히 복용하면 격리기간을 단축시킬 수 있다는 점을 설명한다. 또 격리를 해제하는 조건 (치료가 유효하게 행해져서 임상증상이 개선되어, 3일 간의 연속적인 도말검사가 음성으로 나타나는 경우)을 전달한다.
- 가족이나 가까운 사이인 지인이 환자의 계속 지지하도록 돕는다.

퇴원지도·요양지도

- 약물요법은 통상적으로 6개월~1년에 걸쳐서 행해진다. 복용기간이 장기에 걸쳐지므로, 회복에 대한 의욕이나 희망을 갖지 못하고 복용을 거부하거나, 배균을 확인할 수 없게 되면 복용을 중단하는 환자가 있다. 규칙적인 치료의 지속이 내성균의 출현이나 재발예방을 위해서 중요하다는 점을 설명하고, 그에 따를 수 있도록 지지한다.
- 퇴원 후의 확실한 복용, 규칙적인 식사, 충분한 영양과 수면, 정신적인 스트레스의 회피 등, 퇴원 후의 생활환경에 관하여 환자 및 가족과 함께 상담한다.
- 사회복귀계획에 관하여 사정한다.
- 진료방법, 재발의 징후 및 정기적인 진찰의 필요성을 설명한다.
- 퇴원후의 상담이나 지지의 장 (지역의 건강복지센터, 결핵예방회)이 있는 것을 설명한다.
- 가족의 협력 없이는 장기간에 걸쳐 생활을 관리할 수 없다는 점을 설명한다.

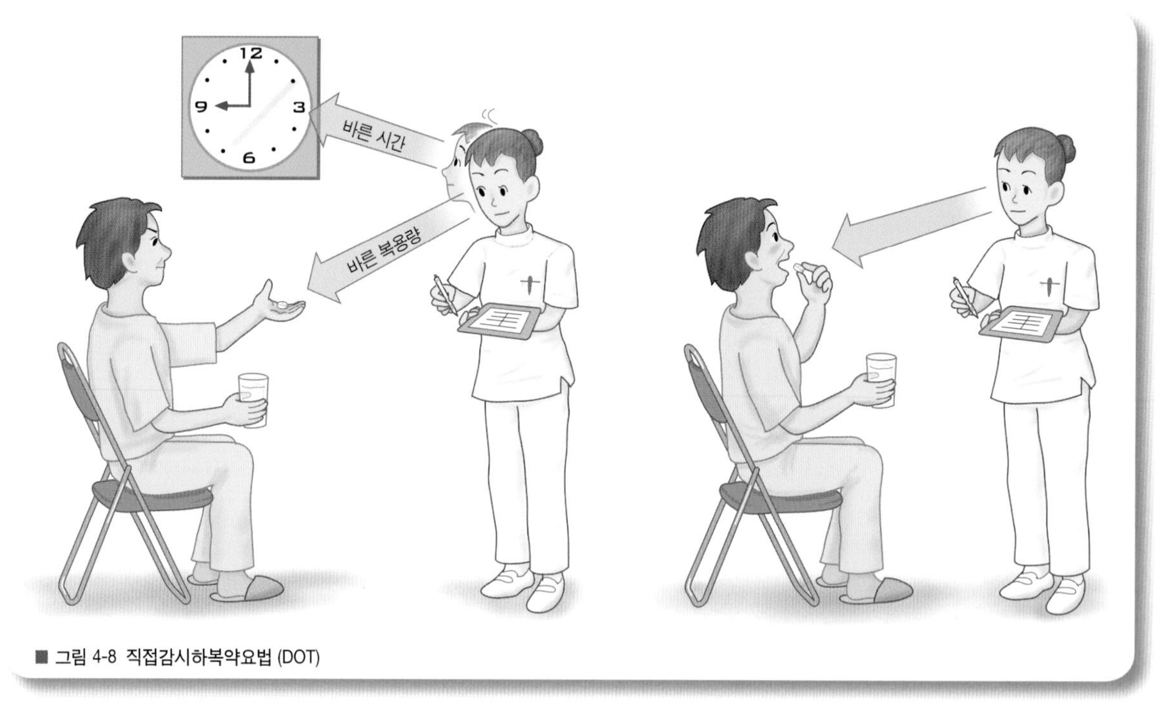

■ 그림 4-8 직접감시하복약요법 (DOT)

● 인용·참고문헌
1) 山下香枝子, 浅野浩一郎 외 : 계통간호학강좌 전문분야 6 성인간호학 [2] 호흡기 제 12 판, 의학서원. 2007
2) 四元秀毅, 佐藤紘二 : 의료 종사자를 위한 결핵 지식, 의학 서원. 2001
3) 福岡康子, 他監 : 내과 I, 간호진단에 따른 표준간호계획 1, 메지카루후렌도 사. 1995

(月田佳壽美)

5 기관지확장증 (bronchiectasis)

臼井 裕 / 茂野香おる

전체 map

병인

- 호흡기감염증에 의한 경우가 가장 많다.
- 만성기도감염에 의한 기도염증이 지속되면서 기도손상 · 파괴가 서서히 진행된다.
- 기도감염에 의한 급성악화가 확인된다.

역학

- 미국 성인의 이환율은 10만명당 약 50명이고, 진단시 평균연령은 68세, 남녀비는 2 : 3이다.

[예후] 진단후 10년의 사망률은 28%이다.

병태생리

- 기도벽의 염증성 파괴에 의해 기관지가 불가역적으로 확장된다.
- 제3차 · 4차분기 이하의 기관지가 확장된다.
- 병변의 분포에 의한 분류 : 국한형 (1폐엽, 1구역에 국한), 미만형 (양측 폐로 확대)
- 형태학적 분류 : 원통상, 혹상, 낭상
- 폐렴구균, 인플루엔자균 등의 기도정착, 급성악화를 반복하고, 만성기도감염의 병태를 나타낸다.
- 종말기에는 기도폐쇄, 기도장애가 심해진다.

증상

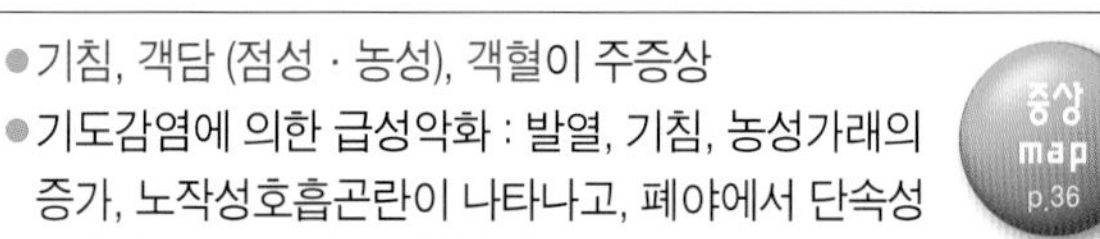

- 기침, 객담 (점성 · 농성), 객혈이 주증상
- 기도감염에 의한 급성악화 : 발열, 기침, 농성가래의 증가, 노작성호흡곤란이 나타나고, 폐야에서 단속성 수포음 (crackles)이 청취된다.

[합병증]

- 부비강염 (nasosinusitis)
- 기도감염에 속발하는 폐렴
- 진행되면 호흡부전 (저산소혈증), 폐고혈압증

증상 | 합병증 | 진단 | 치료

발열
부비강염
기침
객담 (점성, 농성)
객혈
노작성호흡곤란
호흡부전
폐렴
폐고혈압증

흉부X선검사
흉부CT검사
고해상 CT검사

약물요법
기관지내시경적지혈
외과요법
재택산소요법
체위배액

진단

- 흉부X선검사, 흉부CT검사 : 기관지확장증은 형태학적 진단명이므로, 흉부X선검사나 CT검사로 확장된 기관지상을 확인하면 진단할 수 있다. 기관지벽의 비후화, 기관지내강에 대한 점액저류상도 특징적
- 고해상 CT (HRCT검사) : 기관지의 지름이 반주하는 폐혈관의 1.5배 이상이면 진단이 가능하다.
- 세균감염이 발병하면 백혈구수치 · CRP가 증가한다.

치료

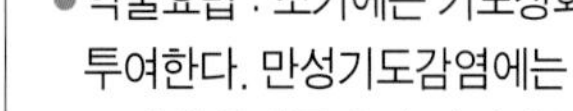
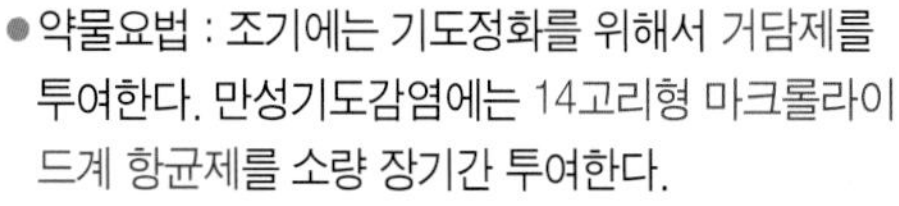

- 안정기 : 거담제 투여+체위배액을 실시한다.
- 약물요법 : 조기에는 기도정화를 위해서 거담제를 투여한다. 만성기도감염에는 14고리형 마크롤라이드계 항균제를 소량 장기간 투여한다.
  급성악화시에는 항균제+산소요법이, 객혈 · 혈담에는 지혈제가 적용된다.
- 기관지내시경 : 대량 또는 지속되는 객혈 · 혈담의 경우, 내시경적지혈 시행한다.
- 외과치료 : 객혈을 반복하고, 병변이 국한되어 있는 경우에 적용한다. 진행성호흡부전을 나타내는 젊은층 환자에게는 폐이식을 고려한다.
- 재택산소요법 : 만성호흡부전으로 진행되는 경우에 적용한다.

병태생리 map

기관지확장증이란 기도벽의 염증성 파괴로 인한 기관지의 불가역적 확장이다.

- 확장하는 기관지의 레벨은 제3차 내지 4차분지 이하의 기관지이다. 병변의 분포에 따라서 국한형 (1폐엽 또는 1구역에 국한)과 미만형 (양측 폐로 확대)으로 나뉜다.
- 기관지확장의 형태적 특징에 따라서 원통상, 혹상, 낭상으로 나뉜다.
- 폐렴구균, 인플루엔자균 등의 기도정착이나 그것으로 인한 급성악화를 반복하며, 만성기도감염의 병태를 나타낸다. 종말기에는 뮤코이드(mucoid)형 녹농균에 의한 지속감염이 확인되고, 기관지선의 증생에 수반하는 과분비, 뮤코이드형성에 의한 기도폐쇄, 호중구 프로테아제(protease)에 의한 기도장애가 조장된다.

병인·악화인자

- 빈도로는 호흡기감염증에 의한 것이 가장 많다. 기도감염에 의한 급성악화를 볼 수 있다. 만성기도감염에 의해서 기도염증이 지속되다가, 기도손상 · 파괴가 서서히 진행된다.
- 국한형
  - 폐렴후
  - 기도폐쇄에 수반하는 것, 이물, 종양, 기관지결석 등.
- 미만형
  - 기도감염에 수반하는 것
  - 이물흡입
  - 면역저하에 의한 것. 저 γ 글로불린혈증, HIV감염 등
  - 선천성인 것 : 원발성 섬모운동이상, 낭포성섬유증, Swyer-James증후군, Williams-Campbell증후군 (선천성기관지연골결손), Mounier-Kuhn증후군 (기관기관지거대증), 폐분획증 등.
  - 교원병에 수반하는 것 : 관절류머티스, 쇼그렌(Sjögren)증후군 등.
  - 기타 : 미만성범세포기관지염, 특발성폐섬유증, 사르코이도시스, 알레르기성기관지폐진균증(allergic bronchopulmonary mycosis), 염증성 장질환에 수반하는 것 등.

역학·예후

- 미국에서는 성인 10만명에 약 50명의 발병률, 진단시 평균연령은 68세, 남녀비는 약 2 : 3이라고 보고되었다.
- 진단후 10년의 사망률이 28%인 예후를 보인다.

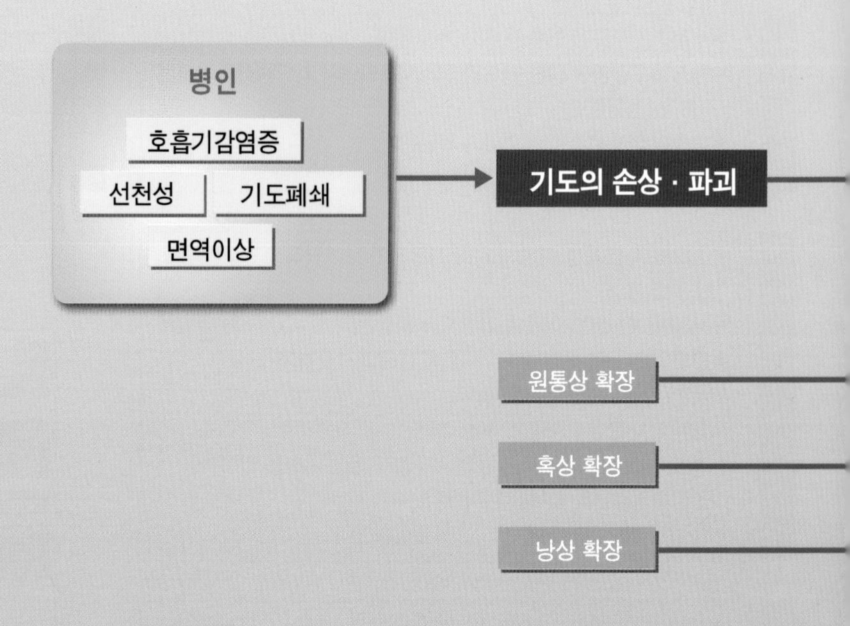

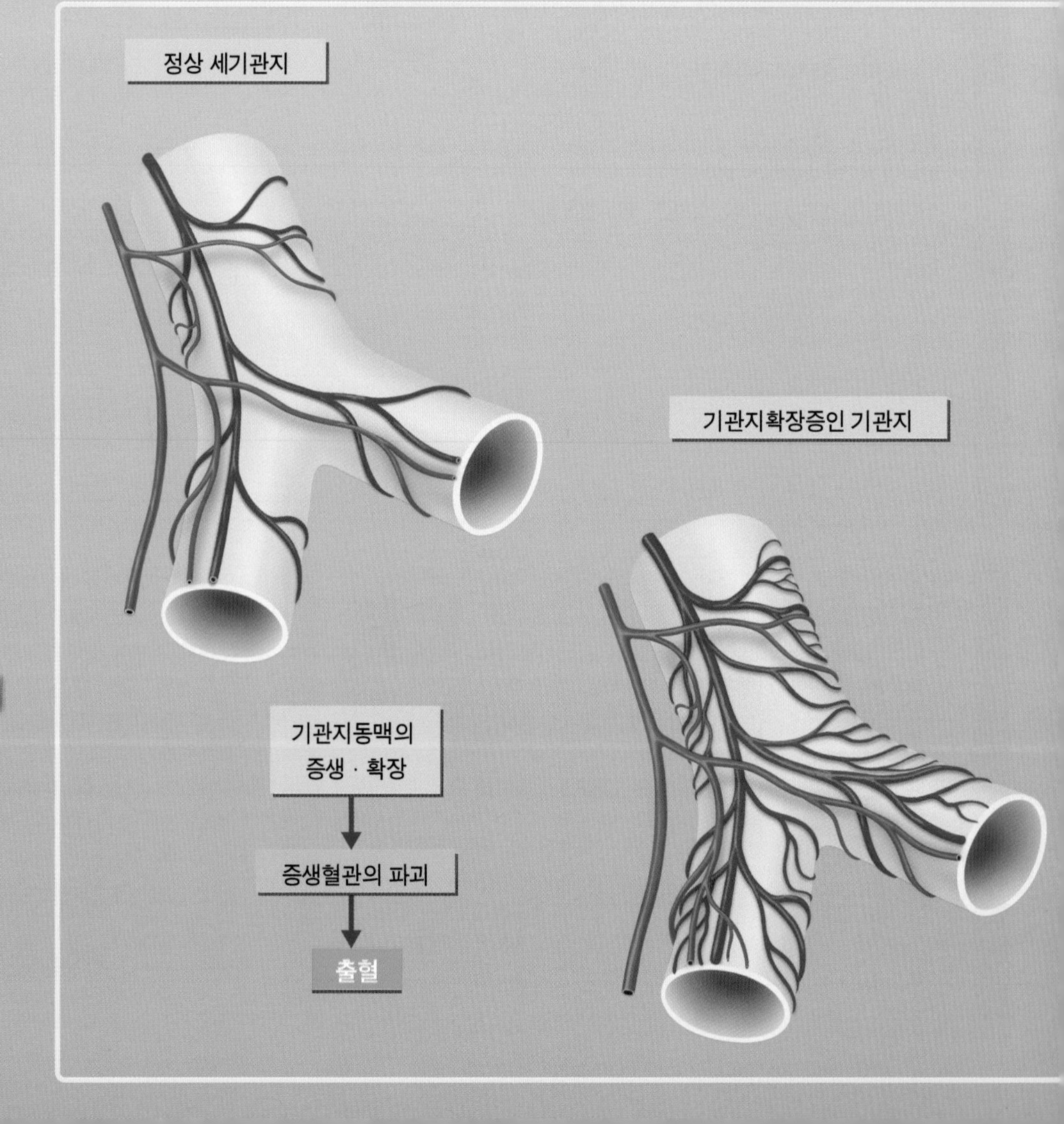

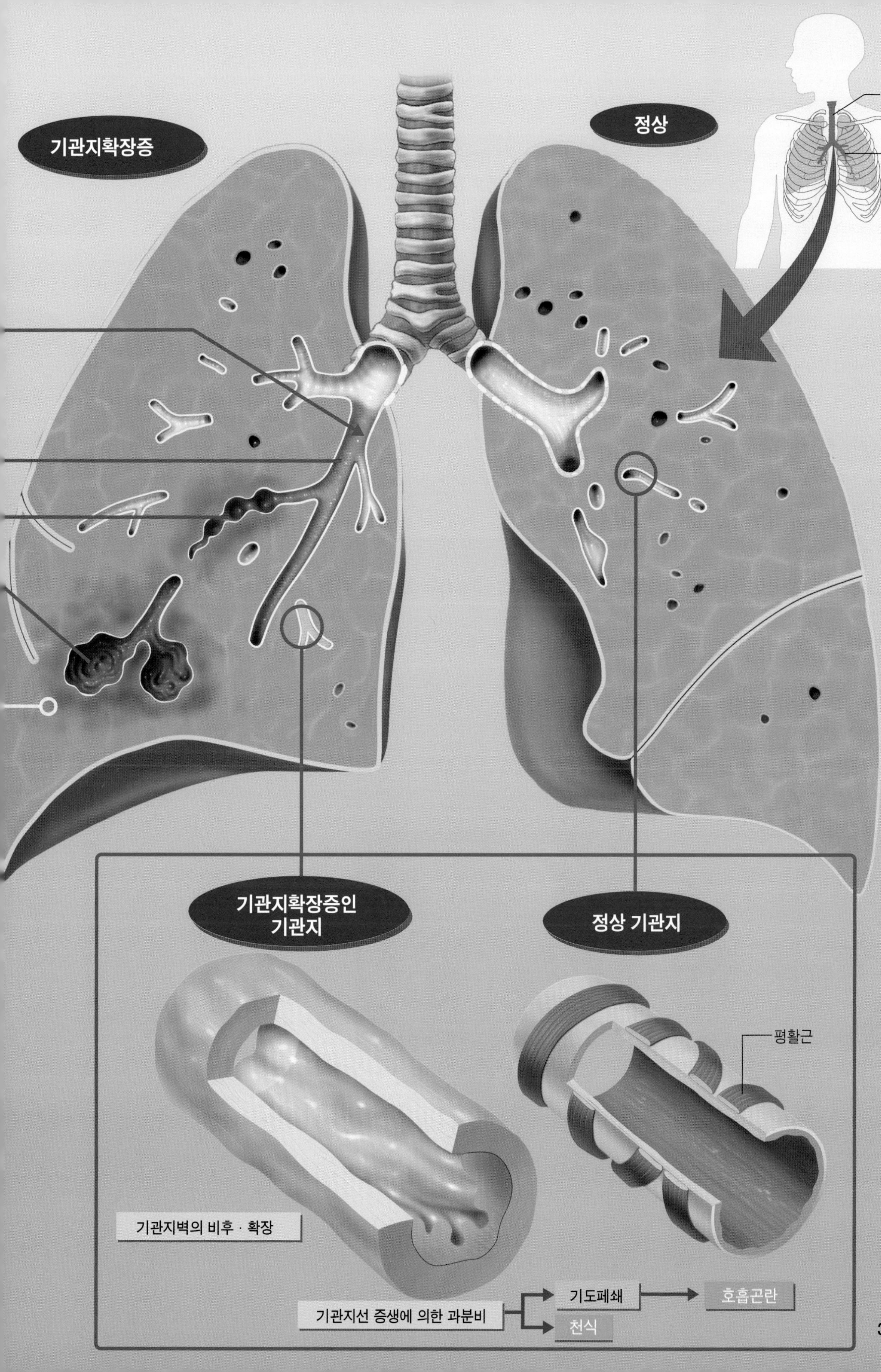

기관지확장증

정상

기관

기관지

기관지확장증인 기관지

정상 기관지

평활근

기관지벽의 비후 · 확장

기관지선 증생에 의한 과분비

기도폐쇄

호흡곤란

천식

기관지확장증

증상 map

만성적인 기침, 객담, 객혈이 주증상이다.

증상

- 기침, 객담 (점성, 농성), 객혈을 확인한다. 기도감염에 의한 급성악화인 경우, 발열, 기침, 농성가래의 증가, 노작성호흡곤란을 수반한다.
- 폐야에서 단속성 수포음 (crackles)을 청취한다.

합병증

- 부비강염 [Kartagener증후군, 미만성범세기관지염 등].
- 기도감염에 속발하는 폐렴.
- 진행되면 호흡부전 (저산소혈증), 폐고혈압증이 나타난다.

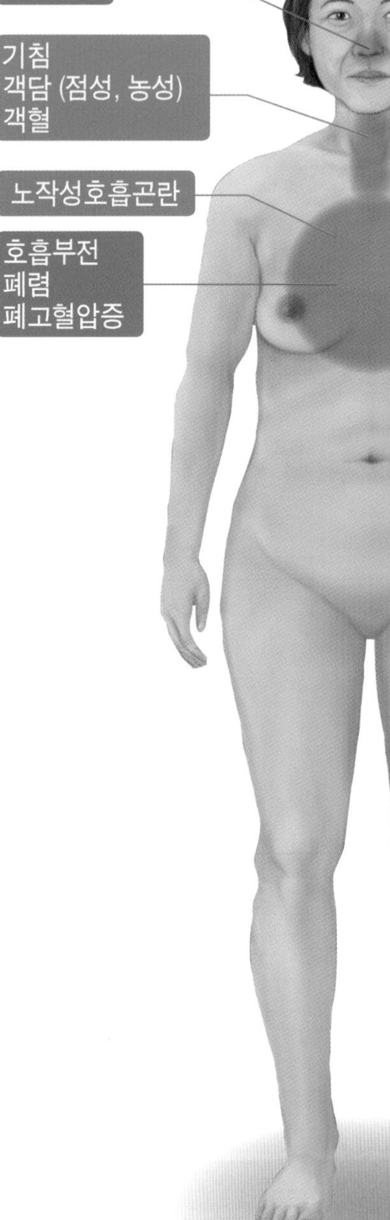

기관지확장증

진단 map

형태학적 진단명이므로, 흉부X선검사나 CT에서 확장된 기관지상을 확인하면 진단할 수 있다.

진단·검사치

- 흉부X선검사나 CT검사에서는 기관지벽 비후 (tram line), 기관지내강으로의 점액저류상 (mucoid impaction) 등도 특징이다.
- 고해상 CT (high resolution CT ; HRCT) 검사에서 반주하는 폐혈관의 1.5배 이상의 지름을 나타내면 기관지확장증이라고 진단 가능하다.
- 그림5-1은 기관지확장증의 흉부CT상이다. 기관지벽 비후, 원통상, 낭상의 기관지확장상, 기관지내경의 점액저류상이 명료하게 확인된다.
- 검사치
- 본증에서 특이하게 이상을 나타내는 혈액검사치는 없다.
- 병변이 어느 정도 진행되면 저산소혈증을 나타내며, 세균감염이 발병하면 백혈구수치나 CRP치의 증가가 나타난다.

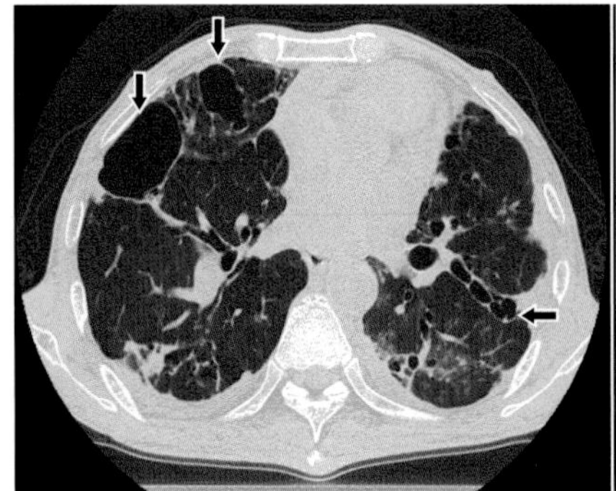
낭종 내지 원통상으로 확장된 기관지 (화살표)

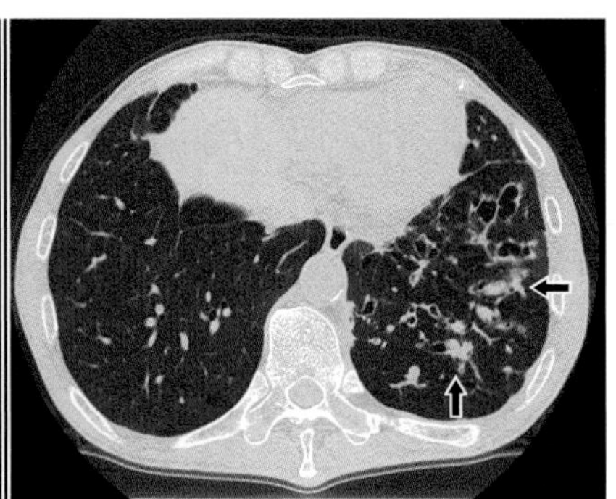
점액전이 확인된다 (화살표)

■ 그림 5-1 기관지확장증의 CT상

치료 map

질환초기에는 거담제를 이용하여 기도정화를 도모하고, 만성기도감염의 병태를 나타내는 경우에는 14고리 마크롤라이드계 항균제 등을 적용하는 약물요법을 실시한다.

치료방침

- 안정기에는 저류된 객담의 배출을 촉진시키기 위하여, 거담제투여, 체위배액이 주가 된다.
- 약물요법으로, 기도정화가 목적인 거담제, 만성기도감염에 대한 항균제, 혈담・객혈에 대한 지혈제를 투여한다.
- 혈담이나 반복되는 객혈에는 기관지내시경하에서 지혈이나 기관지동맥색전술을 실시한다.

진단 | 치료

흉부X선검사
흉부CT검사
고해상 CT검사

약물요법
기관지내시경적 지혈
외과요법
재택산소요법

체위배액

■ 표 5-1 기관지확장증의 주요 치료제

분류	일반명	주요 상품명	약효발현의 메커니즘	주요 부작용
거담제	카르보시스테인	뮤코다인	기도점액수복제	식욕부진, 설사 등
	암브록솔염산염	뮤코솔반, 암브론, Mucosal	기도윤활제	위장불쾌감
	브롬헥신염산염	비졸본	기도점액용해제	식욕부진, 오심 등
항균제	에리트로마이신스테아린산염	에리스로신	기도의 과잉분비 억제, 호중구 유주능억제, IL-8생산억제 등	오심・구토 등
	레보플록사신수화물	크라비트	세균의 DNA복제저해	설사, 복부불쾌감 등
	메로페넴수화물	메로펜	세균의 세포벽합성저해	발생, 설사, 간장애 등
지혈제	카르바조크롬설폰산나트륨수화물	아도나	혈관강화제	식욕부진 등
	트라넥삼산	도란사민	항플라스민제	식욕부진, 설사 등

약물요법

Px 처방례 기도정화목적
- 뮤코다인정 (500mg) 3정 分3 (식후) ←거담제
- 뮤코솔반정 (15mg) 3정 分3 (식후) ←거담제

Px 처방례 미만성범세기관지염에 대한 14고리 및 15고리 마크롤라이드계 항균제의 소량 장기투여
- 에리스로신정 (200mg) 2~3정 分2~3 (식후) ←항균제

※녹농균감염이 있는 중증 미만형기관지확장증에 대한 국소요법이다.
※부비강기관지증후군에도 똑같은 처방이 행해지는 경우가 있다. 단, 미만성범세기관지염처럼 효과가 확립되어 있는 것은 아니다.

Px 처방례 세균감염에 의한 급성악화시
- 크라비트정 (100mg) 4정 分2 (식후) ←항균제
- 메로펜주 (0.5g/V) 1일2회 (정주) ←항균제

※조직이행성이 좋고, 폐렴구균이나 그람음성간균에도 유효한 것이 좋다.

Px 처방례 객혈・혈담에 대해서
- 아도나정 (30mg) 3정 分3 (식후) ←지혈제
- 도란사민 (500mg) 分3 (식후) ←지혈제

※ 토브라마이신 (아미노글리코시드계 항균제) 흡입요법을 시행하고 호흡기증상이 개선되었다는 보고가 있지만, 부작용의 발생빈도가 높아서 확립된 치료라고 할 수 있을 정도는 아니다.

기관지내시경

- 객혈・객담 : 객혈이 지속되거나 대량객혈인 경우, 기관지내시경을 이용하여 지혈이나 기관삽관 등을 실시하는 경우가 있다. 또 기관지동맥색전술 (그림 5-2)을 긴급히 시행하기도 한다.

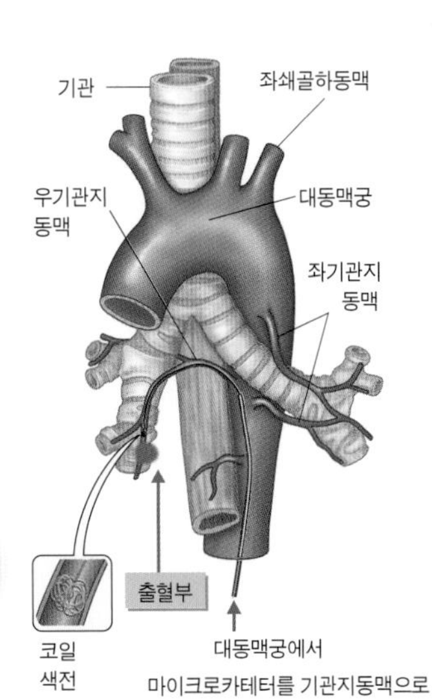

■ 그림 5-2 기관지동맥색전술

외과치료

- 객혈을 반복하고, 병변이 국한되어 있는 경우는 외과수술을 적용하기도 한다. 젊은층 환자에서 진행성호흡부전을 나타내는 경우에는 폐이식의 적용을 고려한다.

재택산소요법

- 만성호흡부전으로 진행된 경우에 실시한다.

기관지확장증의 병기・병태・중증도별로 본 치료흐름도

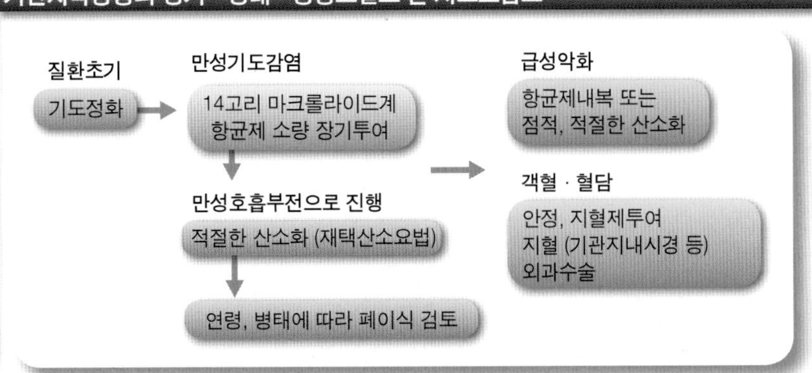

(臼井 裕)

환자케어

급성기에는 감염의 진정화가 치료의 초점이 된다. 따라서 약물요법을 확실히 실시할 수 있도록 지지한다. 기관지가 불가역적 변화를 나타내고 있으므로 완전한 치유는 없고, 환자가 '병기에 적절히 대처' 할 수 있도록 지지한다.

병기·병태·중증도에 따른 케어

【급성기】 감염의 진정화를 도모하는 것이 치료의 초점이 되므로, 약물요법을 확실히 실시하고, 또 폐물리요법을 적극적 · 계획적으로 하여 객담배출을 촉구한다. 기침 · 객담, 발열에 의한 호흡곤란 · 체력소모가 현저한 시기이므로, 각 증상에 대한 대증간호를 시행한다. 특히 발열은 에너지를 소모시킬 뿐 아니라, 식욕부진, 소화흡수기능저하를 가져온다. 발열 · 기침의 지속이라는 이중 에너지소모에 충분히 영양를 섭취할 수 없는 상태는 빠르게 환자를 영양 · 에너지부족상태에 빠지게 한다. 이 때문에 발열의 원인인 기도감염증의 치료가 제일 우선시 된다. 또 호흡곤란감, 질식감으로 매우 큰 불안을 느끼게 되므로, 호흡곤란감을 완화하도록 돕는다.

【만성기】 기관지가 불가역적 변화를 나타내고 있으므로 완전한 치유는 없고, 오랜 경과관찰이 필요하다. 환자가 '병기에 적절히 대처' 할 수 있도록 지지한다. 환자 자신이 치료계획에 적극적으로 참가하여 증상을 관리하고, 또 악화징후를 적절히 모니터링하여 일상생활에 적응해 가도록 지지한다. 항균제의 내복치료가 중심인데, 그 투여방법에는 고용량의 항균제를 3~6개월간 지속투여 (장기 연속적 투여)하거나, 10일 정도 투여 후에 같은 일수의 휴약기간을 두고 감량하면서 연속적으로 투여 (간헐적 투여)하거나, 1~2주 정도 투여 (단기요법)하는 등, 여러 가지이다. 장기적인 전망을 환자와 함께 확인하고, 환자의 복용을 지지한다. 기도분비물이 저류되어 있으면, 세균번식의 온상이 되어 감염을 재발 · 악화시킨다. 감염이 장기화되면 기관지벽을 파괴하고, 또 병태를 악화시키므로, 충분한 객담배출을 할 수 있도록, 체위배액이나 효과적인 기침법을 지도하며, 환자가 스스로 실천할 수 있도록 지지한다. 또 호흡기감염을 일으키지 않게 스스로 예방법을 시행할 수 있도록 지도하고, 확실히 실천할 수 있도록 지지한다.

【회복기】 사회생활에 대한 적응이 무리 없이 진행되도록 지지한다. 가족의 수용태도를 배려하고, 사회자원의 유효한 활용을 검토한다.

케어의 포인트

진찰 · 치료의 지지

- 치료의 진행법 (항균제의 내복이 중점)에 관한 장기적인 전망을 환자와 함께 확인하고, 환자의 복용을 지지한다.
- 정해진 시간에 정해진 복용량을 확실히 내복하도록 지도한다.
- 항균제의 내복중단은 내성균을 출현하게 하여 치료를 어렵게 하므로, 증상이 경감되어도 자가판단으로 중지하지 않도록 지도한다.

객담배출의 촉진과 감염예방

- 기도분비물이 저류되지 않도록 체위배액이나 흉곽압박법, 허핑법 등의 폐물리요법을 시행한다.
- 객담의 유동성을 유지하기 위하여 수분을 보급(심부전이 없는 경우)하고 흡인, 실내의 온도 · 습도를 관리한다.
- 효과적인 기침법을 지도하고, 스스로 객담을 배출하도록 지지한다.
- 상기도감염을 예방하기 위하여, 사람이 많은 곳을 피한다. 마스크를 착용하는 등의 기본적 습관을 몸에 익히도록 지도한다.
- 감염징후 (농성가래의 증가)에 대하여 이해하고, 징후가 있을 때는 신속히 보고 (재택인 경우는 진찰)하도록 지도한다.

영양 및 수분섭취를 위한 지지

- 식욕이 없는 때라도 경구섭취할 수 있도록 음식물의 대체나 조리상의 연구를 실시한다.

일상생활행동 지지

- 호흡곤란시에는 부족한 셀프케어를 보충한다.
- 증상이 안정되면 서서히 생활행동범위를 넓힌다.

증상의 자기조절 지지

- 유효한 호흡법을 지도하고, 스스로 객담을 배출하도록 지지한다.
- 치료의 필요나 치료계획의 유효성에 관하여 의문이 남지 않도록 설명한다.
- 치료의 의미를 이해하고, 계속적인 복용을 할 수 있도록 지지한다.

환자 · 가족의 심리 · 사회적 문제에 대한 지지

- 호흡곤란감에 의한 불안, 언어적 의사소통의 장애 등 수많은 불안이나 불만을 안고 있는 것을 이해하고, 지지한다.
- 환자모임 등 고민을 서로 나눌 수 있는 장을 제공한다.
- 자택의 환경에 배려한 일상생활동작을 연구한다.

- 요양이 장기간이므로, 감염이 재발하지 않는 것이 질환의 악화 · 진행예방에 중요하다는 점을 가족 전원에게 이해시키고, 가족 전원이 감기 등의 상기도감염에 걸리지 않도록 명심하고, 그에 맞추어 행동하도록 지지한다.

퇴원지도 · 요양지도

- 완전치유는 바랄 수 없지만, 질병의 진행과 중증화를 방지하는 것이 중요하다는 점을 이해하게 한다.
- 호흡기감염을 일으키지 않도록, 사람이 많은 곳을 피한다. 마스크착용, 외출 후 손씻기, 철저한 양치질 등, 기본적인 자기관리를 할 수 있도록 지도한다.
- 금연을 철저히 하도록 지도한다.
- 감염재발의 징후인 객담량의 증가, 농성담의 출현 등에 주의하고, 증상이 보이면 바로 진찰받도록 지도한다.
- 기침이 심해져도 자가판단으로 진해제는 복용하지 않도록 지도한다.
- 1일 필요영양량을 섭취할 수 있도록 식사상의 연구를 지도한다 (경우에 따라 영양지도)를 실시한다.
- 재택산소요법을 하는 경우에는 자택에서의 생활에 적응할 수 있도록 지지한다.
- 이용할 수 있는 사회자원에 관한 정보를 제공하고, 이용을 권한다.
- 환자 · 가족이 가정 내에서 각각의 역할을 할 수 있도록 조정한다.

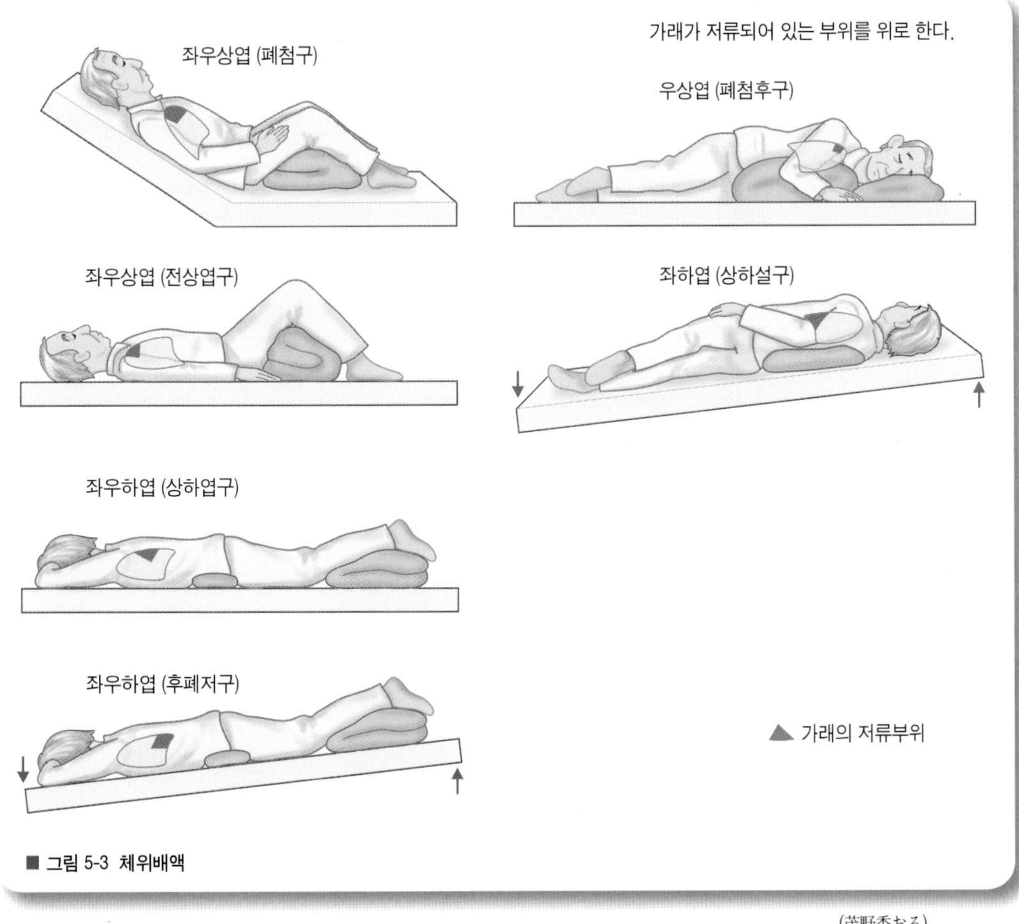

■ 그림 5-3 체위배액

(茂野香おる)

Memo

6 기관지천식 (bronchial asthma)

市岡正彦 / 龜井智子

전체 map

병인

- 아토피소인 (알레르기체질)이 있는 경우와 없는 경우가 있다.
- 환경인자 (진드기, 집먼지 등), 기도감염, 대기오염, 분진, 스트레스 등이 요인이 된다.

[악화인자] 흡연

역학

- 증가경향에 있으며, 유병률은 성인에서 약 3%, 소아에서 7~8%이고, 추정환자수는 약 1100만명이다.

[예후] 천식사는 감소경향에 있으며 연간사망수는 약 2,000명이다.

병태생리

- 기도의 만성염증으로 인해 점막이 손상을 입고, 기도과민성, 가역성기도협착, 기도분비과다 등이 초래되어 기침, 천명(wheezing), 발작성호흡곤란이 나타난다.
- 발작이 반복되면 불가역성 변화 (기도재형성)가 일어나고, 난치성천식으로 이행된다.
- 특수형으로는 운동유발성천식(exercise-induced asthma), 아스피린천식, 기침천식이 있다.

증상 | 합병증 | 진단 | 치료

기침 · 가래 천식

호흡곤란

만성 폐쇄성 폐질환

약물요법 [일상관리제 (controller)]와 급성발작치료제 (reliever)의 사용

호흡기능검사 Peak Flow Meter

히스타민유리시험 혈청RAST

Prick test Scratch test

증상

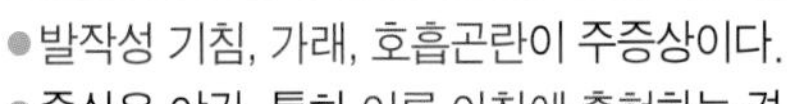

- 발작성 기침, 가래, 호흡곤란이 주증상이다.

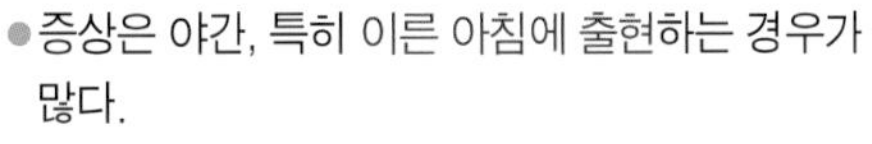

- 증상은 야간, 특히 이른 아침에 출현하는 경우가 많다.
- 난치성천식에서는 증상이 지속된다.
- 발작시에는 호기의 연장, 연속성 수포음이 청진된다.
- 중증화되면 호흡음은 감약되어, 수포음이 청진되지 않는다.

[합병증]

- 만성 폐쇄성 폐질환 (COPD)
- 알레르기성육아종성혈관염 (Churg-Strauss증후군)
- 알레르기성기관지폐진균증 (allergic bronchopulmonary mycosis;ABPM)

진단

- 성인천식의 진단은 증상, 가역성 기류제한, 기도과민성 항진, 아토피소인, 기도염증의 존재, 다른 심폐질환의 제외진단에 의해 내려진다.
- 호흡기능검사 : 기관지확장제 흡입후, 1초량 ($FEV_{1.0}$)이 개선되면 가역성기도폐쇄로 진단한다. Peak Flow Meter (PEF)에서 20% 이상의 일내변동이 있으면 천식으로 진단한다.
- 아토피형에서는 혈청 총 IgE 상승이 나타났다. 특이적 IgE 항체의 증명에는 Prick test, Scratch test, 혈청 RAST (방사성알레르기흡착시험) 등이 이용된다.

치료

- 만성기 유지관리에는 일상관리제 (controller)을, 급성발작시 치료에는 급성발작치료제 (reliever)를 사용한다.
- 약물요법 : controller에는 흡입용 스테로이드제, reliever에는 단시간작용형 흡입 β_2 자극제 등이 있다.
- 일본의 종래 가이드라인에서는 천식의 만성관리는 중증도에 대응한 단계적 약물요법이 권장되었지만, 최신의 천식예방 · 관리 가이드라인 (JGL2009)에서는 국제천식관리지침 (GINA2006)과 같이, 중증도가 아닌 치료스텝에 따른 치료법 선택으로 전환되고 있다.

병태생리 map

기관지천식이란 기도의 만성염증으로 점막이 손상을 입고, 기침, 천명, 발작성호흡곤란 등의 임상증상을 나타내는 질환이다.

- 기도의 만성염증으로 점막이 손상을 입고, 신경이 노출되며, 기도과민성 항진, 가역성기도협착, 기도분비과다 등에 의해서, 기침, 천명, 발작성호흡곤란 등의 임상증상을 나타내는 질환.
- 이러한 발작이 반복되면, 기도재형성(airway remodeling)이라는 불가역성 변화가 일어나고, 난치성천식으로 이행된다.

병인·악화인자

- 아토피소인이라 불리는 알레르기체질을 갖는 경우와 확실한 알레르기소인이 확인되지 않는 경우가 있다.
- 가장 중요한 악화인자는 흡연이며, 흡연을 계속할 경우 기도재형성이 초래될 가능성이 있다.
- 그 밖의 대표적인 천식발작의 유인으로, 환경인자 (진드기, 집먼지, 식물, 동물의 털 등), 기도감염, 기압의 변화, 대기오염, 분진, 스트레스 등을 들 수 있다.

역학·예후

- 일본의 천식의 유병률은 성인에서 약 3%, 소아에서 7~8%이며, 해마다 증가경향에 있다. 추정 환자수는 약 1,100만명이다.
- 천식사는 1997년 이후 감소경향에 있지만, 그래도 아직 연간 2,000명 이상이 사망하고 있다. 위험인자로 ①고령자, ②남성, ③중증, ④비아토피형, ⑤과거의 입원력, ⑥치명적인 대발작, 을 들 수 있다.

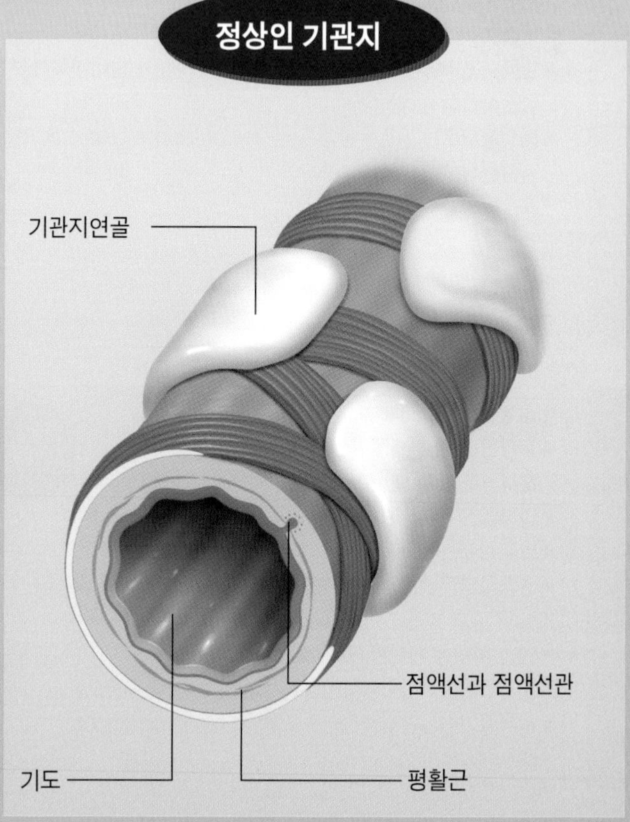

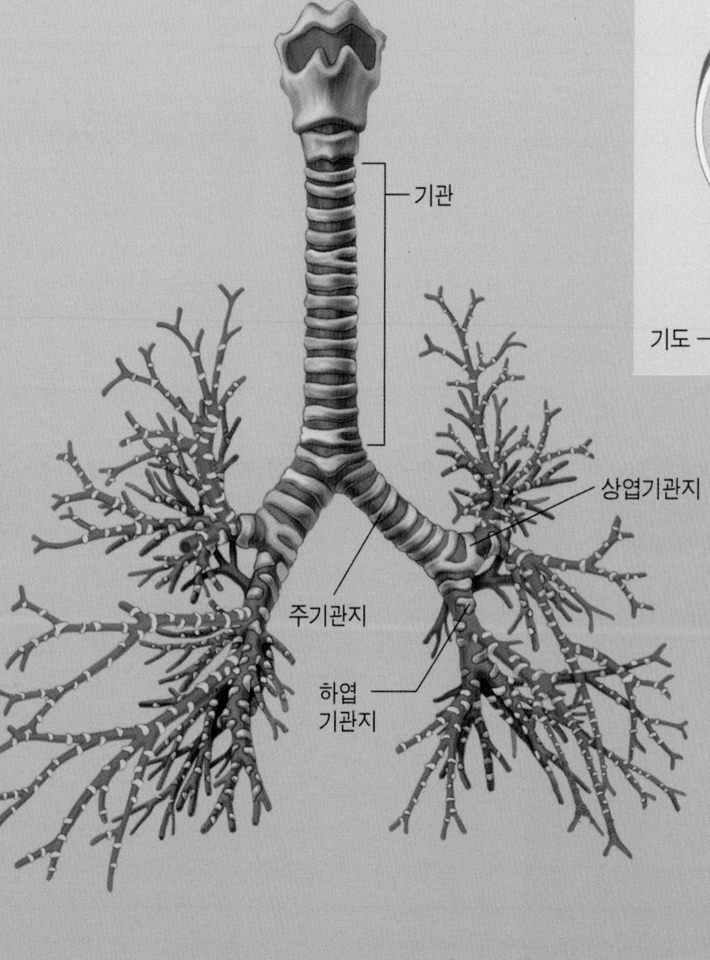

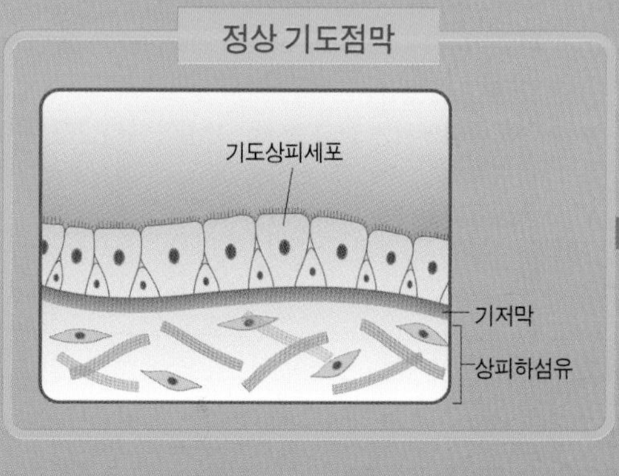

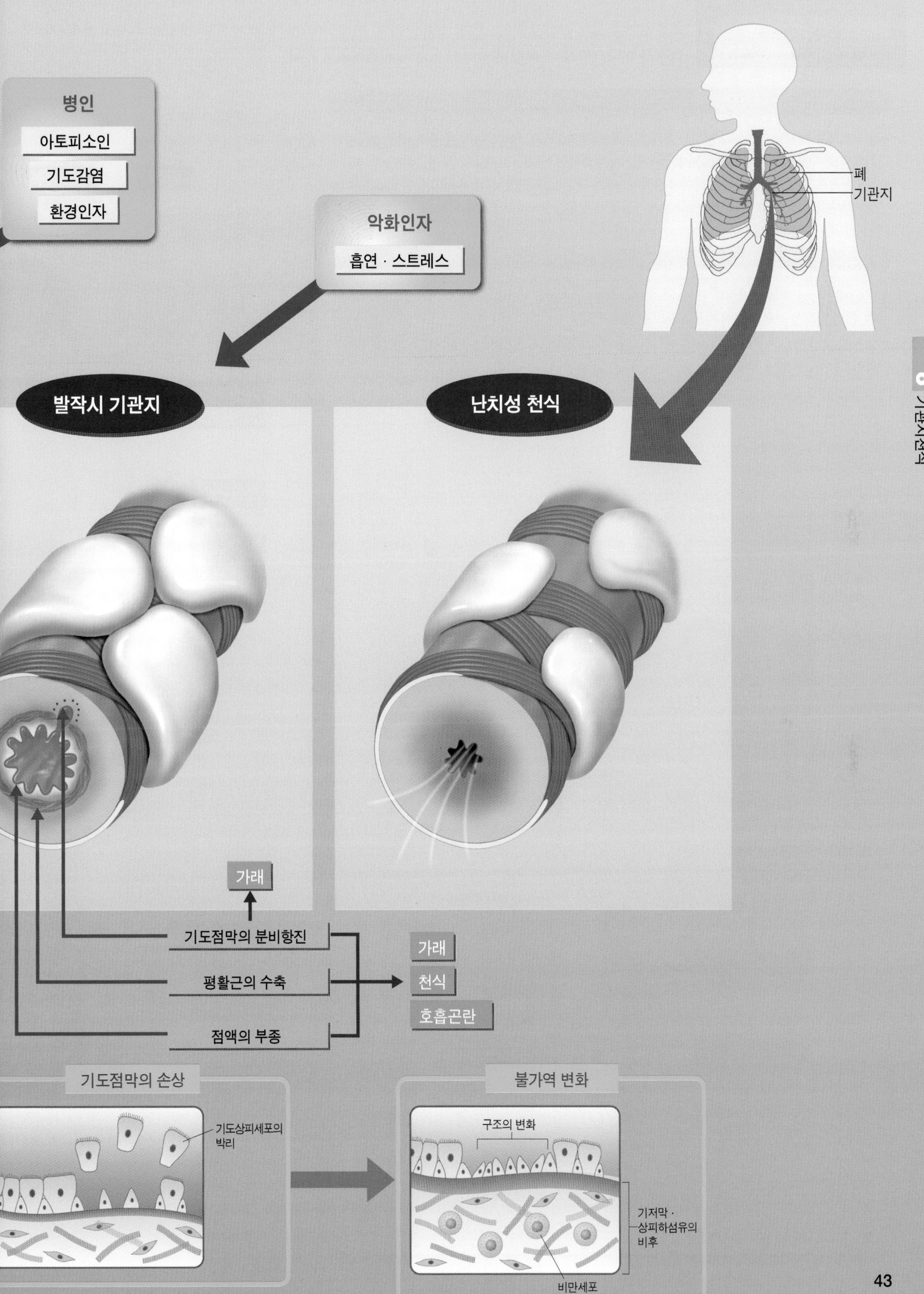
병인
아토피소인
기도감염
환경인자
악화인자
흡연 · 스트레스
폐
기관지
발작시 기관지
난치성 천식
가래
기도점막의 분비항진
평활근의 수축
점액의 부종
가래
천식
호흡곤란
기도점막의 손상
기도상피세포의
박리
불가역 변화
구조의 변화
기저막 ·
상피하섬유의
비후
비만세포

증상 map

주요 임상증상은 발작성 기침, 천명, 호흡곤란 및 가래이며, 야간, 특히 이른 아침에 증상이 출현하는 경우가 많다. 난치성천식인 경우에는 증상이 지속되기도 한다.

증상

- 발작시에는 호기의 연장이나 청진상 연속성 수포음 (피리소리)이 청취되는데, 중증이 되면 호흡음이 감약되고, 수포음도 청취되지 않는 경우가 있어서 주의해야 한다.
- 특수형으로, 운동유발성천식 (운동시에 발작이 유발된다), 아스피린천식 (비스테로이드성 항염증제 등으로 발작이 유발된다), 기침천식 (주증상이 기침 뿐이며, 청진상 수포음은 청취되지 않는다) 등이 있다.

합병증

- 천식에는 만성 폐쇄성 폐질환 (chronic obstructive pulmonary disease ; COPD)이 합병되기도 하며, 천식 단독인 경우에 비해 치료가 어려운 경우가 있다.
- 천식을 수반하는 특수한 병태로서, 알레르기성육아종성혈관염 [Churg-Strauss증후군], 알레르기성기관지폐진균증이 있다.

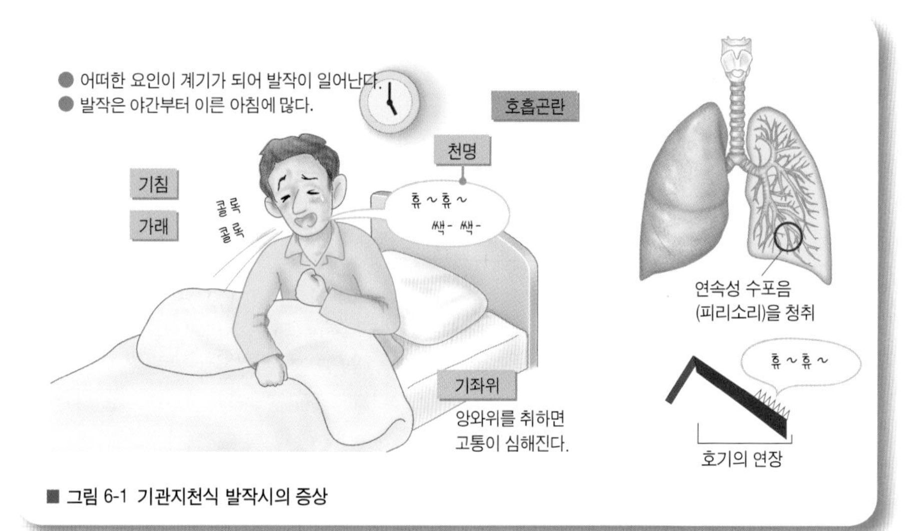

■ 그림 6-1 기관지천식 발작시의 증상

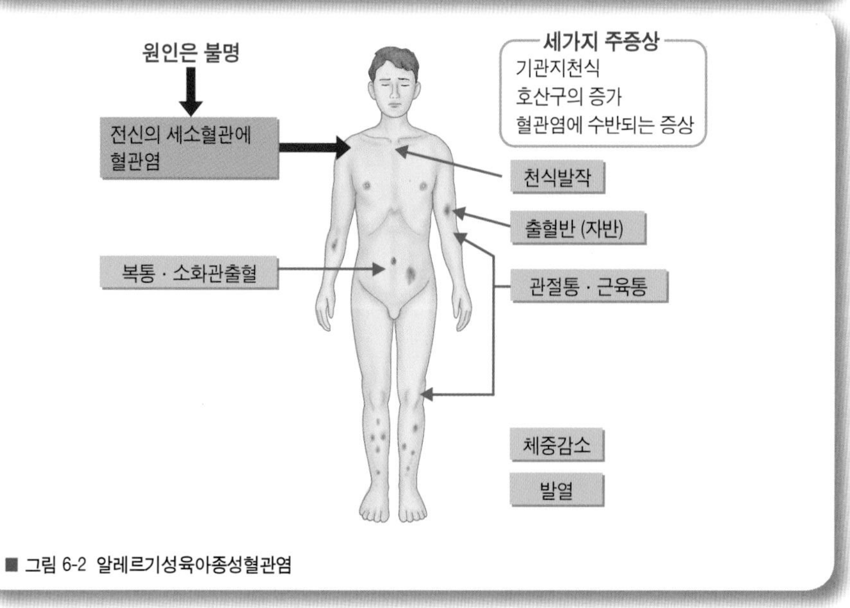

■ 그림 6-2 알레르기성육아종성혈관염

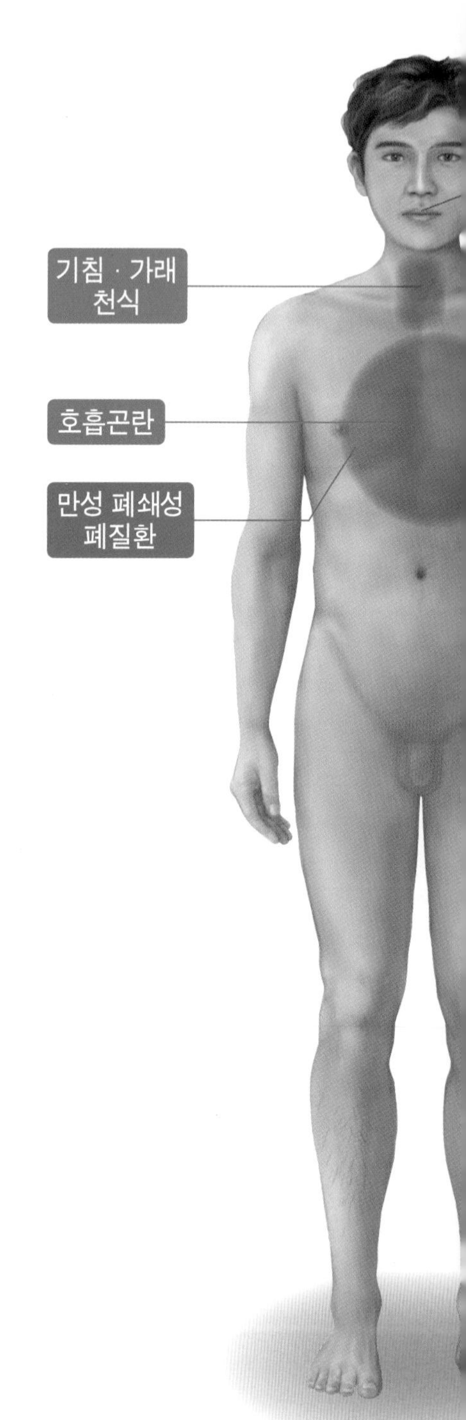

진단 map

전형적인 발작시에는 진단이 용이하지만, 발생초기나 비전형례의 경우에는 진단 내리기가 어려울 수도 있다.

진단 | 치료

약물요법[일상관리제 (controller)와 급성발작치료제 (reliever)의 사용]

호흡기능검사
Peak Flow Meter

히스타민유리시험
혈청 RAST

Prick test
Scratch test

진단·검사치

- 성인천식의 진단은 증상 (발작성호흡곤란, 천명, 야간·이른 아침에 심한 기침 등), 가역성 기류제한 (자연치유, 또는 기관지확장제 등의 치료로 개선), 기도과민성 항진, 아토피소인, 기도염증의 존재, 다른 심폐질환의 제외 등에 의해 내려진다. 전형적인 발작시에는 진단이 용이하지만, 발생초기나 비전형례에서는 진단이 어려운 경우도 많다.
- 호흡기능검사에서는 발작시 1초량 ($FEV_{1.0}$)의 저하와 기관지확장제 흡입후 $FEV_{1.0}$의 개선 (12% 이상 또 절대량에서 200mL 이상의 증가)이 나타나면 가역성기도폐쇄로 판단한다. 일상생활에서는 간편한 방법으로 Peak Flow Meter (PEF)가 유용하며, 20% 이상의 일내변동은 천식에서 드물다. 기도과민성 평가는 아세틸콜린, 메사콜린흡입시험으로 하며, 흡입 후 $FEV_{1.0}$을 20% 저하시키는 농도 및 양을 PC_{20} (provocative concentration) 및 PD_{20} (provocative dose)으로 나타내어 평가한다.
- 감별진단에서는 좌심부전 (심낭천식), 만성 폐쇄성 폐질환 (COPD), 상기도폐쇄 (급성후두개염, 기도이물, 종양 등에 의한다), 성대기능부전이 중요하다.
- 치료 전의 임상소견에 의한 중증도 분류는 표6-1과 같다.
- 검사치
- 아토피형에서는 혈청 총 IgE의 상승이 나타나는 경우가 많아서, 특이적 IgE 항체를 확인하기 위해 Prick test, Scratch test, 히스타민유리시험, 혈청 RAST (방사성알레르기흡착시험) 등이 이용된다. 말초혈 및 객담 중의 호산구 증가도 판단의 근거가 된다.
- 호흡기능검사 및 Peak Flow Meter (PEF)에 관해서는 진단의 항을 참조.

■ 표 6-1 기관지천식의 중증도 분류 [천식예방 · 관리가이드라인 2009 (JGL 2009)]

중증도	경증 간헐형	경증 지속형	중등증 지속형	중증 지속형
증상의 빈도	주 1회 미만	주 1회 이상	매일	매일
증상의 강도	경도로 짧다	월 1회 이상 일상생활이나 수면에 지장이 발생한다	주 1회 이상 일상생활이나 수면에 지장이 발생한다	일상생활이 제한된다
	-	-	단시간작용형 흡입 β_2-아드레날린수용체자극제의 돈복이 매일 필요하다	치료하에서도 종종 악화된다
야간증상	월 2회 미만	월 2회 이상	주 1회 이상	종종
$\%FEV_{1.0}$, %PEF	80% 이상	80% 이상	60% 이상 80% 미만	60% 미만
$FEV_{1.0}$, PEF의 변동	20% 미만	20~30%	30%를 넘는다	30%를 넘는다

1)상기 중 1가지가 확인되면, 중증도라고 판단한다.
2)증상을 통한 판단시, 중증례나 장기이환례에서 중증도를 과소평가하는 경우가 있다.
3)호흡기능은 기도폐쇄의 정도를 객관적으로 나타내는 지표이며, 그 변동이 기도과민성과 관련된다.
$\%FEV_{1.0}$=($FEV_{1.0}$ 측정치/$FEV_{1.0}$ 예측치)×100
%PEF=(PEF 측정치/PEF 예측치 또는 자기최량치)×100
(일본 알레르기학회 천식가이드라인 전문부회 : 천식예방·관리 가이드라인 2009. 協和기획. 2009)

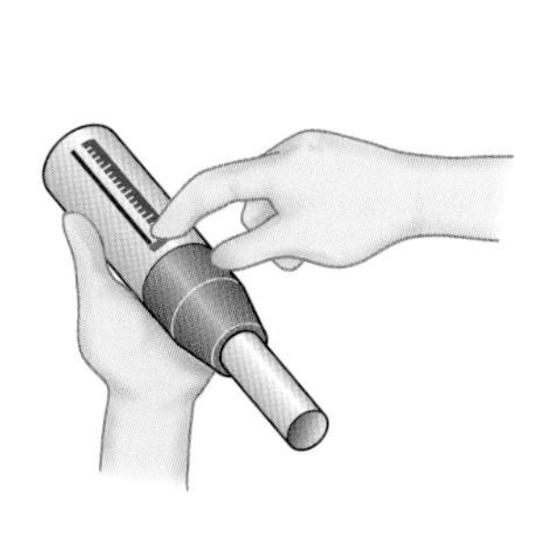

Peak Flow Meter의 마커를 제일 아래로 한다.

서 있는 채로 측정한다. 심호흡을 한 후 Peak Flow Meter를 입에 물고, 가능한 빠르게 한번에 분다.

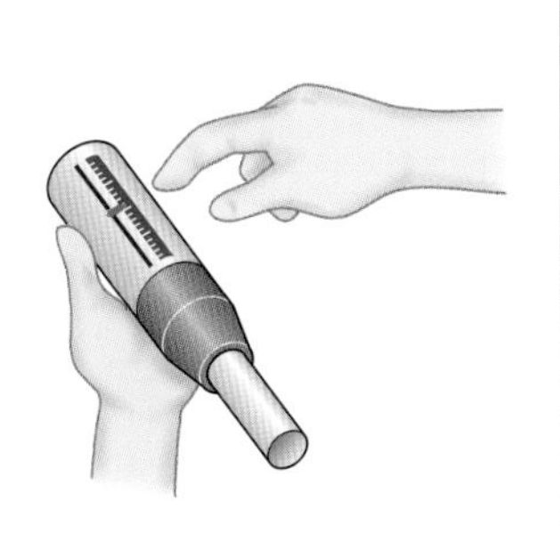

마커가 멈춘 위치의 눈금 수치를 읽는다.

■ 표 6-3 Peak Flow Meter의 사용방법

천식치료는 만성기의 유지관리와 급성발작시의 치료로 구분되며, 치료제도 일상관리제 (controller)와 급성발작치료제 (reliever)로 나뉜다.

치료방침

- 천식에서는 기도재형성(불가역적 변형)으로의 진행을 방지한다는 점에서 발작예방이 가장 중요하다. 만성관리에 관해 종래에는 중증도에 따른 치료가 권장되었는데, 새로운 일본의 가이드라인 (JGL 2009)에서는 국제천식관리지침 (Global Initiative for Asthma ; GINA 2006)과 같이 치료스텝에 따라서 치료를 선택하는 방향으로 전환되고 있다.

■ 표 6-2 기관지천식의 주요치료제

분류	일반명	주요 상품명	약효발현의 메커니즘	주요 부작용
β_2-아드레날린 수용체자극제	살부타몰유산염	Saltanol inhaler, Venetlin	기관지평활근의 β_2-아드레날린수용체에 선택적으로 작용하여 기관지를 확장시킨다	저칼륨혈증, 쇼크, 심계항진, 진전
	살메테롤 크시나포에이트	Serevent		
	툴로부테롤	호쿠날린		고칼륨혈증, 심계항진, 진전, 첩부부위의 피부병
흡입용 스테로이드제	부데소니드	풀미코트	국소에서 항염증작용을 발휘한다	인후두자극증상, 애성(쉰목소리), 구내염, 구내건조, 칸디다증
	플루티카손 프로피온산에스테르	Flutide		
	베크로메타손 프로피온산에스테르	Qvar		
류코트리엔길항제	몬테루카스트나트륨	싱귤레어, Kipres	선택적으로 류코트리엔수용체에 결합함으로써, 항알레르기작용을 나타낸다	아나필락시스양 증상, 혈관부종, 간기능장애, 오심, 복통, 가슴쓰림, 설사
	프란루카스트수화물	오논		
크산틴유도체	테오필린	Theodur, Slo-bid, Theolong, Uniphyl LA	기관지평활근 이완작용으로 기관지를 확장할 뿐만 아니라, 항염증작용도 있다	경련, 의식장애, 심계항진, 마비, 간기능장애
	아미노필린수화물	Neophyllin, 알비나, Kyophyllin		
부신피질호르몬제제	프레드니솔론	Predonine, 프레드니솔론, Predohan	전신성 항염증작용	면역력 저하, 당뇨병, 골다공증, 위궤양, 중심성비만, 좌창
	메틸프레드니솔론 호박산에스테르나트륨	솔루메드롤		
	히드로코르티존 호박산 에스테르나트륨	솔루코테프, Saxizon		
	베타메타손	Rinderon, Rinesteron		
흡입용 스테로이드+β_2-아드레날린수용체자극제	천식치료배합제	Adoair, 심비코트	흡입스테로이드와 장시간작용형 β_2-아드레날린수용체자극제의 합제로서, 1제로 항염증과 기관지확장작용이 있다	애성(쉰목소리), 인후두불편감, 구내염, 칸디다증, 저칼륨혈증, 심계항진, 진전
계면활성제	티록사폴	Alevaire	에어로졸 입자의 안정화를 촉구한다	상기도자극, 발진

약물요법

〈만성관리〉

- 천식증상의 경감 · 소실과 그 유지, 및 호흡기능의 정상화 그 유지를 도모하는 약제를 장기관리제 (controller)라고 한다.

★Step 1 : 경증 간헐형

Px 처방례 경증 간헐형①

- Saltanol inhaler에어졸 (1회분무 100㎍ 흡입) 1회 2흡입, 발작시 둔용 ←단시간작용형 β_2-아드레날린수용체자극제

Px 처방례 경증 간헐형②

- 풀미코트 터부헬러 (1회 100㎍ 흡입) 1일 2회 ←흡입용 스테로이드제

★Step 2 : 경증 지속형

Px 처방례 경증 지속형①

- Flutide 로타디스크블리스터 (1회 100㎍ 흡입) 1일 2회 ←흡입용 스테로이드제

Px 처방례 경증 지속형②

- Flutide 로타디스크블리스터 (1회 100㎍ 흡입) 1일 2회 ←흡입용 스테로이드제
- Serevent 로타디스크블리스터 (1회 50㎍ 흡입) 1일 2회 ←장시간작용형 β_2-아드레날린수용체자극제

Px 처방례 경증 지속형③

- Qvar 100에어졸 (1회 100㎍ 흡입) 1일2회 ←흡입용 스테로이드제
- 싱귤레어정 (10mg) 分1 ←류코트리엔길항제

Px 처방례 경증 지속형④

- Adoair 1회1흡입 1일2회 ←흡입용 스테로이드+장시간작용형 β_2-아드레날린수용체자극제 (합제)

★Step 3 : 중등증 지속형

Px 처방례 중등증 지속형①

- Flutide 로타디스크블리스터 (1회 200㎍ 흡입) 1일2회 ←흡입용 스테로이드제
- Serevent 로타디스크블리스터 (1회 50㎍ 흡입) 1일2회 ←장시간작용형 흡입 β_2-아드레날린수용체자극제

Px 처방례 중등증 지속형②

- 풀미코트 터부헬러 (1회 400㎍ 흡입) 1일2회 ←흡입용 스테로이드제
- 싱귤레어정 (10mg) 分1 ←류코트리엔길항제

Px 처방례 중증증 지속형③

- Flutide 로타디스크블리스터 (1회 200㎍ 흡입) 1일2회 ←흡입용 스테로이드제
- Serevent 로타디스크블리스터 (1회 50㎍ 흡입) 1일2회 ←장시간작용형 β_2-아드레날린수용체자극제
- 오논캅셀 (450mg) 分2 ←류코트리엔길항제

★Step 4 : 중증 지속형

Px 처방례 중증 지속형①

- Flutide 로타디스크블리스터 (1회 400㎍ 흡입) 1일2회 ←흡입용 스테로이드제
- Serevent 로타디스크블리스터 (1회 50㎍ 흡입) 1일2회 ←장시간작용형 β_2-아드레날린수용체자극제
- 싱귤레어(10mg) 分1 ←류코트리엔길항제
- Theodur정 (400mg) 分2 ←크산틴유도체

Px 처방례 중증 지속형②

- 풀미코트 터부헬러 (1회 400㎍ 흡입) 1일2회 ←흡입용 스테로이드제
- Uniphyl LA정 (400mg) 分2 ←크산틴유도체
- 싱귤레어정(10mg) 分1 ←류코트리엔길항제
- Predonine정 (10~20mg) 分1 ←경구스테로이드제

〈급성발작시〉

- 급성발작시에 증상완화를 위해서 적용하는 약을 급성발작치료제 (reliever)라고 한다.

Px 처방례

- Saltanol inhaler 1회2흡입 3시간 이상 간격을 두고 반복 사용가능 ← β_2-아드레날린수용체자극제
- Venetlin흡입액 (0.3~0.5mL)+Alevaire (2mL) 네뷸라이저 ← β_2-아드레날린수용체자극제

Px 처방례

- 솔루메드롤주 (40~125mg) 점적정주 ←스테로이드제
- 솔루코테프주 (200mg) 점적정주 ←스테로이드제
- Rinderon주 (4~8mg) 점적정주 ←스테로이드제

Px 처방례

- Neophyllin주 (0.6~0.8mg/kg/시) 점적정주 ←기관지확장제
- 보스민주 (0.1~0.3mL) 피하주 ←카테콜라민계 약제

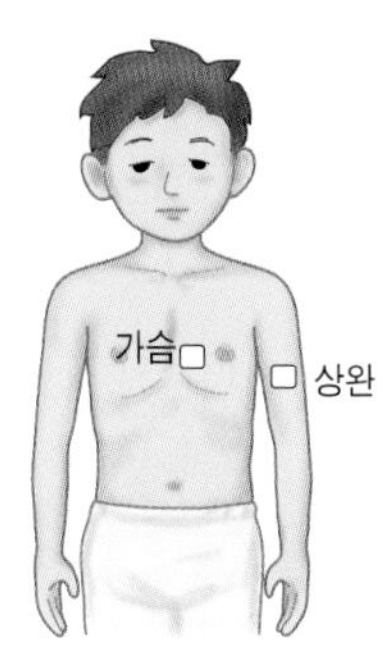

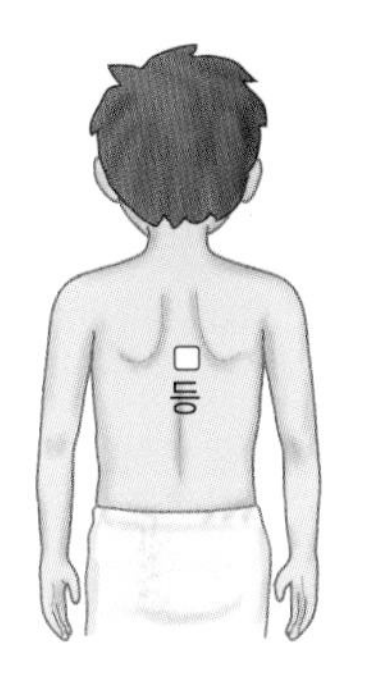

■ 그림 6-4 첩포제(patch)를 붙이는 위치

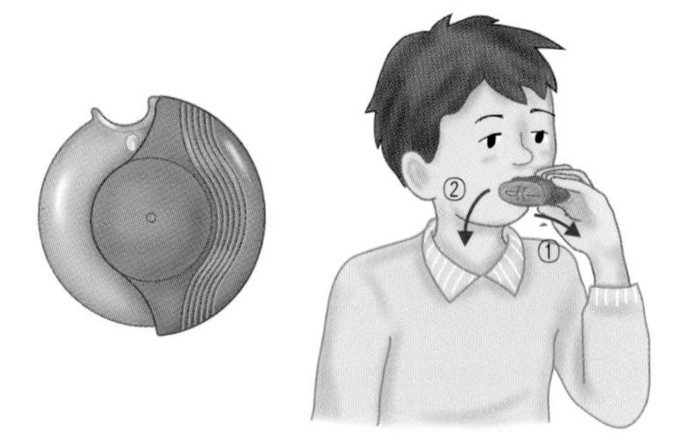

① 가볍게 숨을 내쉬고,
② 마우스피스를 문 후, 입으로 빠르고 깊게 숨을 들이마신다.

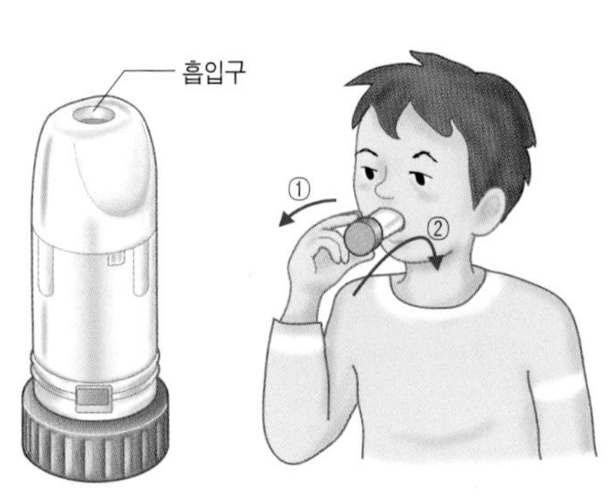

① 숨을 내쉬고, 마우스피스를 문 후
② 약을 깊고 힘차게 쑥 삼킨다.

■ 그림 6-5 흡입용 스테로이드제의 사용법

기관지천식의 병기 · 병태 · 중증도별로 본 치료흐름도

■ 미치료환자의 증상과 기준이 되는 치료스텝

경증 간헐형	경증 지속형	중등증 지속형	중증 지속형
· 증상이 주 1회 미만 · 증상은 경도이며 지속이 짧다. · 야간증상은 월 2회 미만	· 증상이 주 1회 이상, 그러나 매일은 아니다. · 월 1회 이상, 일상생활이나 수면에 지장을 받는다. · 야간증상은 월 2회 이상	· 증상이 매일 나타난다. · 단시간작용성 흡입 β_2-아드레날린수용체 자극제가 거의 매일 필요하다. · 주 1회 이상, 일상생활이나 수면에 지장을 받는다. · 야간증상이 주 1회 이상	· 치료 중에도 곧잘 악화된다. · 증상이 매일 나타난다. · 일상생활이 제한받는다. · 야간증상이 잦다.
↓ 치료스텝 1	↓ 치료스텝 2	↓ 치료스텝 3	↓ 치료스텝 4

■ 천식치료스텝

치료스텝 1	치료스텝 2	치료스텝 3	치료스텝 4
기본치료 흡입스테로이드제 (저용량) 위의 약제를 사용할 수 없는 경우 다음 중에서 사용 ●류코트리엔길항제 ●크산틴유도체 ※증상이 드물게 발현되면 필요 없음	**기본치료** 흡입스테로이드제 (저~중용량) 위의 약제로 불충분한 경우에 다음 중에서 1약제를 병용 ●장시간작용성 β_2-아드레날린 수용체자극제 (배합제 사용가능) ●류코트리엔길항제 ●크산틴유도체	**기본치료** 흡입스테로이드제 (고용량) 위의 약제에 다음의 복수를 병용 ●장시간작용성 β_2-아드레날린 수용체자극제(배합제 사용가능) ●류코트리엔길항제 ●크산틴유도체	**기본치료** 흡입스테로이드제 (고용량) 위의 약제에 다음의 복수를 병용 ●장시간작용성 β_2-아드레날린 수용체자극제(배합제 사용가능) ●류코트리엔길항제 ●크산틴유도체 위의 약제 모두를 사용하여도 관리가 불량한 경우에는 다음 중에서 하나 또는 모두를 추가 ●항IgE항체[2] ●경구스테로이드제[3]
추가치료 류코트리엔길항체 이외의 항알레르기제[1]	**추가치료** 류코트리엔길항체 이외의 항알레르기제[1]	**추가치료** 류코트리엔길항체 이외의 항알레르기제[1]	**추가치료** 류코트리엔길항체 이외의 항알레르기제[1]
+	+	+	+
발작치료[4] 단시간작용성흡입 β_2-아드레날린수용체자극제	**발작치료**[4] 단시간작용성흡입 β_2-아드레날린수용체자극제	**발작치료**[4] 단시간작용성흡입 β_2-아드레날린수용체자극제	**발작치료**[4] 단시간작용성흡입 β_2-아드레날린수용체자극제

1)항알레르기제란 매개체유리억제제, 히스타민H_1길항제, 트롬복산A_2저해제, Th2사이토카인저해제를 가리킨다.
2)통년성 흡입항원에 양성이며 혈청 총 IgE치가 30-700IU/mL인 경우에 적용된다.
3)경구스테로이드제는 단기간 간헐적 투여를 원칙으로 한다. 다른 약제로 치료내용을 보강하고, 또 단기간의 간헐투여로도 조절되지 않는 경우에는 필요최소량을 유지한다.
4)경도의 발작까지의 대응을 나타낸다.

(사단법인 일본 알레르기학회 천식가이드라인 전문부회 : 천식예방·관리가이드라인 2009. 協和기획. 2009)

(市岡正彦)

환자케어

Peak Flow치를 지표로 삼아 자기관리를 할 수 있도록 지도한다. Peak Flow치가 자기최량치의 50% 이하로 저하되고, 고도 천식증상이 나타나면 즉시 응급외래에서 진찰받도록 지도한다. 무리 없는 사회생활로의 복귀를 지지한다.

병기 · 병태 · 중증도에 따른 케어

【급성기】 천식의 급성발작의 증상은 경도의 호흡곤란부터 의식장애나 호흡정지까지 광범위하다. Peak Flow치가 자기최량치의 50~80%로 저하된 경도 증상인 경우에는 β_2-아드레날린수용체자극제의 흡입을 1시간에 3회까지 하고, 증상의 경과를 보다가 효과가 없는 경우는 진찰을 받는다. Peak Flow치가 자기최량치의 50%이하로 저하되고 보행이나 대화가 어려운 고도 천식증상이 나타나면, 경구스테로이드제를 내복하고, 즉시 응급외래로 진찰받는다.

【만성기】 약물치료에 수반하는 주의점 (사용방법, 효과, 효과의 발현시간, 지속시간, 부작용), 약물사용의 타이밍을 환자가 이해하고, Peak Flow치를 지표로 삼아 자가관리를 할 수 있도록 지도한다. 일상생활의 환경정비, 생활습관을 재평가하고, 원인, 기여인자, 악화인자에의 노출을 피하도록 한다. 계속적인 Peak Flow의 자기측정 · 관리로 발작초기징후를 파악한다.

【안정기】 사회생활로의 복귀가 무리 없이 진행되도록 지지한다. 일상생활상의 악화인자에 관해 환자본인이나 가족에게 이해를 구한다. 급성기를 벗어나서, 잠시 경과하다가 증상이 없어지면 치료를 중단하는 경우가 많은데, 천식사는 현재도 연간 2,000례 이상 보고되므로, 계속적인 치료와 질환관리에 관한 올바른 이해가 필요하다.

Peak Flow의 측정

천식일기를 쓴다.

■ 그림 6-6 천식환자의 셀프케어

케어의 포인트

진찰 · 치료의 지지

- 정해진 시간에 확실히 약물을 복용하도록 지도한다.
- 내복 · 흡입 · 첩용제 등의 사용방법을 지도한다.
- 약물에 따라서 효과의 발현시간이 다르다. 발작의 급성기과 안정기에 사용하는 약물이 다르므로 그에 대하여 지도한다.
- 중적발작 발현시에는 신속히 의사에게 보고하고, 삽관 · 인공호흡관리를 실시한다.

천식발작의 회피

- 원인, 기여인자, 악화인자를 이해하고, 노출을 피하는 방법에 관하여 구체적으로 지도한다.
- 생활환경의 정비, 계절의 변화, 기후의 변동에도 유의하고, 악화인자를 제외한 생활환경을 정비한다.
- 환자와 가족에게 천식의 병태, 원인, 기여인자, 악화인자와 발작에 관하여 설명하고, 생활상의 발작예방책을 지도한다.

셀프케어의 지지

- 발작예방제 (흡입 · 내복)를 스스로 사용할 수 있도록 지도한다.
- Peak Flow를 1일 2회 측정하고, 그를 평가할 수 있도록 지도한다.
- 생활환경의 정비는 가능한 환자 자신이 하도록 지도한다.
- 신체관찰과 천식일기를 기록하도록 지도한다.
- 스트레스의 회피와 더불어 식사 · 수면 · 휴식 · 운동 등 일상생활을 규칙적으로 할 수 있도록 지도한다.

환자 · 가족의 심리 · 사회적 문제에 대한 지지

- 천식에 관하여 환자 · 가족에게 알기 쉽게 설명하고, 불안을 해소하도록 지지한다.
- 학교나 직장의 환경정비가 필요한 경우에는 양호교육, 건강관리실 등에 상담하도록 지지한다.

퇴원지도 · 요양지도

- 발작을 방지하고, 환자 · 가족 모두 안정된 생활을 할 수 있도록, 생활환경의 정비를 지도한다.
- 규칙적으로 올바르게 복용하며 일상생활을 하도록 지도한다.
- 천식사가 일어날 수도 있다는 점을 이해시키고, 계속적으로 외래통원하도록 권장한다.

(龜井智子)

Memo

7 만성 폐쇄성 폐질환 (chronic obstructive pulmonary disease, COPD)

市岡正彦 / 立野淳子

전체 map

병인

- 흡연이나 대기오염 등의 외인성 위험인자, 또는 환자측 유전소인 등의 내인성 위험인자에 의해서 유발된다.

[악화인자] 장기 간의 흡연

역학

- 흡연력이 없는 COPD는 드물다.
- 흡연자의 약 15%에서 COPD가 발생한다.

[예후] 5년생존율은 치료법의 병용으로 70~80%로 개선되었다. 기도폐쇄가 고도일수록 예후가 불량하며, 재택산소요법을 도입하여도 5년생존율이 40~50% 수준이다.

병태생리

병태생리 map p.52

- 흡연이나 유독입자 · 가스의 흡인으로 폐 · 기도계에 염증이 일어나서, 진행성 기류제한이 나타난다.
- 기류제한은 주로 말초기도병변에 의한다.
- 병변의 부위에 따라서, 기종 우위형 (폐포계 파괴가 진행)와 기도병변 우위형 (중추기도병변이 진행)으로 분류된다.
- 위험인자의 회피와 적절한 관리로 예방과 치료가 가능하다.

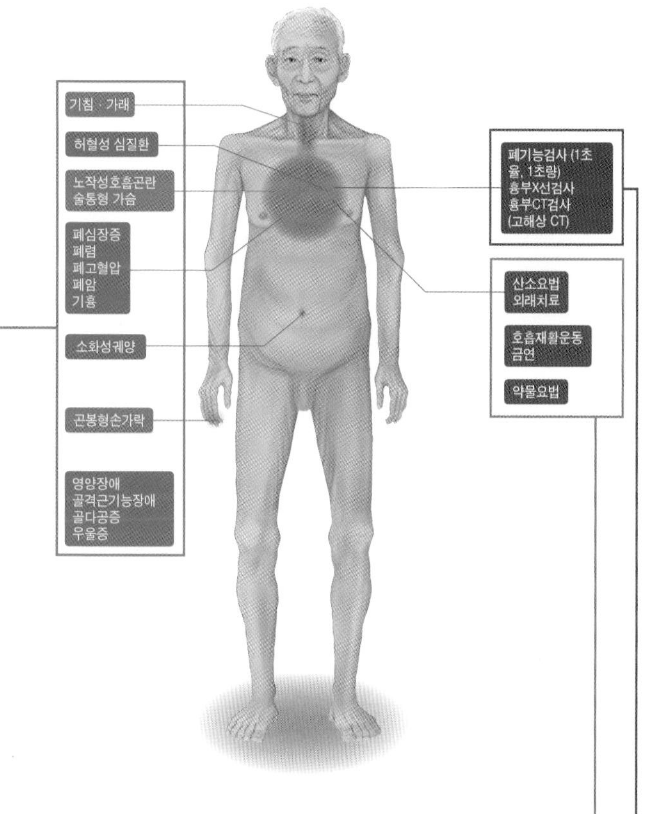

증상

증상 map p.54

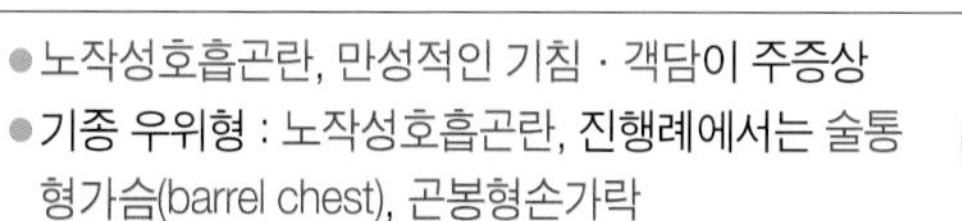

- 노작성호흡곤란, 만성적인 기침 · 객담이 주증상
- 기종 우위형 : 노작성호흡곤란, 진행례에서는 술통형가슴(barrel chest), 곤봉형손가락
- 기도병변 우위형 : 만성적인 기침 · 가래, 진행례에서는 호흡곤란

[합병증]

- 폐암(lung cancer), 허혈성 심질환, 소화성궤양(peptic ulcer)
- 진행례에서는 폐고혈압증, 폐심장증(cor pulmonale)이 나타난다.

진단

진단 map p.55

- 진단은 증상, 영상소견, 흡연력 등을 통해 의심하고, 폐기능검사로 확정한다.
- 1초율 ($FEV_{1.0}$/FVC) : 가이드라인에서는 기관지확장제 흡입후 1초율 70% 미만으로서, 다른 기류제한을 초래하는 질환을 제외한 것을 COPD라고 정의한다.
- 1초율 ($FEV_{1.0}$) : 병기분류에 이용한다. 기류제한의 정도를 나타내고, 중증도를 반영한다.
- 감별진단 : 기관지천식, 미만성범세기관지염, 기관지확장증 등
- 기종 우위형 : 흉부X선검사에서 폐의 과팽창, 말초혈관영의 소실 등을 확인한다. 흉부CT검사 (특히 고해상 CT)는 기도병변의 검출에 유용하다.

치료

치료 map p.56

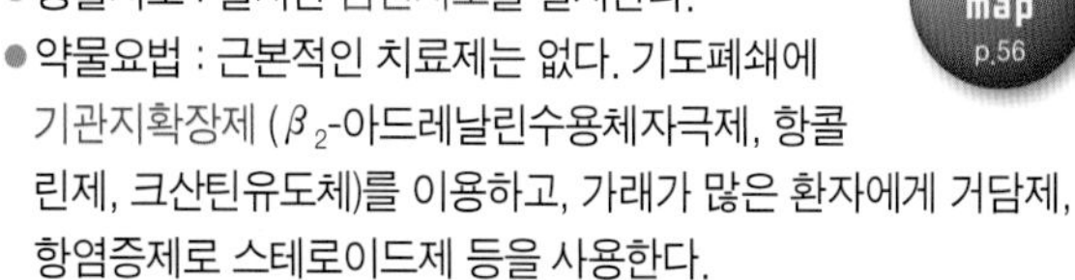

- 대증요법이 주가 된다.
- 생활지도 : 철저한 금연지도를 실시한다.
- 약물요법 : 근본적인 치료제는 없다. 기도폐쇄에 기관지확장제 (β_2-아드레날린수용체자극제, 항콜린제, 크산틴유도체)를 이용하고, 가래가 많은 환자에게 거담제, 항염증제로 스테로이드제 등을 사용한다.
- 호흡재활운동 : 약물요법의 효과 배가를 기대할 수 있다.
- 산소요법 : 최중증례에 적용된다.
- 환기보조요법 : 안정기 COPD에 비침습적 양압환기요법 (NIPPV, NPPV)을 이용한다.
- 외과치료 : 폐용량감량수술 (LVRS), 폐이식 등이 있다. 최중증례에서 고려된다.

만성 폐쇄성 폐질환

병태생리 map

COPD는 담배 연기 등의 유독한 입자나 가스의 흡입으로 발생한 폐 · 기도계의 염증반응에 기초하여 진행성 기류제한이 나타나는 질환이다.

- 기류제한을 통해 다양한 정도의 가역성을 확인할 수 있지만, 확실한 수준은 아니다.
- 기류제한에 관여하는 주요인은 말초기도병변이다.
- 주로 폐포계의 파괴가 진행되어 기종 우위형이 되는 것과, 중추기도병변이 진행되어 기도병변 우위형이 되는 것이 있다.
- 발생위험인자의 회피와 적절한 관리에 의해서 유효한 예방과 치료가 가능하다.
- 종래의 만성기관지염, 폐기종이라는 진단의 총칭이다.

역학 · 예후

- 흡연력이 없는 COPD는 드물고, 흡연자의 약 15%에서 COPD가 발생한다.
- 예후는 기도폐쇄가 고도일수록 불량하며, 재택산소요법 (home oxygen therapy : HOT)을 도입한 환자의 5년생존율은 40~50%가 된다.
- 최근에는 약물요법, 호흡재활운동, 영양요법 등을 병용함으로써, 전체의 5년생존율이 70~80%로 개선되었다.

병인 · 악화인자

- COPD (chronic obstructive pulmonary disease)의 위험인자에는 흡연이나 대기오염 등의 외인성 위험인자와 환자측의 유전소인 등의 내인성 위험인자가 있다.
- 흡연은 최대의 외인성 위험인자이지만, 발생이 흡연자의 15%에 머문다는 점에서, 흡연자 중에서도 흡연에 대한 감수성이 높은 사람에게 발생하기 쉽다고 생각된다.
- 내인성 인자로서, α_1안티트립신 결핍에 의한 선천적 폐기종이 있는데, 일본에서는 드물다. 그 밖에 염증관련유전자, 항산화제제, 프로테아제 및 안티프로테아제 등의 유전자변이가 지적되고 있다.

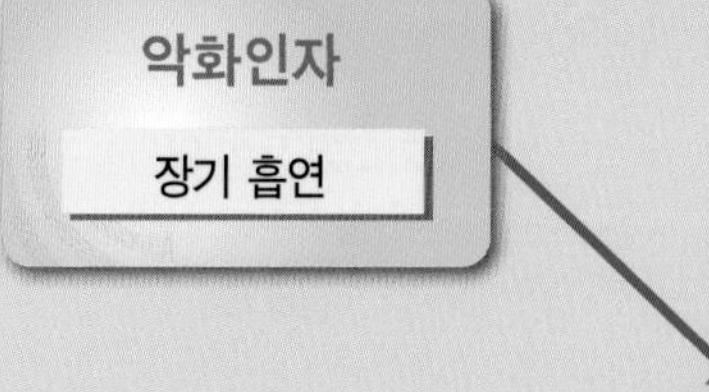

COPD의 병인에서는 흡연이 가장 중요

병인

외인성 인자 : **유독입자 · 가스**

(담배연기 · 대기오염 · 실내의 유기연료연기)

내인성 인자 : **α_1안티트립신 결핍증**

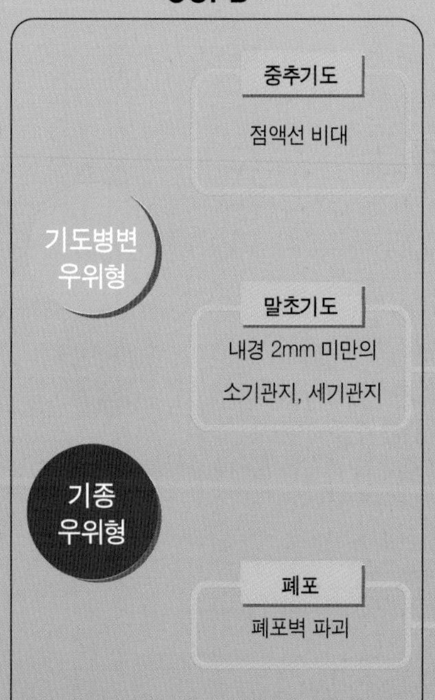

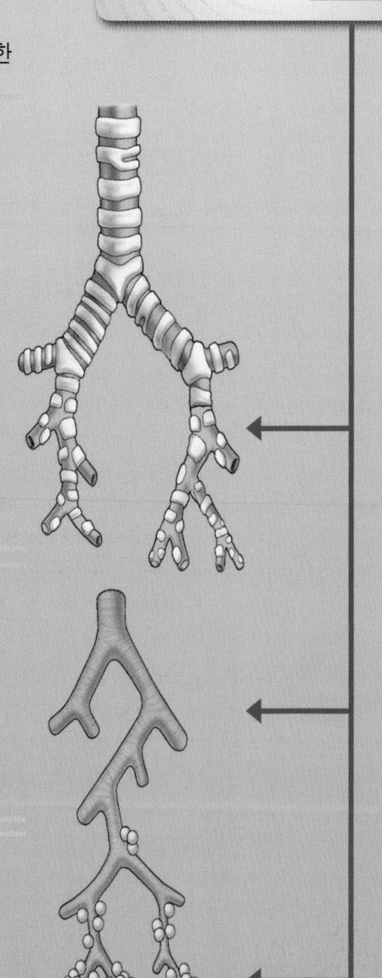

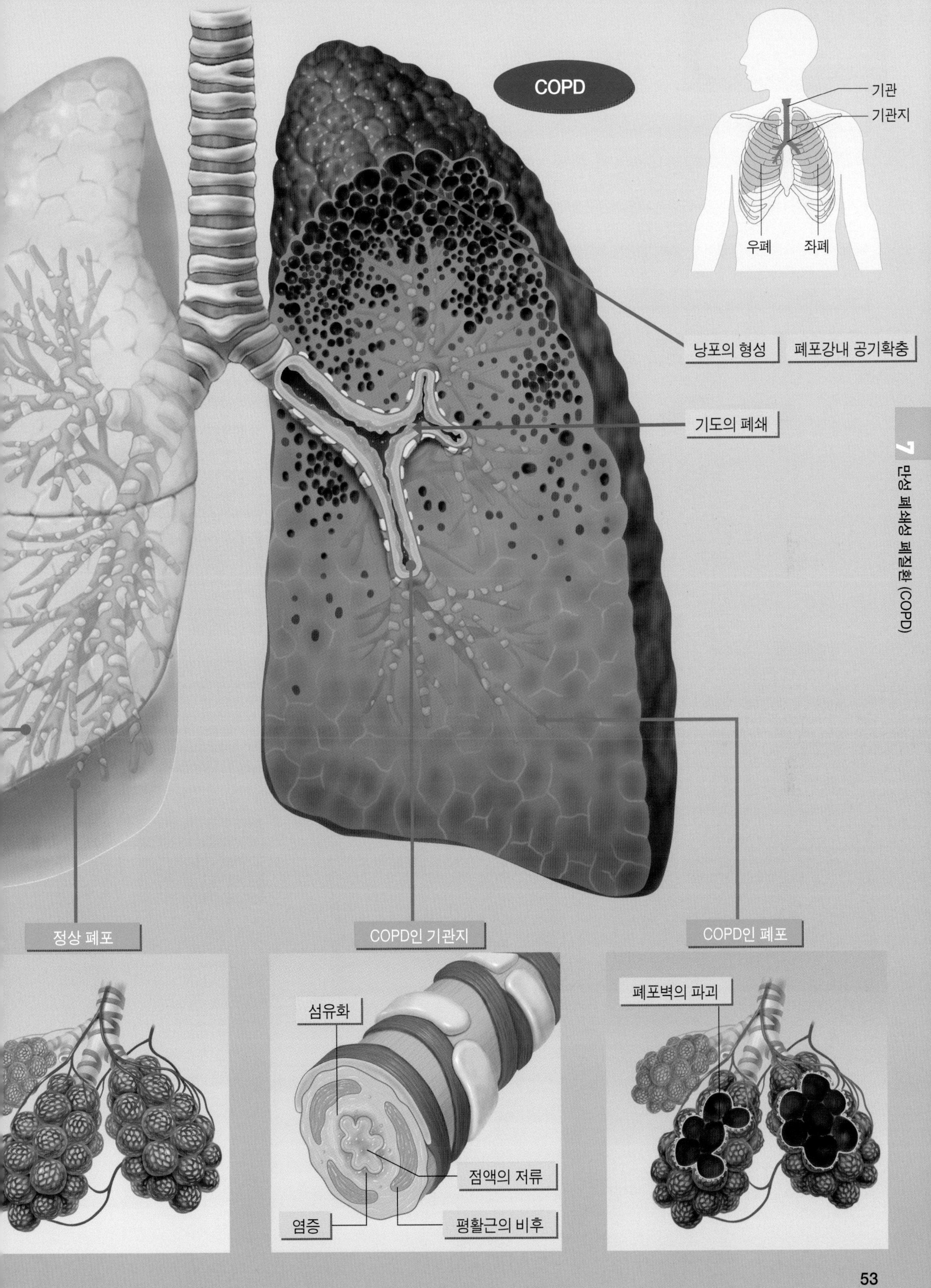
COPD
기관
기관지
우폐
좌폐
낭포의 형성
폐포강내 공기확충
기도의 폐쇄
정상 폐포
COPD인 기관지
COPD인 폐포
섬유화
점액의 저류
염증
평활근의 비후
폐포벽의 파괴

증상 map

노작성호흡곤란과 만성적인 기침, 가래가 주증상이다.

증상

- 기종 우위형에서는 노작성호흡곤란이 주증상인데, 흡연을 계속하면서 서서히 진행된다. 신체소견으로는 진행형에서 술통형가슴이나 곤봉형손가락 등이 나타난다.
- 기도병변 우위형에서는 만성적인 기침, 객담이 주증상이며, 진행되면 호흡곤란 (표 7-1)을 나타낸다. 그 중에는 기침 · 객담이 적은 증례도 있다.
- 전신에 병존되는 증상이 많이 보인다는 점에서, COPD를 전신성 질환으로 파악하고 관리해야 한다.

합병증

- 흡연자에게 많은 점에서, 폐암, 허혈성 심질환, 소화성궤양 등의 합병률이 높다.
- 진행례에서는 폐고혈압증, 폐심장증 등이 나타난다.

■ 그림 7-1 만성 폐쇄성 폐질환의 증상

■ 표 7-1 MRC (British Medical Reserch Council) scale

Grade 0	호흡곤란을 느끼지 않는다.
Grade 1	심한 노작으로 호흡곤란을 느낀다.
Grade 2	평지를 빠른 걸음으로 이동하거나 완만한 언덕을 올라갈 때에 호흡곤란을 느낀다.
Grade 3	평지보행에서도 같은 연령의 다른 사람보다 걸음이 느리거나 자기 페이스로 평지를 보행해도 호흡곤란 때문에 휴식을 취하게 된다.
Grade 4	약 100야드 (91.4m) 보행한 후 또는 몇 분간, 평지를 보행한 후 호흡곤란 때문에 휴식을 취한다.
Grade 5	호흡곤란으로 외출할 수 없거나 의복의 착탈시에도 호흡곤란을 느낀다.

호흡곤란감을 객관적으로 나타내는 방법으로, 최근 세계적으로 널리 사용되고 있다.

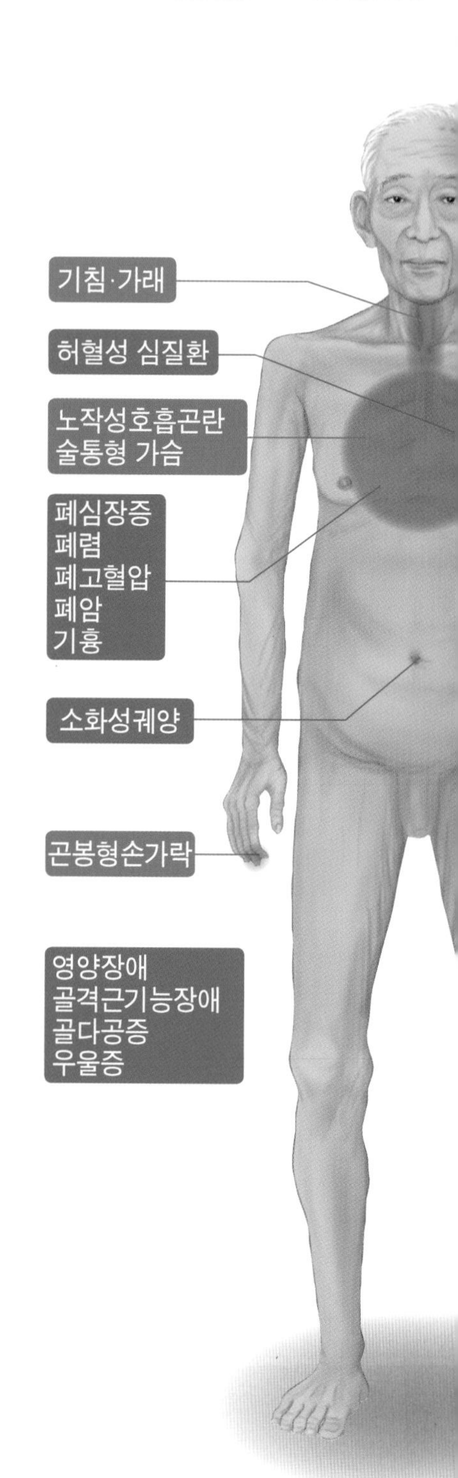

진단 map

증상, 영상진단, 흡연력 등을 통해 의심하고, 폐기능검사로 진단을 확정한다.

진단 치료

폐기능검사 (1초율, 1초량)
흉부X선검사
흉부CT검사
(고해상 CT)

산소요법
외과치료

호흡재활운동
금연

약물요법

진단 · 검사치

- 가이드라인에 의한 진단기준에서는 기관지확장 흡입후 1초율 ($FEV_{1.0}$/FVC)이 70% 미만인 것으로써 다른 기류제한을 초래할 수 있는 질환을 제외한 것을 COPD라고 정의하고 있다.
- COPD의 병기분류는 기류제한의 정도를 나타내는 1초량 ($FEV_{1.0}$)으로 하며,이는 중증도를 반영한다. 이 FEV1.0은 예측 1초량에 대한 퍼센트치 ($FEV_{1.0}$ 예측치)로 나타낸다.
- 감별진단으로 기관지천식, 미만성범세기관지염, 기관지확장증, 폐결핵후유증, 진폐증, 폐쇄성세기관지염, 폐림프맥관근종증, 심부전 등을 들 수 있다.
- 폐기능검사에서 기관지확장제 흡입후 1초율 ($FEV_{1.0}$/FVC)이 70% 미만인 경우를 폐쇄성장애 있음이라고 판정하고, 가스교환능의 저하는 일산화탄소확장능 (DLco)의 저하로 확인한다.
- 기종 우위형에서는 흉부X선검사에서 폐의 과팽창, 말초혈관영의 소실, 횡격막의 평저화, 심장하수(hypocardia) 등이 특징적이다. 흉부CT검사 (특히 고해상 CT)는 흉막직하 우위의 저흡수역이나 기도병변의 검출에 유용하다.

■ 표 7-2 COPD의 병기분류

병기		특징
I기	경도 기류폐쇄	$FEV_{1.0}$/FVC < 70% %$FEV_{1.0}$ ≧ 80%
II기	중등도 기류폐쇄	$FEV_{1.0}$/FVC < 70% 50% ≦ %$FEV_{1.0}$ < 80%
III기	고도 기류폐쇄	$FEV_{1.0}$/FVC < 70% 30% ≦ %$FEV_{1.0}$ < 50%
IV기	매우 고도인 기류폐쇄	$FEV_{1.0}$/FVC < 70% %$FEV_{1.0}$ < 30% 또는 %$FEV_{1.0}$ < 50% 또한 만성호흡부전 합병

이 분류는 기관지확장제 흡입 후 $FEV_{1.0}$치에 근거한다.
호흡부전 : 해면레벨에서 공기호흡할 때에 PaO_2가 60Torr이하인 경우를 말한다.

Key word

- 일산화탄소폐확산능력 (D_{Lco})

폐 이외의 외상 · 수술, 폐 또는 타부위에서의 감염, 패혈증, 흡인 등을 계기로 발생한다. 중증 급성호흡부전, 혈관투과성항진 폐수종을 특징으로 한다.

Key word

- 심장하수 (hypocardia)

폐기종 등으로 횡격막이 하강하면, 심장이 수직위가 된다. 이것이 흉부X선 정면상에서는 심장(심음영)이 대혈관에 매달린 물방울모양으로 보이므로, 심장하수라고 한다. 폐기종에서는 양측 폐의 과팽창, 횡격막 평저하와 함께 나타난다.

만성 폐쇄성 폐질환

치료 map

기본적으로 근본적인 치료법이 없으며, 병태의 진행을 저지하고, 증상을 완화시키는 대증요법이 주체가 된다.

치료방침

- 본증의 대부분이 흡연에 의해 초래된다는 점에서, 우선 금연지도를 철저히 하여 증상의 진전을 저지하는 것이 필수적이다. 그 다음에 약물요법, 호흡재활운동, 산소요법을 병용한다. 외과치료를 적응하는 증례도 일부 있다.
- 감염에 의한 악화가 병태를 진행시키므로, 인플루엔자백신의 예방접종이 권장되고 있다.

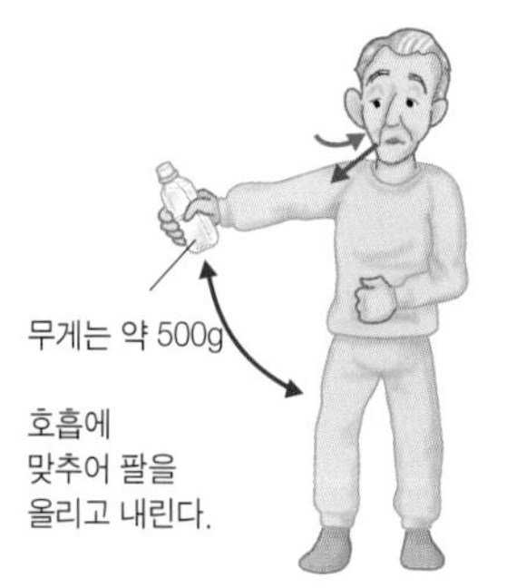

■ 그림 7-2 호흡재활운동①

■ 표 7-3 만성 폐쇄성 폐질환의 주요 치료제

분류	일반명	주요 상품명	약효발현의 메커니즘	주요 부작용
점액수복제	카르보시스테인	뮤코다인	기도의 점액분비를 조정하고, 객담을 치료한다	피부점막안증후군, 중독성피부괴사증, 간기능장애, 황달
기도분비세포정상화제	푸도스테인	Cleanal, 스페리아	기도배세포의 과형성을 억제하고, 객담의 점조도를 저하시켜서, 거담을 촉구한다	간기능장애, 황달
크산틴유도체	테오필린	Theodur, Slo-bid, Theolong, Uniphyl LA	기관지평활근 이완작용으로 기관지를 확장하고, 항염증작용도 한다	경련, 의식장애, 심계항진, 마비, 간기능장애
흡입용 항콜린제	티오트로퓸취화물수화물	스피리바	무스카린수용체에 선택적으로 결합하여, 아세틸콜린작용을 저해하고 기관지수축을 억제한다	심부전, 부정맥, 발진, 구갈, 변비
β_2-아드레날린수용체자극제	살메테롤 크시나포에이트	Serevent	기관지평활근의 β_2수용체에 선택적으로 작용하고 기관지를 확장시킨다	저칼륨혈증, 쇼크, 심계항진, 진전
	살부타몰유산염	Saltanol inhaler, Venetlin		저칼륨혈증, 쇼크, 심계항진, 진전
	툴로부테롤	호쿠날린		저칼륨혈증, 심계항진, 진전, 첩부부위의 피부질환
흡입용 스테로이드제	베크로메타손프로피온산에스테르	Qvar	국소에서 항염증작용을 한다	인후두자극증상, 애성(쉰목소리), 구내염, 구내건조, 칸디다증
계면활성제	티록사폴	Alevaire	에어로졸 입자의 안정화를 촉구한다	상기도자극, 발진
부신피질호르몬제제	프레드니솔론	Predonine, 프레드니솔론, Predohan	전신성 항염증작용을 한다	면역력 저하, 당뇨병, 골다공증, 위궤양, 중심성비만, 좌창

약물요법

- 근본적인 치료제는 없지만, 기도폐쇄에 대한 기관지확장제(β_2-아드레날린수용체자극제 · 항콜린제), 크산틴유도체나 가래가 많은 환자에 대한 거담제(점액수복제 · 기도분비세포정상화제), 항염증작용으로 스테로이드제, 감염합병례에 대한 항균제 등의 사용이 일반적이다.

Px 처방례 흡연력에 대한 금연보조의 약물요법

- Nicotinell TTS첩부제 (30㎠/1장) 1일1장 기상시 첩부 28일간 ←금연보조제

※그 후 Nicotinell TTS (20㎠/1장)을 2주간, Nicotinell TTS (10㎠/1장)을 2주간, 첩부하고 종료한다.

Px 처방례 Ⅰ기 (경증) : FEV1.0≦80% 예측치

- 뮤코다인정 (250mg) 6정 分3 ←거담제 (점액수복제 · 기도분비세포정상화제)
- Cleanal정 (200mg) 6정 分3 ←거담제 (점액수복제 · 기도분비세포정상화제)
- Theodur정 · 과립 (200~600mg) 分2 ←크산틴유도체

Px 처방례 Ⅱ기(중등증) : 50%≦FEV1.0<80% 예측치

- 스피리바흡입용 캅셀 (18㎍) 1일1회 흡입 ←흡입용 항콜린제
- Serevent (50㎍) 1일2회 흡입 ←장시간작용형 β_2-아드레날린수용체자극제
- 호쿠날린테이프 (2mg/1장) 1일1회 1장 첩부 ←β_2-아드레날린수용체자극제 (첩부제)

Px 처방례 Ⅲ기(중증) 30%≦FEV1.0<50% 예측치

- Qvar50에어졸 (1회분무 50㎍) 2흡입 1일2회 흡입 ←흡입용 스테로이드제

Px 처방례 Ⅳ기(최중증) : FEV1.0<30% 예측치, 또는 FEV1.0<50% 예측치에서 만성호흡부전 · 우심부전합병증

- Ⅲ기까지의 치료에 산소요법 추가
- 라식스정 · 세립 (20~40mg) 分1 ←이뇨제

Px 처방례 악화시의 대응

- Saltanol inhaler (0.16%) 적당히 2흡입 ←단시간작용형 β_2-아드레날린수용체자극제
- Venetlin흡입액 0.3mL+Alevaire흡입액 2mL 네뷸라이저흡입 ←단시간작용형 β_2-아드레날린수용체자극제+계면활성제
- Predonine정 (5mg) 6정 分1~2 (7~10일간) ←부신피질호르몬제제

Px 처방례 악화시의 대응 (감염합병시)

- 크라비트정 (500mg) 1정 分1 ←신퀴놀론계 항균제
- Unasyn-S주 (1.5g) 6g 分2 점적정주 ←페니실린계 항균제

호흡재활운동

- 약물요법의 효과 상승을 기대할 수 있다. 중심은 운동요법이며, 의료팀에 의한 포괄적 재활운동 프로그램의 작성 · 실시가 필요하다.

■ 그림 7-3 호흡재활운동②

만성 폐쇄성 폐질환의 병기 · 병태 · 중증도별로 본 치료흐름도

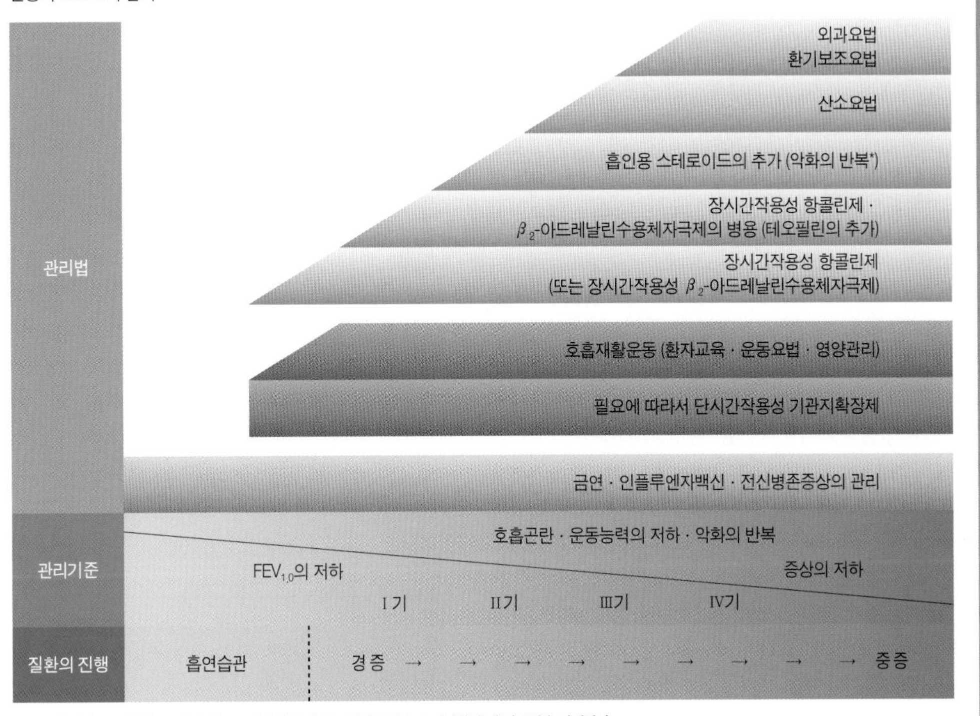

$FEV_{1.0}$의 저하 뿐 아니라, 증상의 정도도 감안하여, 중증도를 종합적으로 판단한 후에 치료법을 선택한다.
악화가 반복되는 증례에는 장시간작용성 기관지확장제에 흡입용 스테로이드*나 객담조절제의 추가를 고려한다.
(사단법인 일본호흡기학회 : COPD·진단과 치료를 위한 가이드라인 제3판. Medical Review사. 2009)

산소요법

- COPD에 의한 만성호흡부전 중, $PaO_2 \leq 55$Torr인 사람, $PaO_2 \leq 60$Torr로 수면시 또는 운동시에 현저한 저산소혈증을 나타내는 사람, 동맥혈가스에 상관없이 폐고혈압이 합병되어 있는 사람이 적응대상이다.
- 장기산소요법은 생존율의 개선에 기여한다.

환기보조요법

- 안정기 COPD의 환기보조요법에는 비침습적 양압환기요법 (non-invasive positive pressure ventilation ; NIPPV)과 기관절개하 침습적 양압환기요법 (tracheostomy intermittent positive pressure ventilation ; TIPPV)이 있으며, 주로 전자를 이용한다.
- 고탄산가스혈증을 수반하는 호흡부전증례에서 NIPPV가 보급되고 있다.

외과치료

- 폐용량감량수술 (lung volume reduction surgery ; LVRS) : ①진단이 확정된 안정기 기종형 COPD, ②최대한의 내과적 치료로도 호흡곤란이 지속, ③Hugh-Jones분류 Ⅲ도 이상, ④흉부CT 및 환기혈류 신티그래피에서 불균등한 병변분포 (기종성변화), 의 4가지를 반드시 충족시켜야 적응대상이 된다.
- 폐이식 : 세계적으로 폐이식을 적용하는 질환 중에서 Ⅰ빈도가 가장 높은 질환이지만, 일본에서의 시행례는 2006년 12월 통계를 기준으로 단 3례뿐이다.

(市岡正彦)

Key word

- 비침습적 양압환기요법 (NIPPV)
기관삽관이나 기관절개를 하지 않고 인공호흡기로 호흡관리를 하는 방법을 말한다. 페이스마스크나 비강마스크를 이용하여, 종압식 인공호흡 (pressure support ventilation ; PSV), 지속적 기도양압법 (continuous positive airway pressure : CPAP) 등의 환기모드를 사용한다. 조작이 간편하고 비침습적이라는 점에서 장기 재택인공호흡관리에 적합하며, 추후 더 많은 보급이 기대된다.

환자케어

급성기에는 호흡곤란이나 질식에 대한 불안을 완화시키고, 기도정화 및 활동수준에 맞는 증상에 대한 지지를 제공한다. 회복기에는 상태에 맞추어 활동수준을 높이도록 지지하고, 심신 모두 안정된 상태로 일상생활을 영위할 수 있도록 지지한다.

병기·병태·중증도에 따른 케어

【급성기】 진행성 호흡곤란이나 과잉 점조한 분비물의 저류에 의한 질식 가능성이 있으므로, 그 증상이나 불안을 완화시키기 위한 개입이 중요하다. 원활하지 못한 기침으로 인하여 기도 내에 분비물이 저류되므로, 기도정화를 위한 지지가 필요하다. 폐포에서 가스교환을 충분히 하지 못하여, 일상생활에 필요한 산소공급이 부족하고, 활동에 대한 내성이 저하되므로, 활동수준에 맞는 지지가 필요하다.
【회복기】 병상의 악화방지를 위한 지지를 한다. 상태에 맞추어 서서히 활동수준을 높이도록 지지한다. 호흡곤란이나 권태감에 의한 식욕부진에 수반하는 영양상태의 저하에 대한 개입도 필요하다.
【만성기】 요양생활에서의 지속적인 치료나 감염예방, 급성악화의 방지에 관한 교육적 개입과 불안에 대한 심리적 케어가 필요하다. 장기적인 요양생활이 되므로, 환자 뿐 아니라 가족에게도 심신 모두 안정된 상태로 일상생활을 영위할 수 있도록 지지하는 것이 중요하다.

COPD의 NIPPV의 적응

케어의 포인트

진찰 · 치료의 지지
- 정해진 시간에 확실히 복용하도록 지도한다.
- 항콜린제는 전립선비대증환자나 녹내장환자에게는 금기이므로, 투여 전에 병원력을 확인한다.
- 백밸브 마스크나 비침습적 양압환기요법 (NIPPV), 인공호흡기를 언제라도 장착할 수 있도록 준비해 둔다.
- 재택산소요법 (home oxygen therapy ; HOT)을 일상생활에서 적응할 수 있도록 지지한다.

호흡곤란이나 분비물저류의 개선
- 심한 호흡곤란은 죽음에 대한 불안을 갖게 하므로, 적절한 개입을 통해 불안의 완화에 힘쓴다.
- 고농도산소의 CO_2투여는 혼수상태를 일으킬 위험성이 있으므로, 투여하는 산소량에 주의하고, 의식상태의 변화를 관찰한다.
- 호흡곤란이 심한 경우에는 편안한 체위를 취하게 하고, 용수적 인공호흡법을 실시한다.
- 의사소통방법을 모색한다.
- 안전하고 효과적인 객담배출을 도모한다.

활동수준의 저하, 영양장애의 회피
- 활동수준에 맞는 지지를 제공한다.
- 휴식과 활동의 균형을 조정하면서, 서서히 활동수준을 상승시키도록 지지한다.
- 활동전후의 활력징후의 변화, 피로감이나 청색증의 유무 등에 따라서 활동수준을 평가한다.
- 식사내용, 횟수를 연구하고, 하루에 필요한 칼로리 소요량의 섭취를 촉구한다.

급성악화의 회피
- 급성악화의 원인이나 감염예방, 급성악화의 징후에 관해서 지도한다.
- 증상이 출현한 경우의 대처방법에 관하여 지도한다.
- 환자 자신이 셀프체크로 몸 상태의 변화를 자각할 수 있도록 지지한다.

환자 · 가족의 심리 · 사회적 문제에 대한 지지
- 계속적인 치료나 HOT 등에 관한 불안을 경감시키도록 지지한다.
- 보호자의 부담을 경감시키기 위해, 가족원의 역할분담을 재구축하는 등, 가족기능을 유지할 수 있도록 필요한 지지를 제공한다.
- 이용가능한 사회자원에 관하여 설명한다.

HOT의 주의점

■ 그림 7-4 비침습적 양압환기요법 (NIPPV) 과 재택산소요법 (HOT)

퇴원지도 · 요양지도

- 호흡기감염에 주의하도록 지도한다.
- 무리한 활동은 피하고, 활동하는 틈틈이 휴식을 취하도록 지도한다.
- 악화 징후에 관한 이해를 촉구하고, 증상에 대한 대처방법 및 진찰이 필요한 경우나 진찰방법에 관하여 설명한다.
- 평소의 상태를 환자 스스로 체크하고, 여느 때와 다른 점이 있는가 확인하도록 지도한다.
- 규칙적으로 복용하도록 지도한다.
- 하루에 필요한 칼로리 소요량을 섭취할 수 있도록, 식사의 내용이나 식사시간 등을 모색하도록 지도한다.
- HOT를 일상생활에 적응시키도록 지지한다.
- 이용 가능한 사회자원을 활용하도록 촉구한다.
- 환자 · 가족이 가족기능을 유지하고, 안정된 일상생활을 할 수 있도록 지지한다.

(立野淳子)

8 폐혈전색전증 (pulmonary thromboembolism)

神　靖人 / 立野淳子

전체 map

병인

- 혈류의 정체, 혈관내피장애, 응고능의 항진으로 혈전이 형성된다.
- 1차성 요인 : 선천성안티트롬빈결핍증(congenital antithrombin deficiency) 등
- 2차성 요인 : 하지의 정맥질환, 장기와상, 장거리여행 (이른바 이코노미클래스증후군) 등

역학

- 2006년 일본에서는 7,864명에게 발생하였다.
- 증가경향에 있다.

[예후] 급성폐혈전색전증의 사망률은 14%이다. 그 대부분은 증상 발생 2시간 이내에 사망한다.

병태생리

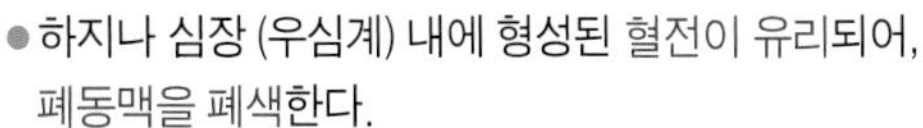

- 하지나 심장 (우심계) 내에 형성된 혈전이 유리되어, 폐동맥을 폐색한다.
- 대부분은 심부정맥혈전증(deep vein thrombosis)이 원인이다.
- 급성폐혈전색전증 : 주요 병태는 급속히 출현하는 폐고혈압과 저산소혈증이다.
- 만성폐혈전색전증 : 기질화된 혈전에 의해서 폐동맥이 6개월 이상 색전된 상태이다. 폐고혈압이 장기간 지속되고, 노작성 호흡곤란을 나타내는 만성 폐혈전색전성 폐고혈압증(Chronic thromboembolic pulmonary hypertension)으로 진행된다.

증상

- 안정해제 후의 기립・보행이나 배변・배뇨 등이 증상이 발생하는 주된 상황이다.
- 노작성호흡곤란
- 실신발작(syncopal attack), 불안감, 기침
- 갑작스런 호흡곤란, 흉통이 주증상이다.
- 빠른 호흡, 빈맥, II음항진
- 중증례에서는 쇼크, 저혈압, 심폐정지가 나타난다.

[합병증]

- 폐고혈압증
- 폐경색(pulmonary infarction) : 혈담・객혈을 수반한다.

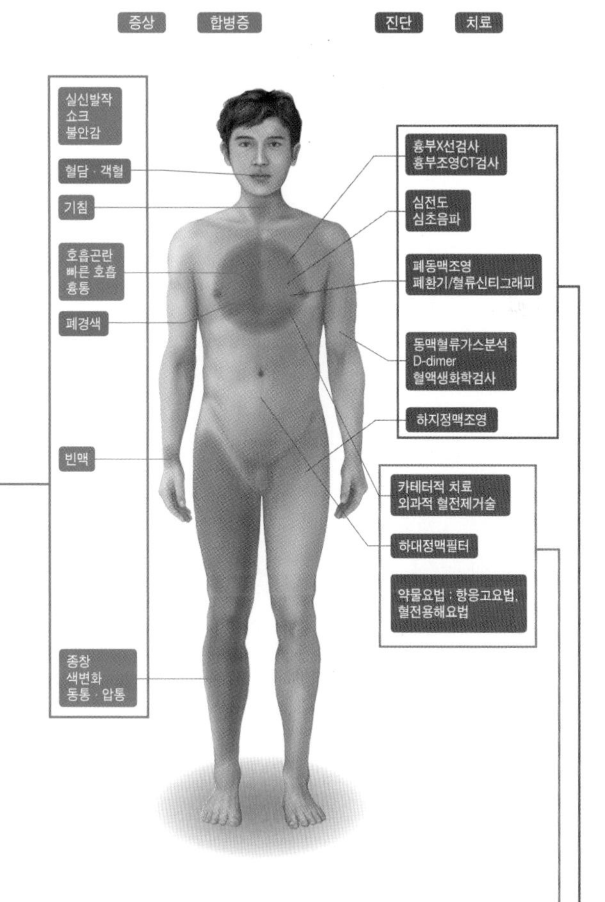

진단

진단 map p.63

- 특이한 이학소견・검사소견이 없으므로, 우선 본증을 의심하는 것이 중요하다.
- 증상・신체소견을 확인하면 진단확정을 위한 검사 (흉부X선, 심전도, 동맥혈가스분석, D-dimer, 혈액생화학, 심초음파 등)를 시행한다.
- D-dimer 양성 (본증에서는 95%가 양성)이면 다열검출기형 흉부조영CT (multi-slice helical CT)를 실시한다. 여기에서 음성이면 하지정맥조영, 폐동맥조영, 폐환기/혈류신티그래피를 시행한다.
- 진단후, 1차성 요인의 유무를 검사한다.

치료

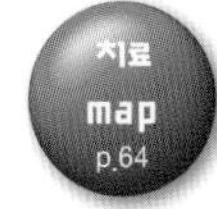

- 치료법은 중증도에 따라서 고려한다.
- 약물요법 : 순환부전이 없으면 항응고요법(anticoagulant therapy)이, 정상혈압인 우심부전례나 순환부전례에서는 혈전용해요법(thrombolytic therapy)이 제1선택이다.
- 대증요법 : 호흡관리 (산소투여, 기관삽관), 순환관리 (승압제, 경피적 심폐보조장치)를 적용한다.
- 카테터혈전제거술, 외과적 혈전제거술, 하대정맥필터도 적용된다.
- 예방 : 폐혈전색전증을 예방하기 위해서는 위험도평가에 근거하여 정맥혈전색전증(venous thromboembolism)을 예방할 필요가 있다.

병태생리 map

하지나 심장 (우심계) 내에 형성된 혈전이 유리되어 폐동맥에 도달하면 폐색이 초래되면서 발생한다.

- 대부분은 골반내나 하지의 심부정맥내에 형성된 혈전 (심부정맥혈전증;deep vein thrombosis)이 원인이 된다. 기립, 보행, 배변 등을 계기로 근육펌프가 작용함으로써 정맥환류가 증가하여, 혈전이 유리되면서 발생한다고 추정되고 있다.
- 급성폐혈전색전증에서는 급속히 폐고혈압, 저산소혈증이 출현한다. 폐고혈압은 폐혈관이 혈전으로 급속히 폐색됨으로써 폐혈관상이 감소되거나 혈전에서 유리되는 신경액성 인자나 저산소에 의해 폐혈관의 연축이 생김으로써 일어난다. 또 속발하는 기관지연축(bronchospasm) 등이 더해져서 발생하는 환기혈류불균형이 저산소혈증의 원인이 된다.
- 기질화된 혈전에 의해서 폐동맥이 6개월 이상 폐색된 상태를 만성폐혈전색전증이라고 한다. 임상적으로는 폐고혈압이 장기간 지속되고, 노작성호흡곤란 등을 나타내는 만성폐혈전색전성폐고혈압증이 중요하다.

병인·악화인자

- 혈류의 정체, 혈관내피장애, 응고능의 항진이 원인이다.
- 1차성 : 선천성안티트롬빈결핍증, 프로테인C결핍증, 프로테인S결핍증 등. 일반적으로 정맥혈전증이 생기기 쉬운 다음의 2차성 상황이 없이 폐혈전색전증이 발생한 경우는 유전성인 이 질환들을 고려해야 한다.
- 2차성 : 하지의 정맥질환, 심부정맥혈전증・폐혈전색전증의 기왕력, 장기와상, 최근의 수술력 (특히 골반, 고관절, 무릎의 정형외과적 수술), 큰 외상・하지의 혈관손상, 골절, 깁스고정, 장거리여행 (이른바 이코노미클래스증후군), 동일자세의 장시간 유지, 탈수, 사지마비, 암, 심부전, 임신, 출산, 경구피임제, 호르몬보충요법, 비만, 고령, 항인지질항체증후군(antiphospholipid antibody syndrome) 등.

역학·예후

- 2006년 일본에서는 7,864명에게 발생하였고, 최근 증가경향에 있다.
- 급성폐혈전색전증의 사망률은 14%, 쇼크례에서는 30% (혈전용해요법 시행례에서는 20%, 미시행례에서는 50%), 쇼크를 나타내지 않은 예에서는 6%였다. 사망례의 대부분은 증상발생 2시간 이내에 사망하였다.

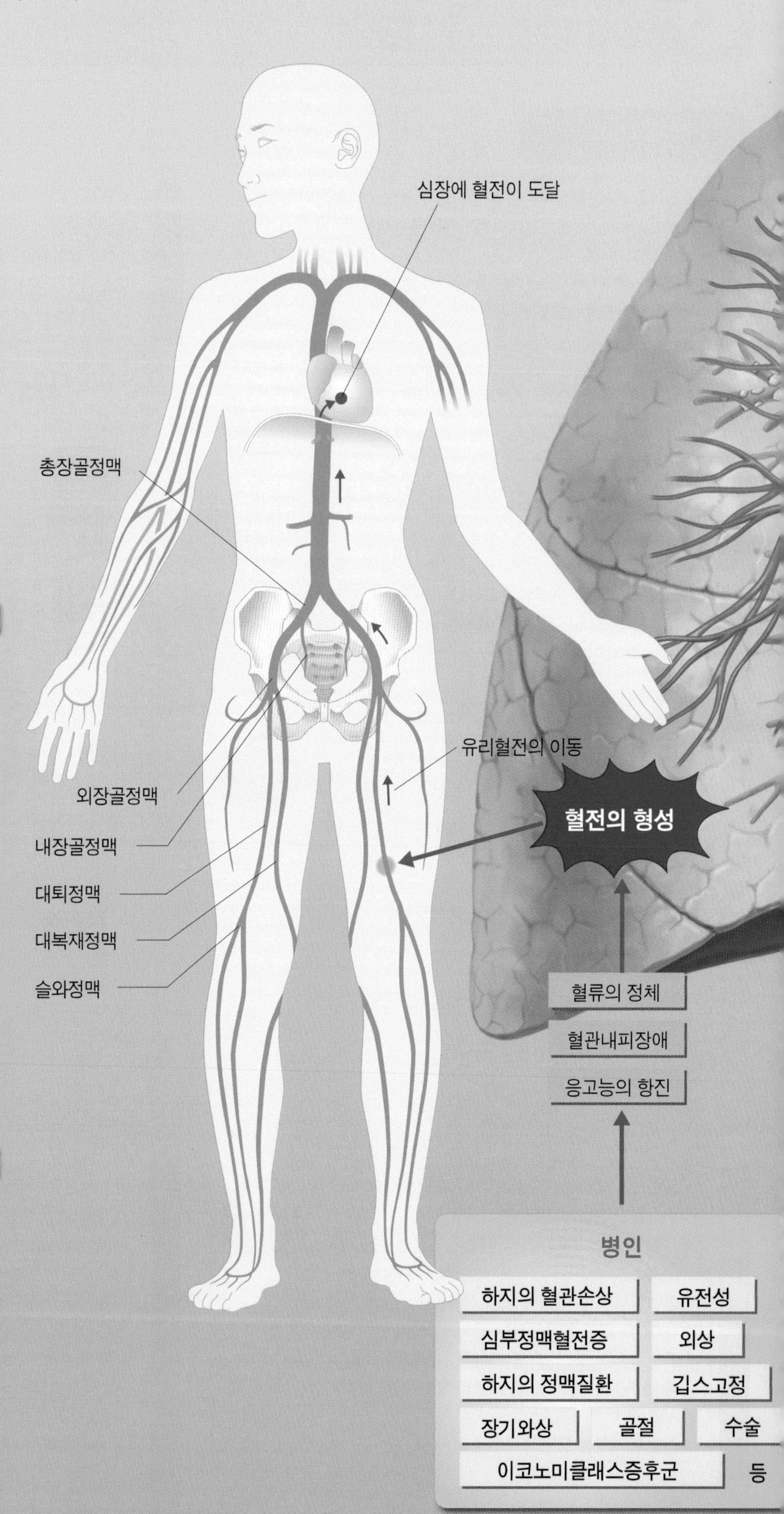

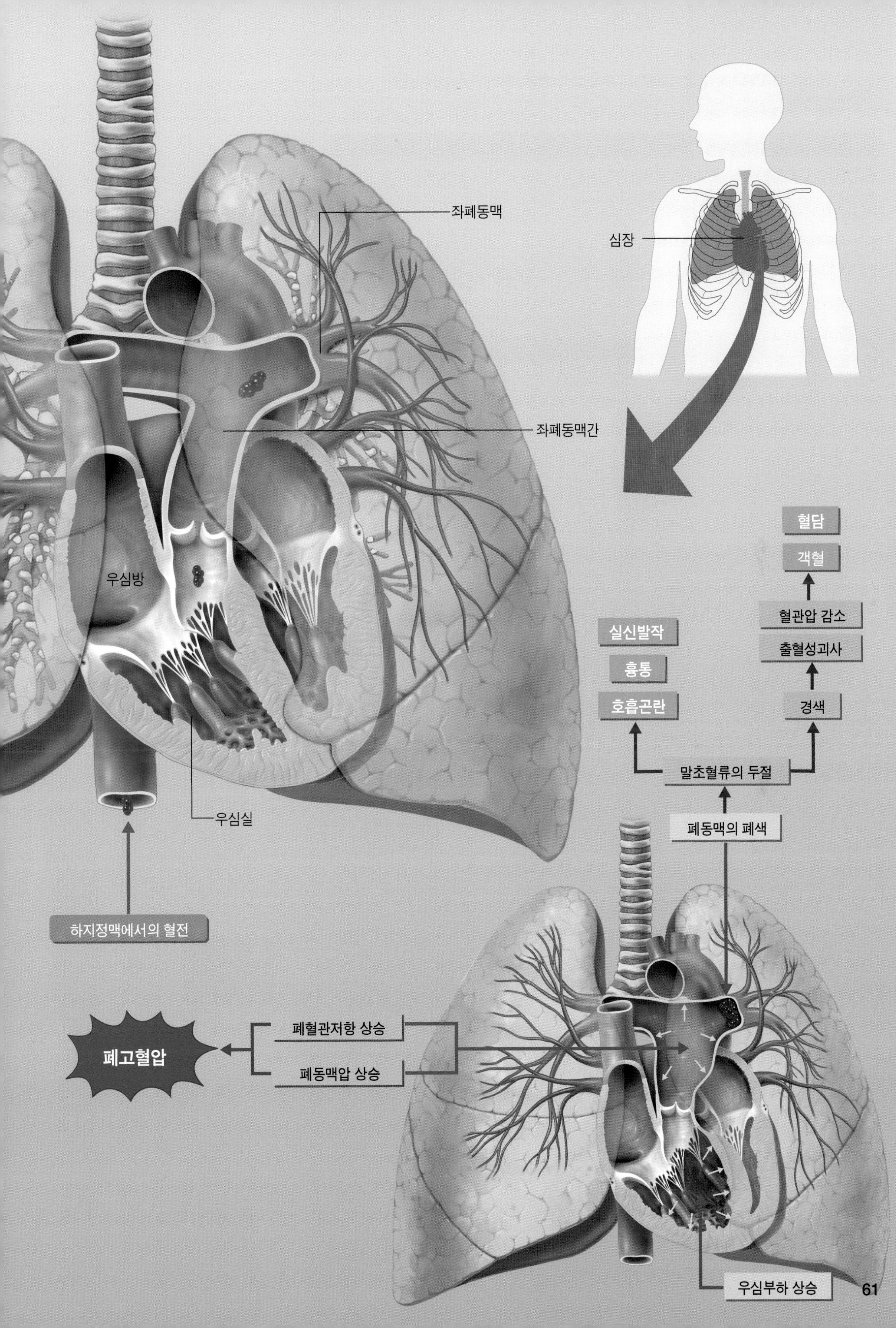

좌폐동맥

심장

좌폐동맥간

우심방

우심실

하지정맥에서의 혈전

혈담

객혈

혈관압 감소

출혈성괴사

경색

실신발작

흉통

호흡곤란

말초혈류의 두절

폐동맥의 폐색

폐고혈압

폐혈관저항 상승

폐동맥압 상승

우심부하 상승

증상 map

갑작스런 호흡곤란, 흉통, 실신이 주요증상이다.

증상

- 갑작스런 호흡곤란, 흉통, 실신발작, 불안감, 기침.
- 증상은 빠른 호흡, 빈맥, II음의 폐동맥성분 (IIp음)의 항진이다. 중증례에서는 쇼크나 저혈압, 심폐정지 등이 발생한다.
- 심부정맥혈전증(그림 8-1)이 원인인 경우에는 일측성 하지의 종창, 피부의 색변화, 동통 · 압통 등이 발생한다.
- 만성 폐혈전증 : 주증상은 노작성호흡곤란, 피로감 증가, 그 밖에 흉통, 기침, 실신, 혈담 (폐경색) 등이다.

합병증

- 혈담 · 객혈을 수반하는 경우는 폐경색의 합병을 의심한다.
- 폐고혈압증에서 우심부하의 상태가 되면, 복부팽만감, 하퇴부종 등이 나타난다.

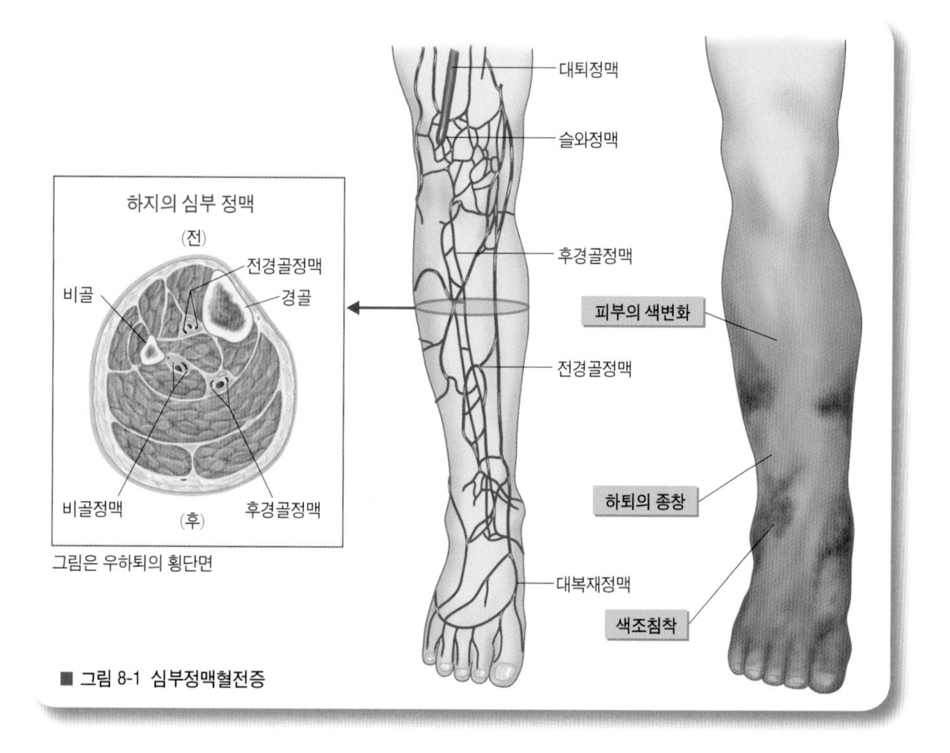

■ 그림 8-1 심부정맥혈전증

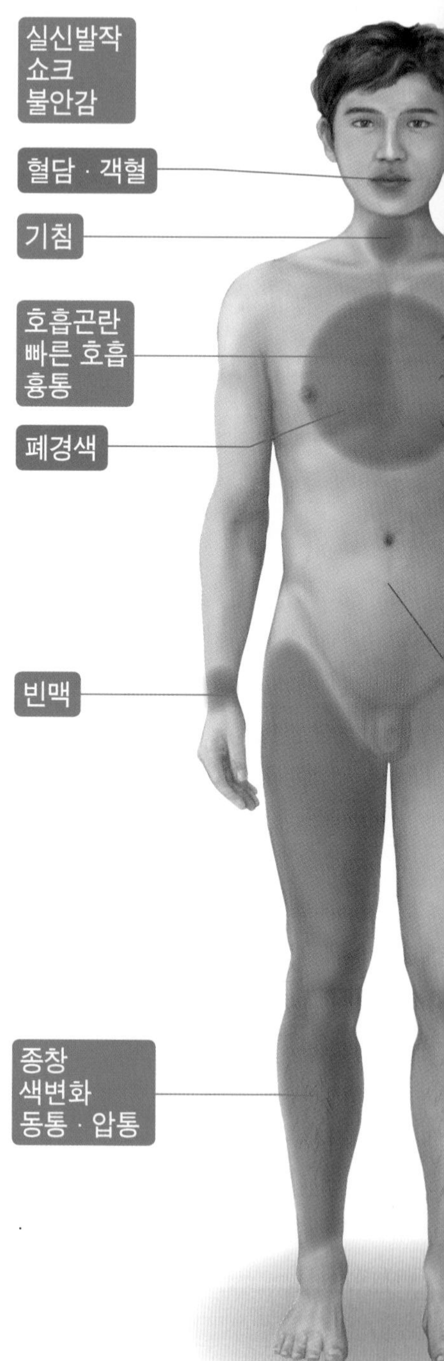

진단 map

하지의 정맥질환이나 장기와상, 수술 등의 병원력이 있고, 급성으로 증상, 신체소견을 확인하는 경우, 흉부조영CT, 심초음파, D-dimer, 동맥혈액가스분석 등으로 진단을 확정한다.

진단 치료

흉부X선검사
흉부조영CT검사

심전도
심초음파

폐동맥조영
폐환기/혈류신티그래피

동맥혈액가스분석
D-dimer
혈액생화학검사

하지정맥조영

카테터적 치료
외과적 혈전제거술

하대정맥필터

약물요법 : 항응고요법, 혈전용해요법

진단·검사치

- 특이적인 이학소견·검사소견이 없으므로, 우선 본증을 의심하는 것이 중요하다. 급성이나 아급성으로 병원력, 증상, 신체소견이 확인되면, 진단확정을 위한 검사를 한다. 흉부X선검사, 심전도, 동맥혈가스분석, D-dimer, 혈액생화학검사, 심초음파 등이 이에 해당한다.
- D-dimer (특이도는 50% 이하)에서는 혈전에서 방출되는 물질 (안정화 피브린의 분해산물)이 음성이면 폐혈전색전증일 가능성이 낮다. 폐혈전색전증에서는 95%가 양성이다. 양성이면 다음의 영상진단을 시행한다.
- 다열검출기형 흉부조영CT (진단확정이 가능하다)를 시행하고, 여기에서 음성이면 하지정맥조영, 폐동맥조영, 폐환기/혈류신티그래피를 시행한다.
- 폐동맥혈전색전증 진단 후, 1차성 요인이 없는지 검사한다.

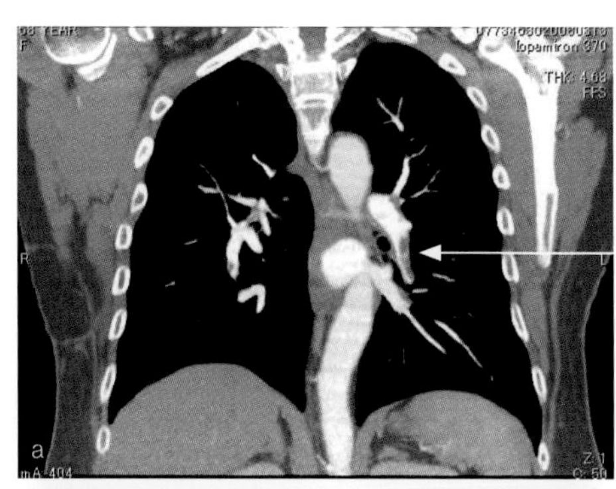

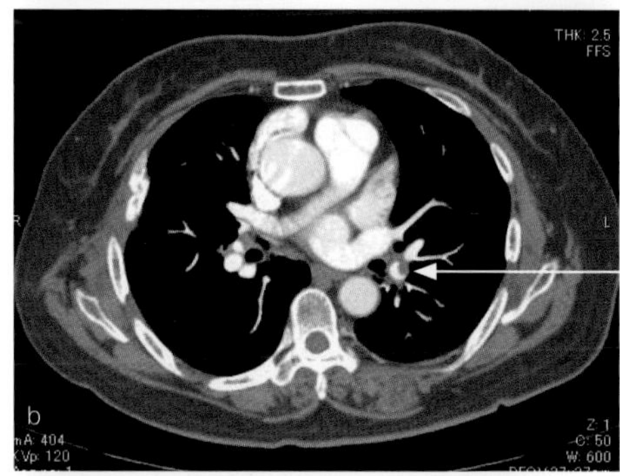

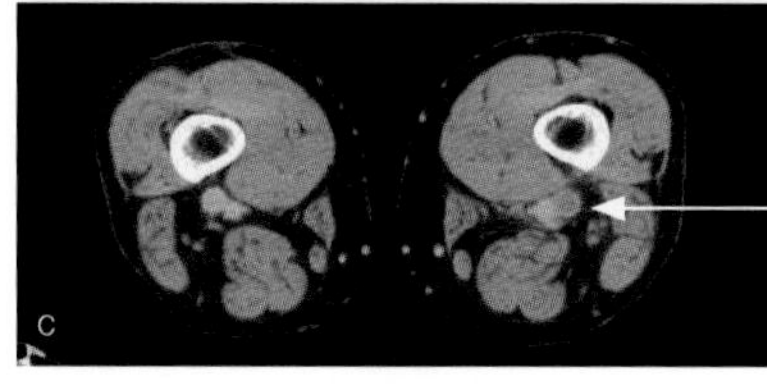

■ 그림 8-2 흉부CT · 하지CT상

Key word

- 다열검출기형 CT

multi-slice helical CT라고도 한다. 헬리컬 CT의 검출기를 2열 이상으로 다열화한 장치를 말한다. 현재 320례까지 실용화되어 있어서, 최대 1회전 320장의 영상을 얻을 수 있다. 고도의 정확하고 세밀한 입체적인 영상을 단시간에 얻을 수 있으며, 미세한 혈관이나 병변구조를 상세히 관찰할 수 있다.

치료 map

중증도에 따른 치료를 한다. 순환동태가 안정되어 있는 급성폐혈전색전증에는 약물을 이용하여 항응고요법과 혈전용해요법을 적절히 실시한다.

치료방침

- 급성폐혈전색전증의 치료법은 중증도에 따라서 고려한다. ①혈압 · 우심기능 모두 정상례, ②혈압은 유지되고 있지만, 심초음파검사에서 우심부전을 초래하고 있는 예, ③쇼크를 일으키고 있는 예, 로 나누어 생각한다.
- 약물요법에서는 다음과 같이 선택한다. 혈전에 대한 치료는 순환부전을 일으키고 있지 않은 경우에는, 혈전이 자연히 용해되기까지 혈전이 증대되거나 새로운 것을 만들 수 없도록 하는 방법이 필요하며, 항응고요법이 제1선택이 된다. 정상혈압이지만 우심부전례에서는 혈전용해요법도 고려된다. 순환부전을 일으키고 있는 경우에는 금기사항이 없으면 혈전용해요법을 제1선택으로 한다.

■ 표 8-1 폐혈전색전증의 주요 치료제

분류	일반명	주요 상품명	약효발현의 메커니즘	주요 부작용
강심제	도부타민염산염	Dobutrex, Dobupum	β_1수용체자극에 의한 양성변력작용	부정맥, 심근허혈, 빈맥
	도파민염산염	Inovan, Kakodin, Dominin, Predopa	β_1수용체자극에 의한 양성변력작용	부정맥, 심근허혈, 빈맥
항혈전제	헤파린나트륨	Novo-heparin, 헤파린나트륨	항프로트롬빈작용 항트롬빈작용	출혈, 혈소판감소증
	와파린칼륨	와파린, 와파린칼륨	혈액응고인자의 생산저해	출혈, 피부괴사, 간기능장애
	몬테플라제	Cleactor	피브린의 분해작용	출혈, 뇌출혈

대증요법

- 호흡관리 : 저산소혈증에 산소를 투여한다. 안정된 Pao_2 60Torr 이상 (Spo_2 90% 이상)을 얻을 수 없으면 기관삽관, 인공호흡관리가 필요하다.
- 순환관리 : 저혈압에 수액, 강심제 (도파민염산염, 도부타민염산염, 노르아드레날린 등) 등을 투여한다. 심폐정지로 발생한 예에는 심폐소생술을 신속히 적용하고 경피적 심폐보조장치 (PCPS)를 개시하며, 급성 폐동맥혈전증에 의한 심폐정지라고 진단한 경우에는 외과적 혈전제거술을 시행한다.

Px 처방례 다음 중에서 투여한다.

- Inovan 주 (50 · 100 · 200mg/2.5 · 5 · 10mL/A) 1~20㎍/kg/분 점적정주 ←강심제
- Dobutrex 주 (100mg/5mL/A) 1~20㎍/kg/분 점적정주 ←강심제

항응고요법

- 폐혈전색전증이 의심스러운 경우는 헤파린 5,000단위 (100단위/kg)를 정주하고, 그 후 1,400단위/시 (10~50단위/kg/시)를 지속투여 하거나 17,500단위의 피하주사를 1일 2회 투여하며, APTT (활성화부분 트롬보플라스틴시간)를 control의 1.5~2배로 한다. APTT에 따라서 투여량을 조절한다.
- 와파린칼륨의 내복도 병용하며, PT-INR (프로트롬빈시간의 국제표준화비)이 2.0~3.0이 된 시점에서 헤파린 투여는 중지한다. 위험인자가 가역적인 경우는 적어도 3개월간은 투여하고, 특발성정맥혈전증이면 6개월 이상 투여한다. 선천적인 응고이상증이면 무기한 투여한다.

Px 처방례

- Novo-heparin 주 (1,000단위/mL) 5,000단위 정주 ←항혈전제
  이후, 1,400단위/시 지속정주 또는 17,500단위 피하주 1일2회
  ※APTT를 control치의 1.5~2배가 되도록 투여
  ※PT-INR이 2.0~3.0이 된 시점에서 중지
- 와파린정 (1mg) 1~5정 分1 ←항혈전제

혈전용해요법

- 출혈의 위험이 없고, 혈행동태가 불안정한 우심부전례 (큰 혈전이 광범위하게 폐동맥, 하지정맥에 존재하는 경우가 많다)에 행해진다. 우로키나제, t-PA (조직형 플라스미노겐 활성화인자)가 투여되는 경우가 많다.
- 헤파린을 투여하고 있는 경우는 APTT를 헤파린 투여 전의 2배 미만으로 해 둔다.

Px 처방례

- Cleactor 주 (40만 · 80만 · 160만 IU/V) 13,750~27,500 IU/kg 정주 ←항혈전제
※80만 IU/분의 속도로 투여

카테터적 혈전제거술

- 전신투여에 투여하는 혈전용해요법에서는 금기시된다. 불성공례이며 순환동태 불안정례에 행해진다. 카테터를 사용하여 폐동맥내의 혈전을 흡인, 파쇄하고, 혈전용해제의 폐동맥내 투여 등을 병용한다.

외과적 혈전제거술

- 인공심폐를 이용한 체외순환하에 폐동맥을 절개하여 내부의 혈전을 제거한다.

하대정맥필터

- 영구유치형과 일시유치형이 있다. 항응고요법을 출혈의 위험 등 때문에 할 수 없는 경우, 또는 항응고요법을 해도 폐혈전색전증의 재발, 심부정맥혈전증의 재발이 나타나는 경우에 고려된다.
- 일정기간 후에 항응고요법이 가능한 경우에는 적용을 신중히 판단한다.

정맥혈전색전증의 예방

- 폐동맥혈전색전증의 발생을 예방하기 위해서는 정맥혈전색전증을 예방해야 한다.
- 발생 위험의 필요하다. 주로 입원환자를 대상으로 하며, 1)조기이상, 보행, 하지의 거상, 족관절운동, 2)압박스타킹, 3)간헐적 공기압박법, 4)탈수예방, 5)항응고요법, 등의 대책을 강구한다.

· 항응고요법의 예 : 에녹사파린 나트륨 (크렉산), 폰다파리눅스나트륨 (아릭스트라)

폐혈전색전증의 병기 · 병태 · 중증도별로 본 치료흐름도

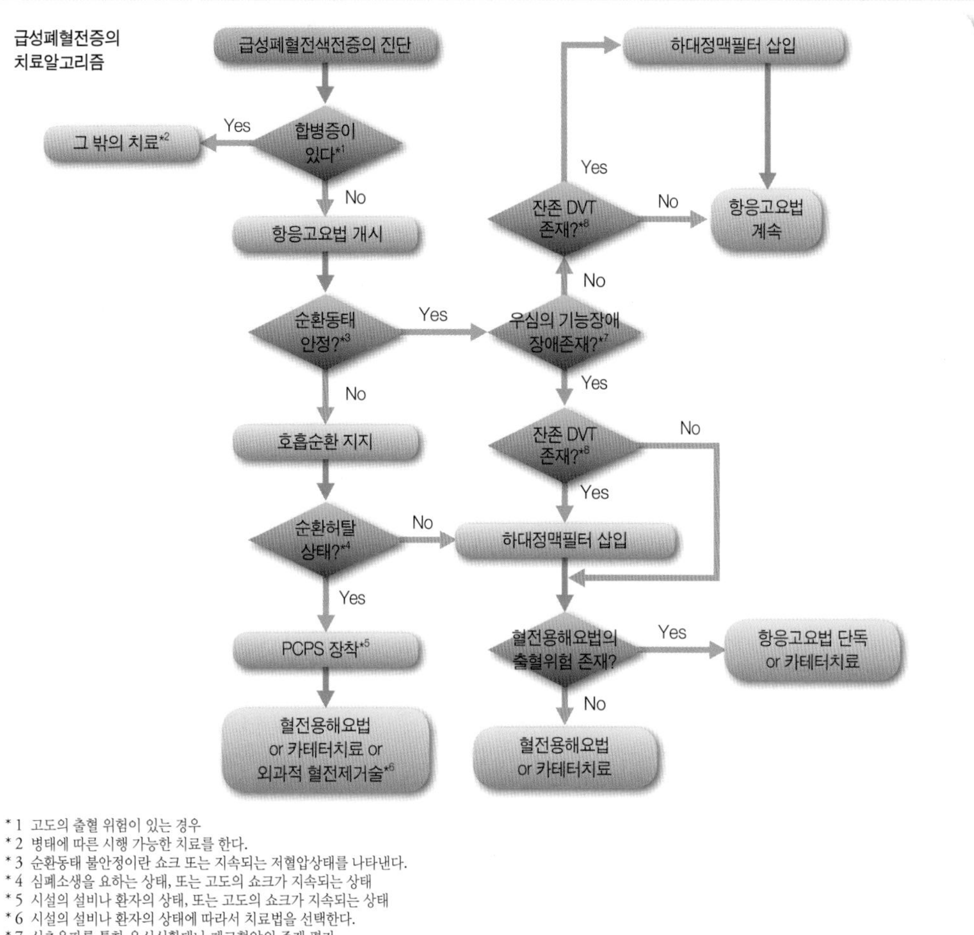

*1 고도의 출혈 위험이 있는 경우
*2 병태에 따른 시행 가능한 치료를 한다.
*3 순환동태 불안정이란 쇼크 또는 지속되는 저혈압상태를 나타낸다.
*4 심폐소생을 요하는 상태, 또는 고도의 쇼크가 지속되는 상태
*5 시설의 설비나 환자의 상태, 또는 고도의 쇼크가 지속되는 상태
*6 시설의 설비나 환자의 상태에 따라서 치료법을 선택한다.
*7 심초음파를 통한 우심실확대나 폐고혈압의 존재 평가
*8 유리되어 재색전을 일으킨 경우, 중증화될 위험성이 있는 심부 정맥혈

(2009년 폐혈전색전증 및 심부정맥혈전증의 진단, 치료, 예방에 관한 가이드라인)

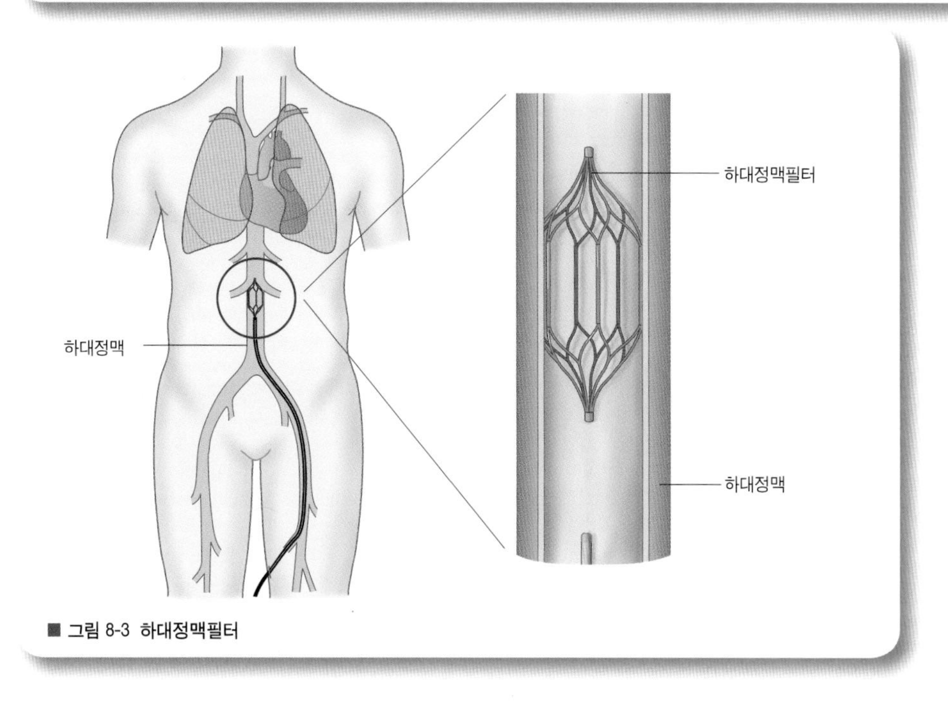

■ 그림 8-3 하대정맥필터

(神　靖人)

환자케어

가스교환장애, 현기증이나 실신, 부정맥에 기인한 신체손상의 위험회피, 치료에 수반하는 합병증 예방이 중심이 된다. 회복 후에는 재발방지에 힘쓴다.

병기·병태·중증도에 따른 케어

【급성기】 폐혈류의 감소에 따른 가스교환장애나 조직순환장애에 수반하는 현기증이나 실신, 부정맥에 기인한 신체손상의 위험회피, 치료 (혈전흡인, 혈전제거술, 항응고요법)에 수반하는 합병증 예방에 관한 케어가 중심이 된다. 본 질환의 중증도는 전혀 무증상인 것에서 돌연사를 초래하는 중증인 것까지 범위가 넓다. 심폐정지를 일으킨 경우에는 적절한 심폐소생법을 실시하여, 호흡 · 순환 유지에 힘쓴다.
【회복기】 계속되는 치료 (항응고요법)에 수반하는 합병증 (출혈, 감염) 예방이나 재발방지에 관한 케어가 중심이 된다.
【만성기】 예후나 재발 등의 불안에 대한 심리적 케어, 재발방지나 계속치료를 위한 교육적 개입이 중심이 된다.

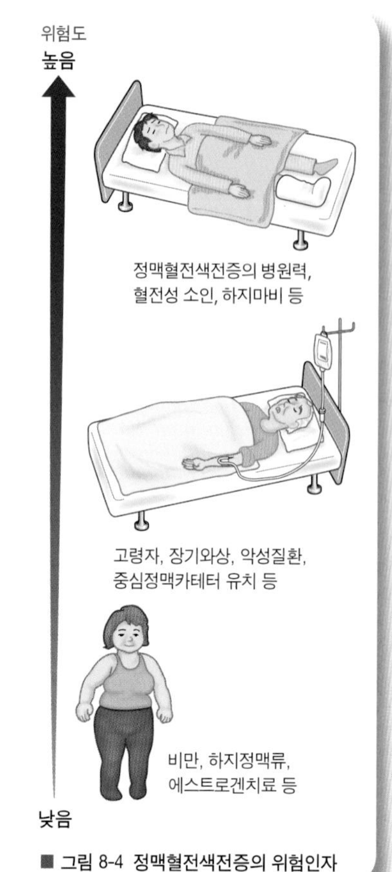

■ 그림 8-4 정맥혈전색전증의 위험인자

케어의 포인트

진찰 · 치료의 지지

- 발생 직후에는 심전도, 흉부X선검사, 심초음파, 동맥혈가스분석, 흉부CT 또는 MRI 등의 검사가 행해지므로, 필요한 물품을 준비하거나 그에 맞춰 환경을 정비한다. 환자나 가족에게는 의사의 설명 후에 준비나 소요시간 등에 관하여 설명한다.
- 치료방법 (수술, 카테테법 등)에 맞는 준비를 신속히 한다.
- 항응고제가 투여되므로, 적절히 관리한다.
- 부작용으로 출혈이 보일 때는 출혈부위나 출혈량을 관찰하고, 지혈법을 실시한다. 대량 출혈이 발생하거나 지혈이 어려운 경우에는 신속히 의사에게 보고한다.
- 순환동태의 지표가 되는 관혈적 동맥압모니터나 Swan-Ganz 카테터에 의한 모니터링 등이 행해지므로, 정기적으로 관찰하고, 환자의 상태를 파악한다. 이상이 있을 시에는 원인을 파악함과 동시에, 의사에게 신속히 보고한다.

낙상이나 외상의 회피

- 조직순환장애에 수반되는 현기증이나 실신으로 인해서 낙상의 위험성이 높아지므로, 항상 침상 주위의 환경을 정비하여, 외상을 예방한다.
- 너스콜은 손이 닿는 위치에 설치하고, 이동시에는 간호사를 부르도록 설명한다.

감염예방

- 카테터 삽입부나 수술창의 감염징후의 유무를 정기적으로 관찰하여, 이상의 조기발견에 힘쓴다.
- 삼출액 등에 의한 오염이 있는 경우에는 드레싱을 교환한다.
- 장갑을 장착하는 등 표준적 예방책 (standard precautions)를 시행하여, 감염을 예방한다.

심리 · 사회적 문제에 대한 지지

- 질환에 관하여 환자 · 가족에게 알기 쉽게 설명하고, 불안을 경감시키도록 지지한다.
- 재발을 예방하기 위한 방법 (심부정맥혈전증 예방)이나 증상출현시의 대증방법에 관하여 설명하고, 사회복귀에 대한 불안을 경감시키도록 지지한다.
- 내복약의 올바른 복용방법이나 부작용, 일상생활에서의 주의점에 관하여 지도한다.

퇴원지도 · 요양지도

- 규칙적인 복용을 하도록 지도한다.
- 와파린칼륨 내복 중에는 약물의 작용을 억제하는 비타민K가 많이 함유된 식품을 섭취하지 않도록 지도한다.
- 수술이나 발치 등이 필요한 경우에는 사전에 항응고제를 내복 중이라는 점을 의사에게 상담하도록 지도한다.
- 항응고제 복용 중의 임신에 관해서는 의사와 충분히 상담하도록 지도한다.
- 외상이나 타박 등 출혈을 유발하는 경우는 피하도록 지도한다.
- 정기적으로 진찰받고, 응고능검사를 받도록 지도한다.
- 호흡곤란이나 흉통 등의 자각증상이 나타난 경우나 지혈이 어려운 출혈 (치은출혈, 비출혈을 포함), 혈뇨 · 혈변, 혈담을 확인한 경우에는 바로 진찰받도록 지도한다.

(立野淳子)

9 폐암, 폐종양 (lung cancer, lung tumor)

古家　正·吉澤靖之 / 山﨑智子

전체 map

병인

- 폐암발생의 메커니즘은 불분명하다.
- 위험인자 : 흡연, 간접흡연, 석면, 방사선노출 등

[악화인자] 흡연 (흡연자의 폐암위험은 비흡연자의 4.5배)

역학

- 일본의 폐암 사망수는 약 6.6만명이다. 암으로 인한 사망 중 폐암은 남녀 모두에게 가장 높은 비율을 차지한다.
- 조기에 수술이 가능한 경우에서도 재발률이 높다.

[예후] 진행암은 특히 예후가 불량하여, 남은 수명이 몇 개월~2년 이내이다.

병태생리

- 폐종양은 양성과 악성으로 분류되고, 악성종양은 원발성과 전이성으로 분류된다.
- 악성폐종양은 상피성 세포 유래의 암과 비상피성 세포 유래의 육종(sarcoma)을 포함한다.
- 폐종양의 약 80%가 원발성폐암이다.
- 조직학적으로 비소세포폐암(non-small cell lung cancer)과 소세포폐암(small cell lung cancer)으로 분류된다.
- 발생부위에서는 폐문형과 폐야형으로 분류된다.

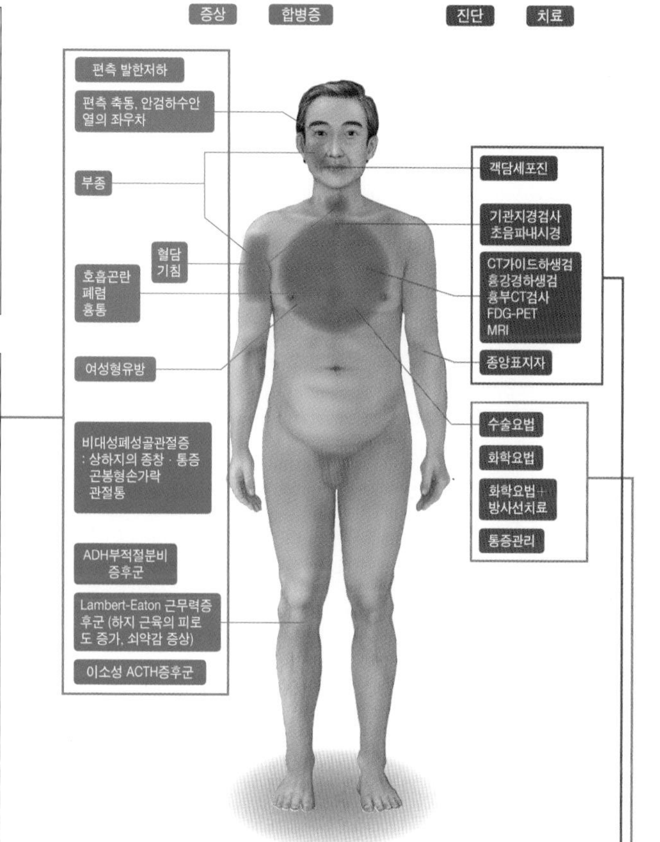

증상

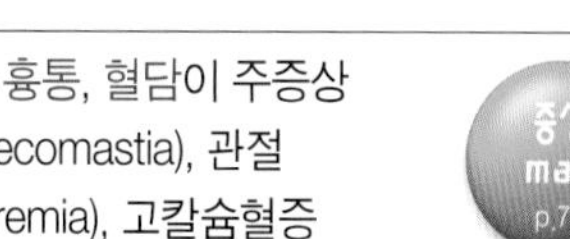

- 기침, 체중감소, 호흡곤란, 흉통, 혈담이 주증상
- 신경증상, 여성형유방(gynecomastia), 관절통, 저나트륨혈증(hyponatremia), 고칼슘혈증(hypercalcemia), 백혈구증가
- 종양의 흉곽내진전 : 애성(쉰목소리), 안면 · 상지의 부종, Horner 증후군, 폐렴 (폐쇄성)
- 원격전이 : 신경증상 (뇌전이), 국소통증 (골전이)

[합병증]

- ADH부적절분비증후군
- 고칼슘혈증
- Lambert-Eaton 근무력증후군
- 이소성ACTH증후군 (ectopic ACTH syndrome)
- 비대성폐성골관절증 (hypertrophic pulmonary osteoarthropathy)

진단

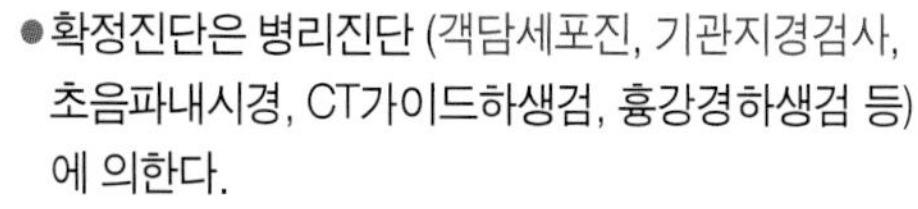

- 폐암이 의심스러우면 흉부X선검사, 흉부CT검사
- 확정진단은 병리진단 (객담세포진, 기관지경검사, 초음파내시경, CT가이드하생검, 흉강경하생검 등)에 의한다.
- 진행도의 진단 : 림프절전이 (CT, FDG-PET), 뇌전이 (두부 MRI), 간전이 (복부CT · 초음파), 부신전이 (복부CT), 골전이 (FDG-PET, 골신티그램)의 유무를 검사한다.
- 병기진단 : TNM분류에 의해 병기를 결정한다.

치료

치료 map p.72

- 치료방침은 조직형, 병기, 전신상태에 따라서 선택한다.
- 수술요법 (+술후 화학요법) : Ⅰ~Ⅱ기의 비소세포폐암, Ⅲ기의 일부, Ⅰ기의 소세포폐암에 적용한다.
- 화학요법 : Ⅲ~Ⅳ기의 비소세포폐암, 진전형 소세포폐암에 적용한다.
- 화학요법+방사선요법 : 국소에 머무는 비소세포폐암, 국한형 소세포폐암에 적용한다.
- 완화케어 : 호흡곤란과 통증조절을 도모한다.

폐암, 폐종양

병태생리 map

폐종양에는 양성 폐종양과 악성 폐종양이 있으며, 약 80%가 원발성폐암이다.

- 폐종양은 양성과 악성으로 분류되고, 그 중 악성종양은 원발성과 전이성으로 분류된다. 유래하는 세포에 따라서는 상피성 세포유래인 암과 비상피성 세포유래인 육종으로 나뉜다.
- 폐종양의 약 80%는 원발성폐암이다.
- 원병이 확대됨에 따른 호흡상태의 악화 외에, 기관지협착에 수반하는 폐렴 (폐색성폐렴) 등 원질환과 관련된 폐렴을 비롯한 감염증, 종양에 수반하는 전해질이상, 뇌전이에 의한 의식수준의 저하 등도 사인이 된다.

병인·악화인자

- 폐암의 위험인자로 흡연, 간접흡연, 석면, 비소, 니켈, 방사선노출 등이 보고되고 있지만, 폐암 발생의 메커니즘은 불분명하다.
- 흡연자의 폐암발생의 위험은 비흡연자의 4.5배이며, 흡연량이 많을수록, 또 흡연시작연령이 낮을수록 폐암발생의 위험이 높기 때문에, 흡연이 최대 발생위험인자이다.

■ 표 9-1 비소세포암과 소세포암의 차이

	진행	화학요법 · 방사선 요법의 효과
비소세포암	느리다	낮다
소세포암	빠르다	높다

*비소세포암에서도 악성도가 높은 저분화암에서는 진행이 빠르다.

역학·예후

- 2008년 일본에서 폐암 사망수는 66,849명이었다. 전체 악성신생물 중, 폐암의 사망률이 남성은 23.5%로 제1위, 여성은 13.3%로 위암을 앞질러서 제1위였다.
- 수술절제가 가능한 증례 중 조기인 일부 증례에서는 5년생존율이 70%대로 예후가 양호하지만, 수술이 가능해도 많은 경우에서 재발률이 높게 나타난다. 수술이 불가능한 이른바 진행암은 특히 예후가 불량하여, 대부분의 환자의 남은 수명이 몇 개월~2년 이내이다.

위험인자

흡연 · 간접흡연

석면 · 비소 · 니켈 등의 노출

편평상피암

폐문부의 굵은 기관기관지에 많고, 기관지를 따라서 진전한다.

소세포암

종괴를 만드는 경우도 있지만, 주로 기관지 주위로 확대되는 발적상태가 심하고 선명한 경우가 많다.

대세포암

말초에 많이 발생하며 비교적 큰 종괴이다.

선암

말초에 발생한다.

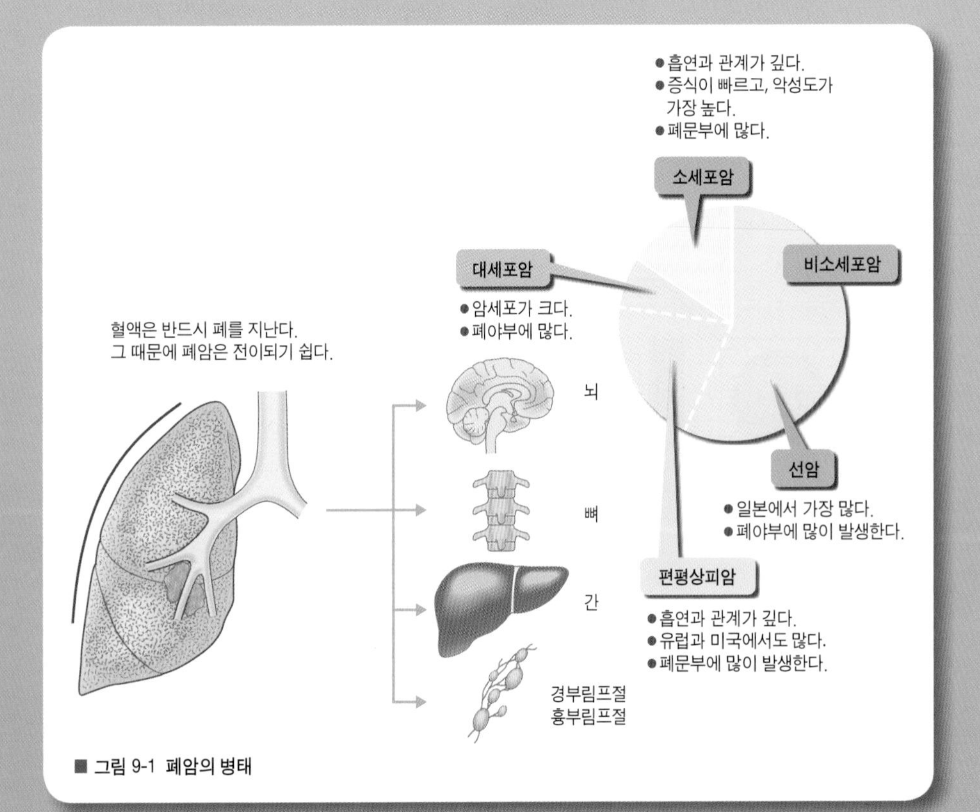

■ 그림 9-1 폐암의 병태

편평상피암

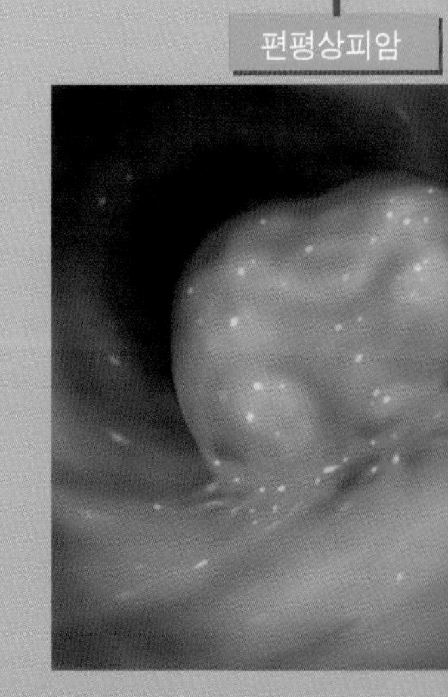

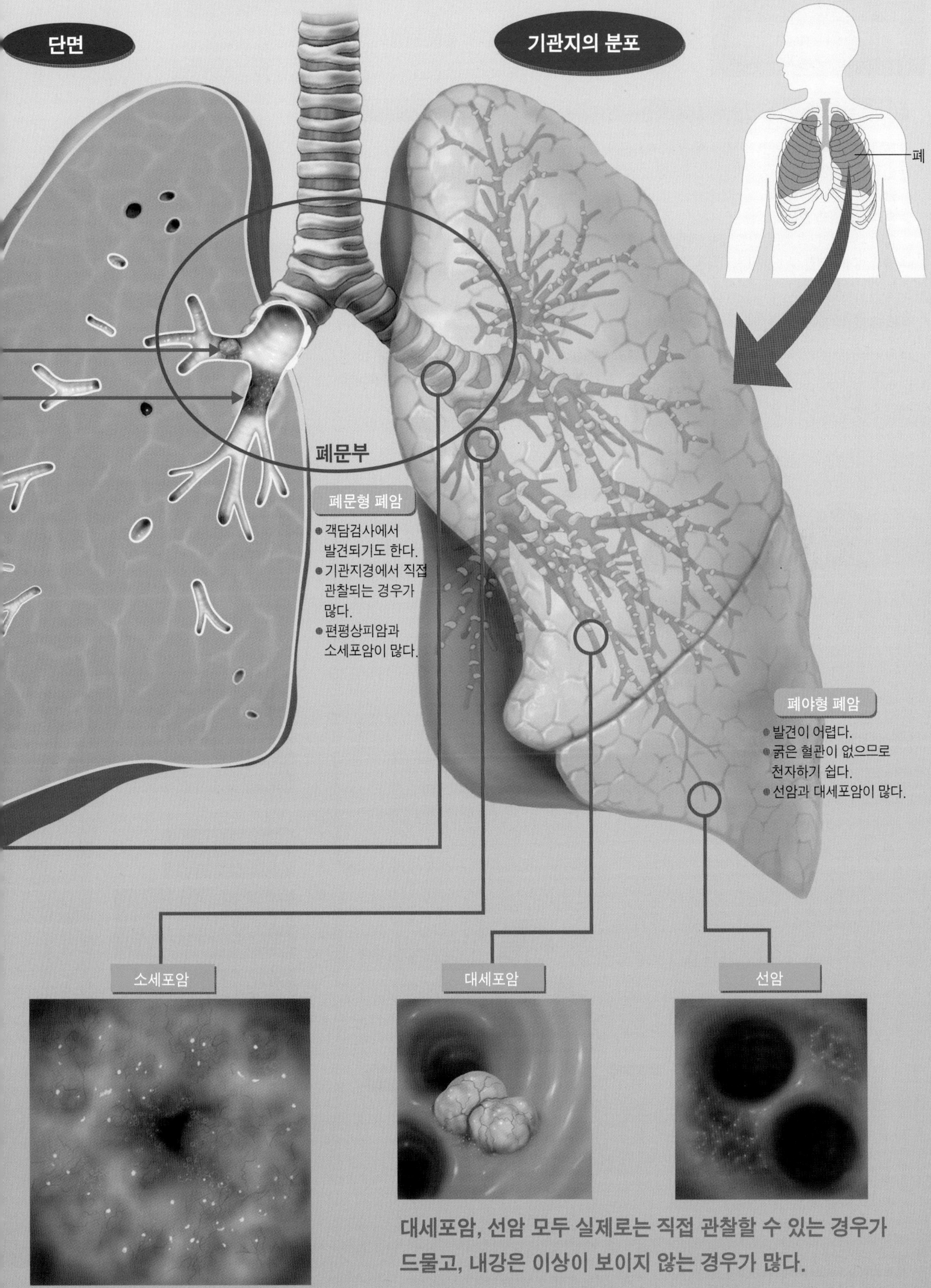

단면

기관지의 분포

폐

폐문부

폐문형 폐암

- 객담검사에서 발견되기도 한다.
- 기관지경에서 직접 관찰되는 경우가 많다.
- 편평상피암과 소세포암이 많다.

폐야형 폐암

- 발견이 어렵다.
- 굵은 혈관이 없으므로 천자하기 쉽다.
- 선암과 대세포암이 많다.

소세포암

대세포암

선암

대세포암, 선암 모두 실제로는 직접 관찰할 수 있는 경우가 드물고, 내강은 이상이 보이지 않는 경우가 많다.

증상 map

주증상은 기침, 체중감소, 호흡곤란, 흉통, 혈담이다.

증상

- 높은 빈도로 확인되는 것 : 기침, 체중감소, 호흡곤란, 흉통, 혈담.
- 빈도는 적지만 주의가 필요한 것 : 신경증상, 여성형유방, 관절통, 저나트륨혈증, 고칼슘혈증, 백혈구 증가.
- 흉곽내 종양의 진전에 의한 것 : 애성(쉰목소리), 안면이나 상지의 부종, Horner증후군 (안검하수, 안열의 좌우차, 편측 축동, 편측 발한저하), 폐렴 (폐쇄성).
- 원격전이에 의한 것 : 신경증상 (뇌전이), 국소통증 (골전이).

합병증

- ADH부적절분비증후군 (저나트륨혈증을 일으킴), 고칼슘혈증, Lambert-Eaton 근무력증후군 (하지 근육의 피로도 증가, 쇠약감 증상이 생김), 이소성 ACTH증후군, 비대성폐성골관절증 (장관골의 골막성 골신생 및 상하지의 종창 · 통증, 관절통, 곤봉형손가락이 나타남) 등.

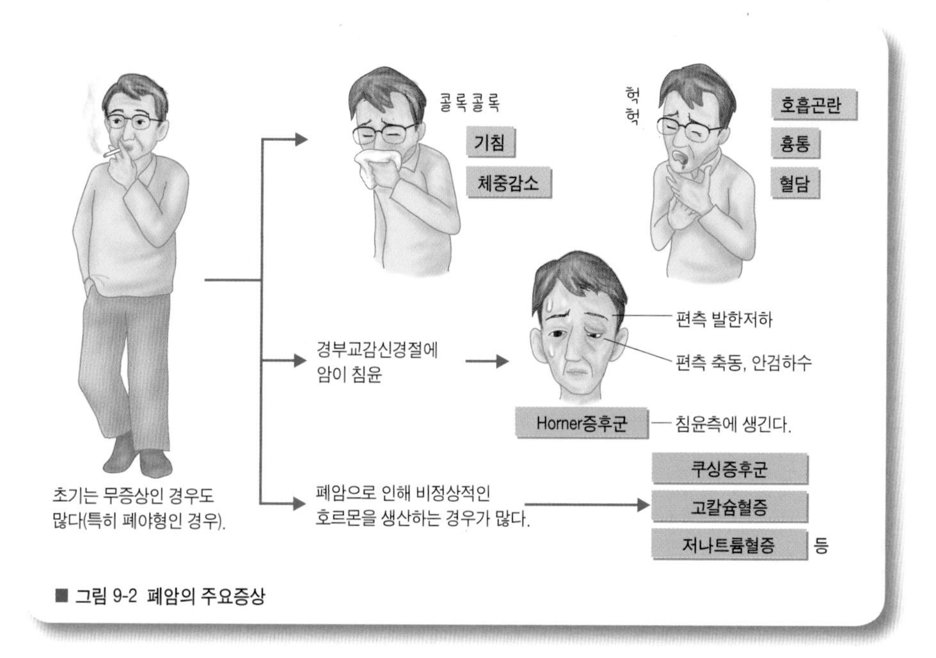

■ 그림 9-2 폐암의 주요증상

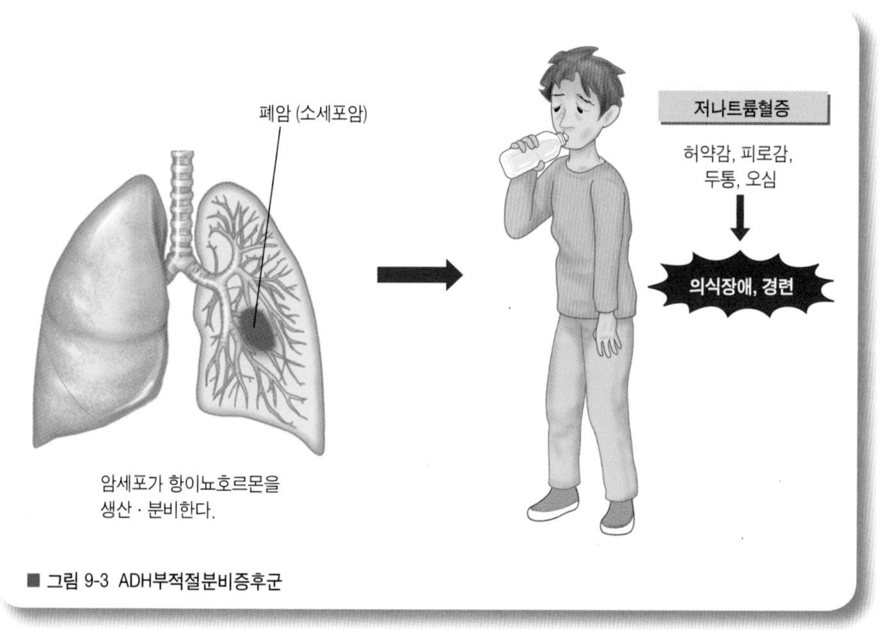

■ 그림 9-3 ADH부적절분비증후군

증상 합병증

편측 발한저하

편측 축동, 안검하수
안열의 좌우차

부종

혈담
기침

호흡곤란
폐렴
흉통

여성형유방

비대성폐성골관절증
: 상하지의 종창 · 통증
곤봉형손가락
관절통

ADH부적절분비
증후군

Lambert-Eaton 근무력
증후군 (하지 근육의 피
로도 증가, 쇠약감 증상)

이소성 ACTH증후군

진단 map

흉부X선, 흉부CT검사 후, 세포진 또는 조직진으로 진단을 확정한다. 동시에 CT, FDG-PET, MRI 등으로 림프절전이, 각 장기에 대한 전이를 진단한다.

진단 | 치료

객담세포진

기관지경검사
초음파내시경

CT가이드하생검
흉강경하생검
흉부CT검사
FDG-PET
MRI

종양표지자

수술요법

화학요법

화학요법+
방사선치료

통증관리

진단·검사치

- 폐암의 분류 : 폐암은 조직학적으로 비소세포폐암 (80~85%) (선암, 편평상피암, 대세포암)과 소세포폐암 (15~20%)으로 분류된다(그림 9-1, 표 9-1). 그 밖에 발생부위에 따라서 폐문형 (중심형)과 폐야형 (말초형)으로 분류된다.
- 확진은 세포진 또는 조직진의 병리진단으로 한다. 그 방법에는 객담세포진(sputum cytology), 기관지경검사, 초음파내시경, CT가이드하생검, 흉강경하생검 등이 있다.
- CT나 FDG-PET*, 필요에 따라서 기관지경하 흡인세포진으로 림프절전이를 진단하고, 뇌전이 (두부MRI), 간전이 (복부CT, 흉부초음파), 부신전이 (복부CT), 골전이 (FDG-PET, 골신티그램, 단순X선, MRI)의 유무를 검사한다.
- TNM분류에 따라서 병기가 결정된다. TNM분류는 T인자 (종양의 크기, 진전의 정도), N인자 (림프절전이), M인자 (원격전이)의 각 인자에 따라서 Ⅰ기부터 Ⅳ기까지의 병기를 결정하는 분류이다 (Ⅰ~Ⅲ기는 다시 A, B로 분류된다). 소세포암은 흉곽내에 국한되는 국한형, 흉곽외까지 진전되는 진전형으로 분류된다.
- 검사치
- 혈액 중의 종양표지자로서 ProGRP, NSE, CYFRA, SCC항원, SLX, CEA가 있는데, 조기폐암에서 수치가 높은 경우는 적다.

* FGD-PET : 플루오로데옥시글루코오스 (FDG)를 tracer로 한 양전자방사단층촬영법.

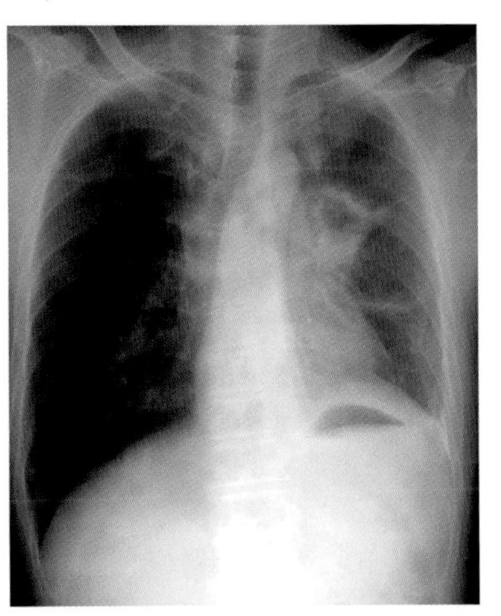

a. 흉부X선

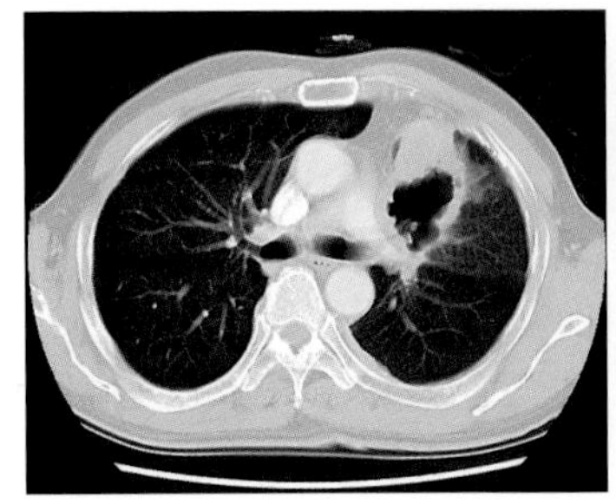

b. 흉부CT

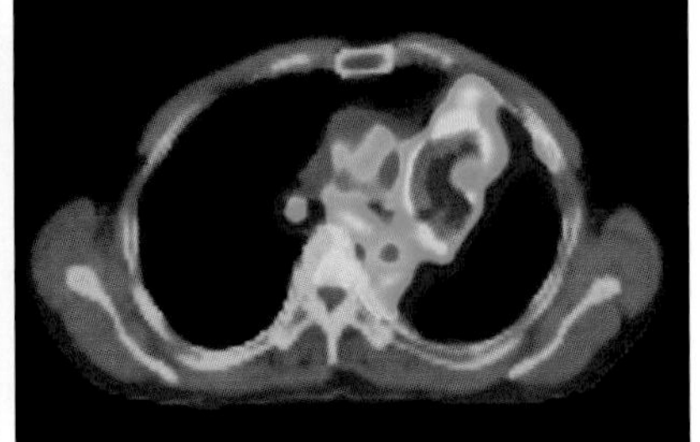

c. PET-CT

■ 그림 9-4 폐암의 흉부X선 · CT상, PET-CT상
(71세 남성 기침, 혈담, 호흡곤란 흡연력 : 40대/일×40년)

치료 map

조직형, TNM분류에 따른 병기, 전신상태에 따라서 치료방침을 선택한다.

치료방침

- 수술요법 : 비소세포폐암의 Ⅰ~Ⅱ기, Ⅲ기의 일부, 소세포폐암의 Ⅰ기증례에서는 원칙적으로 수술요법을 선택한다.
- 화학요법 : 절제불능인 Ⅲ~Ⅳ기 비소세포폐암, Ⅱ기 이상의 소세포폐암에는 화학요법을 선택한다.
- 방사선요법 : 국소에 머무는 비소세포폐암, 국한형 소세포폐암, 소세포폐암의 술후에는 화학요법과 병용하여 방사선요법이 행해진다. 골전이 등으로 인한 통증을 관리할 목적으로도 행해진다.

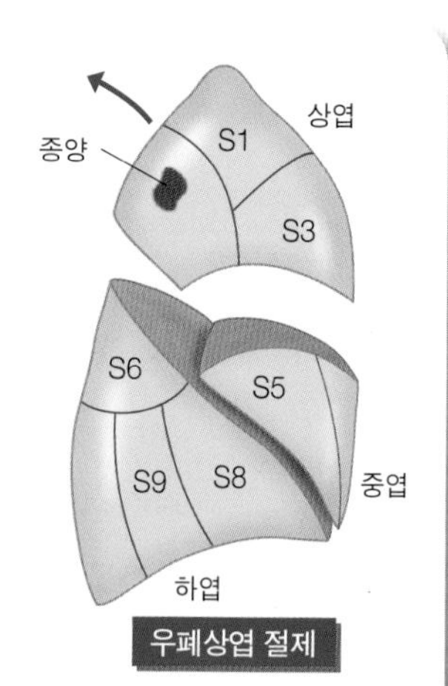

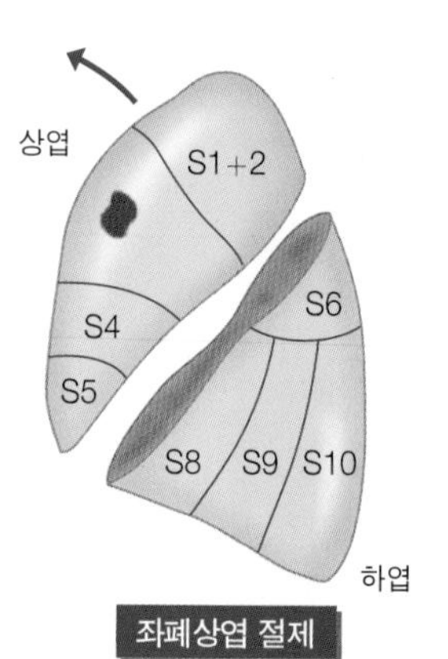

■ 그림 9-5 폐엽절제의 예

■ 표 9-2 폐암, 폐종양의 주요 치료제

분류	일반명	주요 상품명	약효발현의 메커니즘	주요 부작용
백금제제	카르보플라틴	Paraplatin	암세포내의 DNA사슬과 결합하여	골수억제작용 축적
	시스플라틴	Briplatin, Randa	DNA합성과 암세포의 분열을 저해	신독성, 최토작용
알칼로이드계 항암제	파클리탁셀	탁솔	마이크로튜브기능장애로 유사분열을 중기에 정지	골수억제, 신경장애
	도세탁셀수화물	탁소텔		
	비노렐빈주석산염	나벨빈		
대사길항제	젬시타빈염산염	젬자	종양세포의 발육에 필요한 대사를 저해	골수억제
	테가푸르 · 기메라실 · 오테라실칼륨	티에스원		
	페메트렉세드나트륨수화물	알림타	복수의 엽산대사효소를 동시에 저해하고 항종양효과를 발휘	골수억제, 간질성폐렴, 중증 설사, 탈수, 신부전
토포이소메라제 억제제	이리노테칸염산염수화물	캄토푸, Topotecin	DNA합성을 저해	골수억제
	에토포시드	Vepesid, 라스텟트	DNA장애로 인한 살세포작용	
분자표적치료제	게피티닙	이레사	상피성장인자수용체를 표적으로 하여 신호전달을 저해	급성폐장애, 간질성폐렴, 중증 설사
	엘로티닙염산염	타쎄바		

첫회 치료

(1) 비소세포암

카르보플라틴, 시스플라틴의 백금제제와 1990년대 이후에 등장한 이른바 신규 항암제 (파크리탁셀, 도세탁셀수화물, 비노렐빈주석산염, 젬시타빈염산염, 이리노테칸염산염수화물, 페메트렉세드나트륨수화물)의 병용요법이 기본이다. 그 중, 편평상피암 이외에서는 시스플라틴+페메트렉세드나트륨수화물이 우선 사용되는 경우가 많다. 또 상피성장인자수용체유전자 (EGFR)의 변이양성례에서는 분자표적약제이며 상피성장인자수용체 저해제인 게피티닙이 사용되는 경우가 많다.

Px 처방례 다음의 1)~6) 중에서 선택한다.

처방례 1)
- Briplatin주 75mg/m^2 1일1회 생리식염수 500mL에 용해하여 90분간 점적정주 ←백금제제
- 알림타주 500mg/m^2 1일1회 생리식염수 100mL에 용해하여 10분간 점적정주 3주마다 4~6사이클까지 반복 ←엽산대사길항제

처방례 2)
- Paraplatin주 1회 AUC6 (Calvert식) 5% 포도당 250mL에 용해하여 1시간 점적정주 제1일째 ←백금제제
- 탁솔주 70mg/m^2 1일1회 5% 포도당 200mL에 용해하여 1시간 점적정주 제1, 8, 15일째 ←알칼로이드계 항암제

※4주마다 4~6사이클까지 반복한다.

처방례 3)
- Paraplatin주 1회 ACU2 (Calvert식) 5% 포도당 250mL에 용해하여 1시간 점적정주 제1, 8일째 ←백금제제
- 젬자주 0.8g/m^2 1일1회 생리식염수 100mL에 용해하여 30분간 점적정주 제1, 8일째 ←대사길항제

※3주마다 4~6사이클까지 반복한다.

처방례 4)
- Briplatin 주 80mg/m^2 1일1회 생리식염수 500mL에 용해하여 90분간 점적정주 제1일째 ←백금제제
- 나벨빈 주 25mg/m^2 1일1회 생리식염수 20mL에 용해하여 정주 제1, 8일째 ←알칼로이드계 항암제

※3주마다 4~6사이클까지 반복한다.

처방례 5)
- Briplatin주 80mg/m^2 1일1회 생리식염수 500mL에 용해하여 90분간 점적정주 제1일째 ←백금제제
- 캄토푸주 60mg/m^2 1일1회 생리식염수 500mL에 용해하여 60분간 점적정주 제1, 8, 15일째 ←토포이소메라제 억제제

※4주마다 4사이클까지 반복한다.

처방례 6)
- 이레사정 (250mg) 1정 分1 ←분자표적치료제

(2) 소세포암

국한형에는 시스플라틴과 에토포시드가 적용되고 진전형에는 시스플라틴과 이리노테칸염산염수화물 (처방

례는 이전을 참조)의 병용요법이 행해진다.

Px 처방례 국한형인 경우

- Briplatin주 80mg/m^2 1일1회 생리식염수 500mL에 용해하여 90분간 점적정주 제1일째 ←백금제제
- Vepesid주 100mg/m^2 1일1회 생리식염수 500mL에 용해하여 120분간 점적정주 제1, 2, 3일째 ←토포이소메라제 억제제

※4주마다 4사이클까지 반복한다.

※전신상태, 연령, 신기능에 따라서 시스플라틴은 카르보플라틴으로 변경하기도 한다.

술후 화학요법

비소세포암의 ⅠB기, Ⅱ기, ⅢA기의 증례, Ⅰ기의 소세포암에는 술후 화학요법이 행해진다.

Px 처방례 비소세포암 ⅠB기의 증례

- 유에프티정 250mg/m^2 分1 2년간 내복 ←대사길항제

재발에 대한 또는 second line의 치료

(1) 비소세포암

페메트렉세드나트륨수화물, 도세탁셀수화물의 단제, 게피티닙, 엘로티닙염산염이 사용된다. 그 중 비편평상피암에서는 페메트렉세드나트륨수화물, 편평상피암에서는 도세탁셀수화물의 단제 또는 엘로티닙염산염에 의한 치료가 행해지는 경우가 많다. EGFR유전자의 변이양성례에서 미사용례에서는 게피티닙이 우선 사용된다.

Px 처방례 다음 중에서 선택한다.

- 알림타주 500mg/m^2 1일1회 생리식염수 100mL에 용해하여 10분간 점적정주 ←엽산대사길항제
- 탁소텔주 60mg/m^2 5% 포도당 200mL에 용해하여 1시간에 점적정주 제1일재 3주마다 반복 ←알칼로이드계 항암제
- 이레사정 (250mg) 1정 分1 ←분자표적치료제
- 타쎄바정 (150mg) 1정 分1 ←분자표적치료제

(2) 소세포암

재발에 대한 표준적인 치료법은 확립되어 있지 않다. 3개월 이상 경과한 후의 재발에는 첫 회 치료시와 똑같은 치료법을 적용한다는 보고도 있다. 암루비신염산염의 유효성을 나타내는 데이터도 있다.

방사선요법

- 국소에 머무는 비소세포폐암, 국한형 소세포폐암, 소세포폐암의 술후에는 화학요법과 병용하여 방사선요법이 행해진다. 골전이 등의 통증을 관리할 목적으로도 행해진다.

합병증에 대한 치료

(1) ADH부절적분비증후군

우선 음수제한이 기본이기 때문에, 식사 이외의 음수를 500mL 이하로 제한한다.

Px 처방례 응급을 요하는 경우, 식수제한만으로 불충분한 경우

1) 생리식염수 500mL+10% NaCl 100mL
2) 라식스 주 20mg 정맥주사 ←루프이뇨제

※중심성뇌교수초용해증을 일으킬 가능성이 있어서, 급속한 투여는 위험하다.

(2) 고칼슘혈증

Px 처방례

1) 생리식염수 250~500mL/시 수액개시 후 3~4시간, 이후 2,000~4,000mL/일로 정주
2) Aredia주 30~45mg+생리식염수 500mL 4시간 이상 소요하여 정주 ←비스포스포네이트제제

완화의료

(1) 호흡곤란

폐암의 진전 외에도 암성 림프관증, 흉수, 심낭액의 저류 등이 원인인 중요한 증상이다.

Px 처방례 기침이 심한 경우

- 인산코데인 10~60mg 1일 1~3회 ←마약

※보험적용외이지만, 240mg/일까지 증량하기도 한다.

Px 처방례 호흡곤란감이 심한 경우, 다음 1)~3)중에서 적절히 병용한다.

1) Cercine정 (5~10mg) 1정 1일1~4회 ←항불안제
2) Rinderon 1일 1~4mg 내복 또는 정주 ←스테로이드제

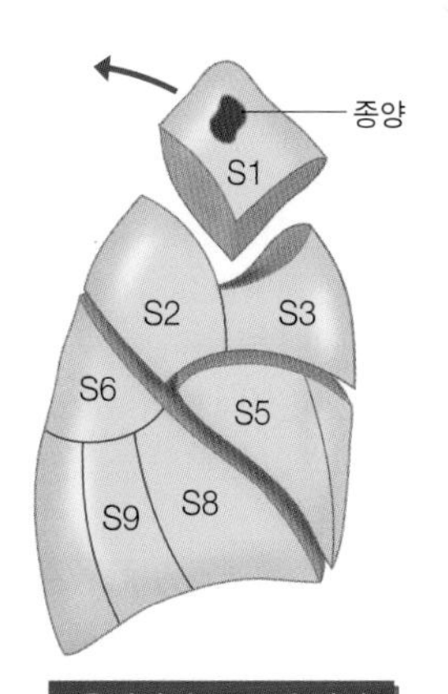

우폐상엽 S1구역 절제

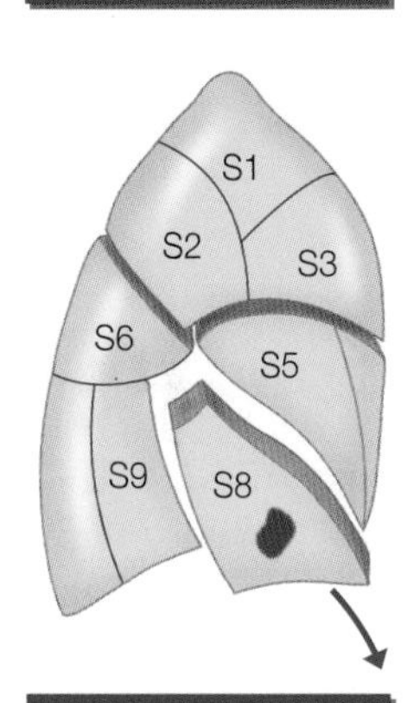

우폐상엽 S8구역 절제

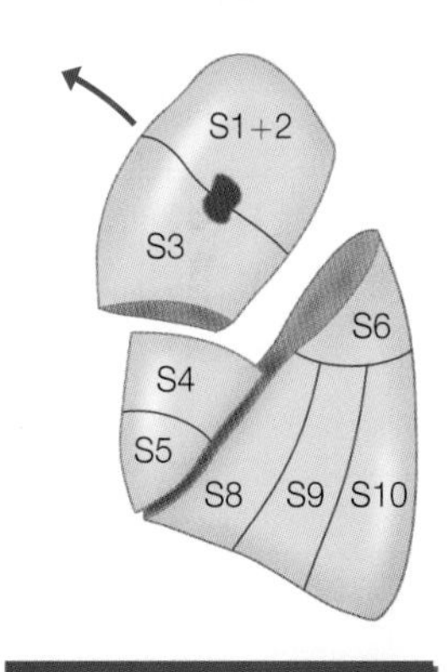

우폐상엽상구 (S1+2+3) 절제

■ 그림 9-6 구역절제의 예

3) 염산모르핀 1일5mg~ 내복 또는 피하주, 정주 ←마약

(2) 통증관리

흉벽으로의 침윤, 척수전이나 골전이 등에 의해서 통증이 생기고, QOL이 현저히 저하되므로, 통증관리가 매우 중요하다. WHO 방식의 단계적 투여법이 행해진다.

Px 처방례 1)에서 관리되지 않는 경우, 2)로 변경 또는 병용한다. 또 관리가 되지 않는 경우, 2)를 3)으로 변경한다.

1) 록소닌정 (60mg) 1정 1일3~4회 ←비스테로이드성 항염증제
2) 옥시콘틴정 10mg부터 증량 分2 ←약 오피오이드 (마약)
3) MS콘틴서방정 20mg부터 증량 分2 ←강 오피오이드 (마약)

※MS콘틴의 투여량은 옥시콘틴의 1.5배이다.

Px 처방례 내복이 불가능한 경우 다음의 1)~2)중에서 선택한다.

1) 염산모르핀주 피하주 또는 정주
2) Durotep패치 2.5~7.5mg 3일마다 바꿔 붙인다 ←강 오피오이드 (마약)

※마약성 진통제의 부작용중, 오심에는 메토클로프라미드 (Primperan), 할로페리돌 (Serenace), 프로크롤페라진 (Novamin) 등을, 변비에는 산화마그네슘, 센나엑스 (Adjust-A), 센노시드 (Pursennid) 등의 완하제를 필요에 따라서 투여한다.

※위의 진통제가 효과가 없는 경우, 멕실레틴염산염 (Mexitil) 등의 항부정맥제나 항우울제, 항불안제, 항경련제나 스테로이드제를 투여하기도 한다. 적응대상이 되는 경우에는 신경블록도 고려된다.

폐암, 폐종양의 병기 · 병태 · 중증도별로 본 치료흐름도

Key word

- 중심성뇌교수초용해증(central pontine myelinolysis)

저나트륨혈증을 급격히 보충했을 때에 종종 일어나는 뇌교중심부의 좌우대칭성 탈수. 뇌교중심부의 탈수 때문에 다시 의식장애 (섬망, 혼수 등 여러 가지), 뇌신경마비, 사지마비, 감금증후군 (locked-in syndrome) 등을 나타낸다.

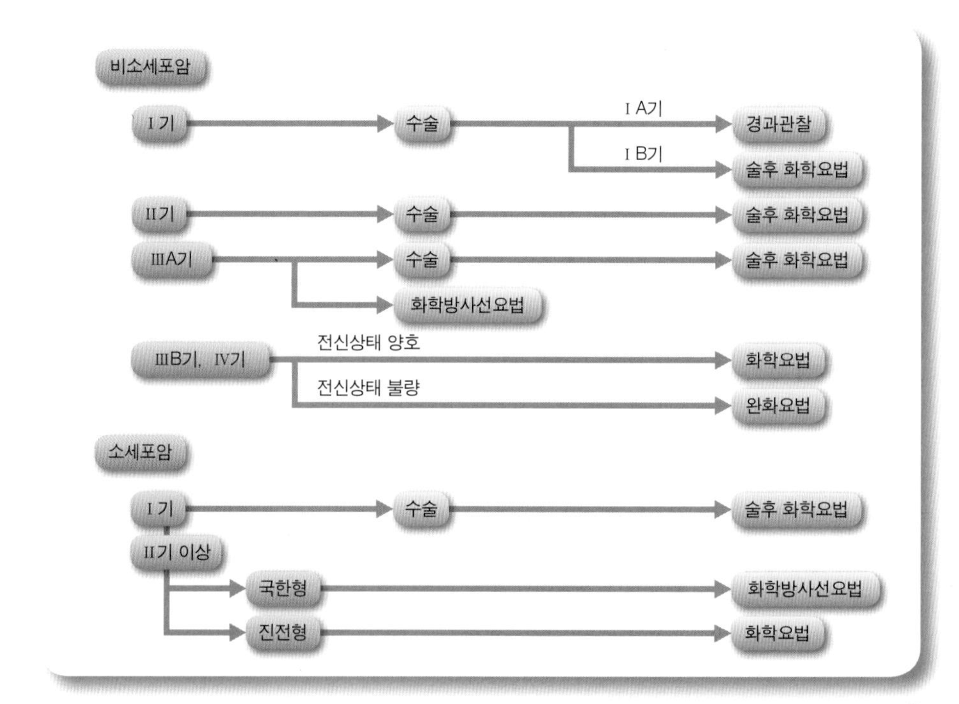

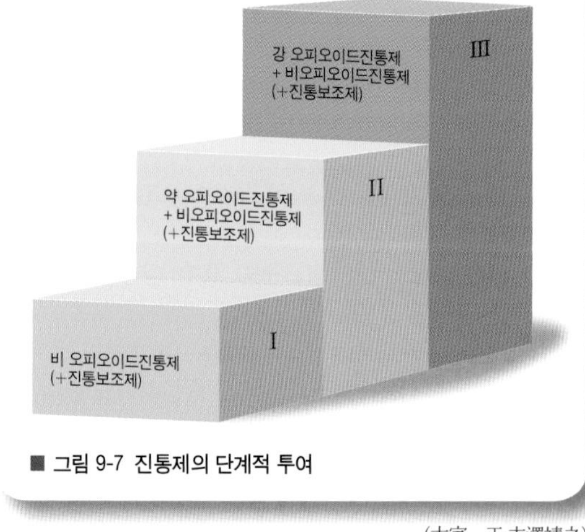

■ 그림 9-7 진통제의 단계적 투여

(古家 正·吉澤靖之)

환자케어

기대를 가지고 치료에 임하는 환자의 심리상태를 지지하고 합병증이나 부작용에 대처하면서, 신체적·정신적 지지를 제공한다. 종말기에는 신체·심리·사회적 고통을 완화하여 QOL의 유지를 목표로 한다.

병기·병태·중증도에 따른 케어

【초발치료기】 치료 초기에는 치유나 장기연명의 기대를 갖고 치료에 임하는 환자의 심리상태를 지지하면서, 치료의 합병증, 부작용에 대한 지지를 제공한다.
【재발·전이기】 재발·전이로 인하여 적극적 치료에서 완화적 치료로 방침이 변경된다는 낙담과 함께 많은 증상이 출현하기 시작하여, 환자·가족의 고뇌가 깊어진다. 신체적인 지지와 함께 정신면에서의 지지가 중요하다.
【종말기】 원발소의 증대로 인한 호흡곤란, 전이에 의한 통증 등의 신체적 고통의 경감을 도모하면서, 심리·사회적 고통을 완화하고, QOL을 유지할 수 있도록 지지한다.

케어의 포인트

진찰·치료의 지지
- 증상경감을 위한 복용상황이나 그 효과에 관해 모니터링하고, 필요시에 약의 변경에 대하여 상호 간에 의논한다.
- 혈액데이터, X선상, 혈중 산소분압 등, 검사결과를 파악하여, 이상의 조기발견에 힘쓴다.
- 치료 중의 상태를 잘 관찰하고, 이상의 발견에 힘쓴다.

증상에 따른 안락의 장애에 대한 지지
- 기침을 자극할 수 있는 온도, 습도를 조정한다.
- 복용의 상황이나 효과, 안락의 장애정도를 자주 확인한다.
- 증상으로 인해 발생하는 고통이나 생활행동에 대한 영향, 정신적인 측면에 대한 영향을 잘 확인하고 지지한다.

치료에 의한 부작용에 대한 지지
- 검사데이터에 유의하고, 감염위험에 관하여 충분히 파악한 후, 일찌감치 감염예방행동을 취한다. 또 환자도 스스로 예방행동을 취할 수 있도록 지지한다.
- 구내염, 식도염 등에 관한 예방책이나 셀프케어에 관하여 지도한다.
- 오심·구토, 미각장애 등으로 인한 식욕부진을 극복할 수 있도록 환자와 함께 상의한다.
- 탈모에 대한 설명, 대처방법을 제공한다. 환자의 감정을 수용하고, 새로운 자기상의 형성을 위하여 지지를 제공한다.
- 수면, 활동, 인간관계 등 ADL에 미치는 영향을 파악하고, 필요한 지지를 한다.

환자·가족의 심리·사회적 문제에 대한 지지
- 질환 및 치료에 관한 수용, 불안의 정도를 파악하고, 생각이나 감정을 표출할 수 있도록 지지한다.
- 수술에 비해서, 치료는 장기적이고 그로 인한 경제적 부담에 대한 불안이 커지므로, 그를 경감시킬 사회자원이나 인적자원의 활용의 정보를 제공하는 등, 필요한 지지를 한다.
- 환자·가족의 모임 등을 소개하고, 고민을 서로 얘기하거나 간호방법이나 대처법을 배울 수 있는 장소를 제공할 수 있도록 지지한다.

퇴원지도·요양지도

- 앞으로의 경과에 관하여 환자·가족에게 충분히 설명하고, 불안 없이 퇴원할 수 있도록 준비한다.
- 호흡곤란의 증상이나 대처방법에 관하여 지도하고, 이상이 있는 경우는 예약을 기다리지 말고 진찰 받도록 설명한다.
- 화학요법 적용후에 조기에 퇴원하는 경우, 감염위험에 관하여 다시 설명하여 예방행동을 취할 수 있도록 하고, 또 이상이 있을 때는 바로 진찰받을 것을 지도한다.
- 가정 및 외식에서의 영양섭취에 관해 지도하여, 영양상태가 저하되지 않도록 한다.
- 탈모를 최소한으로 하는 머리감기와 다듬는 방법 및 모자, 스카프를 사용하여 더위를 피하는 방법 등에 관하여 지도한다.
- 경제적인 문제가 있는 경우는 사례담당자(caseworker) 등 활용할 수 있는 자원에 관해서 정보를 제공한다.
- 가능한 사회활동에 참가하고, 집에 틀어박히지 않도록 할 수 있는 일에 관하여 서로 의논한다.

(山崎智子)

구내염

○ 피해야 할 음식 　신 음식
감귤류, 소금, 간장, 고추냉이, 고추 등
향신료가 강한 요리

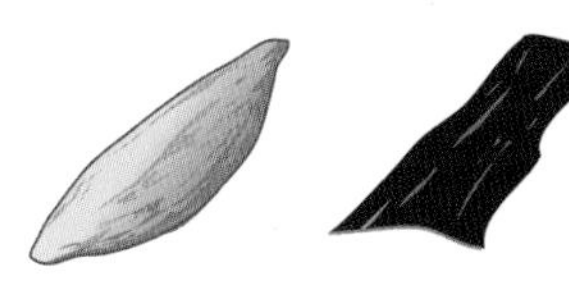

○ 피해야 할 음식
가쓰오부시나 미역으로 만든 음식

오심·구토

○ 피해야 할 음식 　찜요리 전반
냄새나는 음식

○ 가능한 것 　두부나 계란, 면류

■ 그림 9-8 증상별 식사연구

Memo

10 협심증, 심근경색 (angina pectoris, myocardial infarction)

合屋雅彦 / 友政淳子·櫻井文乃

A. 협심증 (angina pectoris)

병인

- 심장에 충분한 혈액을 공급할 수 없어서 수요와 공급이 불균형에 이르는 질환을 허혈성 심질환이라고 하며, 여기에는 심근에 대한 혈액공급이 부족하여 생기는 협심증과, 혈류가 두절되어 심근이 괴사되는 심근경색이 있다.

[악화인자] 비만, 운동부족, 흡연, 연령

역학

- 허혈성 심질환에 의한 사망률에는 변동이 없다.

[예후] 불안정협심증의 20~30%는 심근경색으로 이행된다. 심근경색 발생시에는 50%가 사망한다는 보고도 있다.

병태생리

병태생리 map p.78

- 협심증 : 동맥경화(arteriosclerosis)로 관동맥이 협소화되어 노작시 등에 충분한 혈액을 공급할 수 없어서 일어나는 노작성협심증과, 관동맥의 연축으로 인해서 일시적으로 혈액공급이 두절되어 생기는 이형협심증(variant angina)이 있다.
- 협심증은 그 경과에 따라서 안정협심증(stable angina)과 불안정협심증(unstable angina)으로 나뉜다.
- 불안정협심증, 급성심근경색, 심장돌연사(sudden cardiac death;SCD)를 급성관증후군 (ACS)이라고 한다.

증상 합병증 진단 치료

호흡곤란

흉통
압박감
교액감 (꽉 조르는 듯한 느낌)

문진

심전도검사
운동부하검사
심근신티그래피
MRI
CT

경피적관동맥인터벤션
관동맥바이패스술

생활습관의 개선

약물요법

증상

증상 map p.80

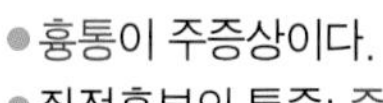
- 흉통이 주증상이다.

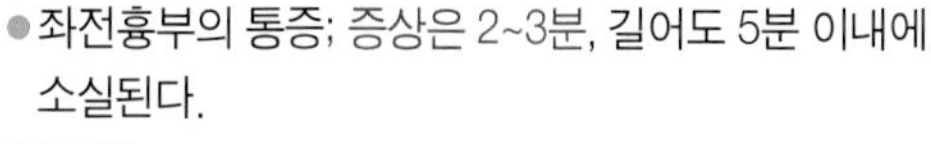
- 좌전흉부의 통증; 증상은 2~3분, 길어도 5분 이내에 소실된다.

[합병증]

- 고혈압, 당뇨병, 지질이상증 (고지혈증)

진단

진단 map p.81

- 증상부위, 지속시간, 발생시간 등을 청취한다.
- 심전도검사가 가장 일반적이다.
- 진단확정에는 홀터심전도(Holter monitoring), 운동부하검사(exercise stress test), 심근신티그래피, MRI, CT 등이 이용된다.

치료

치료 map p.82

- 동맥경화의 진전예방 : 생활습관의 개선 (식사 · 운동 · 금연 등), 약물요법이 적응된다.
- 약물요법 : 질산염 제제, 칼슘길항제, β 차단제
- 경피적관동맥인터벤션 (PCI)
- 관동맥바이패스술

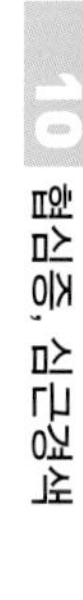

병태생리 map

협심증은 동맥경화로 인한 관동맥의 협소화가 원인인 노작성협심증과 관동맥의 연축이 원인인 이형협심증으로 크게 나뉜다.

- 협심증 (angina pectoris)이란 라틴어의 angina (꽉 조이다)와 pectoris (흉부의)에서 만들어진 말이다. 협심증은 1800년경에 이미 심장 관동맥의 동맥경화병변으로 인한 운동시 심근으로의 혈액공급의 부족이 원인이라고 여겨지고 있었다. 관동맥은 우관동맥, 좌관동맥의 2줄이 대동맥판막 바로 위에서 분기하고, 또 좌관동맥은 전하행지, 회선지의 2줄로 나뉘어져서 심장 전체에 영양을 공급한다.
- 허혈성 심질환은 관순환의 변화로 심근의 산소 수요와 관동맥의 혈류량이 불균형이 되어 심근에 장애가 생기는 상태이다. 혈류가 일과성으로 부족한 경우가 협심증이며, 혈류의 저하 또는 혈류의 두절이 장시간 지속되어 심근이 괴사에 빠지는 경우가 심근경색이다. 이와 같이 협심증과 심근경색은 완전히 다른 질환이 아니라, 양쪽 모두 허혈성 심질환이다.
- 협심증은 동맥경화로 인한 관동맥의 협소화 (협착이라고 한다)로 혈류량이 항상 저하되어 있어서 운동, 흥분, 배변, 목욕 등의 노작으로 증상이 유발되는 노작성협심증(effort angina)과 관동맥의 연축 (spasm)에 의해 일과성으로 혈류가 저하되어 생기는 이형협심증 (혈관연축성협심증, vasospastic angina)의 2종류로 분류된다.
- 장기간 무증상이다가 새로운 협심증이 출현한 경우나 증상이 안정되어 있던 협심증이 악화된 경우를 불안정협심증이라고 한다. 불안정협심증의 원인으로 관동맥에 생긴 죽종의 붕괴가 관련되어 있다고 지적되고 있으며, 불안정협심증의 약 20~30%는 심근경색으로 이행될 위험이 있으므로, 입원치료가 필요하다.
- 급성심근경색, 불안정협심증, 심장돌연사는 모두 죽종 (plaque : 플라크)의 파괴에 의한 관동맥 내강의 폐색을 공통의 원인으로 하며, 이 병태를 집약하여 급성관증후군 (ACS)이라고 한다.

병인·악화인자

- 노작성협심증은 동맥경화로 인한 관동맥의 협소화가 원인이며, 그 악화인자는 식생활 (고콜레스테롤, 과식), 비만, 스트레스, 운동부족, 흡연 등이다.
- 이형협심증은 협착이 없는 혈관에도 생기고, 안정시, 특히 야간부터 새벽에 걸쳐서 발작이 일어나며, 일본인에게 많이 발생한다는 특징이 있다. 한냉 · 과환기 등 여러 가지 자극으로 관동맥의 연축이 유발된다.

예후

- 협심증의 예후를 규정하는 인자는 이환지수 (1기병변인가 다기병변인가)와 좌심실기능이다. 적절한 약물요법에 더불어 필요하면 바이패스수술이나 카테터치료를 시행한다.

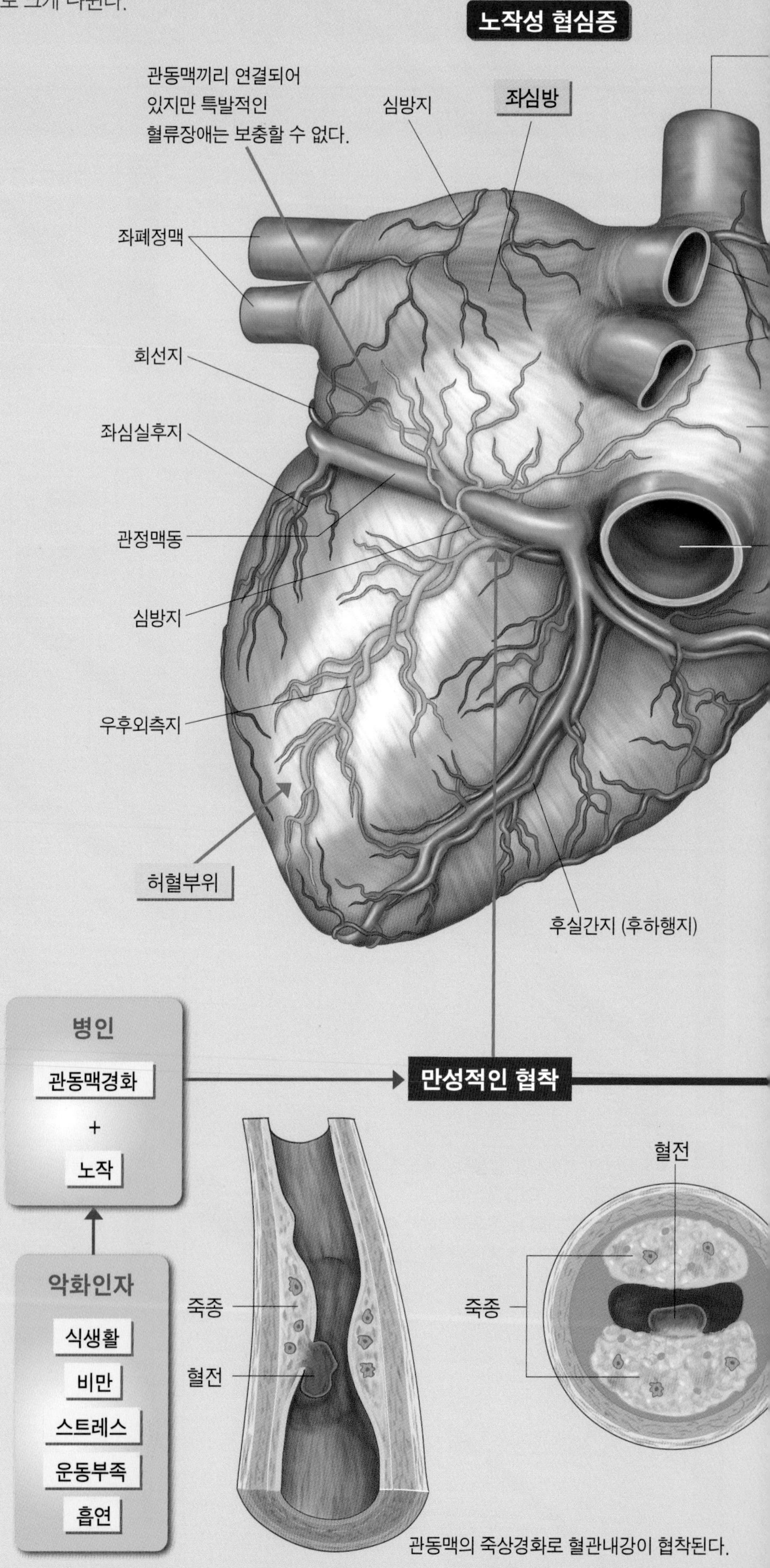

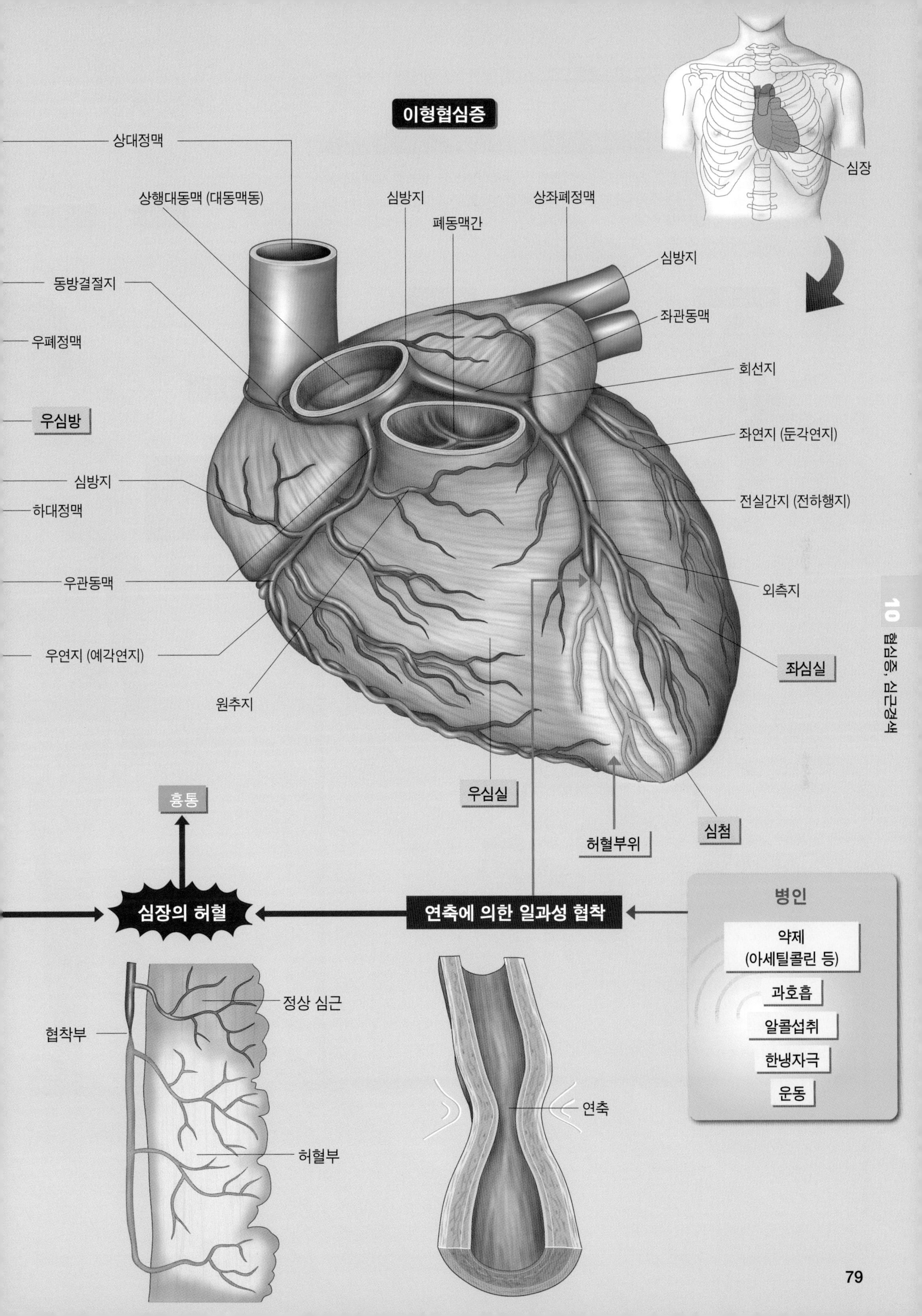

이형협심증
상대정맥
상행대동맥 (대동맥동)
심방지
폐동맥간
상좌폐정맥
심방지
좌관동맥
회선지
동방결절지
우폐정맥
우심방
좌연지 (둔각연지)
심방지
하대정맥
전실간지 (전하행지)
우관동맥
외측지
우연지 (예각연지)
좌심실
원추지
우심실
심첨
허혈부위
심장
흉통
심장의 허혈
연축에 의한 일과성 협착
병인
약제
(아세틸콜린 등)
과호흡
알콜섭취
한냉자극
운동
정상 심근
협착부
허혈부
연축
10
협심증, 심근경색

증상 map

주증상은 흉통으로, 2~3분에서 5분 이내에 소실된다.

증상

- 협심증의 주요증상은 흉통이지만, 그 보고가 다양하며 압박감, 꽉 조이는 느낌, 불쾌감, 호흡곤란 등으로 표현되는 경우가 많다. 흉통은 주로 좌전흉부에서 좌견에 걸쳐서 일어나는데, 예외적으로 치아나 목, 좌상완에 통증이 발생하기도 한다.
- 발작 증상이 짧게 나타나서, 대부분 2~3분, 길어야 5분 이내에 소실된다.

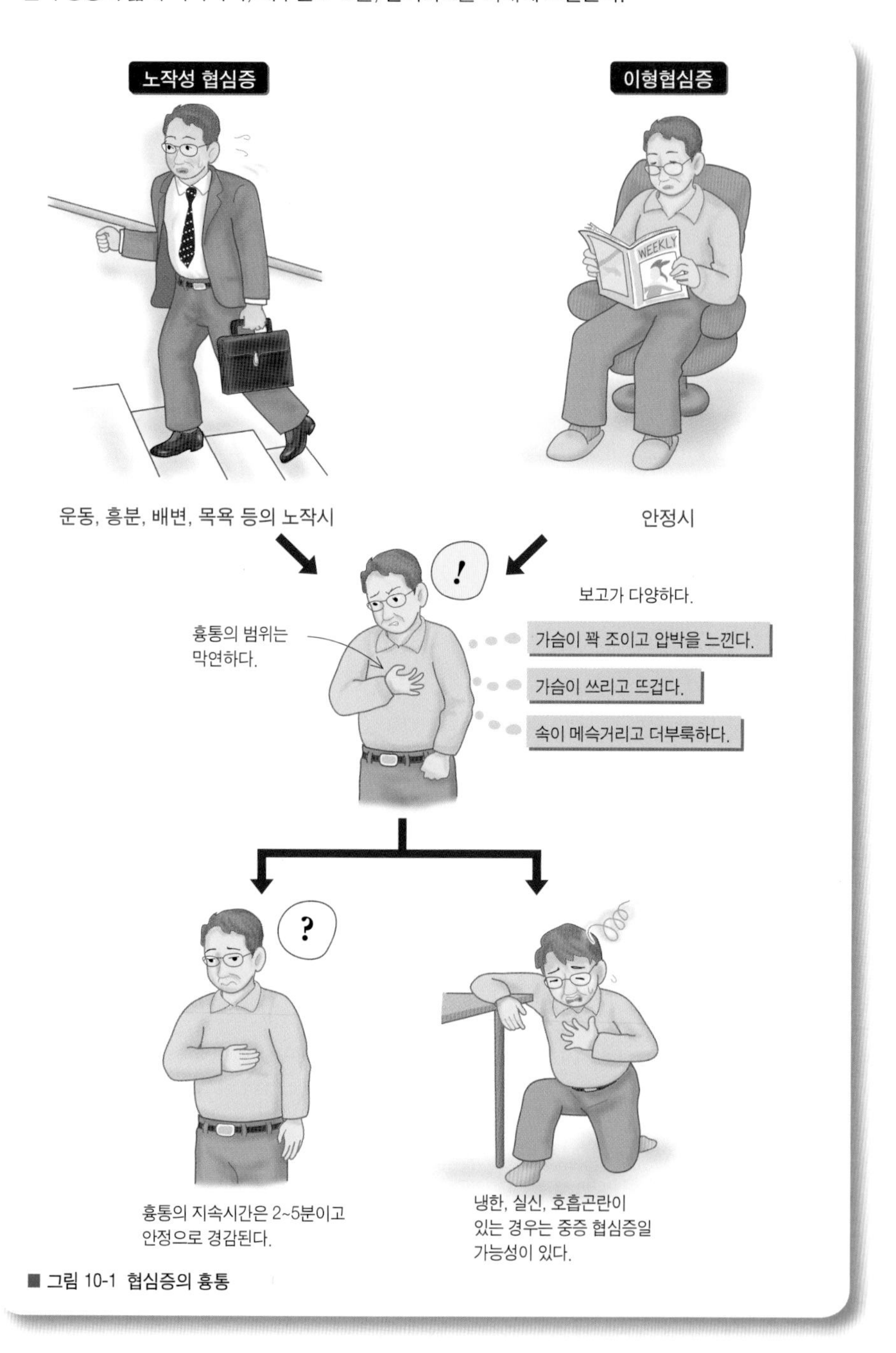

■ 그림 10-1 협심증의 흉통

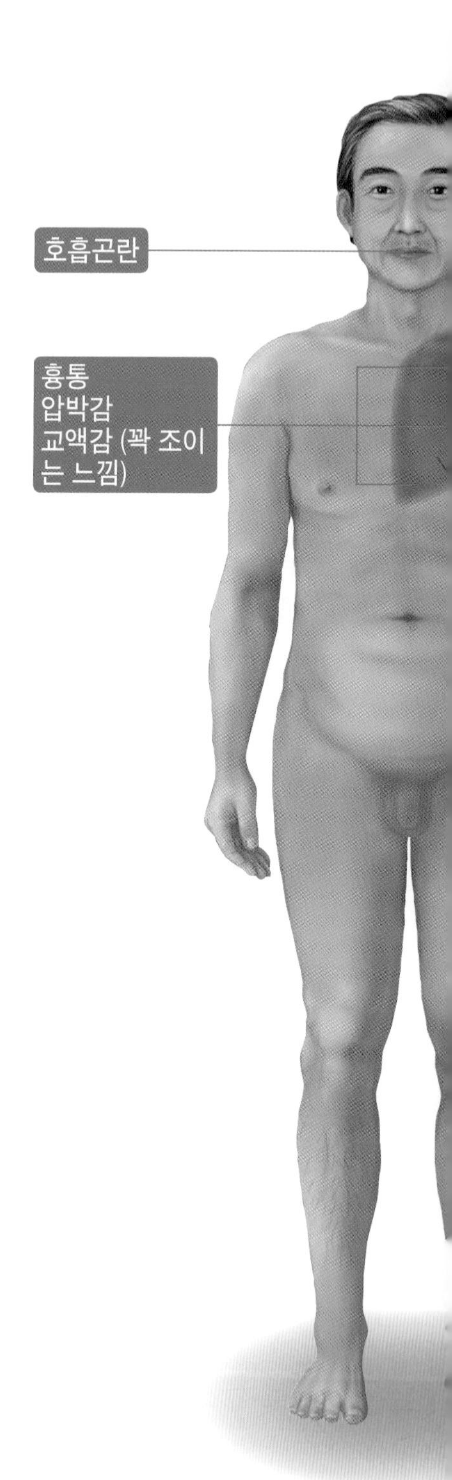

진단 map

통증부위, 지속시간, 발생시간 등의 문진을 상세히 함과 동시에, 심전도검사의 ST저하소견을 통해 진단한다.

진단 / 치료

문진

심전도검사
운동부하검사
심근신티그래피
MRI
CT

경피적관동맥인터벤션
관동맥바이패스술

생활습관의 개선

약물요법

진단·검사치

- 협심증의 전형적인 증상은 좌전흉부의 통증이다. 증상에서 감별진단 (구별해야 할 질환)의 대상이 되는 것은 담석증(cholelithiasis), 위염, 위궤양(gastric ulcer), 역류성식도염(reflux esophagitis), 늑간신경통(intercostal neuralgia) 등이다. 협심증의 초발생상으로 우계늑부에 통증이 생기는 수가 있어서, 담석증과 혼동되기도 한다. 또 상복부통에서 증상이 시작될 때는 위염, 위궤양으로 오진되기도 한다.
- 협심증의 통증은 2~3분에서 몇 분간 지속되는 것이 특징이며, 몇 초 뿐인 통증은 협심증에 의한 증상이 아니라, 늑간신경통이나 기외수축(premature contraction) 등의 부정맥이 원인일 가능성이 높다. 또 가슴이 종일 묵직하거나 아픈 경우는 흉막이나 늑골, 근육 통증이거나, 심신증(psychosomatic diseases) 등의 정신신경과 관련된 증상일 가능성이 높다. 이와 같이 협심증 진단에는 증상부위, 지속시간, 발생시간, 원인 등을 상세히 청취하는 것이 실마리가 된다.
- 검사로 진단을 내릴 시에는 심전도검사가 가장 일반적이다. 발작시에 심전도로 ST부분이 1mm 이상 저하되는 경우는 협심증이라고 진단 가능하다. 단, 이형협심증에서는 ST부분의 상승이 확인되는 특징이 있다.
- 그러나 협심증 발작시에 심전도를 기록하는 것은 입원시 이외에는 어려우므로, 여러 가지 검사로 (발작시 이외에) 진단을 확정할 필요가 있다. 홀터심전도는 심전도의 24시간 기록이 가능하므로, 흉통발작시의 심전도를 파악할 수 있다. 또 마스터, 에르고미터(ergometer), 트레드밀 등의 운동부하검사도 유용하다 (그림 10-2). 이 부하검사에서는 협심증, 특히 노작성협심증에서 운동에 의해 상대적인 심근허혈상태가 되면서, 심전도의 ST부분이 저하되기에 진단이 가능하다. 또 심근신티그래피에 의한 진단도 유용하다. 최근에는 MRI나 CT로 관동맥을 직접 영상화함으로써, 협착병변의 유무를 비침습적으로 진단하는 것도 가능해졌다 (그림 10-3). 그러나 검사로 진단이 어려운 경우나 경피적관동맥인터벤션 (PCI)을 시행하는 경우에는 관동맥조영이 행해진다 (그림 10-3).

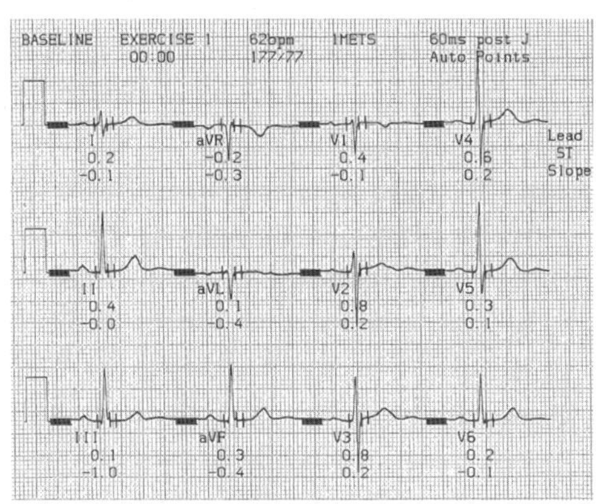

a. 운동부하 전의 정상 심전도

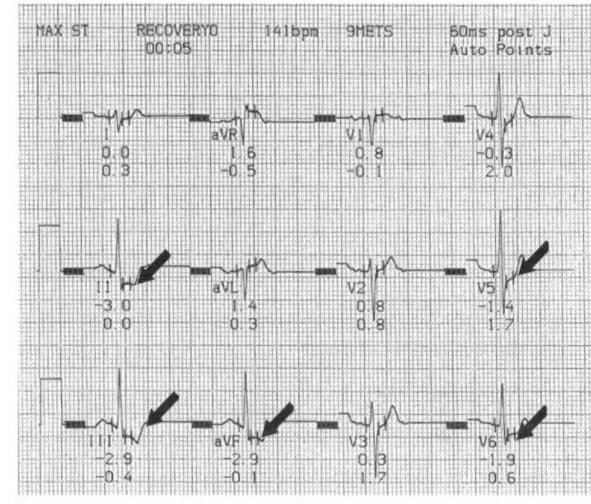

b. 운동부하로 확인되는 ST저하

■ 그림 10-2 트레드밀 운동부하검사
69세 남성. 고혈압으로 치료 중이었는데 노작시에 흉통이 출현하여 내원하였다. 운동부하전의 심전도(a)는 정상이지만, 운동으로 흉부 불편감이 유발됨과 함께 Ⅱ, Ⅲ, aVF, V5, V6유도에서 화살표로 표시된 유의한 ST저하가 확인되어(b), 관동맥협착에 의한 심근허혈이 시사된다.

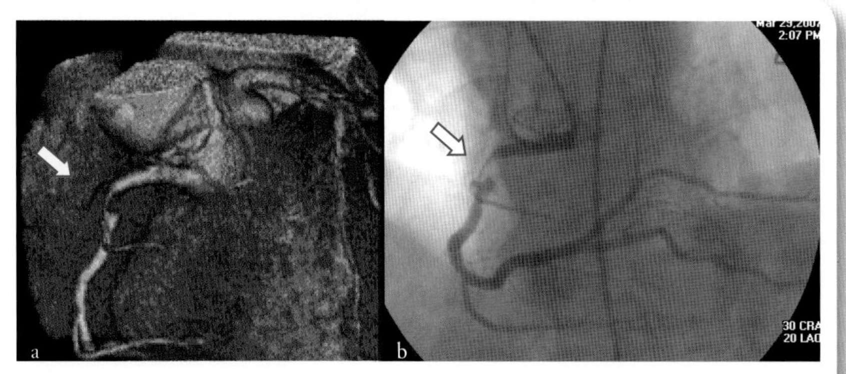

■ 그림 10-3 관동맥CT와 관동맥조영
a. 협심증이 의심스러운 증례에 시행한 멀티슬라이스 CT영상. 그림 속 화살표로 표시된 우관동맥 근위부에서 협착병변을 확인한다.
b. 같은 증례에서의 관동맥조영소견. CT에서 얻은 소견과 일치하여 우관동맥 근위부에서의 협착병변을 확인하였다.

치료 map

자각증상을 개선하고 심근경색, 심장돌연사를 예방할 목적으로, 약물요법과 경피적관동맥인터벤션 등을 시행한다.

치료방침

- 협심증 치료의 목적은 자각증상을 개선 (흉통의 경감, 운동능력의 개선과 그에 따른 QOL의 개선)하고 심근경색이나 심장돌연사의 발생을 예방하여 장기예후·생명예후를 개선하는 것이다.
- 협심증 치료의 선택사항은 대개 약물요법, 카테터를 이용하는 치료 (PCI), 및 외과치료 (관동맥바이패스술)이다.

최근의 견해

허혈성 심질환의 치료는 임상에서 다분히 경험에 근거하여 행해져왔다 (experience-based medicine). 그러나 최근, 과학적 근거에 입각하여 치료하는 (evidence-based medicine ; EBM) 방향으로 변화하고 있다. 협심증의 약물치료에서는 단시간작용형 칼슘길항제가 그다지 장기예후를 개선하지 않는 점, 질산염 제제로는 허혈성 심질환 환자의 생명예후의 개선효과가 없는 점이 보고되었다. 한편, 지질이상증 치료제인 HMG-CoA환원효소저해제가 허혈성 심질환 환자의 사망률과 심혈관 발생률을 저하시킨다고 밝혀졌다. 항고혈압제인 안지오텐신변환효소 (ACE) 저해제나 안지오텐신 II수용체 길항제 (ARB)도 심근경색 후 환자의 재경색이나 불안정협심증의 발생률을 저하시킨다고 밝혀졌다. 또 특히 불안정협심증 사례에서 항혈소판제의 유효성도 보고되었다.

■ 표 10-1 협심증 · 심근경색의 주요 치료제

분류	일반명	주요 상품명	약효발현의 메커니즘	주요 부작용
질산염 제제	니트로글리세린	Nitropen, 니트로글리세린, 마이오콜스프레이, 밀리스롤	관동맥 및 말초혈관을 확장	혈압저하, 두통
	질산이소솔비드	Nitorol		현기증, 혈압저하
	일질산이소솔비드	Itorol		간기능장애, 황달
Ca길항제	니페디핀	아달라트, Sepamit, Emaberin	관동맥 및 말초혈관을 확장	홍피증, 무과립구증, 혈소판감소
	니카르디핀염산염	페르디핀	관동맥연축의 억제	마비성일레우스, 저산소혈증
β차단제	메트프로롤주석산염	Seloken, Lopressor	심박수, 심근수축력을 억제하고, 심장의 산소소비량을 경감	심원성쇼크, 울혈성심부전
	비소프로롤프말산염	Maintate		심부전, 완전방실블록
	아테노롤	테놀민, Atenolol		서맥, 방실블록
칼륨채널 개방제	니코란딜	시그마트	관동맥확장작용, 관동맥연축의 억제	간기능장애, 황달, 혈소판감소
혈소판응집 억제제	아스피린	Bayaspirin, 버퍼린	혈소판응집을 억제	쇼크, 아나필락시스양 증상

약물요법

- 약물치료시에 사용하는 약제는 주로 질산염 제제, 칼슘 길항제, β차단제의 3종이다.
- 질산염 제제 : 질산염 제제는 협심증치료에서 가장 널리 사용되는 약제이다. 협심증발작 (심근허혈)은 심근의 산소소비량이 산소공급량을 상회하는 경우에 발생한다. 질산염 제제는 ①관동맥을 확장하여 심근에 대한 산소공급량을 증가시키는 작용, ②전신의 정맥을 확장시킴으로써 정맥환류량을 감소시키고 (심장의 전부하의 경감), 심근산소소비량을 감소시키는 작용, ③전신의 동맥을 확장시켜서 혈압을 저하시킴으로써, 심장의 후부하를 감소시키고, 심근산소소비량을 감소시키는 작용과 그 밖에 다양한 작용을 함께 가지고 있어서 협심증발작의 치료에 유효하다.
- 칼슘길항제 : Ca는 심근이나 혈관의 수축에 관여하고 있다. 칼슘길항제는 Ca의 작용을 차단함으로써 혈관을 확장시킨다. 그 때문에 관동맥도 확장되고 심근산소공급량을 증대시키는 작용과 전신의 동맥을 확장시키고 혈압을 저하시킴으로써 후부하를 감소시키고, 심근산소소비량을 감소시키는 작용을 함께 하고 있어서 협심증 치료에 유효하다. 또 칼슘길항제는 관동맥의 연축에 의한 이형협심증 치료에도 관동맥연축을 예방하는 작용이 있어서 유효하다.
- β차단제 : β차단제는 체내의 주요장기에 존재하는 β수용체를 카테콜라민과 경합적으로 저해함으로써 그 효과를 발현한다. 심장에서는 β수용체에 자극이 가해지면 심박수, 심근수축력이 증가하고, 심장의 산소소비량이 증가하여 심근허혈이 유발될 수 있다. β차단제는 이 β수용체를 저해함으로써 심장의 산소소비량을 감소시킨다. 또 노작시에도 심박수의 증가를 억제하므로 협심증발작이 잘 나타나지 않게 된다. 이와 같이 β차단제는 노작성협심증 치료에는 유효하지만, 이형협심증에서는 반대로 발작이 쉽게 일어나게 만든다. 또 기관지천식 환자에게서는 천식발작을 악화시키고, 심기능이 저하된 증례에서는 심부전을 악화시키기도 하므로, 투여에 주의를 요한다.

Px 처방례 발작시

1) Nitropen (0.3mg) 1정 설하 둔용 ←질산염 제제

Px 처방례 노작성협심증

1) Bayaspirin정 (100mg) 1정 分1 (기상시 또는 조식후) ←혈소판응집억제제
2) Itorol정 (20mg) 2정 分2 (기상시 · 석식후) ←질산염 제제
3) 아달라트 CR정 (20mg) 2정 分2 (기상시 · 석식후) ←칼슘길항제
4) Maintate정 (5mg) 1정 分1 (기상시 또는 조식후) ←β차단제

Px 처방례 안정시 협심증

1) 아달라트 CR정 (20mg) 2정 分2 (기상시 · 취침시) ←칼슘길항제
2) Itorol정 (20mg) 2정 分2 (기상시 · 석식후) ←질산염 제제
3) 시그마트정 (5mg) 3정 分3 (기상시 · 점심후 · 석식후) ←칼륨터널개방제

Px 처방례 불안정협심증

1) Itorol정 (20mg) 2정 分12 (기상시 · 석식후) ←질산염 제제
2) Seloken정 (20mg) 1일 60~120mg 分2~3 (식후) ←β차단제
3) 아달라트L정 (20mg) 2정 分2 (아침 · 석식후) ←칼슘길항제

경피적관동맥인터벤션 (PCI)

- 관동맥의 협착병변에 대한 카테터를 사용한 인터벤션 (PCI)은 1977년에 Gruentzig가 최초로 시행하였다. 이후, 기기의 개량과 기술의 향상으로 그 적용이 현저하게 확대되어 시행례도 각국에서 비약적으로 증가하였고, 현재는 약물요법, 외과수술과 더불어 허혈성 심질환치료의 핵심이 되었다 (그림10-4, 5). 당초에는 풍선을 사용한 확장이 행해졌는데, 급성기 관동맥해리, 급성관동맥폐색, 재협착률이 높은 점 등의 한계가 있어서, 여러 가지 새로운 기구가 개발되었다. 대표적인 것으로 스텐트, 로타블레이터, DCA (방향성 관동맥죽종 절제술)를 들 수 있다.
- 최근, 재협착의 원인인 세포증식을 억제하는 면역억제제나 항암제를 스텐트 표면에 코팅한 약물방출스텐트 (drug-eluting stent ; DES)가 개발되어, 2004년부터 일본에서도 사용이 가능해졌다. DES는 종래 PCI의 약점인 재협착률을 현저히 억제하는 효과가 나타나고 있으며, 약제를 코팅하지 않는 종래의 스텐트 (순수금속 스텐트)에서는 재협착을 반복하는 증례, 재협착률이 높은 당뇨병 합병례, 소혈관에 유용하다는 점이 기대되고 있다. 그러나 약제의 사용으로 관동맥 내막의 세포증식이 억제되어 스텐트 표면이 장기간 혈류에 노출된 결과, 항혈소판제의 내복을 중지하면 혈전색전증을 일으킬 가능성이 있다는 점도 보고되어 있어서, 전 증례에 DES를 유치하는 것은 바람직하지 않다. 순수금속스텐트와 DES 중 어느 것을 선택하는가는 각 증례의 연령, 합병증의 유무, 협착부위, 혈관지름, 재협착의 과거력 등을 감안하여 신중히 선택해야 한다.

① 협착부위에 가이드와이어를 통과시킨다.

② 가이드와이어를 따라서 풍선카테터를 삽입하고, 협착부위에서 확장하여 협착을 해제한다.

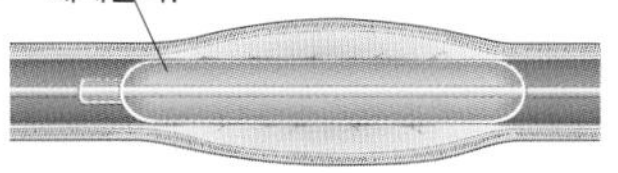

③ 스텐트가 붙은 풍선을 가이드와이어를 따라서 삽입한다.

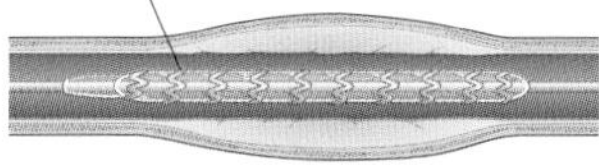

④ 풍선을 가압하여 스텐트를 확장한다.

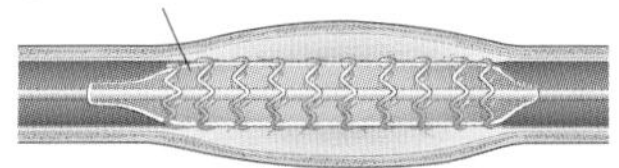

⑤ 확장한 스텐트를 유치하고 풍선카테터, 가이드와이어를 발거한다.

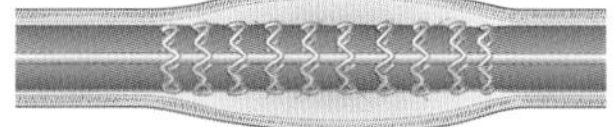

■ 그림 10-4 PCI를 이용한 스텐트유치술

동맥절제술 (arterectomy)

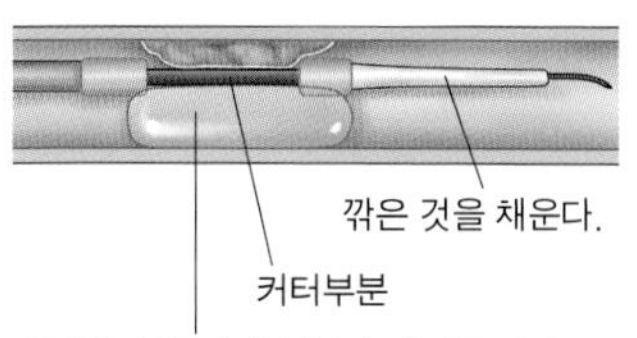

풍선을 부풀려서 죽종에 커터를 밀어 넣어서 깎는다.

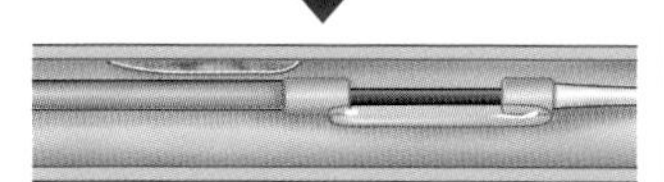

로타블레이터

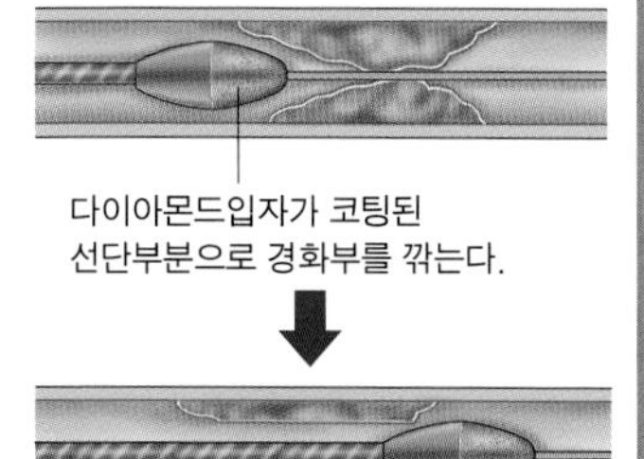

■ 그림 10-5 PCI를 이용한 동맥절제술과 로타블레이터

관동맥바이패스술

- 관동맥바이패스술 (CABG)은 허혈에 빠진 심근의 혈류 회복을 목적으로 행해지는 수술이다. 크게 분류하면, 상행대동맥 기시부에서 주로 상복재정맥을 이용하는 방법과 내흉동맥을 이용하여 협착 · 폐색된 관동맥의 말초측에 혈류의 우회로를 만들어 심근허혈을 개선하는 방법이 있다. 그 적응대상은 좌주간부 병변, 다지병변, 만성폐색병변, PCI에서 재협착을 반복하는 증례 등이다. 하나의 증례에 PCI, 관동맥바이패스술 중 어느 것을 선택하는가는 병변형태, 합병증의 유무, 심기능, 연령 등에 따라서 신중히 선택해야 하지만, 그 밖에 각 시설의 임상경험 역시 중요한 부분이다.
- 관동맥바이패스수술은 당초, 복재정맥이식편 (saphenous vein graft ; SVG)이 주류였는데, 최근에는 내흉동맥 (internal thoracic artery ; ITA) 이식편이 이용되는 경우가 많다. 또 체외순환이나 인공심폐를 사용하지 않고 소개흉으로 시행되는 MIDCAB (minimally invasive direct coronary artery bypass) 수술법도 행해지게 되었다. 또 심장박동하에 관동맥바이패스술을 시행하는 off-pump법도 도입되었다. 이러한 저침습수술로 합병증을 줄이고, 조기이상, 조기퇴원으로 연결되리라 기대되고 있다.

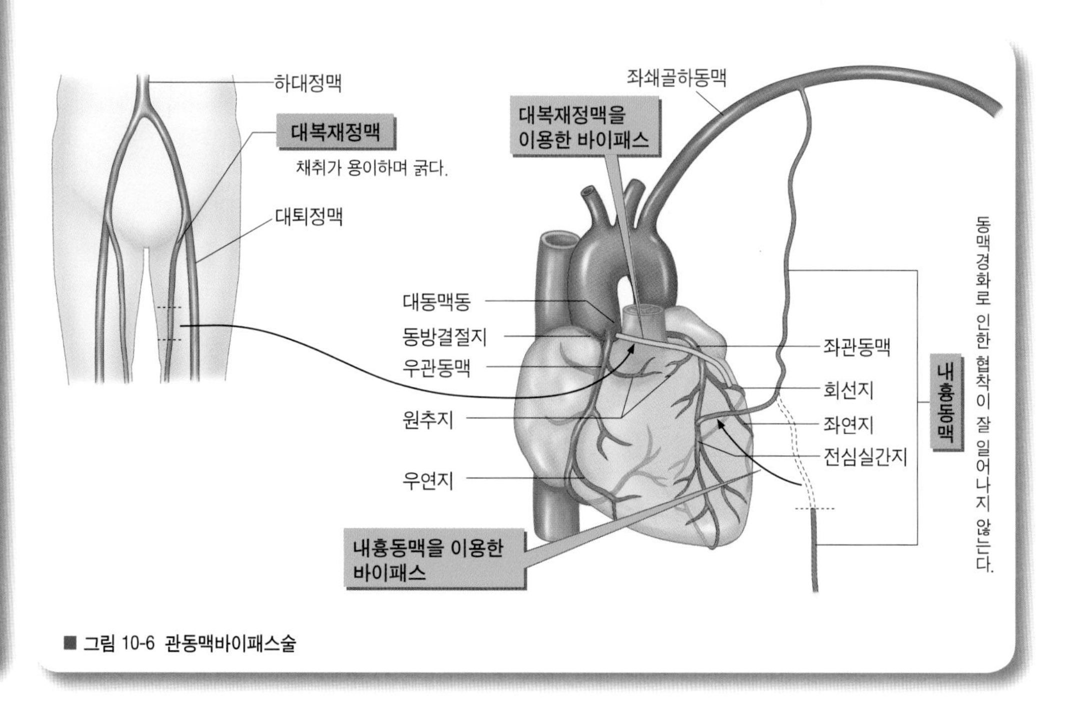

■ 그림 10-6 관동맥바이패스술

환자케어

노작성협심증에서는 발작의 원인이 되는 노작을 경감시킬 수 있도록 일상 생활상의 주의점을 지도한다. 불안정협심증, 이형협심증에서는 증상을 충분히 관찰하여 조기에 이상을 발견한다.

병기·병태·중증도에 따른 케어

【노작성협심증】 노작이 원인이 되어 발작이 일어나므로, 발작의 원인이 되는 노작을 경감시킬 수 있도록 일상생활상의 주의점을 환자에게 지도한다. 또 발작이 일어났을 때의 대응방법을 환자에게 지도한다.

【불안정협심증】 안정시에 흉통발작이 나타나고 심근경색으로 이행되기 쉬우므로, 증상을 충분히 관찰하여, 이상의 조기발견에 힘쓴다. 환자가 안정을 유지할 수 있도록 환경을 정비한다. 발작시의 고통과 증상에 수반되는 불안을 완화하도록 힘쓴다.

【이형협심증】 운동과는 상관없이 야간부터 새벽 · 오전 중의 안정시에 관동맥의 연축이 원인이 되어 발작이 일어나기 쉬우므로, 그 시간대의 증상관찰과 이상의 조기발견에 힘쓴다. 부정맥이 합병되기 쉬우므로 맥박도 주의하여 관찰한다.

케어의 포인트

【진료 · 치료의 지지】

- 협심증발작이 일어났을 때의 대응방법을 지도한다.
- 치료, 검사의 내용을 알기 쉽게 설명한다.
- 내복약을 적절히 복용할 수 있도록 지도한다.
- 부작용 발현시에는 약물 작용의 특징을 관찰하고, 신속히 의사에게 보고하여 약의 양이나 시간을 조정한다.

【안정된 생활을 할 수 있는 환경정비】

- 충분히 휴식을 취하고, 안정된 생활을 할 수 있는 환경을 만든다.
- 발작이 일어나지 않도록 하는 활동방법을 지도한다.
- 환자나 가족의 불안을 경감시킬 수 있도록 지지하고, 검사나 치료에 수반되는 스트레스를 가능한 경감시킨다.

【낙상의 경감 · 회피】

- 장기안정으로 사지의 근력이 저하되면, 낙상의 위험성이 높아지므로, 안정도를 확대할 때에는 사지의 근력을 충분히 평가하고, 필요시에는 도와서 안전하게 일어날 수 있도록 환경을 조정한다.
- 질산염 제제의 복용으로 급격한 혈압저하가 일어나는 수가 있으므로, 와위 또는 좌위에서 복용하도록 지도한다.
- 내복제의 효과로 저혈압 및 서맥이 되기 쉬우므로, 내복제의 내용 변경시에는 특히 주의하도록 지도한다.

케어의 포인트

- 협발작이 일어나지 않게 생활할 수 있는 ADL을 지도한다.
- 위험요소의 자가관리방법을 지도한다.
- 적절한 복용방법을 지도한다.
- 발작이 일어난 경우의 대처방법을 설명한다.

■ 그림 10-7 협심증의 위험요소

(友政淳子)

B. 심근경색 (myocardial infarction)

병인

- 심장에 충분한 혈액공급을 하지 못하여 수요와 공급이 불균형에 이르는 상태를 허혈성 심질환이라고 하며, 여기에는 심근으로의 혈액공급이 부족하여 생기는 협심증과 혈류가 두절되어 심근이 괴사되는 심근경색이 있다.

[악화인자] 비만, 운동부족, 흡연, 노화

역학

- 허혈성 심질환에 의한 사망률에는 변함이 없다.

[예후] 불안정협심증의 20~30%는 심근경색으로 이행된다. 심근경색 발생시에는 50%가 사망한다는 보고도 있다.

병태생리

- 심근경색 : 죽종이 붕괴되어 생긴 혈전이 관동맥을 폐색하여 혈류가 장시간 두절되면서 발생한다.

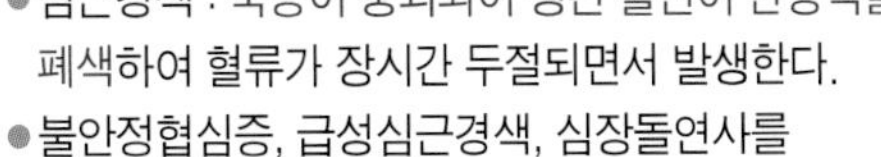

- 불안정협심증, 급성심근경색, 심장돌연사를 급성관증후군이라고 한다.

증상 합병증 진단 치료

통증
격렬한 흉통
허혈 · 심실성부정맥 (심정지, 실신, 현기증)
좌심부전 (호흡곤란, 기좌호흡)

심전도검사
심초음파
관동맥조영
핵의학검사

혈액 · 생화학검사 (CK, AST, LDH)

대동맥내풍선펌프 (IABP)
경피적관동맥인터벤션 (PCI)
관동맥바이패스수술

약물요법 (항부정맥제, 강심제)

재활

증상

- 흉통이 주증상이다.
- 흉부 전체에 미치는 격렬한 통증으로, 지속시간이 길다.

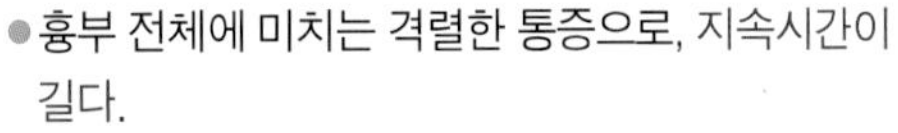

- 당뇨병 합병례에서는 무증상인 경우도 있다.

[합병증]

- 부정맥(arrhythmia), 심부전 (heart failure)

진단

- 심전도, 심장초음파 (심초음파) 검사가 유용하다.
- 혈액생화학검사 : 급성기에는 심근일탈효소 (CK, AST, LDH)의 상승이 확인된다.
- 부위의 파악에는 관동맥조영 (발생 6시간 이내), 심장카테터검사, 핵의학검사를 적용한다.
- 감별진단을 위해 흉부X선검사, 흉부CT 등이 시행된다.

치료

- 동맥경화의 진전예방 : 생활습관의 개선 (식사 · 운동 · 금연 등), 약물요법이 적응된다.
- 발생 급성기 : 재관류요법(refusion method)을 실시한다.

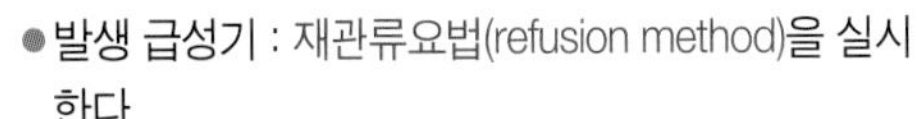

- 급성기~아급성기 : 합병증대책이 중심이다. 항부정맥제, 강심제, 전기적 제세동, 대동맥내풍선펌프 (IABP) 등이 적용된다.

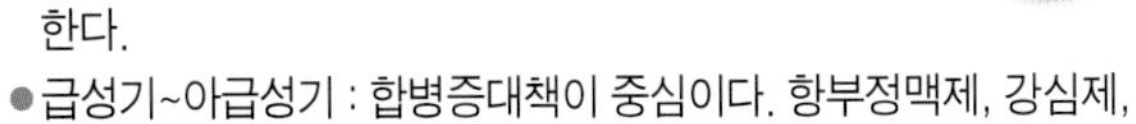

- 만성기 : 혈행재건 (PCI, 관동맥바이패스술), 심기능 보호, 재경색 예방을 도모한다.

심근경색

병태생리 map

심근경색은 관동맥의 혈행이 두절되어, 그 하류역의 심근이 괴사에 빠진 병태를 말한다.

- 심근경색의 대다수는 관동맥 죽상경화 부위의 죽종이 붕괴되고, 그 곳에 혈전이 생겨서 관동맥이 폐색, 혈류가 두절되어 일어난다.
- 종래에는 심근경색이 서구에 비해 일본에서는 적게 발생했었으나 식습관 · 생활메커니즘의 서구화로 증가하는 추세이다.

역학 · 예후

- 심근경색은 종래에는 치명적인 질환이었지만, 현재는 재관류요법의 보급, CCU (관상동맥질환집중치료실)의 도입에 따른 합병증 관리에 의해서 구명률이 향상되었다. 그러나 지금까지 증상발생시에 50%의 비율로 사망하기 때문에 병원에 수용되기 전에 사망하는 환자가 많다.
- 심근경색은 발생 직후의 사망례가 많고, CCU에서 치료한 경우에는 구명률이 90%를 넘는다. 심기능이 저하된 경우에는 예후가 불량하다. 고혈압, 고지혈증, 당뇨병, 흡연 등의 위험인자를 줄임과 동시에 적절한 약물치료를 실시해야 한다.
- 심기능이 고도로 저하된 경우에서는 치명적 부정맥에 의한 돌연사 예방을 목적으로 삽입형제세동기의 유치가 권장되고 있다.

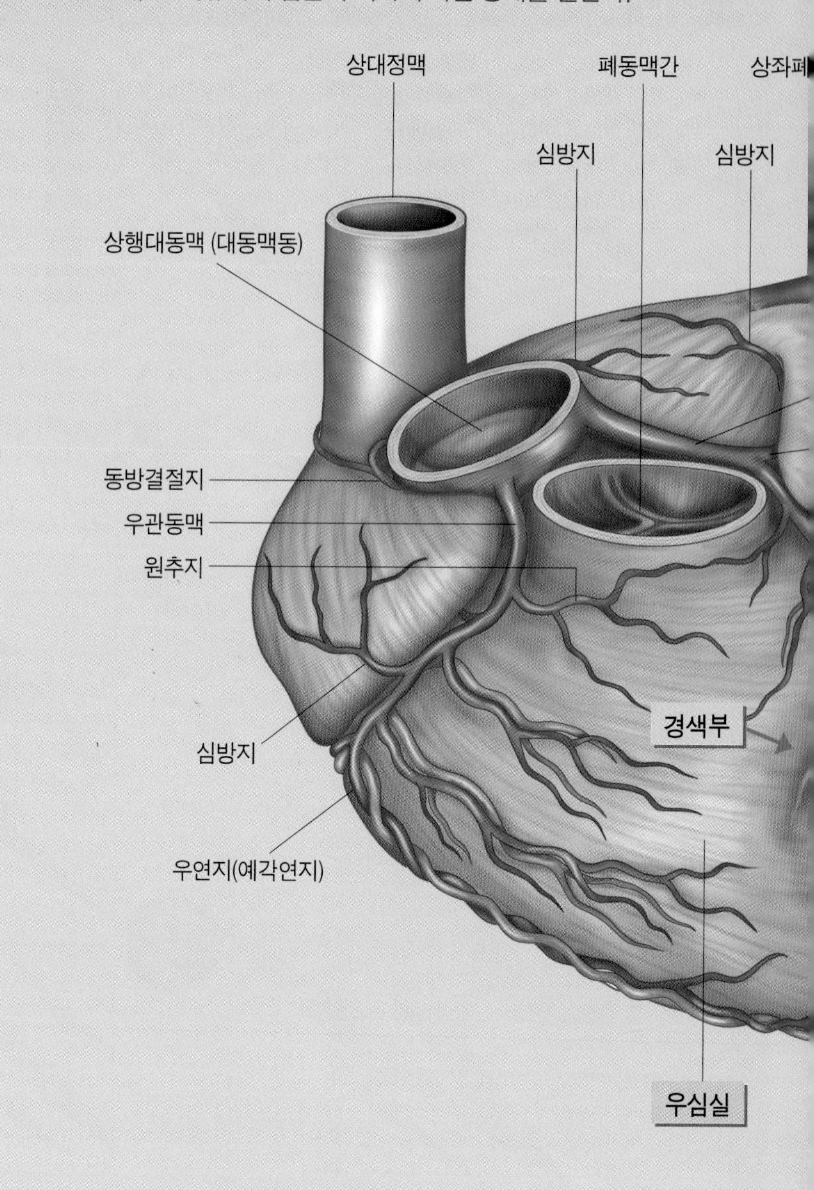

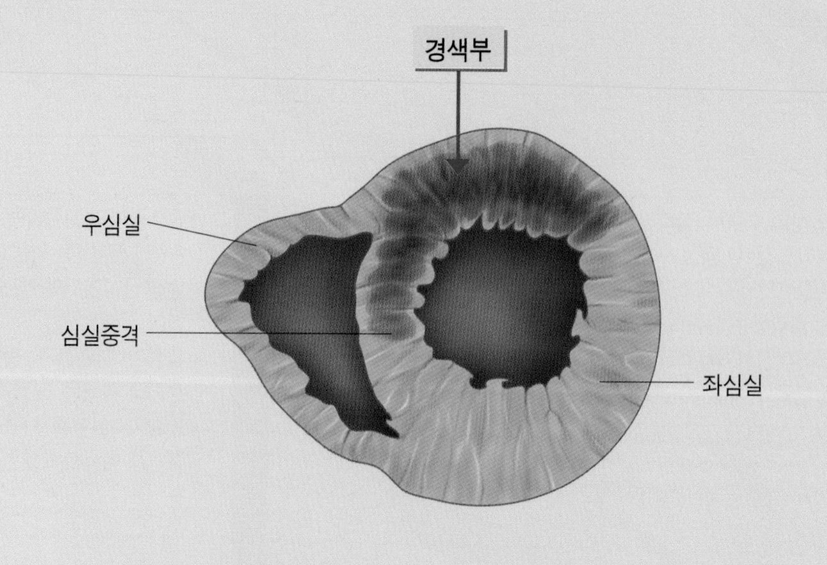

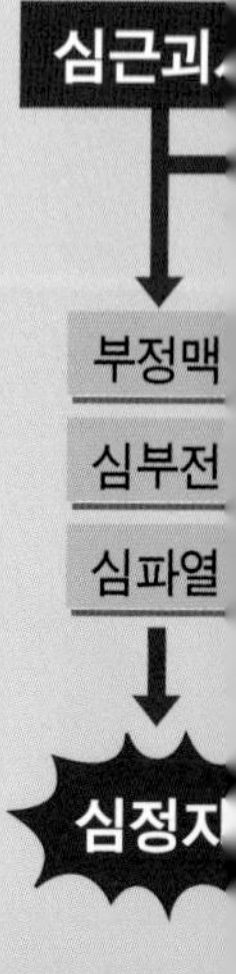

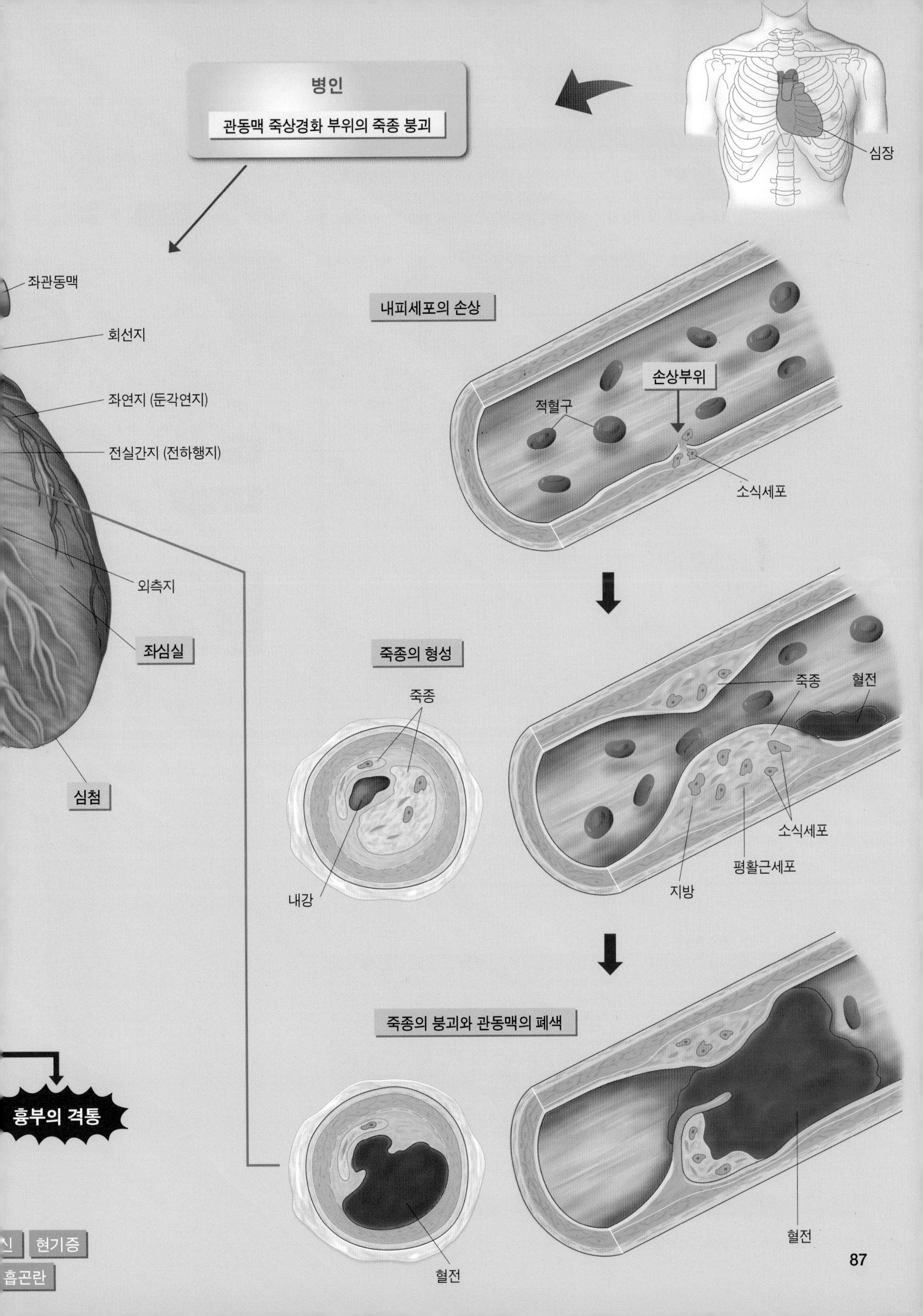
병인
관동맥 죽상경화 부위의 죽종 붕괴
심장
좌관동맥
회선지
좌연지 (둔각연지)
전실간지 (전하행지)
외측지
좌심실
심첨
내피세포의 손상
손상부위
적혈구
소식세포
죽종의 형성
죽종
혈전
내강
소식세포
평활근세포
지방
죽종의 붕괴와 관동맥의 폐색
흉부의 격통
현기증
흡곤란
혈전
혈전

증상 map

흉부에 격렬한 통증을 일으키고, 지속시간이 길다.

증상

- 증상발생시에는 전흉부, 흉골 후부에서 갑자기 시작하여 흉부 전체에 미치는 격렬한 통증이 특징적이다. 통증의 정도도 강하고, 지속시간도 길며, 질산염 제제의 설하투여로도 개선되지 않는다. 경색부위에 따라서 좌견갑골부위나 좌견 · 좌상완, 심와부에서 통증을 호소하기도 한다. 단, 당뇨병이 합병된 증례에서는 무통성인 경우도 있어서, 주의를 요한다.
- 흉통과 더불어 자극전도계의 허혈, 심실성부정맥이 합병된 경우에는 심정지 · 실신 · 현기증이 나타나고, 광범위한 경색이나 재경색례에서는 좌심부전이 합병되어 호흡곤란이나 기좌호흡(orthopnea)을 나타내기도 한다.

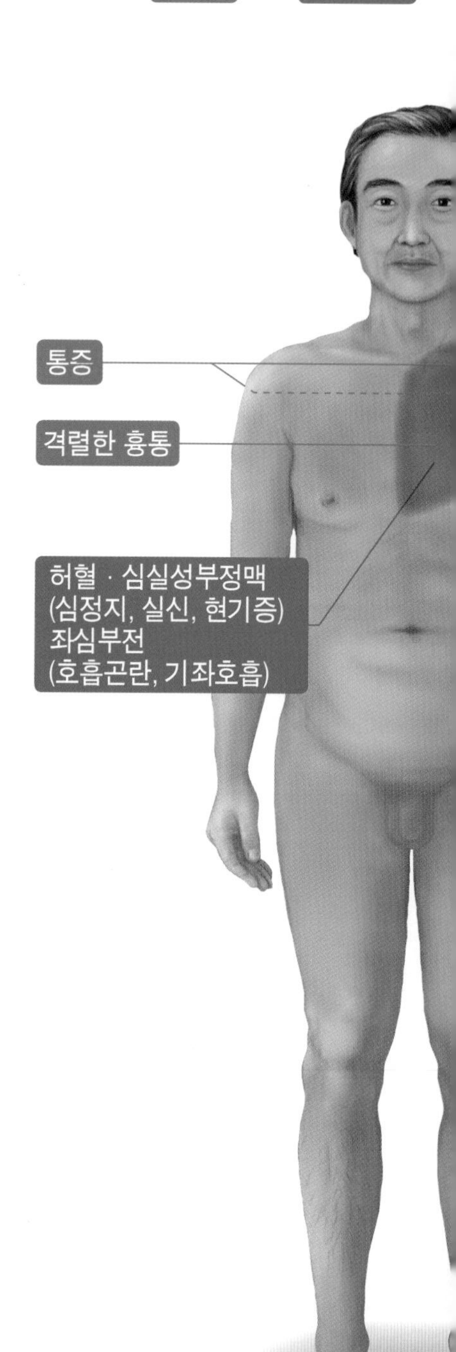

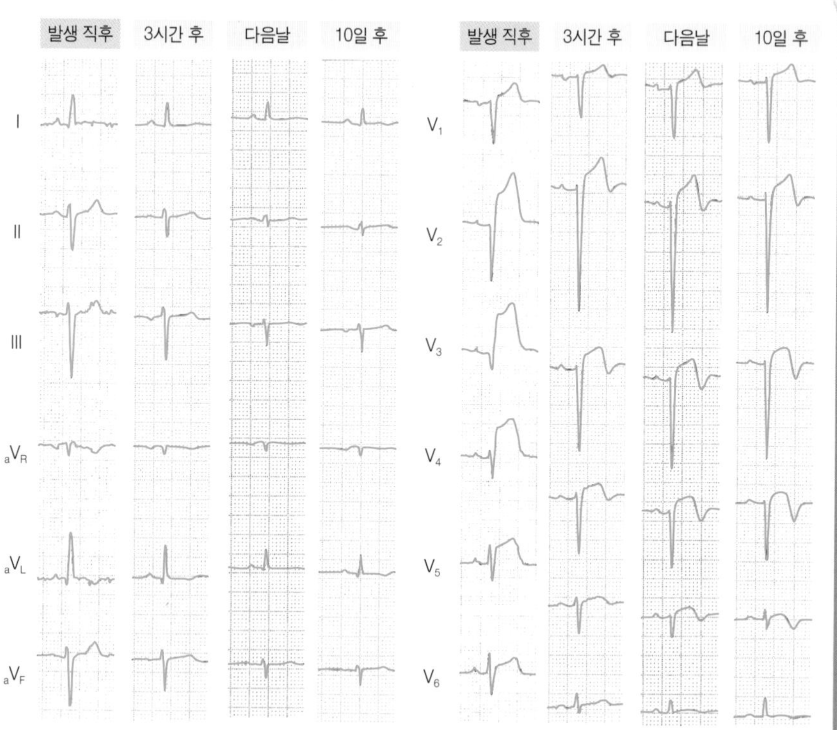

■ 그림 10-8 급성기에 재관류요법을 시행한 급성전벽중격심근경색 증례에서의 심전도 변화

발생 직후에는 Ⅰ, aVL, V1-V6에서 현저한 ST상승이 확인됐지만, 재관류요법을 시행한 발생 3시간 후에는 T파의 음전화가 시작되고, 그 후 시간의 경과와 더불어 ST상승이 경감되어, R파의 감고(減高), 관성T파가 형성되고 있다.

■ 표 10-2 이상Q파의 출현부위와 경색부위, 관동맥지배의 관계

폐색혈관	경색부위	I	II	III	$_aV_R$	$_aV_L$	$_aV_F$	V_1	V_2	V_3	V_4	V_5	V_6
좌전하행지	중격							○	○				
	전벽									○	○		
	전벽중격							○	○	○	○		
	광범위전벽	○				○		○	○	○	○	○	○
좌회선지	측벽	○				○						○	○
	고위측벽	○				○							
	후벽							●	●				
우관동맥	하벽		○	○	○								
	하측벽	○	○	○	○	○						○	○

○ : 이상Q파가 출현. ● : Q파는 출현하지 않고 R파가 높아진다.

합병증

- 3대 합병증 : 심부전, 심원성쇼크, 부정맥

진단 map

심전도검사에서 ST상승, 이상Q파와 관성T파의 출현을 확인한다. 관동맥조영에서 책임관동맥의 부위특정, 다른 동맥의 협착 유무, 정도, 중증도 등을 평가한다.

진단　치료

심전도검사
심초음파
관동맥조영
핵의학검사

혈액 · 생화학검사
(CK, AST, LDH)

대동맥내풍선펌프 (IABP)
경피적관동맥인터벤션 (PCI)
관동맥바이패스 수술

약물요법
(항부정맥제, 강심제)

재활

진단 · 검사치

● 심전도

● 심근경색의 진단에는 심전도가 가장 유용하다. 발생 후 심전도에 나타나는 주요 변화는 ST상승, 이상Q파의 출현, 관성T파의 출현이다(그림 10-8). 발생 직후에는 아직 ST상승이 출현하지 않고, T파의 증고 (hyperacute T) 출현이 확인된다. 발생후 30~60분에 ST상승이 출현하는데, 아직 이 시점에서 Q파의 출현은 없다. 발생 후 몇 시간 후에 ST부분이 현저하게 상승하다가, 이후 점차 낮아짐과 동시에 Q파가 출현한다. ST상승은 평저화 되면서 관성 T파로 변해 간다. 심전도 변화가 나타나는 유도(誘導)는 경색부위, 폐색된 관동파의 부위에 따라서 달라진다 (표10-2). 일반적으로 좌관동맥 전하행지가 폐색된 경우에는 전벽중격경색이 되고, 심전도에서는 지유도 I, aV_L과 흉부 유도V_1~V_4 에서 ST상승, Q파형성이 확인된다. 우관동맥의 폐색에서는 하벽심근경색으로 되고, 지유도Ⅱ, Ⅲ, aVF유도에서 심전도 변화가 나타난다. 좌관동맥 주간부 폐색에서는 ST상승이나 Q파형성이 확인되지 않고, 광범위한 유도에서 ST저하를 확인하는 경우가 있어서 주의를 요한다.

● 심초음파

● 심초음파는 심전도와 더불어 심근경색의 진단에 유용하다. 심초음파는 좌심실벽운동의 이상 유무, 이상 부위에 따라서 심근경색의 부위진단에 유용할 뿐 아니라, 심기능평가, 심근허혈에 의한 승모판역류의 유무 · 정도, 중벽천공의 유무, 심파열의 유무 등의 진단 및 평가가 가능하다. 또 심근경색에서는 아급성기에 심강내에 혈전이 생기기도 하므로, 시간차를 두고 시행하는 것이 중요하다.

● 혈액 · 생화학검사

● 심근경색의 급성기에는 심근일탈효소라고 불리우는 몇 가지 효소의 이상치가 출현하는데, 이는 진단에 유용하다. 대표적인 것으로 CK, AST, LDH를 들 수 있다. CK는 발생후 몇 시간후에 상승하기 시작하여, 24시간에 피크에 이르고, 3~4일에 정상적으로 회복된다. AST는 10시간후에 상승하기 시작하여, 18~36시간에 피크에 이르고, 3~4일에 정상치로 되돌아온다. LDH는 24~48시간에 상승하기 시작하여, 3~6일에 피크에 이르고, 2주만에 정상화된다. 단, 어떤 효소도 재관류요법을 한 경우에는 조기에 피크에 도달했다가 정상으로 회복된다.

● CK는 골격근에도 존재하기 때문에, 운동, 타박, 근육주사 등으로도 상승하므로 주의를 요한다. 이와 같은 경우에는 CK의 동질효소인 CK-MB (심근에 많이 존재)의 측정이 유용하다. 한편, AST, LDH는 심근경색 뿐 아니라, 간장애, 용혈, 골격근장애, 악성종양 등에서도 이상치를 나타내는 수가 있어서 주의를 요한다. 초급성기 (발생후 1~2시간)에는 CK, AST, LDH가 모두 정상인 경우가 있다. 이 경우, 미오글로빈, 트로포닌 T 등도 판단에 유용하다. 또 비특이적이긴 하지만 발생후 1시간 이내에 백혈구도 상승한다.

● 관동맥조영

● 급성심근경색의 가능성이 높아서 발생초기 (특히 6시간 이내)인 경우에는 관동맥조영을 시행한다(그림 10-9). 관동맥조영으로 책임관동맥 (폐색된 관동맥) 부위를 확인할 뿐만 아니라, 비책임관동맥의 협착병변의 유무, 부위, 중증도의 상태평가도 가능하다. 또 혈전흡인, 가이드와이어나 풍선카테터를 이용한 재관류요법, 스텐트유치 등도 가능하다. 또 Swan-Ganz 카테터에 의한 우심카테터검사도 동시에 시행하면, 심박출량, 폐동맥쐐기압을 측정함으로써 심기능을 평가 (Forrester분류)하고, 치료방침을 결정할 수 있다.

● 핵의학검사

● 급성기 진단에 이용할 수 없지만, 탈륨(thallium)은 괴사부에서는 흡수되지 않는 반면, 테크네튬(technetium)은 괴사부에서 흡수되므로, 이러한 차이는 경색부위 및 범위의 평가에 유용하다.

● 감별진단

● 극심한 흉통을 나타낼 수 있는 모든 질환이 감별해야 할 질환이 될 수 있다. 특히 폐경색, 해리성대동맥류 (dissecting aortic aneurysm)와 감별이 중요하다. 그 중에서도 해리성대동맥류는 혈전용해제의 사용이 금기시되기 때문에 카테터검사를 실시할 때 주의해야 한다. 해리성대동맥류인 경우에는 통증 부위가 이동하는 경우가 있다는 점, 흉부X선검사에서 대동맥의 확대 유무, 흉부CT, 경식도심초음파 등이 감별에 유용하다. 단, 상행대동맥의 해리를 확인한 경우에는 우관동맥의 폐색 수반과 심근경색의 합병 역시 확인하는 수도 있으므로 주의를 요한다. 폐경색인 경우에는 심근경색에 특이한 심전도검사가 없는 점, 저산소혈증, 심초음파에서 우심계의 확대소견 등이 진단에 유용하다.

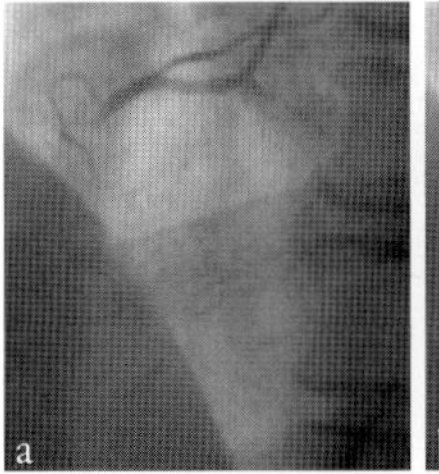

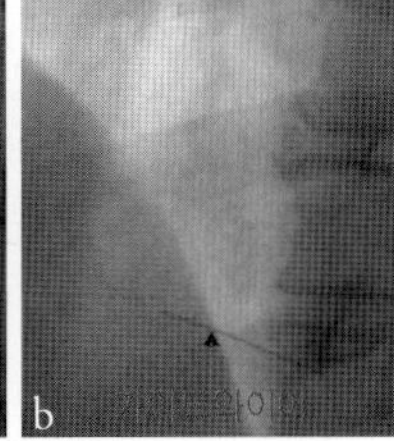

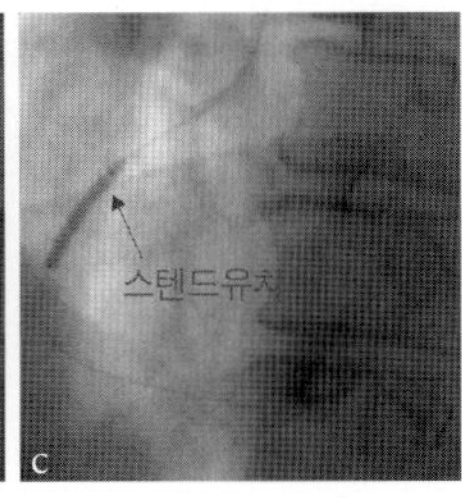

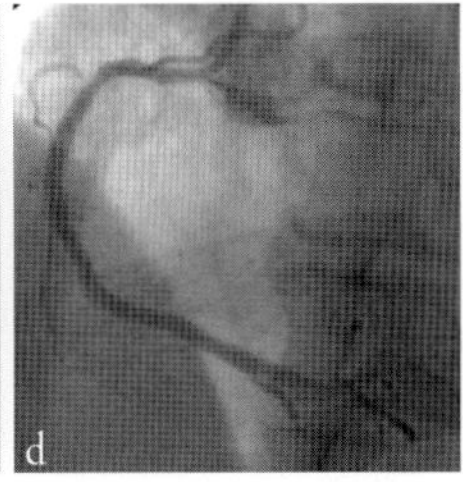

■ 그림 10-9 관동맥조영소견
급성하벽심근경색에서의 재관류요법
하벽경색 발생 2시간 후에 시행한 관동맥조영에서 우관동맥 근위부의 폐색을 확인한다(a). 가이드와이어를 통해서 (b), 폐색부위에서 풍선을 확장시킨다. 스텐트유치 (c)를 시행함으로써, 재관류를 얻게 된다(d).

치료 map

급성기에는 응급관동맥조영으로 폐색부위를 확인하고 재관류요법을 실시한다. 급성기에는 부정맥 등의 합병증 예방을, 만성기에는 혈행재건과 재활을 중심으로 치료한다.

치료방침

- 심근경색의 치료는 ①발생급성기의 재관류요법, ②급성기~아급성기의 합병증 예방, ③재활 및 퇴원·사회복귀를 향한 만성기 치료의 3단계로 나누어진다.

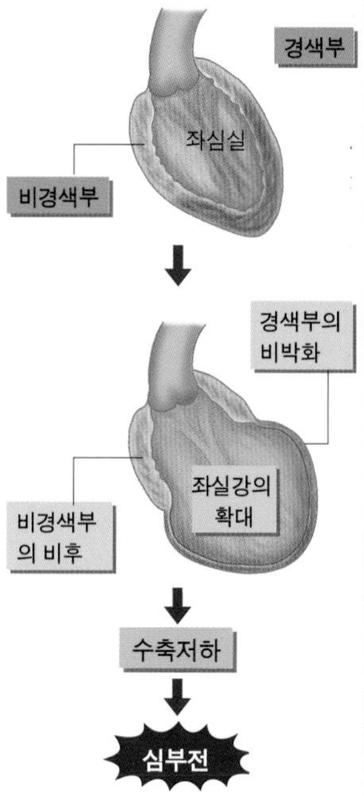

■ 그림 10-10 좌심실재형성

재관류요법

- 재관류요법의 목적은 주로 혈전에 의해 초래된 관동맥의 폐색부위에 재개통을 촉구하여 경색부위를 축소시키고, 심기능을 개선하여, 장기예후를 개선하는 것이다 (그림10-9). 말초정맥에서의 혈전용해제 투여도 가능하지만, 일본에서는 응급관동맥조영을 시행하여 폐색부위를 확인하고, 재관류를 실시하는 방법이 널리 시행되고 있다. 본 요법을 통해 발생 6시간 이내에 조기재관류를 실시하면 경색부위를 축소시킬 뿐만 아니라, 좌심실재형성 (remodeling ; 리모델링)의 억제에도 유용하여, 예후를 개선할 수 있다.

급성기부터 아급성기 치료

- 심근경색의 합병증, 즉 심근경색에 의한 사망의 주요 원인은 부정맥, 펌프실조, 심파열(cardiorrehexis)이다. 따라서 심근경색의 급성기부터 아급성기에 걸친 치료는 이에 관한 합병증대책이 중심이 된다.
- 심근경색의 급성기부터 아급성기에는 각종 부정맥이 빈발하므로, 항상 심전도모니터에 의한 심박감시 (가능한 CCU에 수용한다)를 필요로 한다. 그 치료에는 항부정맥제 (리도카인, 멕실레틴, 니페카란트, 아미오다론 등)를 사용하고, 심실빈맥, 심실세동 등의 치명적인 부정맥이 출현한 경우에는 신속한 전기적 제세동을 요한다.
- 심부전관리는 전술한 Swan-Ganz 카테터에 의한 Forrester분류에 입각하여 치료가 행해진다. 주로 이뇨제, 혈관확장제, 수액, 카테콜라민을 중심으로 한 강심제를 사용하는데, 경우에 따라서는 대동맥내풍선펌프(IABP)이나 경피적인공심폐법 (PCPS), 지속적 혈액여과법 등의 순환보조장치가 필요한 경우도 있다.
- 심파열은 심초음파에 의해 진단 내릴 수 있다. 일단 심파열이 발생하면 치명적이므로, 심파열이 발생할 가능성이 있는 고위험군 증례를 선별하여 CCU에서 혈행동태를 관리하고 안정을 유지하는 것이 중요하다.
- 심근경색 환자는 증상발생부터 1주간, 특히 최초의 3일간이 가장 위험하다. 이 시기를 경과한 후 재활운동을 개시한다. 보행시작시기, 보행시간·거리 등은 각 병원의 프로그램에 따라서 무리 없이 재활운동을 실시한다.

Px 처방례 초기치료
- Nitropen (0.3mg) 1정 설하 둔용 ←질산염 제제

Px 처방례 진통
- 염산모르핀주 5mg 정주 ←마약
- Seloken정 (20mg) 1일 60~120mg 分2~3 ←β 차단제

Px 처방례 심실성기외수축
- 정주용 크실로카인 50~100mg 서서히 정주 ←항부정맥제
- Amisalin주 200~500mg 서서히 정주 ←항부정맥제

Px 처방례 시실세동, 심실빈맥
- Shinbit 주 0.3mg/kg 5분 이상 걸려서 정주 ←항부정맥제
- Ancaron정 (100mg) 도입기 1일 400mg 分1~2 1주간, 유지기 1일 200mg 分1~2 ←항부정맥제

만성기 치료

- 심근경색의 만성기 치료는 혈행재개와 심기능보호, 재경색의 예방으로 나뉜다. 혈행재건에 관해서는 협심증과 마찬가지로 관동맥의 협착병변의 유무, 부위, 정도에 따라서 PCI, 관동맥바이패스수술이 행해진다. 심기능 보호, 재경색 예방에는 협심증과 똑같은 내과요법이 중요하다.
- PCI, 관동맥바이패스술은 모두 심근허혈의 일시적 개선에는 매우 유용하지만, 관동맥협착의 본질인 동맥경화 그 자체의 치료는 아니다. 따라서 허혈성 심질환 증례에는 동맥경화의 진행예방이 필수적이며, 식사요법, 운동요법, 금연 등의 생활습관의 개선과 혈압, 콜레스테롤, 혈당관리를 포함한 적절한 약제를 이용한 내과요법이 중요하다. 여기에는 개별적인 증례에 따라서 질환 그 자체 뿐 아니라 혈압이나 콜레스테롤 관리의 중요성 및 운동이나 금연 등의 생활에 대하여 지도하는 것이 필수적이다. 또 최근에는 돌연사의 고위험군이 되는 저좌심기능증례에 예방적으로 삽입형제세동기(implantable defibrillator)를 유치하면 생명예후의 개선에 유용하다고 보고되어 있어서, 금후 약물요법과의 병용으로 장기예후의 개선이 기대된다.

급성관증후군의 병기 · 병태 · 중증도별로 본 치료흐름도

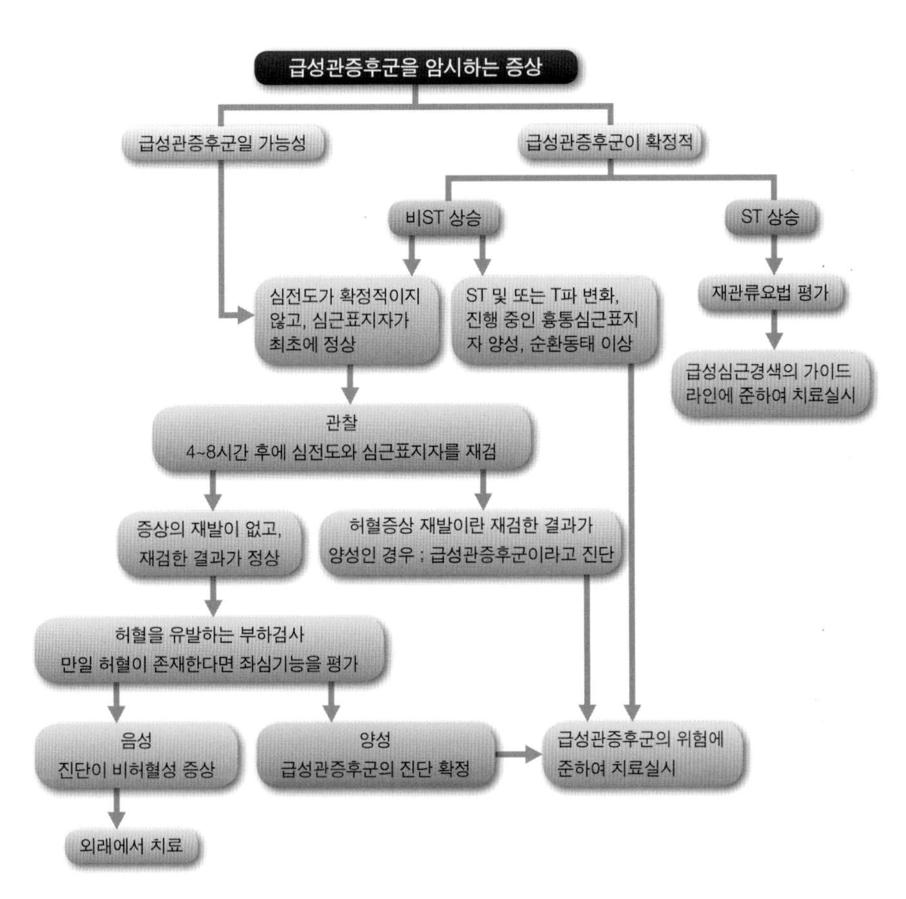

(management of patients with unstable Angina and Non-ST-Segment Elevation Myocardial infarction ; A Report of American College of Cardiology/American Heart Association Task Force on Practice Guideline ACC/AHA Pocket Guideline, 2002)

(合屋雅彦)

환자케어

급성기에는 생명이 위태로운 상태이므로 합병증 등의 이상의 조기발견, 신속한 대처에 힘쓴다. 회복기에는 재발예방을 위한 지도 · 교육을 실시한다.

병기 · 병태 · 중증도에 따른 케어

【급성기】 순환동태가 불안정하여 급격한 변화를 일으키는 경우가 있기 때문에 생명이 위태로운 상태에 있다고 볼 수 있다. 합병증이 잠재되어 있음을 염두에 두고, 이상의 조기발견과 신속한 대처에 힘쓴다. 또 환자나 가족은 갑작스런 증상발생이나 집중적인 치료로 인해 공포와 불안을 느끼고 있으므로, 불안의 해소에 힘씀과 동시에 안도감을 줄 수 있는 자세가 요구된다.

【회복기】 단계적으로 운동부하를 진행시키고, 이상의 조기발견에 힘쓴다. 또 환자 · 가족의 질환에 대한 수용 수준을 확인하면서, 재발예방을 위해 질환과 치료에 대해 충분히 이해하고, 일상생활의 주의사항을 이해하며, 사회에 복귀할 수 있도록 지도 · 교육한다.

케어의 포인트

진찰 · 치료의 지지

- 환자의 불안이나 죽음에 대한 공포를 이해하고, 환자가 안심할 수 있도록 침착한 태도로 대한다.
- 가족이 불안으로 혼란스런 상황인 것을 고려하여 충분한 설명으로 가족의 이해를 구한다.
- 신속하고 정확한 대응을 할 수 있도록 병태생리를 이해해 둔다.
- 간호의 우선순위를 고려하면서 행동한다.
- 검사를 보조하면서 동시에 그 후의 검사나 치료를 예측한다.
- 팀으로서 서로 협조하며, 정보를 공유한다.
- 환자 · 가족에게 질환의 특징을 알기 쉽게 설명한다.

환자 · 가족의 심리 · 사회적 문제에 대한 지지

- 환자 · 가족의 호소를 잘 듣는다.
- 이해를 확인하면서 상황을 쉬운 말로 설명한다.
- 환자가 앞으로의 전망을 이미지화하기 쉽도록 배려한다.
- 걱정이나 의문에 대해 쉽게 얘기하도록 적극적으로 대화한다.
- 가족과의 면회시간을 존중한다.

일상생활의 지지

- 활동제한이나 환경 등으로 인한 스트레스가 증대되지 않도록, 기분전환을 할 수 있게 지지한다.
- 적절한 수면시간을 확보한다.
- 배설이나 청결 등의 지지에 대한 수치심이나 꺼림 등, 정신적인 고통도 배려한다.
- 재발예방을 위한 환자교육을 가족과 함께 한다.
- 식사나 운동 등 일상생활의 변화의 중요성을 전달하고, 지지한다.
- 환자가 성공적으로 해낸 문제해결을 평가하여 환자의 자기효력감을 높인다.
- 앞으로의 생활에서 주의해야 할 징후에 관하여 이해하고 있는지를 확인하면서 지도한다.
- 지역서비스나 팔로업할 수 있도록 연계된 기관을 소개한다.
- 규칙적인 복용을 하도록 지도한다.
- 부작용이 발현했을 때에는 바로 연락하도록 지도한다.

(櫻井文乃)

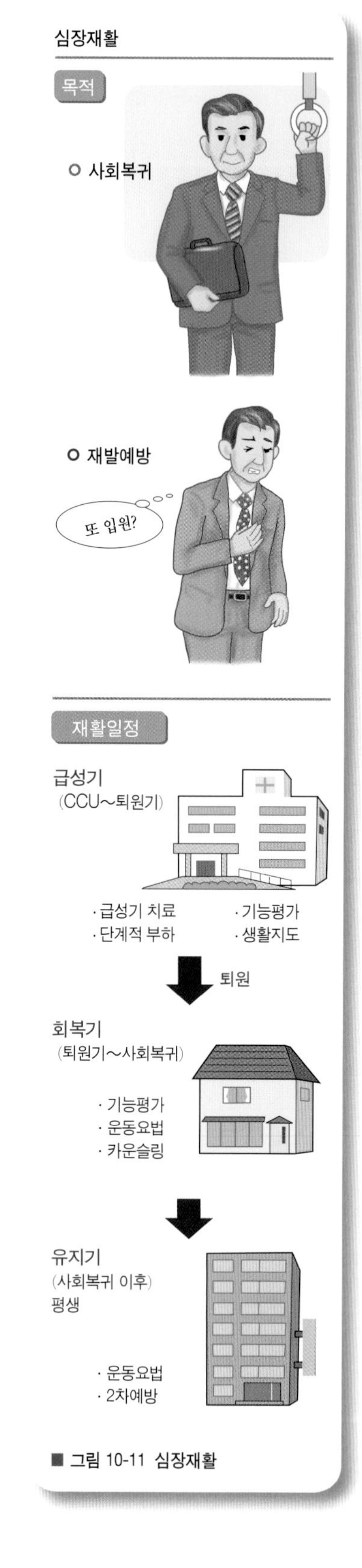

■ 그림 10-11 심장재활

11 만성심부전, 울혈성심부전 (chronic heart failure, congestive heart failure)

東(脇園) 亮子·磯部光章 / 會田信子

전체 map

병인

- 심질환이나 심장에 부하가 가해지는 호흡기질환, 내분비질환, 신질환 등에 의한다.

[악화인자] 기초심혈관질환의 악화, 부정맥의 출현, 과로 · 스트레스, 폭음폭식, 빈혈 등

역학

- 인구의 고령화에 따라 만성심부전의 발생률이 증가하고 있다.

병태생리

- 심부전이란 여러 가지 원인으로 심장의 펌프기능이 파괴되어 각 조직에 필요한 혈액량을 구출(驅出)하지 못하고, 폐 또는 체정맥계에 울혈이 생긴 병태이다.
- 증상이 갑자기 나타나는 급성심부전과 서서히 나타나는 만성심부전이 있다.
- 만성심부전에서는 신경체액인자가 항진되어, 심실재형성, 심근섬유화, 심내막하허혈이 일어나서 병태가 악화된다.
- 심기능이 저하된 부위에 따라서 좌심부전, 우심부전, 양심부전으로 분류된다.
- 수축기능이 유지되는 확장부전도 있다.

증상 합병증 진단 치료

경동맥확장
기침
호흡곤란
숨참
쇼크
폐고혈압증
부정맥
신기능장애
다장기부전
전신색전증
핍뇨
전신부종
체중증가
하퇴부종

Framingham 심부전 진단기준
NYHA심기능분류
흉부X선검사
심전도,
심초음파검사
혈행동태평가
혈액학적 검사
BNP

외과요법
(양실 페이싱, 삽입제세동기)
VAS (보조인공심장)
약물요법
(이뇨제, ACE저해제, ARB, β 차단제 등)

증상

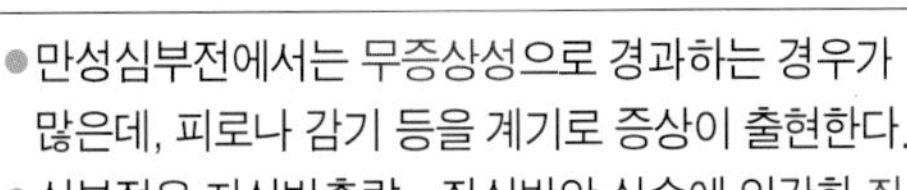

- 만성심부전에서는 무증상성으로 경과하는 경우가 많은데, 피로나 감기 등을 계기로 증상이 출현한다.
- 심부전은 저심박출량 · 좌심방압 상승에 입각한 좌심부전증상과 우심부하로 인한 하퇴부종, 간비대, 식욕부진 등의 우심부전증상이 있다.

[합병증]

- 부정맥 (심방세동, 심실빈맥 등)
- 쇼크
- 폐고혈압증 (저심기능이 원인)
- 전신색전증 (좌심실내혈전이 원인)
- 신기능장애
- 다장기부전

진단

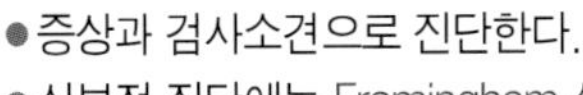
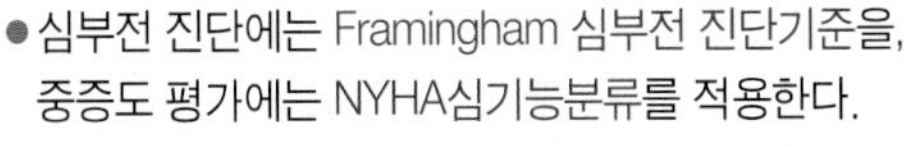

- 증상과 검사소견으로 진단한다.
- 심부전 진단에는 Framingham 심부전 진단기준을, 중증도 평가에는 NYHA심기능분류를 적용한다.
- 흉부X선검사 : 심확대, 폐울혈(stethemia), 흉수(pleural fluid)를 확인한다.
- 심전도 심근장애의 유무, 부정맥의 유무, 심초음파 : 심기능(수축기능, 확장기능)이나 형태적 이상을 평가한다.
- 혈액학적 검사 : 신경체액인자, 특히 BNP (뇌나트륨이뇨펩티드)가 유용하다.
- 원인이 된 질환의 정밀검사·평가를 위해 관동맥조영, 심장핵의학검사, 심장CT, 심장MRI, 심장 이외의 원인정밀검사를 실시한다.

치료

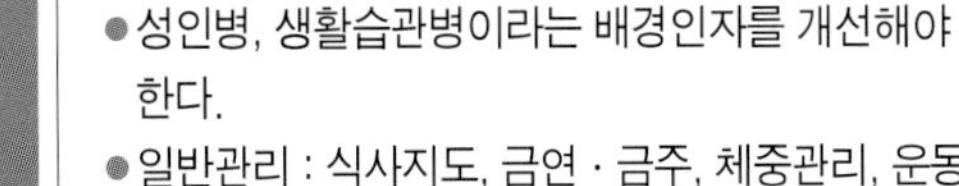

- 성인병, 생활습관병이라는 배경인자를 개선해야 한다.
- 일반관리 : 식사지도, 금연 · 금주, 체중관리, 운동능력의 개선이 필요하다.
- 약물요법 : 증상이나 중증도에 따라서 다르지만, 이뇨제, 안지오텐신변환효소 (ACE) 저해제, 안지오텐신 II 수용체 길항제 (ARB), β 차단제, 혈관확장제, 강심제 등을 투약한다.
- 외과치료 : 중증례에서는 양실 페이싱, 삽입형제세동기 (ICD), 보조인공심장 (VAS) 심장이식 등이 고려된다.
- 원인이 되는 심질환의 치료 : 허혈성 심질환 (내복, PCI, CABG), 판막증 (판형성술, 판치환술), 좌심실형성술

만성심부전, 울혈성심부전

병태생리 map

심부전이란 여러 가지 원인으로 심장의 펌프기능이 파괴되어, 각 조직에 필요한 혈액량을 보낼 수 없게 되면서, 폐 또는 체정맥계에 울혈이 생긴 병태이며 (병명이 아니다), 모든 심질환의 종말상이라고 할 수 있다.

- 심부전의 종류나 정도는 여러 가지이다.
  - · 경과가 '급성인가', '만성인가' : 급격히 증상이 출현한 경우를 급성심부전, 증상의 정도에 상관없이 상태가 거의 일정한 경우를 만성심부전, 만성심부전에서 어떤 원인에 의해서 갑자기 심장의 기능이 저하되어 증상이 발생한 경우를 만성심부전의 급성악화라고 한다.
  - · 혈액을 내보내는 기능의 저하 (수축부전)인가, 수축능은 유지되고 있지만, 혈액을 수용하는 기능의 저하 (확장부전)인가로 구분된다.
  - · 심장의 어느 부분의 작용이 저하되어 있는가 (좌심부전, 우심부전, 양심부전).
  - · 저심박출성심부전인가 고심박출성심부전인가 (갑상선기능항진증, 빈혈, 각기병 등으로 전신의 대사가 항진되어 있는 상태에서 그에 맞추어 혈액을 공급할 수 없는 경우이다).
- 만성심부전은 만성압부하나 교감신경계, 레닌안지오텐신-알도스테론계를 대표하는 신경체액인자가 항진되고, 심실재형성 (리모델링;심비대, 심확대), 심근섬유화, 심내막하허혈을 일으켜서, 병태악화에 관여한다.
- 확장기능부전 : 심부전은 이전에는 좌심실수축력 저하에 수반하는 수분의 체내저류라고 생각되었지만, 최근에는 좌심실구출률이 유지되고 있음에도 불구하고, 심부전으로 진행되는 증례가 뚜렷하게 나타나고 있다. 이는 좌심실벽 경화나 좌심실이완능의 저하가 원인 (좌심실확장부전)이라고 여겨지고 있다.
- 최근에는 종래의 「울혈성심부전」이라는 호칭이 「심부전」으로 변하는 중이다.

병인·악화인자

- 원인 : 심혈관질환 [허혈성 심질환 (협심증, 심근경색), 고혈압증, 판막증, 부정맥, 심근증 등], 호흡기질환, 내분비질환 (당뇨병, 고지혈증, 갑상선기능이상, 갈색세포종, 비만 등), 신질환, 교원병 등의 심장에 부담이 가해지는 병태, 심기능에 영향을 미치는 치료 (항종양제, 방사선치료).
- 악화인자 : 기초신혈관질환의 악화, 새로운 부정맥, 심박관리 불량 (빈맥, 서맥), 과로, 스트레스, 폭음폭식 (염분 · 수분과잉섭취, 대량음주), 흡연, 빈혈, 비만, 갑상선질환, 신질환, 수면장애 (수면무호흡증후군), 순환혈액량 · 심기능에 영향을 미치는 약제투여 또는 중단 등.

역학·예후

- 모든 심질환의 종말상으로, 고령화에 수반하여 증가경향에 있다. 65세 이상 인구에서는 1%가 심부전 환자이다. 심부전 입원환자의 80%가 65세 이상이다.
- 심부전환자에서 확장부전의 비율은 약 40%로 그 발생빈도가 높고, 특히 고령자, 여성, 고혈압 환자에게 많다.

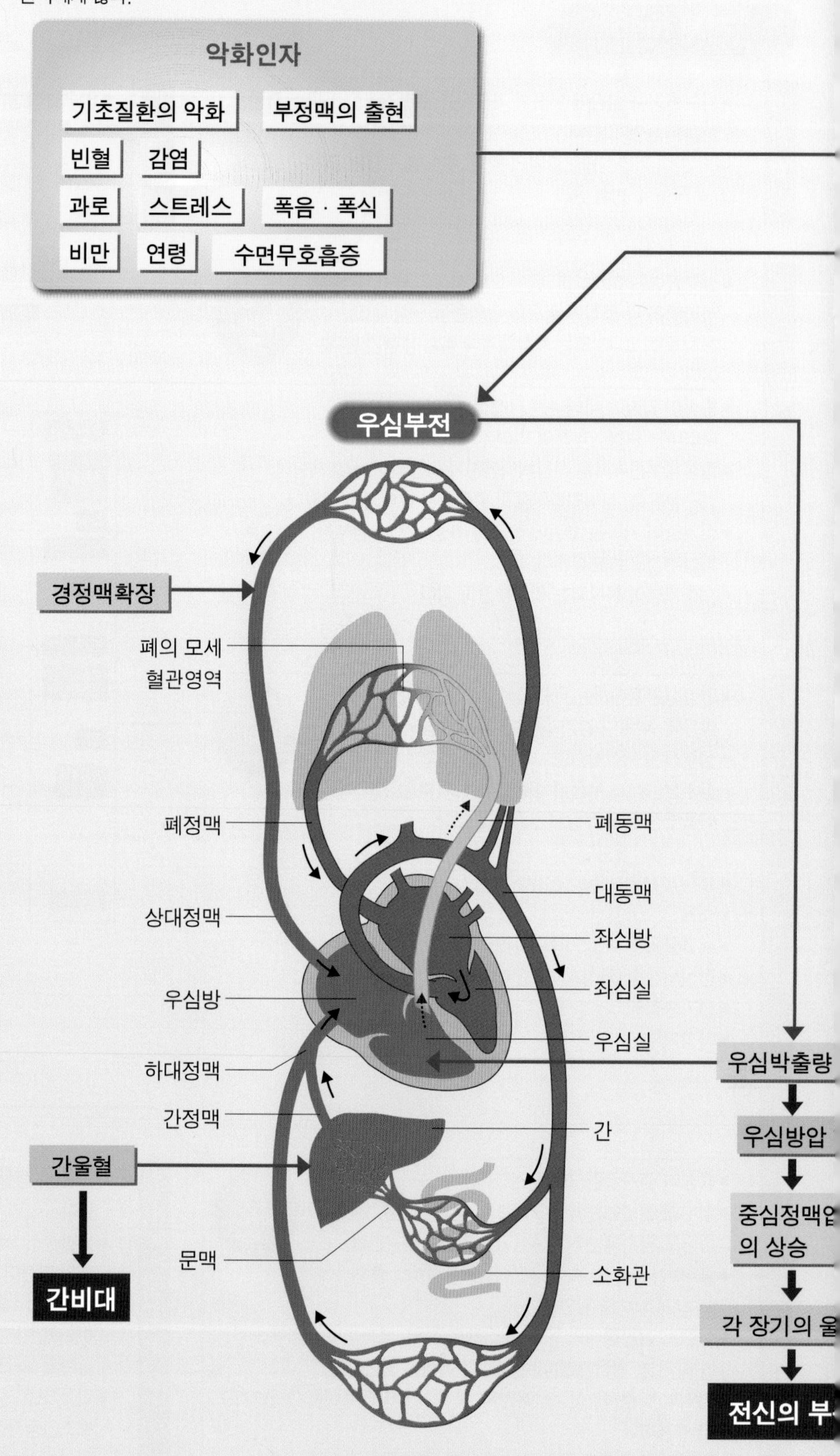

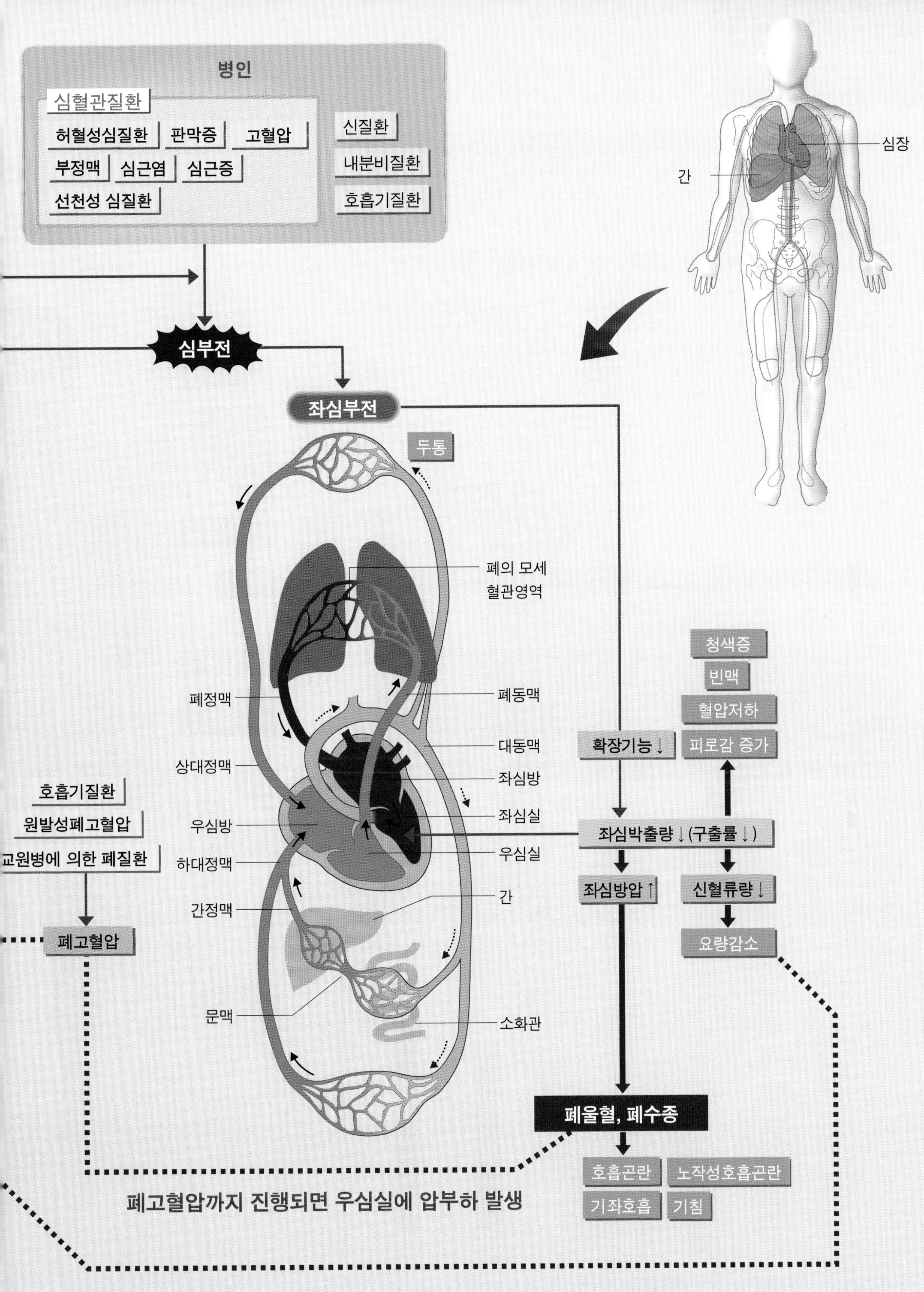

병인
심혈관질환
허혈성심질환
판막증
고혈압
부정맥
심근염
심근증
선천성 심질환
신질환
내분비질환
호흡기질환
심장
간
심부전
좌심부전
두통
폐의 모세
혈관영역
폐정맥
폐동맥
대동맥
상대정맥
좌심방
좌심실
우심방
우심실
하대정맥
간
간정맥
문맥
소화관
호흡기질환
원발성폐고혈압
교원병에 의한 폐질환
폐고혈압
청색증
빈맥
혈압저하
확장기능↓
피로감 증가
좌심박출량↓(구출률↓)
좌심방압↑
신혈류량↓
요량감소
폐울혈, 폐수종
호흡곤란
노작성호흡곤란
기좌호흡
기침
폐고혈압까지 진행되면 우심실에 압부하 발생

증상 map

심부전에는 저심박출량 · 좌심방압 상승에 입각한 좌심부전증상과 우심부하로 인한 하퇴부종, 간비대, 식욕부진 등의 우심부전증상이 있다.

증상

- 만성심부전은 심기능이 낮은 상태인 동시에, 오랜 경과 중에 대상메커니즘이 작용하여 무증상성으로 경과하는 경우가 많다. 그러나 심예비능이 낮기 때문에, 피로나 감염 (감기 등) 등을 계기로 쉽게 증상이 출현한다.
- 심부전 증상
  · 심박출량 저하에 수반하는 증상 [피로도 증가, 두통, 신체활동의 저하, 빈맥 (심계항진, 요량저하), 사지냉감]
  · 구출저하에 수반하는 좌심실확장기압 · 좌심방압상승으로 생긴 폐울혈증상 (호흡곤란, 기침, 기좌호흡)
  · 우심부하에 수반하는 정맥계 울혈에 의한 증상 (신장울혈 ; 요량저하, 소화기 울혈 ; 오심이나 식욕저하, 간울혈 ; 간비대나 간주위의 둔통, 전신 울혈 ; 부종, 하퇴부종, 체중증가)
- 확장기능부전은 수축능이 유지되고 있지만, 확장기능이 저하되어 있어서 좌심방압이 상승하고, 폐울혈, 정맥계 울혈에 수반하는 증상이 출현한다 (고혈압증, 당뇨병 등).
- 호흡기질환 [폐질환, 폐혈관질환 (폐경색, 폐색전증, 교원병에 의한 폐혈관장애 등), 원발성폐고혈압증 등], 좌우단락이 있는 선천성 심질환, 우심실경색, 부정맥원성우심실심근증 (arrhythmogenic right ventricular cardiomyopathy ; ARVC) 등에서는 우심계에 부하가 가해져서 우심부전이 되고, 정맥계는 울체되어 부종이 출현하며, 나아가서는 정맥계에서 혈액을 퍼올려서 보낼 수가 없기 때문에 좌심실심박출량 저하가 초래되며, 결국에는 우심확대에 수반하여 좌심실확장이 제한을 받아서, 빈맥 (심계항진), 혈압저하 (피로도 증가)가 출현한다.

합병증

- 부정맥 (심방세동, 심실빈맥 등), 쇼크, 다장기부전, 좌심부전에 수반하는 폐고혈압증, 저심박출때문에 생긴 좌심실내혈전에 의한 전신색전증, 신기능장애 등.

대기준 :
야간발작성호흡곤란, 경동맥팽창, 습성수포음, 심확대, 급성폐수종, III음 분마조율, 정맥압↑, 순환시간연장 (> 25초). 간 · 경정맥 역류, 치료 5일간 4.5kg 이상의 체중감소

소기준 :
하퇴부종, 야간의 기침, 노작성호흡곤란, 흉수, 간비대, 신체활동↓ (최고시의 1/3이하), 빈맥 (> 120bpm)

*대기준 2가지, 1가지인 경우에는 소기준 2가지 필요

■ 그림 11-1 Framingham 심부전 진단기준

■ 표 11-1 NYHA심기능분류 간략화한 것

Class I	무증상	심질환은 있지만 일상생활에서는 무증상
Class II	경증	일상생활에서 경도의 제한을 받는 질환의 환자
Class III	중등증	일상생활이 상당히 제한을 받는다. 안정시 이외에는, 무엇을 해도 증상 (+), 안정시 증상 (-)
Class IV	중증	안정시조차 증상 (+)

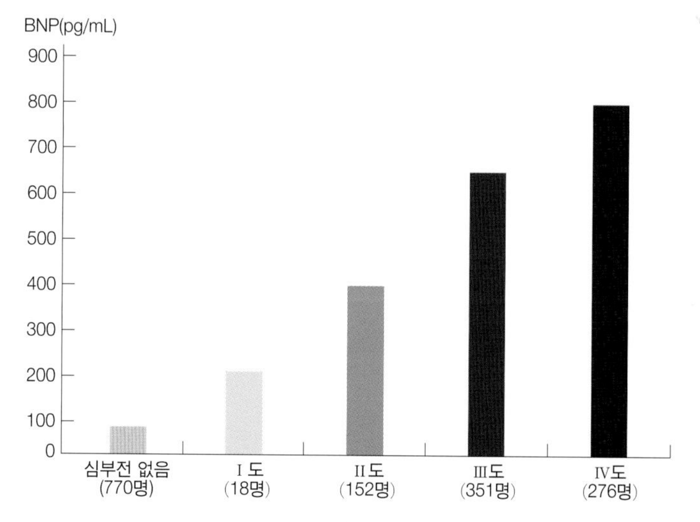

■ 그림 11-2 NYHA심기능분류의 BNP 평균치
(Maisel AS. et al : N Engl J Med 347 : 161-167, 2002)

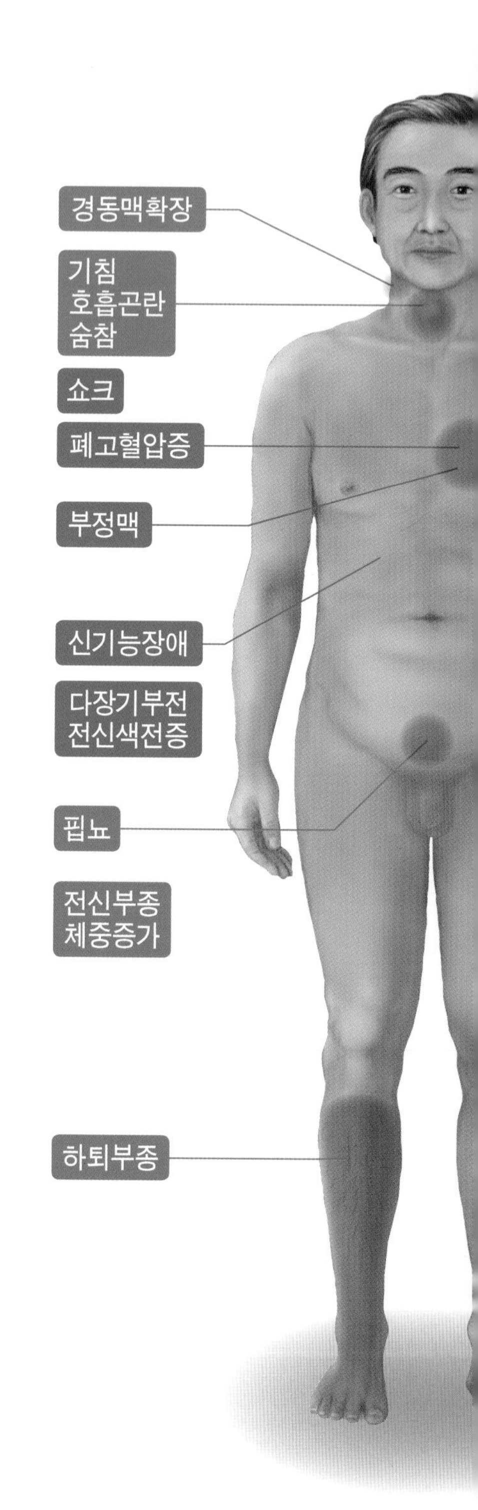

진단 map

자각증상과 임상소견으로 진단하고, NYHA심기능분류를 통해 중증도를 평가한다. 심초음파검사, 뇌나트륨이뇨펩티드수치가 특히 유용하다.

진단　　치료

Framingham 심부전 진단기준 NYHA심기능분류

흉부X선검사

심전도, 심초음파검사 혈행동태평가

혈액학적 검사 BNP

외과요법 (양실 페이싱, 삽입 제세동기) VAS (보조인공심장)

약물요법 (이뇨제, ACE저해제, ARB, β 차단제 등)

진단·검사치

- 증상 및 검사소견으로 진단한다. 특히 BNP (뇌나트륨이뇨펩티드) 치의 측정이 유용하다.
- 심부전의 진단기준으로 Framingham 심부전 진단기준 (그림11-1)이 있다. 심부전의 중증도 평가에는 NYHA* 심기능분류 (표 11-1)를 이용한다.

* NYHA : New York Heart Association (뉴욕심장협회)

- 검사치
- 흉부X선사진 (심확대, 폐울혈소견, 흉수 등), 심전도, 심초음파검사 (기질적 심질환의 유무, 수축능 · 확장기능의 평가), 부정맥 평가 (홀터심전도), 혈액학적 검사 [혈구 수치, 간기능, 신기능, 전해질, 혈당, 지질, CRP (C-reactive protein), BNP, 갑상선기능], Swan-Ganz카테터에 의한 혈행동태평가.
- 심부전의 원인질환의 정밀검사 · 평가 : 관동맥조영, 심장핵의학검사 (심장 RI 안지오그래피, 심근혈류 신티그래피), 갑상선기능검사 등.
- 예후불량인자 : 운동능력 〈 4Mets, 심근생검에서 고도 심근섬유화와 심근결손, 핵의학검사 [PET에서 당대사의 증가, 11C-acetate활성저하, MIBG수용저하 (H/M저하) · wash out rate의 항진, 신경체액성 인자 (norepinephrine〉400pg/mL, BNP〉800pg/mL)]

〈혈중 BNP〉

- BNP는 심장에서 분비되는 호르몬의 하나로, 심장에 가해지는 부하가 클수록 많이 분비되기 때문에 심부전의 진단에 사용된다.
- 증상이 출현하기 전의 경도 심부전에서도 혈중 BNP치의 증가가 확인되며, 심부전이 중증화될수록 수치가 높아진다 (그림11-2).
- 건강한 젊은층의 혈중 BNP치는 약 18.4ng/mL 이하이지만, 신기능 저하례, 고령자 (특히 70세 이상)에서는 높은 수치를 나타내는 경향이 있다. 격렬한 운동 후에는 일반인에게서도 약간 증가한다.
- 이른 아침 공복시, 안정시 채혈이 바람직하다.

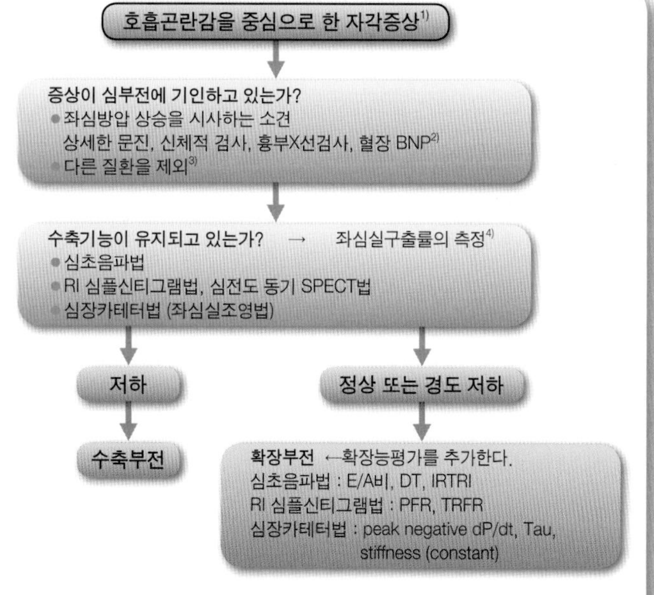

1) 자각증상으로 호흡곤란감 외에, 저심박출량을 반영한 권태감, 식욕부진, 사지냉감 등도 고려한다.
2) 운동능력 저하의 진단에 호기가스분석을 이용한 운동부하 검사가 유용하다.
3) 심질환 이외에 호흡기질환, 빈혈, 갑상선기능항진증, 과환기증후군, 신경근질환 등이 호흡곤란을 초래한다.
4) 수축부전과 확장부전의 감별에 좌심실구출률은 40~50%가 기준치로 이용되는 경우가 많다.

■ 그림 11-3 좌심부전의 진단

[일본순환기학회 학술위원회 합동연구반 : 만성심부전치료 가이드라인 (2005년 개정판), p.6]

치료 map

증상이나 중증도에 따라서 약제를 선택하여 치료한다. 위험관리 (고혈압, 당뇨병, 고지혈증, 비만, 흡연)를 포함하여 지도하고, 약제를 검토한다.

치료방침

※치료흐름도를 참조.

- Stage A, B (확실한 심부전은 없지만, 심부전이 발생할 위험이 높은 환자)에서는 심부전위험을 관리한다. Stage C, D (심부전환자)에서는 중증도에 맞추어 치료한다.

일반관리

- 성인병예방, 생활습관병이라는 배경인자의 개선

A. 환자지도 : 매일 이른 아침 배뇨시의 체중측정 (일단위로 2kg 이상 증가는 심부전악화일 가능성이 크다), 하퇴부종 체크

B. 식사지도 (1일 식염 7g 이하), 금연, 금주 · 절주, 체중관리

C. 증상이 안정된 환자에게 적당한 운동훈련을 실시하면 운동능력이 증가되고, 일상생활 중의 증상이 개선된다. 만성심부전 악화시에는 안정이 필요하며 운동은 금기

■ 표 11-2 만성심부전, 울혈성심부전의 주요 치료제

분류	일반명	주요 상품명	약효발현의 메커니즘	주요 부작용
이뇨제	푸로세미드	라식스, Eutensin	이뇨에 의한 부종, 심장 전부하 경감	저칼륨혈증, 신기능장애
	스피로놀락톤	알닥톤A, Almatol		칼륨 상승, 신기능장애, 여성형유방
	토르세미드	루프락		칼륨 상승, 신기능장애
도프릴 ACE저해제	에날라프릴말레산염	Renivace, Enalart	안지오텐신(AT) I 에서 AT II 로의 변환을 저해하고, 강압작용, 심혈관보호작용, 일부 신보호작용	마른기침, 칼륨 상승, 혈관성부종, Cr＞2.0에서의 사용은 신기능악화 등
	이미다프릴 염산염	Tanatril		
	페린도프릴에르부민	Coversyl		
	리시노프릴 수화물	Longes, Zestril		
	퀴나프릴 염산염	Conan		
	트란드라프릴	Preran, Odric		
안지오텐신 II 수용체길항제 (ARB)	로살탄칼륨	뉴로탄	AT II 의 저해로, 강압, 심혈관 보호작용, 일부 신보호작용	ACE저해제와 같은 부작용 (마른기침 이외)
	칸데사르탄 실렉세틸	Blopress		
	발살탄	디오반		
	텔미사르탄	미카르디스		
	올메사르탄 메독소밀	올메텍		
β차단제	카베디롤	Artist	교감신경계의 항진을 억제, 내인성 교감신경자극작용 (ISA) (-)인 것이 좋다	서맥, 저혈압, 심기능저하 금기: 심부전 악화시, 기관지천식, 폐색성동맥경화증, 서맥성부정맥, 관연축성 협심증, 중증 내당능이상 등
	메토프로롤주석산염	Seloken, Lopressor		
	아테노롤	테놀민, Atenolol		
	비소프로롤프말산염	Maintate		
질산염 제제	질산이소소르비드	Nitorol R, Frandol, Frandol tape, Kalliant, Antup R	말초정맥확장에 의한 전부하 경감, 말초동맥확장에 의한 후부하경감	두통, 저혈압, 지속투여 시의 약제내성
	일초산이소소르비드	Itorol		
	니트로글리세린	밀리스롤, Millistape, Nitroderm TTS, 마이오콜스프레이*, Nitropen*		
강심제	디곡신**	디고신, Halfdigoxin, 디곡신	방실전도억제 (강심작용)	혈중농도주의 (디지탈리스중독), 고도방실블록, 소화기증상 저칼륨혈증시에 중독되기 쉽다
	메틸디곡신**	Lanirapid		
	디기톡신***	디기톡신		
PDE III 저해제	피모벤단	Acardi	PDE 저해에 의한 강심작용	심실세동, 심실빈맥, 심실성기외수축 등의 순환기장애

*발작시에 설하, **신장대사, ***간대사

약물요법

- 어떤 경우라도 환자의 상태를 파악한 후에 약제를 선택한다 (표 11-2).

Px 처방례 NYHA I (경증례)

다음 중에서 선택하거나 적절히 병용한다.

- Renivace정 (2.5 · 5 · 10mg) 分1 (조식후) ←ACE저해제

※가능한 최대량까지 증량.

- Blopress정 (2 · 4 · 8 · 12mg) 分1 (조식후) ←안지오텐신 II 수용체길항제 (ARB)

※ACE저해제 사용 불가능례

- Artist정 (1.25 · 2.5 · 10 · 20mg) 分1~2 (조식후 또는 조석식후) ←β차단제

※서맥, 심부전 악화시 금기. 1.25~2.5mg에서 시작하여 서서히 증량.

- 디곡신정 유지량 0.125~0.25ng/일 分1 (조식후) ←강심제

※심방세동의 박동수 조절로 사용할 때만 (혈중농도 2ng/mL 이하).

Px 처방례 NYHA II (부종이 있는 경우)

NYHA Ⅰ의 내복제에 추가하여, 다음 중에서 선택하거나 병용하여 사용한다.

- 라식스정 20mg~ 分1 (조식후) ←루프이뇨제

※신기능, 저칼륨혈증 발생시는 칼륨제제도 내복.

- 라식스정 1회 20~40mg 둔용 分1 (조식후) ←루프이뇨제

※부종악화, 체중증가시.

Px 처방례 NYHA Ⅲ

NYHA Ⅰ, Ⅱ의 내복제에 다음을 추가, 그래도 관리가 어려우면 입원치료.

- 알닥톤A정 (25 · 50mg) 分1 조식후 ←칼륨유지성 이뇨제

※루프이뇨제, ACE저해제를 이미 내복 중이며 NYHA Ⅲ 이상의 좌심실수축부전이 있는 중중 심부전환자에게 추가.

Px 처방례 NYHA Ⅳ

- 입원 관리한다.
- 안정 (상상(床上)안정, 신체활동제한), 물 · 식염섭취제한 (염분 7g이하), 심전도모니터, 산소포화도 모니터, 정맥라인확보, 혈액검사 (BNP 포함).
- 산소투여 2~10L/분
- 라식스주 20mg~ 정주 (요량을 보아 증량. 저칼륨혈증에 주의) ←루프이뇨제

※지속점적.

〈카테콜라민제제 (단기간, 급성기 사용에 한한다)〉

- Dobutrex주 (100mg/5mL) 3~5㎍/kg/분 (20㎍/kg/분 정도까지) 지속정주 ←도부타민제제

※스트레이트한 강심효과, 말초혈관확장, 10㎍/kg/분 이상으로 혈관수축작용 발현.

- Inovan주 (50 · 100 · 200mg) 3㎍/kg/분 (20㎍/kg/분까지) 지속정주 ←도파민제제

※저용량 : 0.5~3㎍/kg/분으로 이뇨작용, 중등량 : 2~8㎍/kg/분으로 심수축력↑, 심박수↑, 8㎍/kg/분 이상으로 말초혈관수축작용 (혈압상승) 발현.

- 노르아드레날린 주 (1mg/mL) 0.1㎍/kg/분 지속정주 ←노르아드레날린제제

※Dobutrex, Inovan 10㎍/kg/분 이상으로 양호한 혈압을 얻지 못하는 경우.

※그래도 혈압을 유지할 수 없는 경우, IABP (혈관내 풍선펌프), 보조순환 등의 기계적 지지를 검토.

〈혈관확장제〉

전부하경감 목적 (혈압이 유지되고 있는 예)

- 밀리스롤 0.05% 주 0.5㎍/kg/분 지속정주 ←혈관확장제

※혈압이 낮으면 (수축기혈압〈110mmHg), 니트롤 0.1% 주 3mL/시로 대용

〈기타〉

- Hanp주 (1,000㎍/V) 5바이알+5%포도당 50mL 3mL/시로 지속정주 ←심방성나트륨이뇨펩티드 (hANP)

  ※이뇨와 혈관확장작용 발현. 생리식염수로 용해되지 않으므로 주의.

  ※이상, 수분 I/O에 주의하여 점적제제 사용. 증상이 개선되면 내복제로 변경.

- 저좌심기능에 수반하는 좌심실내혈전이 있는 예나 심방세동 합병례에서는 금기가 없는 경우에 와파린칼륨 (와파린) 내복을 검토한다.

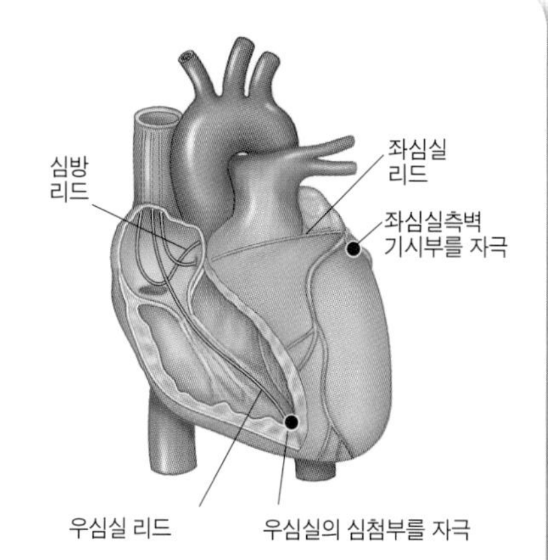

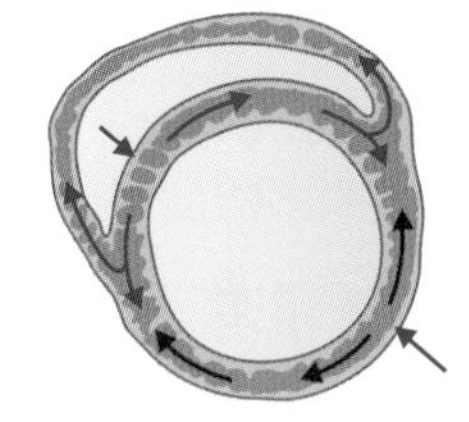
양실 페이싱에 의한 전도의 모습

■ 그림 11-4 심장재동기요법 (양실 페이싱)

비약물요법 (내과적 치료저항성인 경우)

- 급성기 : 대동맥내풍선펌프 (LABP), 경피적심폐보조 (PCPS).
- 만성기 : 심장재동기요법 (양실 페이싱 ; CRT), CRT-D (ICD기능 있음), 삽입형제세동기 (ICD), VAS (보조인공심장)→개선되지 않으면 심장이식을 검토.

  ※CRT, CRT-D (ICD기능 있음)의 현재 적응으로서, 1)내과적 치료로 좌심실구출률＜35%이며 NYHA Ⅲ-Ⅳ의 증상이 있는 환자, 2)심전도에서 QRS폭〉0.12초, 3)페이스메이커(pacemaker) 조율에 의존하고 있는 경우의 3조건에서 1)+2), 또는 1)+3)의 경우를 들 수 있다.

부정맥치료

- 부정맥의 유무 뿐 아니라, 1)증상이 수반된다, 2)심부전을 악화시킨다, 3)치명적이다, 4)보다 중증인 부정맥을 유발한다, 등인 경우는 치료를 검토한다.
- 빈발하는 심실성기외수축이나 심실빈맥은 심장돌연사의 위험인자가 되지만, 항부정맥제로 이것을 억제하면 예후가 오히려 악화된다.

※대규모임상시험에서 예후개선효과가 보고되어 있는 것은 β차단제와 아미오다론이다.

- 저좌심기능 심부전 환자에게서 부정맥치료 (심방세동, 심실빈맥) : β차단제, 아미오다론의 시작→치료저항

Key word

- 심장재동기요법 (양실 페이싱, cardiac resychronization therapy ; CRT)

만성심부전 시에는 심실 내의 전도장애에 수반하여, 수축개시의 타이밍이 어긋나는 등, 심실의 비협조적 수축이 일어난다. 이와 같이 심실수축의 동기성이 무너진 상태를 심실동기부전이라고 한다. 심장재동기요법은 수축지연 부위인 좌심실자유벽과 심실중격측을 동시에 페이싱함으로써, 좌심실수축의 동기성을 높여서 심기능을 개선하는 치료법이다.

성이면 ICD.

※아미오다론은 부작용도 엄중히 주의 (폐섬유증, 갑상선기능이상, 각막색소침착, 부정맥 유발 및 촉진).

- 심부전에서 맥박관리를 실시할 때 경색, 빈맥성부정맥이 있는 경우는 음성변시작용제 (β 차단제 (소량부터), 칼슘차단제 (Herbesser, Vasolan)를 투여하는데, 단, 저심기능 환자에게서는 심부전이 악화될 가능성이 있으므로 주의하여 사용한다.
- 서맥에 수반하는 심부전 : 페이스메이커삽입
- 기질적 심질환이 없는 예에서는 박리법(ablation)도 검토한다.

심부전의 원인 개선

- 심기능에 악영향을 미치는 약제의 투여검토
  - 항부정맥제 (아미오다론 이외), 칼슘길항제 (음성변력작용이 있는 것), NSAIDs (비스테로이드성 항염증제 ; 체액저류, 말초혈관수축이나 이뇨제 · ACE저해제의 부작용이 생기기 쉬움), 일부 항종양제 등
- 원인이 되는 심질환의 치료
  - 허혈성 심질환 : 내복치료, 관혈관재건술 [경피적관동맥형성술 (PCI), 관동맥바이패스술 (CABG)]
  - 판막증 : 판형성술, 판치환술
  - 심근증, 좌심실확대 (심실재형성) : 좌심실형성술 등

심부전의 병기 · 병태 · 중증도에서 본 치료흐름도

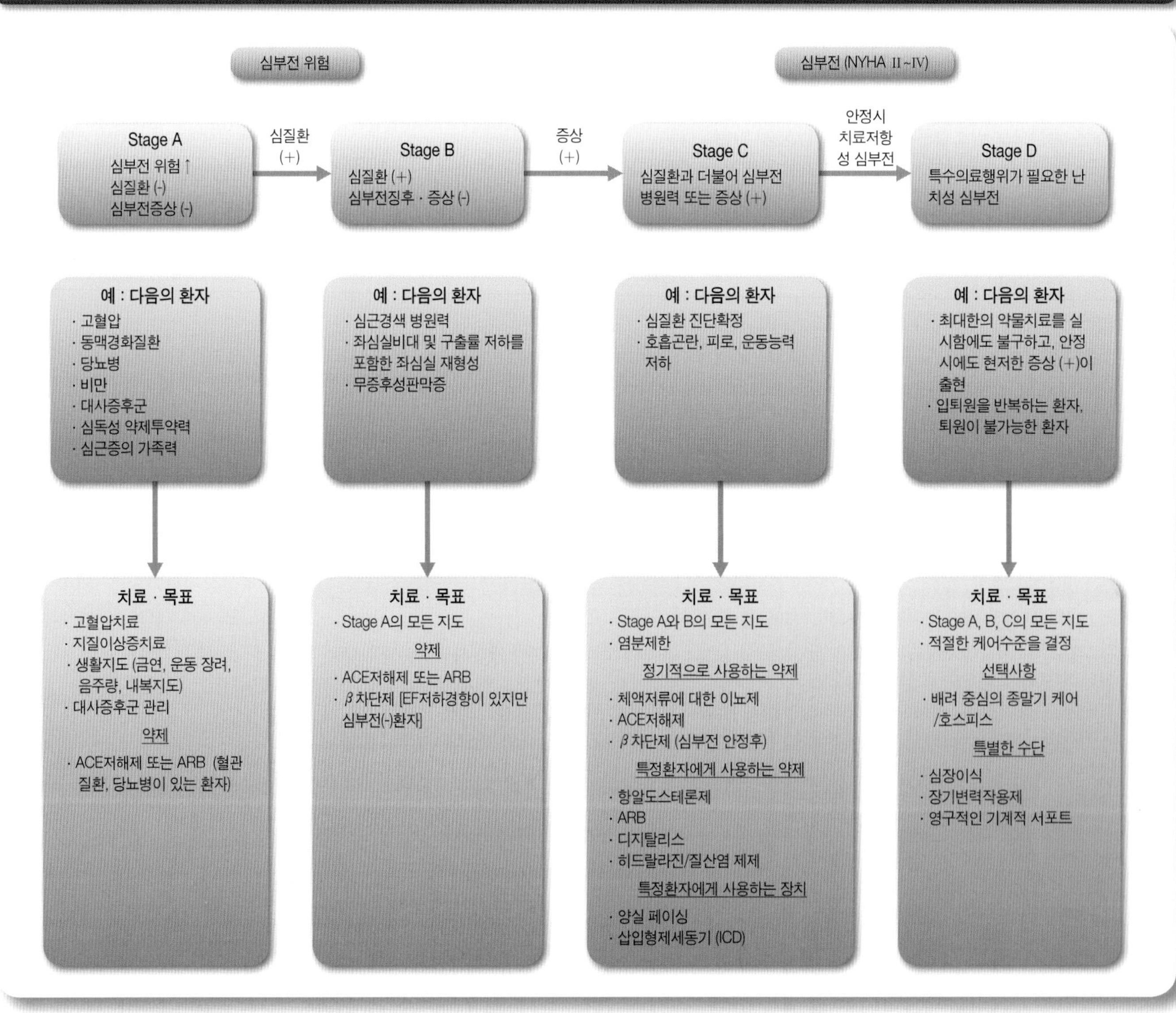

환자케어

NYHA심기능 분류에 근거한 중증도에 따라서 심장재활이나 일상생활의 지지, 적절한 보건행동을 할 수 있도록 지지한다. IV도 환자에게는 수면장애나 식욕저하, 죽음에 대한 공포심 등이 있으므로 심리면에 대한 케어도 중요하다.

병기·병태·중증도에 따른 케어

【NYHA Ⅰ도】 흉부X선검사에서는 심혈관질환의 타각적 소견이 보이지 않는다. 신체적 활동제한이 없고, 일상생활에서는 현저한 피로, 심계항진, 호흡곤란, 협심통은 일어나지 않는 수준이지만, 환자가 심장예비능력 이상의 운동을 하거나, 염분 · 수분제한이 지켜지지 않으면 병태가 악화될 가능성이 있으므로 주의한다. 심장재활로 심장예비능력을 유지 (저하시키지 않는다)하는 것이 중요하다.

【NYHA Ⅱ도】 흉부X선검사에서는 경미한 심혈관질환의 타각적 소견이 보이고, 안정시에는 증상이 없다가 통상적인 신체활동에서 증상이 발생하는 수준으로, 운동요법이나 식사요법을 포함한 심장재활과 내복치료로 회복될 가능성이 있으므로, 적절한 보건행동을 취할 수 있도록 지지한다. 위와 마찬가지로, 심부전의 급성악화에 충분히 주의한다.

【NYHA Ⅲ도】 흉부X선검사에서는 중등도 심혈관질환의 타각적 소견이 보인다. 안정시에는 증상이 없지만, 일상적인 신체활동 이하에서도 증상이 발생하므로, 식사, 배설, 청결 등의 일상생활을 지지하고 점적 등의 약물요법을 지시에 따라서 정확하게 실시해야 한다. 호흡곤란으로 인한 죽음에 대한 공포심이나 앞으로의 생활에 대한 불안 등의 심리적 지지도 중요하다.

【NYHA Ⅳ도】 흉부X선검사에서는 중증 심혈관질환의 타각적 소견이 보인다. 신체활동시에 증상이 발현될 뿐만 아니라, 안정시에도 증상이 나타나서 수면장애나 식욕저하, 죽음에 대한 공포심 등이 있으므로, 심장에 부담을 주어서 증상을 일으키지 않도록 일상생활지지와 심리면에 대한 케어가 중요하다. 예상되는 사태의 고지 등, 가족에 대한 신체 · 심리 · 사회적 지지도 필요하다.

케어의 포인트

진찰 · 치료의 지지

- 지시받은 약물요법을 정확히 투여한다.
- 심부전 악화시에 사용하는 약물에는 카테콜라민류 (도파민, 도부타민) 등 약리작용이 매우 강한 것도 있으므로, 지시받은 양을 정확히 투여하고, 투여 중 · 후 환자의 상태를 관찰한다.
- 호흡곤란이나 권태감으로 경구제를 스스로 내복할 수 없는 경우가 있으므로, 필요에 따라서 내복시에 지지한다.
- 심전도나 심초음파 등의 검사실시시, 호흡곤란 때문에 앙와위를 취할 수 없는 경우가 있으므로, 환자가 불안하지 않게 편안히 검사할 수 있도록 지지한다.
- 지속심전도모니터로 모니터링 중에는 노이즈가 없도록 부착장소나 부착부 피부를 청결히 한다.
- 수분 I/O이나 체중측정은 체액저류를 판단하기 위한 유용한 항목이므로, 음수량이나 요량, 점적량 등을 정확히 파악한다.
- 체중측정은 시간대나 의복 등의 조건을 일정하게 하여 측정한다.
- 급격히 상태가 악화되어 응급처치를 필요로 하는 경우는 심전도, 기관삽관, 중심정맥이나 Swan-Ganz 카테터를 즉시 삽입할 수 있도록 준비해 둔다.

심부전증상이나 고통의 완화

- 야간의 발작성호흡곤란이나 기좌호흡으로 인하여 휴식-활동의 리듬에 장애가 생기고 권태감이 나타날 가능성이 높으므로, 편안한 호흡을 할 수 있도록 체위를 조절한다.
- 심부전증상인 호흡곤란이나 부정맥에 더불어, 증상 발현시에 실시되는 치료 · 처치는 죽음에 대한 불안이나 공포를 초래하고, 저혈압이나 저산소혈증이 불온상태나 섬망상태의 요인이 되므로, 조기에 심부전증상이나 고통을 완화시키는 것이 중요하다.
- 이중부하, 발살바반응, 과잉 등척성부하가 심장 · 호흡에 부하되어, 증상이나 고통을 일으킬 가능성이 있으므로, 케어시에 주의가 필요하다.
- 이뇨작용이 있는 경구제 내복 후의 대량의 배뇨를 고려하여, 신체적 · 정신적 부담이 없도록 배설을 지지한다.
- 체액저류로 인한 부종이나 복수, 저영양 등이 있는 경우는 신체의 전신권태감도 강하므로 증상에 따른 간호케어를 제공한다.
- 정신적 긴장이나 말초냉감, 부종으로 인한 권태감 등의 완화를 위해서, 마사지나 취침 전의 족욕 등, 환자의 편안함을 배려한 간호케어를 제공한다.

심장재활의 안전한 실시에 대한 지지

- 심장재활은 심장병환자의 사회복귀나 재발예방을 목적으로 하며, 운동요법 뿐 아니라, 환자교육 (식사요법, 복용 등)이나 심리카운슬링 등을 포괄한 치료수단이므로, 개개의 환자에게 맞는 대응이 필요하다.
- 환자의 활동범위는 심초음파나 다단계 운동부하검사 (트레드밀법, 자전거 에르고미터), 운동부하를 가한

심부전에 의한 부종

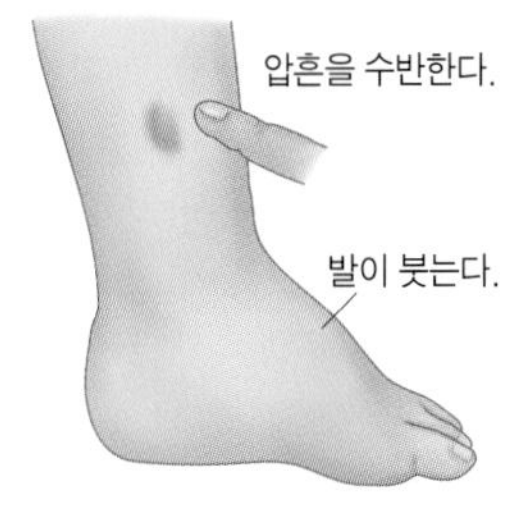

- 장시간 입위나 좌위에서 강조된다.
- 부드러워서 쉽게 압흔이 남는다.
- 좌우 양쪽이 균일하다.
- 하퇴부터 시작하여 전신부종에 이른다.

림프성부종

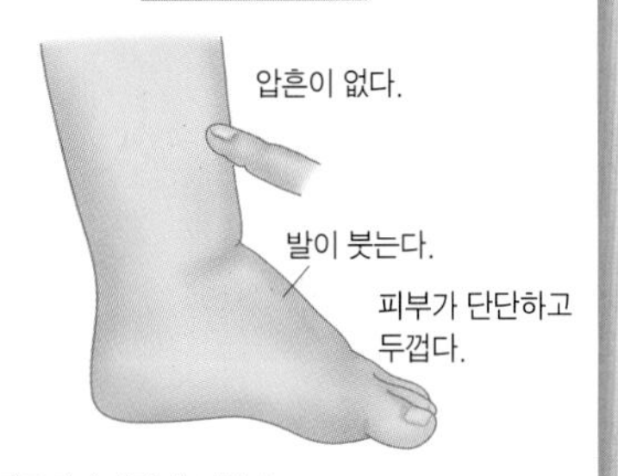

- 림프관의 폐색에 의한다.
- 초기에는 부드럽다가 점차 단단해진다. 압흔이 남지 않는다.

지방의 침착

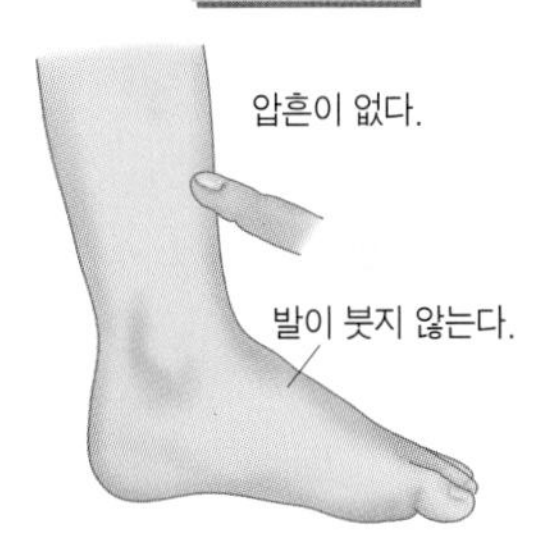

- 지방이 침착된다.
- 부종은 있지만 약간이다.

정맥성부종

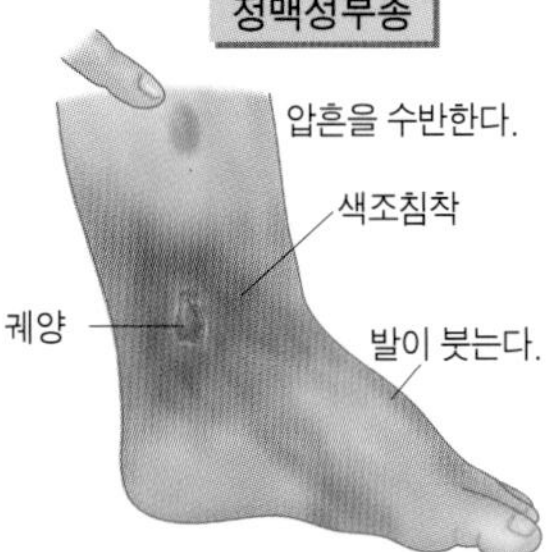

- 심부정맥의 폐색, 또는 정맥판의 파괴에 의해 발생한다.
- 부드러워서 압흔을 형성하다가 점차 단단해진다. 적자색으로 변색된다.
- 통증이나 궤양을 수반한다.

■ 그림 11-5 부종의 종류에 따른 특징

Key word

● 이중부하

식사 · 배변 · 목욕 · 운동 등, 각각의 동작이 심장에 부담을 준다. 이 동작들을 계속하면 큰 부담이 되어 심부전의 악화를 가져온다. 이것을 이중부하라고 한다.

● 발살바(Valsalva)반응

무거운 부하운동을 할 때에 「숨을 참는」 반응을 일컫는다.

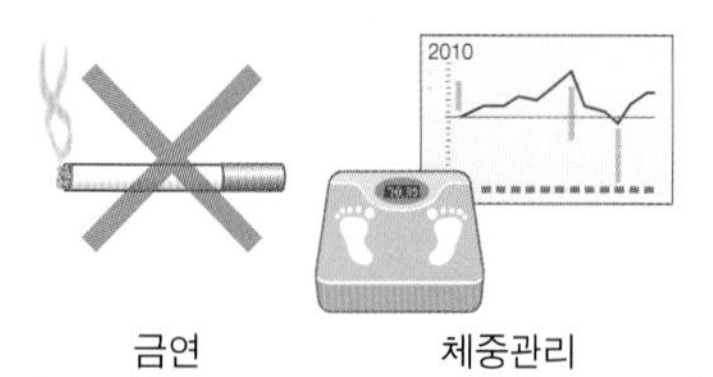

■ 그림 11-6 심부전 환자의 퇴원지도

핵의학검사 등으로 환자의 심장예비능력이나 운동능력을 평가하여 결정하므로, 지시받은 활동범위를 넘지 않도록 주의한다.

- 운동요법 전 · 중 · 후 환자의 자각증상, 이중적(double product) (심박수×혈압)이나 부정맥 등에 주의하고, 이변 발생시에는 팀의 구성원들이 함께 적절히 대응한다.
- 염분제한이 있는 병원식이나 평소 투약시에도 환자가 경험적으로 식사나 내복제에 관하여 배울 수 있도록 동기를 부여한다.

편안한 일상생활에 대한 지지

- 호흡곤란이나 부정맥, 부종, 복수, 사지냉감, 피로도 증가 등의 심부전증상이 있는 경우에는 식사, 배설, 청결 등의 일상생활동작 (ADL)을 안전 · 편안하게 할 수 있도록 지지한다.
- 증상이 경감되어 활동범위가 확대되면, 환자가 스스로 할 수 있는 부분은 혼자하게 한다 (자립).
- 안정와상에서 부종이 있는 경우는 욕창이나 심부정맥혈전증을 예방하기 위한 케어를 받게 한다.

심부전의 급성악화나 2차적 합병증의 조기발견 · 대응

- 증상이 경감되면 자신의 심장예비능력 이상의 활동을 하여 심장에 과부하가 발생하고, 이는 급성악화를 초래할 염려가 있으므로, 환자에게는 활동제한의 의미나 구체적인 ADL의 대사당량 등을 설명하며 이해를 구한다.
- 호흡기감염증이 급성악화의 요인이 되기 쉬우므로, 기침이나 객담이 많을 때는 기도정화에 힘써야 한다.
- 갑자기 상태가 악화되어 응급처치가 필요한 경우는 심전도, 기관삽관, 중심정맥이나 Swan-Ganz 카테터를 즉시 삽입할 수 있도록 준비해 둔다.

환자 · 가족의 심리 · 사회적 문제에 대한 지지

- 환자 · 가족에게 있어서 호흡곤란이나 부정맥은 죽음을 방불케 하는 큰 불안 · 공포심이므로, 증상을 완화시키는 것이 최우선이 된다.
- 심부전 발생에 수반되는 환자의 불안이나 우울 등은 예후에도 영향을 미치므로, 환자의 심리 · 정신적 상태에 주의하며, 필요시에는 임상심리사나 진료내과의 카운슬링을 소개한다.
- 급성악화를 예방하기 위해서 식사나 직무 등의 라이프스타일을 바꿔야 하는 경우, 환자 · 가족이 매우 불안해하므로 이를 수용적 태도로 경청한다.
- 사회적 불안에 대해서는, 필요에 따라서 의료사회사업가 등을 소개한다.

퇴원지도 · 요양지도

- 환자 · 가족이 유효한 보건행동을 장기간 실시하게 되므로, 잘못된 인식이 없도록 심부전의 병태 · 증상, 치료의 필요 등을 알기 쉽게 설명한다.
- 급성악화에 수반하는 주증상이나 그 때의 대처방법을 환자 · 가족에게 충분히 설명하고, 조기발견 · 대응을 할 수 있도록 한다.
- 심부전 급성악화로 재입원하게 되는 가장 큰 요인은 염분 · 수분제한의 관리미흡, 감염증, 과로, 치료제 복용의 미흡, 부정맥, 정신적 · 신체적 스트레스, 심근허혈, 관리불량인 고혈압, 합병증의 악화 등이므로, 환자의 라이프스타일에 맞춘, 무리 없는 방법을 함께 고려하여 지도한다.
- 환자 · 가족이 염분제한에 관하여 이해하고 있어도 계속 실시할 수 없는 경우는 영양사와 협조하여, 환자의 식습관에 맞춘 구체적이고 현실화 가능한 지도가 필요하다.
- 복용지도에서는 약물명, 투여량, 투여횟수, 작용 · 부작용에 관한 지식을 설명하고, 환자의 이해도에 맞춘 자기모니터링 방법에 관해서도 지도한다.
- 증상이 사라지면 심장의 예비능력이상의 활동을 하거나, 무리하게 과로하여 심부전의 급성악화를 초래하는 수가 있으므로, 특히 직장에 근무 중인 환자에게는 직장환경을 고려한 지도가 필요하다.
- 활동제한이 있는 환자는 환자의 라이프스타일에 입각한 ADL의 대사당량을 보여주면, 어떤 동작이 심장에 부담을 주는가를 이미지화할 수 있다.
- 이중부하, 발살바반응, 과잉 등척성부하를 피하는 ADL의 중요성이나 활동소비에너지를 절약하는 방법을 환자에게 설명한다.
- 심부전의 위험인자 (식염, 흡연, 알콜, 비만, 빈혈, 저영양 등) 중에서도, 고혈압은 심부전의 중요한 원인 · 악화인자이므로 혈압관리에 충분한 지도가 필요하다.
- 호흡기감염증은 심부전의 악화요인이 되므로, 기침, 손씻기를 철저히 하고, 감기에 걸리면 즉시 진찰받도록 설명한다.

(會田信子)

12 부정맥 (arrhythmia)

久賀圭祐·青沼和隆 / 會田信子

전체 map

병인

- 발생메커니즘은 ①자극생성의 이상, ②흥분전도의 이상, ③자극생성 · 흥분전도의 이상이다.

[악화인자] 연령, 저산소혈증, 스트레스, 과도한 음주

역학

- 무증상 증례도 많기 때문에, 부정맥의 발생빈도는 확실하지 않다.

[예후] 부정맥의 종류 · 기초심질환 · 치료 등에 따라서 크게 달라진다.

병태생리

- 맥이 통상의 동조율보다 늦어지는 서맥성부정맥(bradyarrhythmia)과 통상보다 빨라지는 빈맥성부정맥(tachyarrhythmia)이 있다.
- 빈맥성부정맥의 발생메커니즘은 자동능(automaticity)의 이상, 격발활동(triggerd activity), 리엔트리(reentry)이다.
- 빈맥성부정맥 중, QT연장증후군, Brugada증후군 등에서는 유전자이상이 확인되고 있다.

증상

- 각 부정맥에 따라 증상이 차이가 나기 때문에, 심계항진(palpitation), 맥박 이상 등의 증상이 있는 예도 있지만, 무증상인 증례도 많다.
- 기초심질환이 있는 경우에는 기초심질환에 수반하는 증상 · 신체소견을 확인한다.
- 서맥성부정맥 : 중증도에 따라서 무증상, 신체 · 정신활동의 저하, 심부전, 실신, 돌연사를 일으킨다.
- 빈맥성부정맥 : 무증상인 경우도 있지만 심계항진, 심부전, 실신, 돌연사를 일으킨다.

[합병증]

- 심부전
- 뇌경색 (cerebral infarction)

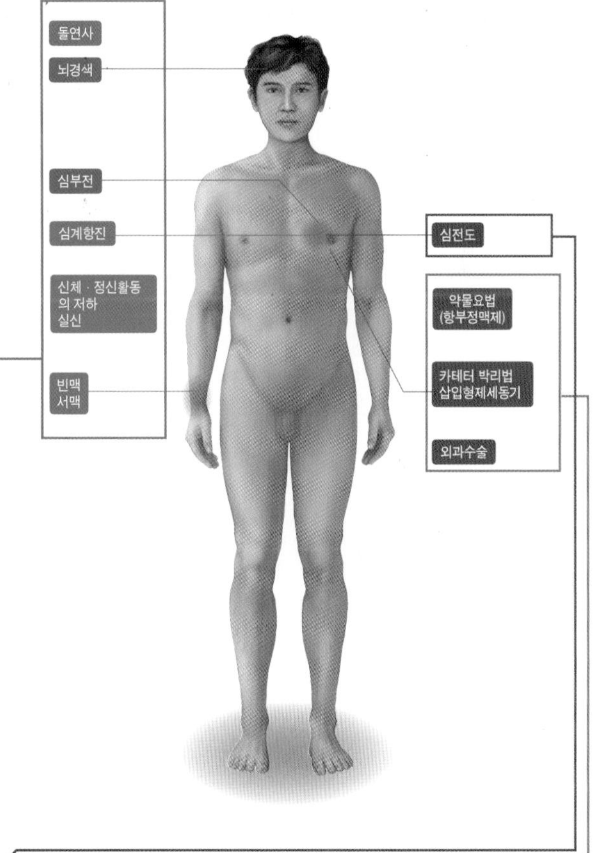

진단

- 부정맥 진단의 결정은 심전도에 의한다. 심전도소견을 얻게 되면 다음의 진단이 확정된다.
- 동성부정맥(sinus arrhythmia) : 호흡성동성부정맥, 동정지(sinus arrest), 동방블록, 지속성동성서맥, 서맥 · 빈맥증후군, 동성빈맥
- 상실성부정맥 : 심방정지, 심방세동, 심방조동, WPW증후군(Woff Parkinson White syndrome), 상실성빈맥 (supraventricular arrhythmia)
- 심실성부정맥(ventricular arrhythmia) : 심실기외수축, 심실빈맥, 심실세동, QT연장증후군, Brugada증후군

치료

- 약물요법 (항부정맥제) : 항부정맥제에는 Ⅰ군 (나트륨채널차단), Ⅱ군 (β 차단제), Ⅲ군 (칼륨채널차단), Ⅳ군 (Ca길항제)의 4가지 class가 있다 (Vaughan-Williams 분류).
- 카테터 박리법 (catheter ablation) : 카테터 끝에서 고주파전류를 흐르게 하여 부정맥원을 소작한다.
- 삽입형제세동기 : 심실빈맥, 심실세동이 일어났을 때에 자동적으로 전기쇼크를 주어 정상으로 되돌린다.
- 외과수술 : 부정맥의 발생원을 외과적으로 절제, 소작, 동결한다.

병태생리 map ①

부정맥이란 정상동조율 이외의 조율을 말하며, 자극생성의 이상, 흥분전도의 이상, 자극생성과 흥분전도의 이상으로 분류된다.

- 부정맥은 자극생성의 이상, 흥분전도의 이상, 자극생성과 흥분전도의 이상으로 분류된다 (표 12-1). 또 맥이 통상 동조율보다 늦거나 또는 전도계 일부의 전도장애로 전도지연을 일으키는 서맥성부정맥 또는 맥이 통상 동조율보다 빨라지는 빈맥성부정맥으로 분류된다.
- 빈맥성부정맥의 발생메커니즘은 ①자동능이상, ②격발활동, ③리엔트리로 분류한다 (표12-1). 기초적 전기생리 분야에서는 이온채널유전자가 확인되고, QT연장증후군이나 Brugada증후군 등 일부 질환에서는 유전자의 이상도 밝혀져서, 유전자치료의 가능성도 현실화되고 있다. 임상분야에서는 리엔트리나 자동능이상 등의 메커니즘이 전기생리학적 검사법, 외과적 부정맥치료, 박리법 등으로 확인되었다.
- 한편 종래 생각해 온 것과는 다른 메커니즘에 의한다고 생각되는 부정맥도 새로 밝혀지게 되었다. 예를 들면, 다원성 리엔트리라고 생각했던 심방세동 또는 심실세동도 단일 선회로의 떠돌아 다니는 운동 (meandering)으로 설명이 가능하다. 최근 널리 행해지고 있듯이, 심방세동 증례의 대부분은 폐정맥과 좌심방의 격리 카테터 박리법으로 완치되므로, 다원성 리엔트리가 아니라, 폐정맥에서의 firing (흥분)에 의해서 일어나는 것으로 여겨지고 있다.

■ 표 12-1 부정맥의 발생메커니즘

Ⅰ. 자극생성이상
1. 자동능이상 ① 정상자동능의 이상 ② 이상자동능 2. 격발활동 (triggered activity) ① 조기후탈분극 ② 지연후탈분극
Ⅱ. 흥분전도이상
1. 흥분의 지연과 두절 2. 리엔트리 ① ordered reentry ② random reentry leading circle 이방성 리엔트리 (anisotropic reentry) spiral reentry
Ⅲ. 자극생성 · 흥분전도이상
1. 제4상 탈분극에 의한 완만한 전도 2. 부수축

(比江嶋一昌, 畦上幸司 : 부정맥의 발생메커니즘-특히 빈맥성 부정맥에 관하여, 의학과 약학 42 : 495-510, 1999)

Key word

- Brugada증후군

심장에 기질적 질환이 없는데도, 갑자기 심실세동으로 실신이나 돌연사가 초래되는 경우를 말한다.

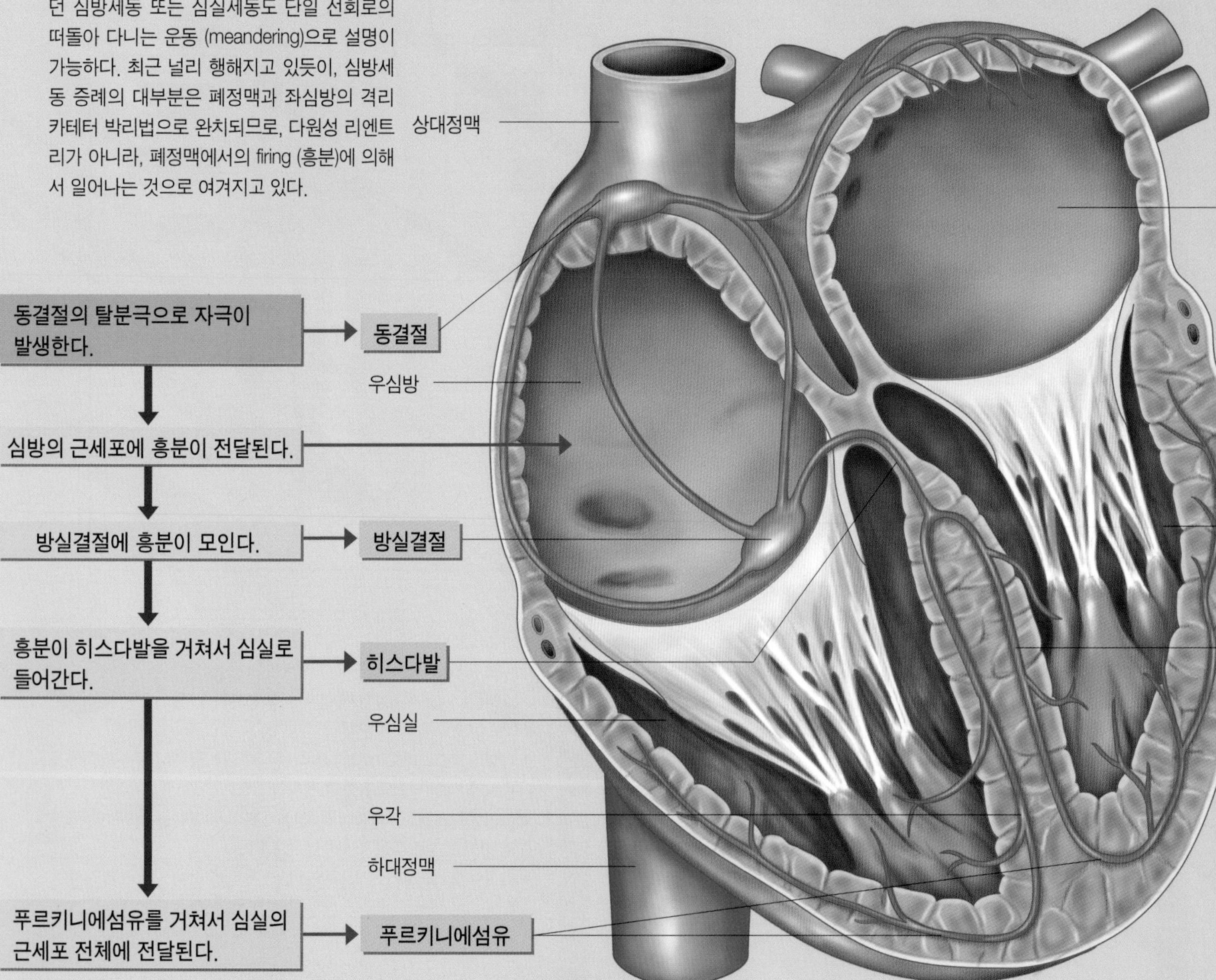

동결절은 생리적 자동능을 가진 결절세포의 집합으로서, 1분간에 50~100회의 빈도로 자발적으로 탈분극을 반복한다.

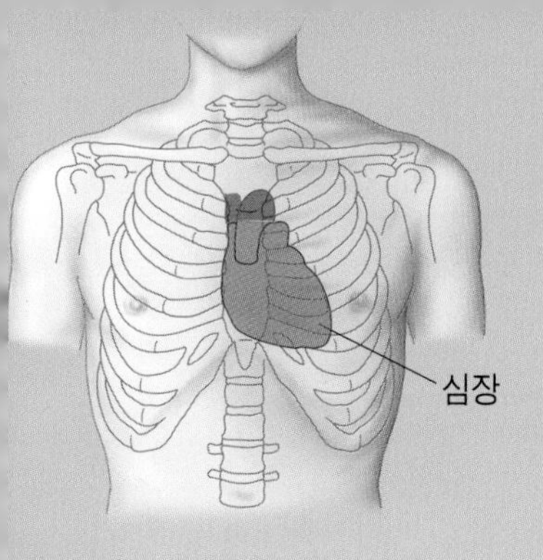

심장의 수축과 심전도

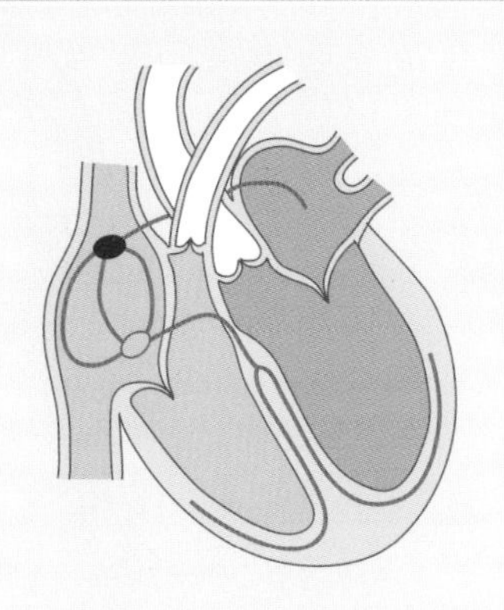

동결절이 흥분한다.

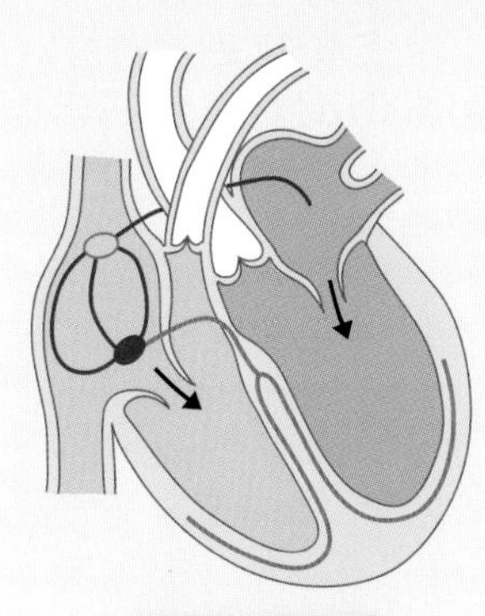

심장수축기

흥분이 방실결절에 전달된다.
심방이 수축된다.

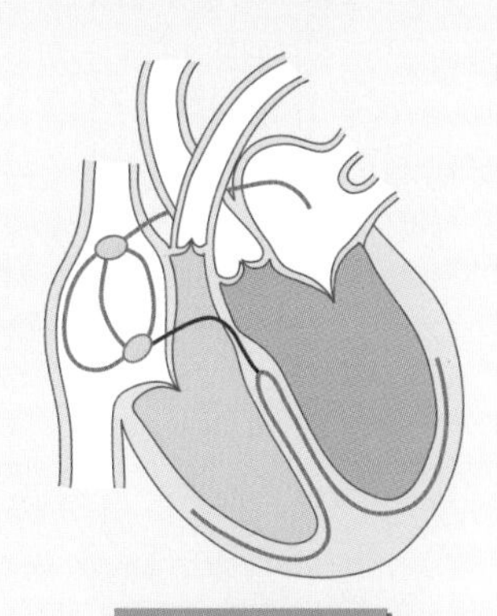

등용성 수축기

흥분이 히스다발에 전달된다.

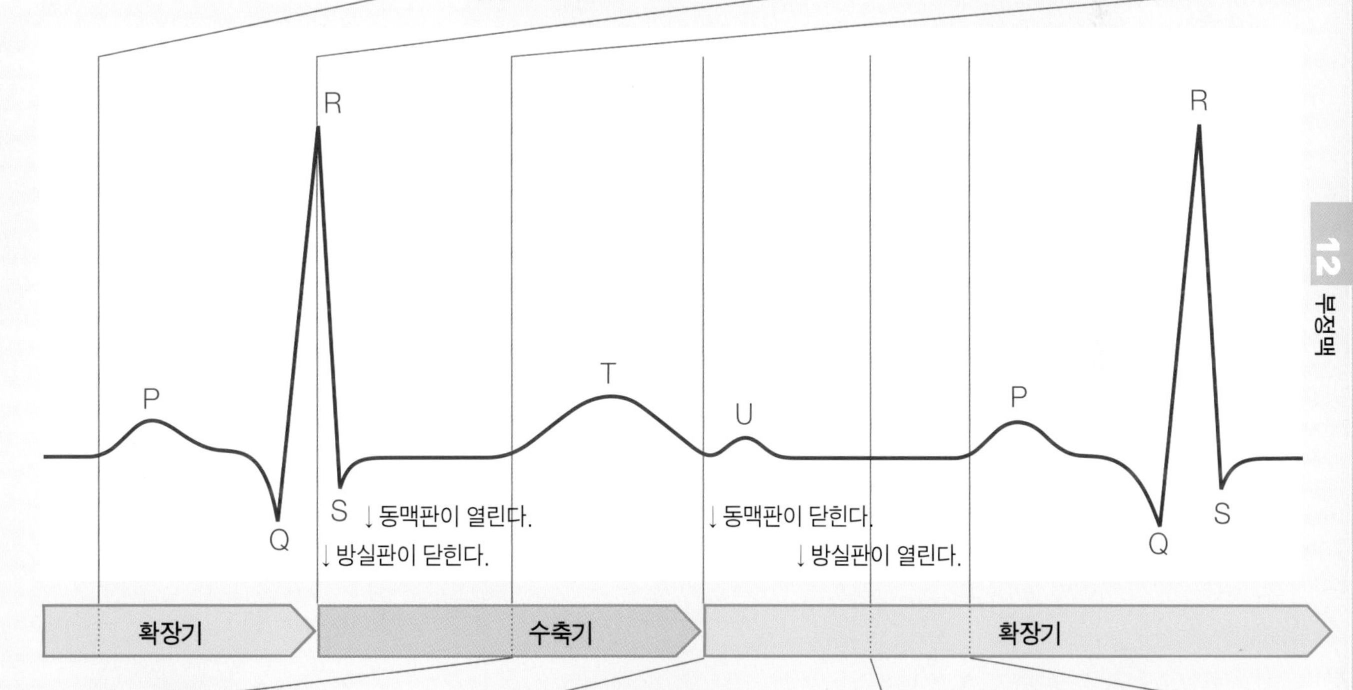

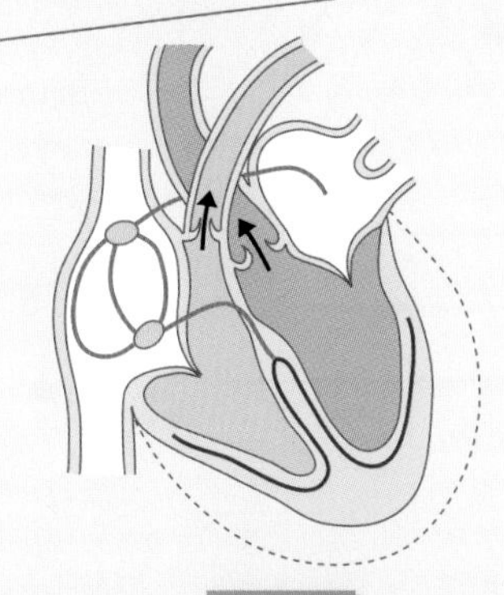

구출기

흥분이 푸르키니에섬유를 거쳐서 심실근으로 확대되고, 심실이 수축된다.

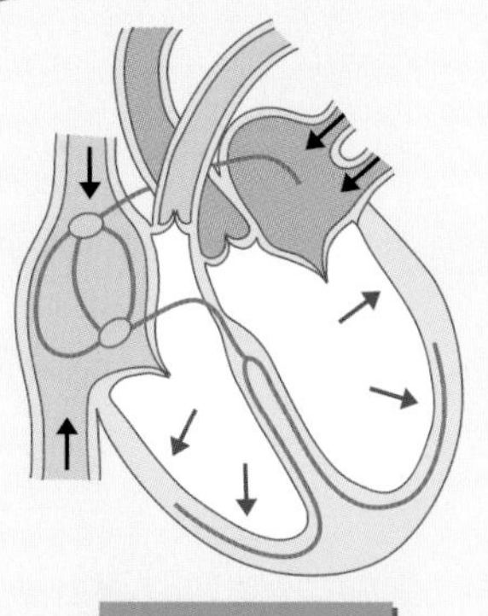

등용성 이완기

심실의 이완이 시작된다.

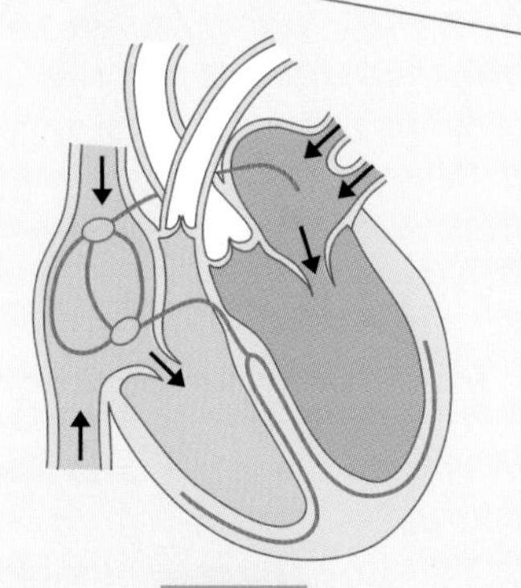

충만기

방실판이 열리고 심방에 머물러있던 혈액이 심실로 흘러들어간다.

심방
심실
각

병태생리 map ②

- 다음은 빈맥성부정맥의 발생 메커니즘에 관하여 간략하게 설명함과 동시에, 새로운 부정맥의 메커니즘에 관해서도 해설한 내용이다.

자동능의 이상

- 심근의 세포가 외부에서 자극을 받지 않고, 탈분극 및 재분극을 반복하는 것을 자동능이라고 한다. 자동능이 있는 심근세포에서 막전위는 확장기에 서서히 탈분극 (완서확장기 탈분극 또는 페이스메이커전위라고 한다)됨으로써 역치에 이르러 자발흥분이 생기고, 재분극을 거쳐서 다시 완서탈분극을 반복한다. 이것이 자동능의 메커니즘이다. 자동능에는 ①정상자동능, ②이상자동능이 있다.
- 이소성 자동능이란 본래의 자극생성부위인 동결절 이외의 부위의 자발흥분이며, 여기에는 잠재적으로 자동능을 가지고 있는 동결절 이외의 특수심근에서의 자발흥분과, 본래는 자동능을 가지지 않는 작업심근에서 발생하는 "이상자동능" 이 있다.

격발활동 (triggered activity)

- 격발활동이란 심근이 외부에서 자극을 받음으로써 활동전위가 발생하여, 재분극 도중 또는 그 직후에 막전위가 다시 탈분극하는 것을 반복하는 것이다. 이것은 그 출현의 시상에 따라서 2가지로 분류되며, 조기후탈분극 (early afterdepolarization ; EAD)은 재분극 도중에 탈분극성 변화를 (그림 12-1), 지연후탈분극 (delayed afterdepolarization : DAD)은 재분극 종료후에 탈분극성 전위변화를 나타내는 것이다 (그림 12-2). 탈분극성 변화가 Na전류 또는 Ca전류의 역치에 이르면 새로운 자발흥분이 일어나게 된다.

리엔트리

- 리엔트리란 어느 부위를 흥분시킨 흥분파가 전도로를 일주하고 다시 본래의 위치로 되돌아와서, 다시 흥분을 일으키는 (재입) 현상이다. 흥분파가 되돌아왔을 때에는 불응기보다도 긴 시간이 걸리며, 그 부위는 이미 불응기를 벗어나 있기 때문에, 재흥분이 발생한다. 이것이 연속되면 빈맥이 된다. 현재는 빈맥부정맥의 대부분이 리엔트리 메커니즘에 의한 것이다.
- 리엔트리 성립을 위한 조건으로는 ①일방향성 블록, ②흥분이 회귀하는 회로, ③완서전도, ④불응기가 선회주기보다 짧다, 등이 필요하다. 특히 ②~④에 관해서는 「선회로에서 최장의 불응기」 < 「회로장」 ÷ 「전도속도」 라는 관계가 필요하다. 흥분선회로가 해부학적으로 또는 기능적으로 일정한 것을 ordered reentry라고 하며, 일정하지 않은 것을 random reentry라고 한다.

역학 · 예후

- 부정맥의 발생빈도는 증상을 자각하지 못하는 환자도 많으므로 명확하지 않다. 예후도 부정맥의 종류 · 기초심질환 · 치료 등에 따라서 크게 달라진다.

성인 1 : 이소성 자동능

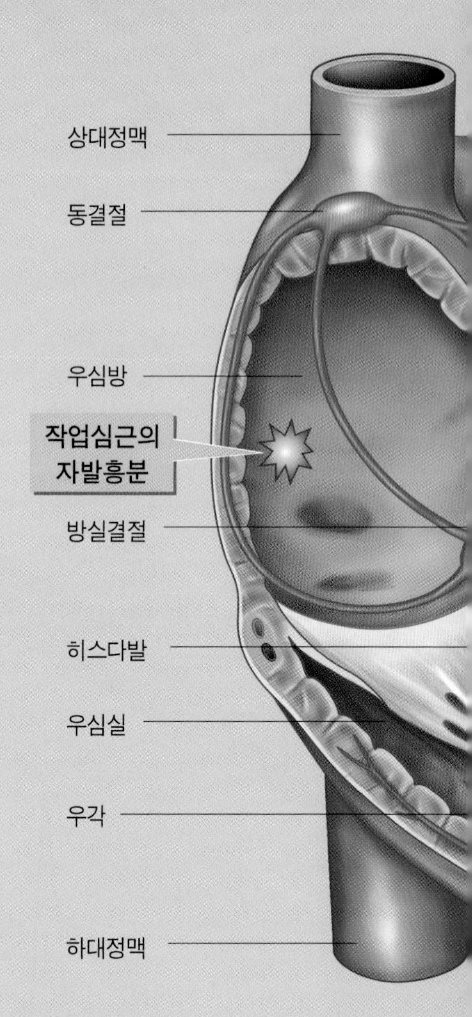

성인 3 : 리엔트리

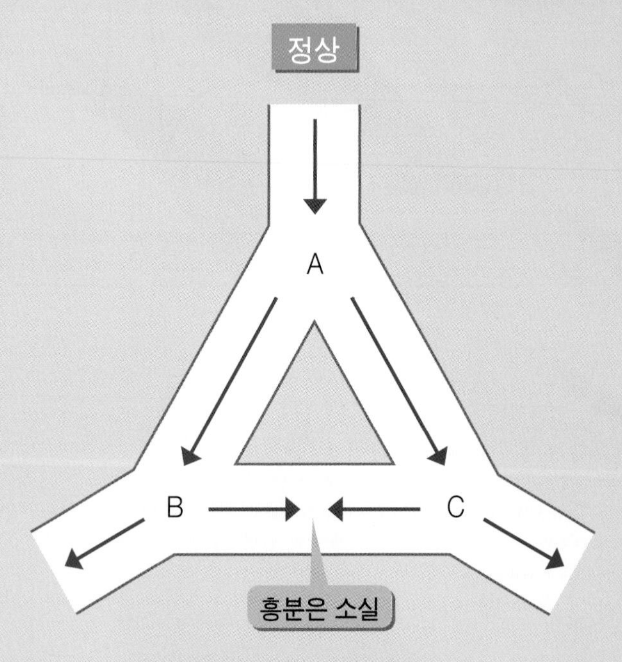

위와 같은 흥분의 전달경로가 존재한다고 가정한다.

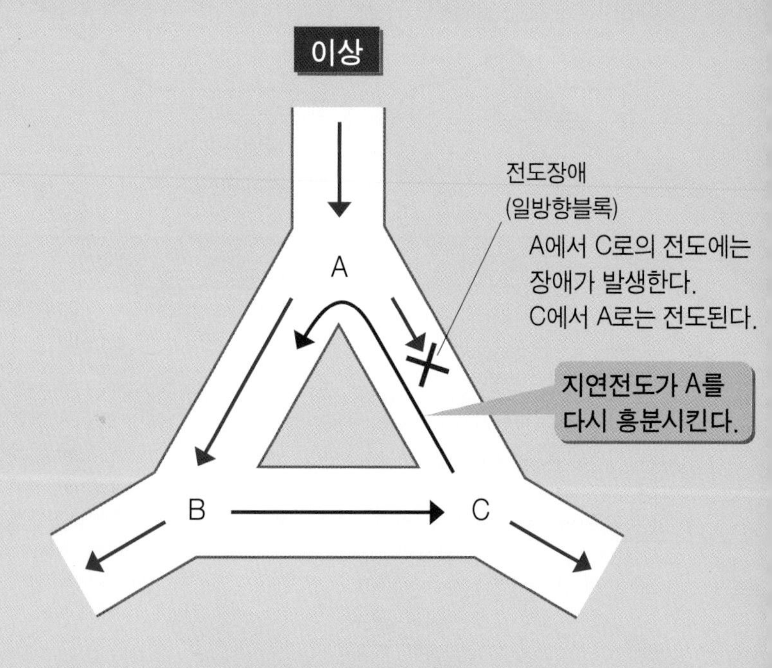

리엔트리에서는 어느 부위를 흥분시킨 흥분파가 전도로를 일주하고 다시 흥분을 일으킨다.

수심근의 자발흥분

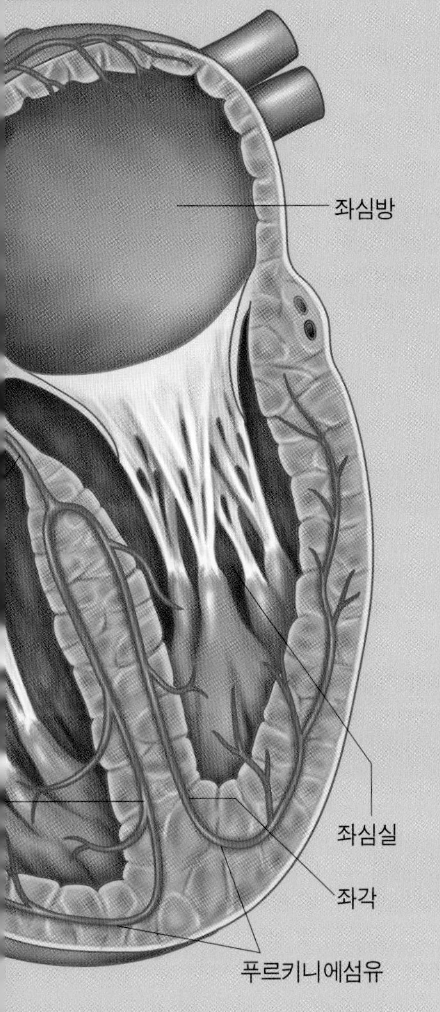

결절 이외의 심근에서 자극이 생한다.

Key word

● 치명적 부정맥 (fatal arrhythmia)

서맥성부정맥에는 완전방실블록에 수반되는 심정지, 고도의 동부전증후군에 의한 긴 심정지 등이 있고, 빈맥성부정맥에는 지속성 심실빈맥, 심실세동, 1 : 1 방실전도의 심방세동, WPW증후군에 합병되는 심방세동 등이 있다.

성인 2 : 격발활동

재분극 도중 · 직후에 다시 탈분극이 생긴다.

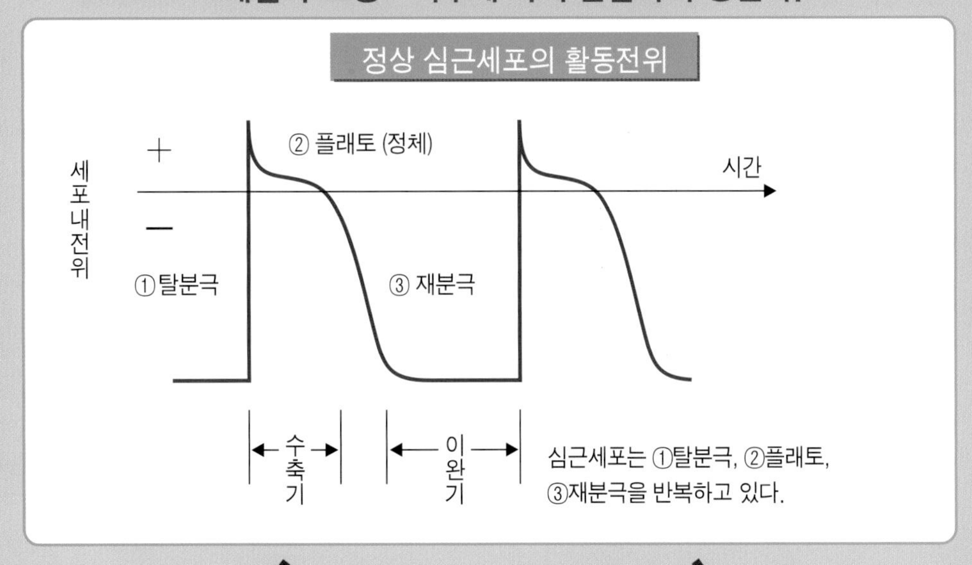

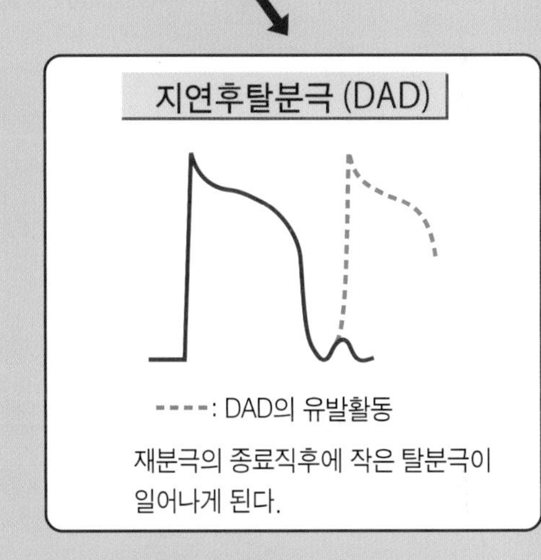

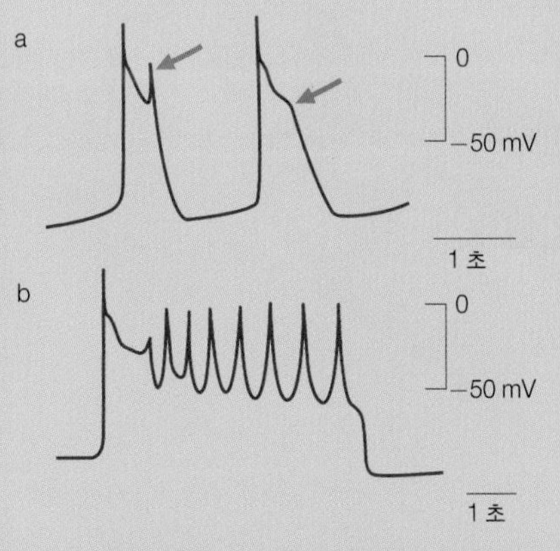

a. 노르아드레날린 첨가 후, 푸르키니에섬유의 활동전위 재분극상 도중에서 조기후탈분극 (←)과 그에 입각한 격발활동 (←)이 일어났다.

b. 푸르키니에섬유에서 관찰된 조기후탈분극과 그에 이어지는 연발성 격발활동.

■ **그림 12-1 조기후탈분극 (early afterdepolarization : EAD)과 격발활동 (triggered activity)**

(Wil AL : Triggered activity In Zipes DP (ed) : The slow Inward Current and Cardiac Arrhythmias, The Hague, Martinus Nijioff, pp210-228, 1980)

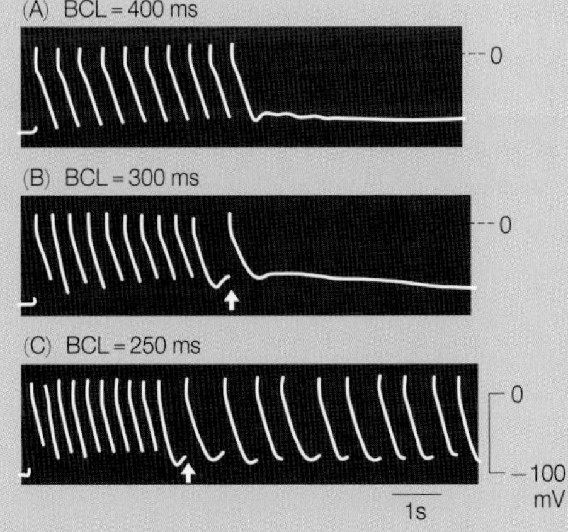

■ **그림 12-2 지연후탈분극 (delayed afterdepolarization : DAD)**

(Hiraoka M, Okamoto Y : Two types of automaticity in canine ventricular muscle fibers, Arch Pharmacol 317 : 339-344, 1981)

증상 map

부정맥발작이 없을 때에는 증상이나 신체소견이 보이지 않는 경우도 많다.

증상

- 기초심질환이 있는 부정맥 환자에게서는 기초심질환에 수반되는 증상 · 신체소견이 확인된다.
- 서맥성부정맥에서는 부정맥의 중증도에 따라서, 무증상부터 신체 · 정신활동의 저하, 심부전, 실신 나아가서는 돌연사까지 다양한 증상을 일으킨다.
- 빈맥성부정맥에서는 무증상인 경우도 있지만, 심계항진, 심부전, 실신, 돌연사를 일으키기도 한다.

합병증

- 심부전
- 뇌경색

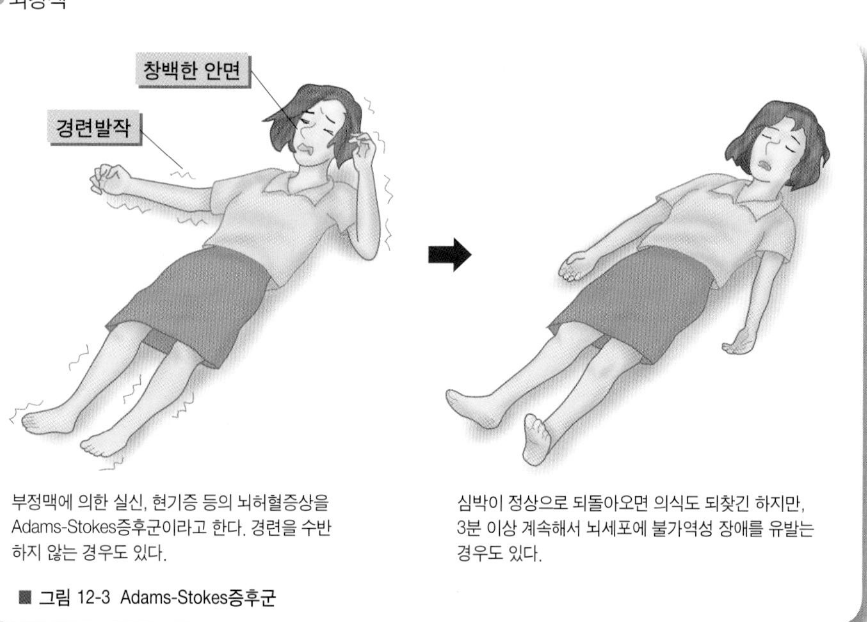

부정맥에 의한 실신, 현기증 등의 뇌허혈증상을 Adams-Stokes증후군이라고 한다. 경련을 수반하지 않는 경우도 있다.

심박이 정상으로 되돌아오면 의식도 되찾긴 하지만, 3분 이상 계속해서 뇌세포에 불가역성 장애를 유발는 경우도 있다.

■ 그림 12-3 Adams-Stokes증후군

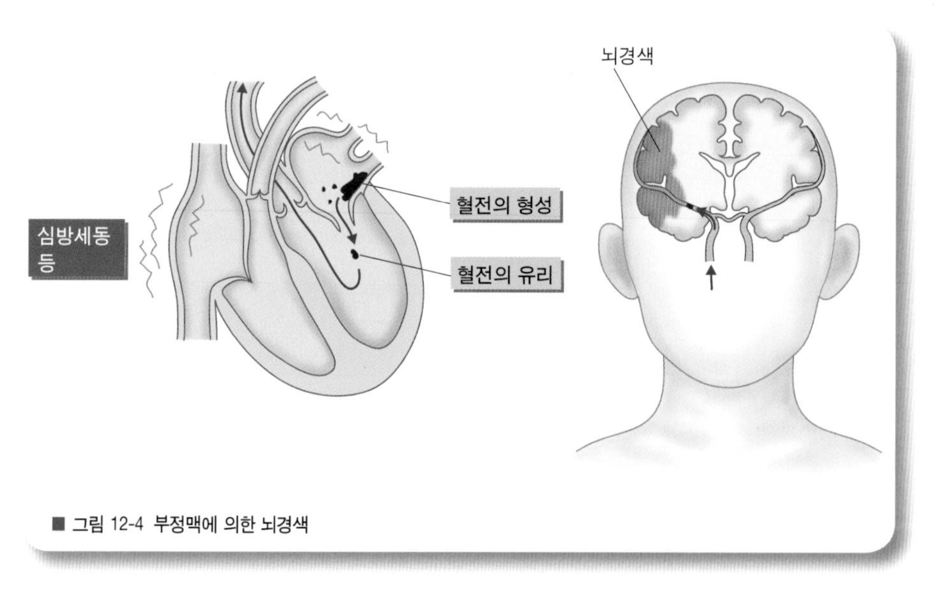

■ 그림 12-4 부정맥에 의한 뇌경색

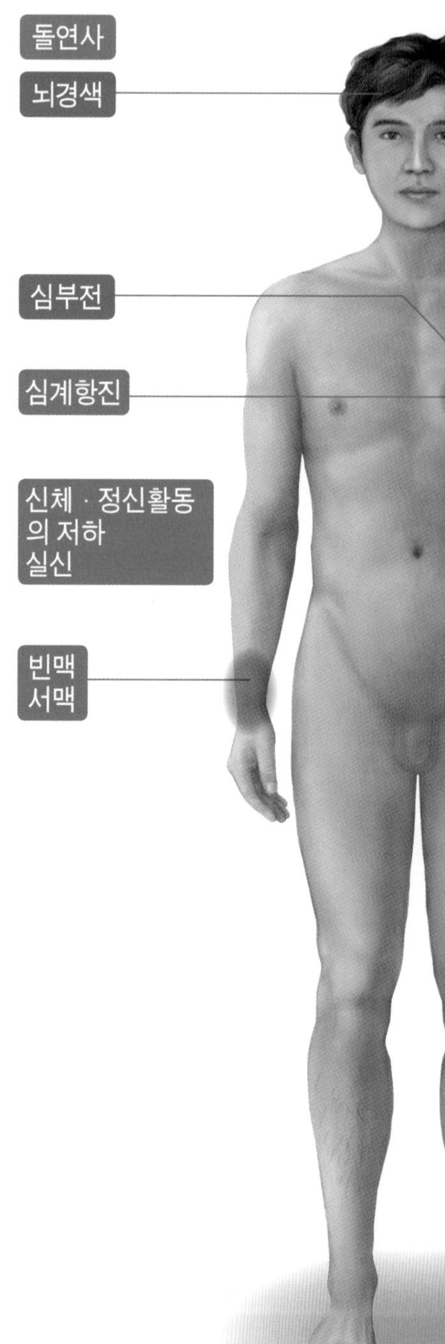

부정맥 진단의 결정은 심전도에 의한다.

진단·검사치

동성부정맥 (그림 12-5)

- 호흡성동성부정맥(respiratory sinus arrhythmia) : 정상 동조율에서도 호흡에 수반하는 PP간격이 변동하지만 (호기상에서 연장, 흡기상에서 단축), PP간격이 20% 이상 변동하는 것을 호흡성동성부정맥이라고 한다. 일반적으로 젊은층에서 정도가 심하고, 연령이 많아지면 정도가 약해진다.
- 동정지 : PP간격이 연장되는 것으로, 연장되지 않은 PP간격의 정수배(整數倍)는 아니다. 회복심박은 접합부 보충수축인 경우일 수 있다.
- 동방블록 : PP간격이 연장되는 것으로 연장되지 않은 PP간격의 정수배이다. 동결절은 규칙적으로 흥분되지만, 동결절에서 심방으로의 전도가 종종 블록됨으로써 일어난다.
- 지속성동성서맥 : 동결절은 규칙적으로 흥분하지만, 저빈도로 지속되는 것을 의미한다.
- 서맥 · 빈맥증후군 : 상실성빈맥성부정맥과 동성서맥이 교대로 출현하는 것이다. 빈맥으로는 심방세동 또는 심방조동이 많다. 빈맥이 정지한 후, 긴 동정지가 출현하기도 한다.
- 동성빈맥 : 빈혈, 갑상선기능항진증(hyperthyroidism), 발열 등에 속발하는 생리적인 경우와, 확실한 원인없이 동성빈맥을 일으키는 부적절동성빈맥 (inappropriate sinus tachycardia)이 있다.

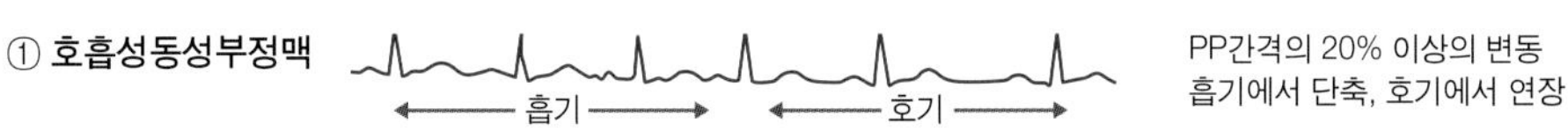

■ 그림 12-5 동성부정맥

(久賀圭祐 :「21세기의 부정맥진료」계통적인 심전도의 독영. 성인병과 생활습관병 36 : 1268-1277. 2006 개정)

상실성 (심방 또는 접합부 유래) 부정맥 (그림12-6)

- 심방정지 : 심전도에 심방파가 기록되지 않는 것으로, 심방 전체의 메커니즘력이 소실되어 있는 전심방정지 (total atrial standstill)와, 심방의 일부 메커니즘력이 소실되어 있는 부분심방정지 (partial atrial standstill)가 있다. 대부분은 장기간 지속된 심방세동에 속발하여 생긴다.
- 심방세동(atrial fibrillation) : 동조율 P파의 소실, 심방세동 f파의 존재, 심실 QRS파간격 (RR간격)의 불규칙성이 있다. 감별해야 할 것으로 다원성심방기외수축, 방실전도비가 불규칙한 심방조동, 심방빈맥, 발작성상실성빈맥, 이소성심방조율 등이 있다. f파의 빈도는 통상 350~600박/분으로, V_1, V_2 등의 우측 흉부유도와 II, III, aV_F 등의 지유도에서 명료하게 확인되는 경우가 많다. 심방세동은 7일 이내에 자연 정지되는 발작성 (paroxysmal), 7일 이내에 자연 정지되지는 않지만 약리학적 또는 전기적 제세동으로 정지되는 지속성 (persistent), 전기적 제세동으로도 정지되지 않는 영속성 (permanent, chronic)으로 분류된다.
- 심방조동(atrial flutter) : 심방수축수가 240~440박/분의 규칙적인 상실성빈맥이다. 하벽유도에서 전형적인 음성 톱니상의 조동파를 나타내는 통상형 조동과, 양성 조동파 등 통상형 이외의 조동파를 나타내는 비통상형 조동으로 분류된다. 통상형 조동의 대부분은 흥분이 하대정맥과 삼첨판륜 사이를 포함한 삼첨판륜을 주회한다. 우심방 내의 흥분선회가 시계방향의 반대이면 음성 톱니상의 조동파를, 시계방향이면 양성 조동파를 나타낸다. 비통상형 심방조동의 선회로는 여러 가지이다.
- WPW증후군 : 정상 방실전도계 (His-Purkinje계) 이외에 심방과 심실을 전도하는 부전도로 (Kent다발)가 존재하기 때문에, PR간격의 단축, QRS파의 폭의 연장 및 Δ파의 존재, 라는 특징적인 심전도소견을 나타낸다. 종종 상실성빈맥이 합병되기도 한다. 메커니즘은 다음과 같다. 상실성기외수축이 생겨서 시상이 부전도로의 순행전도

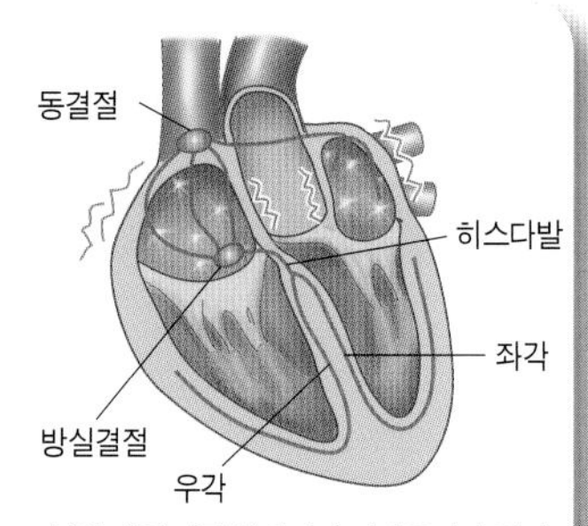

심방 내의 여러 부위에서 리엔트리가 일어난다. 그 결과, 심방 전체가 가늘게 떨리고, 통일된 수축과 이완이 일어나지 않는다.

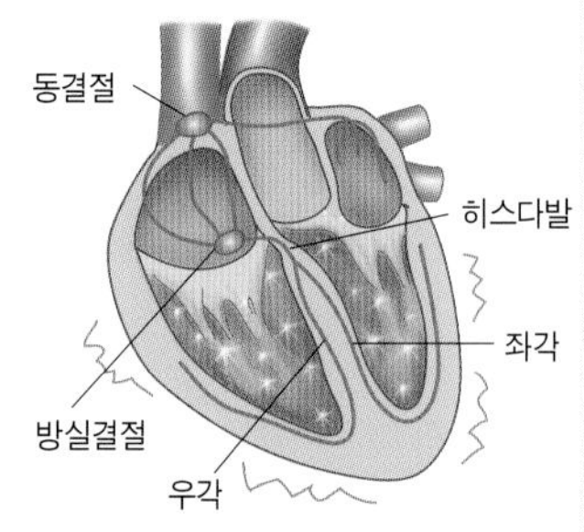

심실 내의 리엔트리를 일으킨다.
심실 전체가 가늘게 떨리고, 통일된 수축과 이완이 일어나지 않는다. 임상적으로 가장 중요한 치명적 부정맥이다.

■ 그림 12-7 심방세동과 심실세동

(심방→심실)의 불응기이면 부전도로를 순행전도하지 못하고, 정상 His-Purkinje계만을 흥분이 하행한다. 부전도로의 심실단에 흥분이 이르면, 불응기에서 회복한 부전도를 역행전도 (심실→심방)하여, 심방흥분이 정상 His-Purkinje계만을 하행한다. 이것을 반복하여 상실성빈맥 (방실회귀빈맥, atrioventricular reciprocating tachycardia)이 생긴다.

- 상실(성) 빈맥 : 정상 방실전도계 이외, 예를 들어 심방내, 방실결절 근방, 심방-심실사이 (kent다발), 동결절근방 등에서 이상전도로가 존재하므로 전기흥분의 선회가 생기거나 (리엔트리), 또는 통상적으로는 자동능이 없는 부위에서 자주 흥분이 발생함에 따라 (자동능이상, 또는 격발활동), 정상 방실전도계를 하행하는 잦은 반복성 흥분이 생기는 것을 상실(성)빈맥이라고 한다. 최근에는 상실성빈맥보다 상실빈맥이라고 한다.
  - 대부분은 리엔트리를 메커니즘으로 하기에, 심방조세동을 제외한 심방근 유래 (동방결절을 포함한다)의 빈맥 (심방내리엔트리성빈맥, 동결절리엔트리성빈맥), 방실결절 근방의 리엔트리성빈맥 (방실결절리엔트리성빈맥), 부전도로를 통한 방실회귀성 빈맥이 포함된다.
  - 부적절 동성빈맥, 심방빈맥, 방실접합부 빈맥에는 격발활동 또는 자동능항진이 메커니즘인 경우도 존재한다.
  - 상실성빈맥은 심전도에서 통상적으로 narrow QRS* (QRS폭 <120ms)를 나타낸다. 각블록 등 (좌각블록보다 우각블록이 많다)의 심실내 변행전도가 수반되면, QRS폭이 넓어지므로 심실빈맥의 감별이 중요하다.
  - 상실성빈맥의 진단에는 빈맥 중, 빈맥 정지시 및 동조율 중의 심전도파형의 P파형을 비교 검토하는 것이 중요하다. 방실결절리엔트리성빈맥에서는 회로의 차이 또는 전도방향의 차이에 따라서 P파와 QRS파의 위치관계가 달라진다. 출현빈도가 가장 높은 통상형 빈맥에서는 심방흥분의 시상이 심실흥분과 일치하므로 P파가 QRS파에 겹치는 경우가 많다.
  - 부적절동성빈맥, 동방결절리엔트리성빈맥, 심방빈맥에서 빈맥 중의 RP-PR관계는 방실전도시간에 따라서 결정되지만, 통상은 RP간격 > PR간격이며 (long RP, 빈맥), PR간격이 시차에 따라 변화한다.

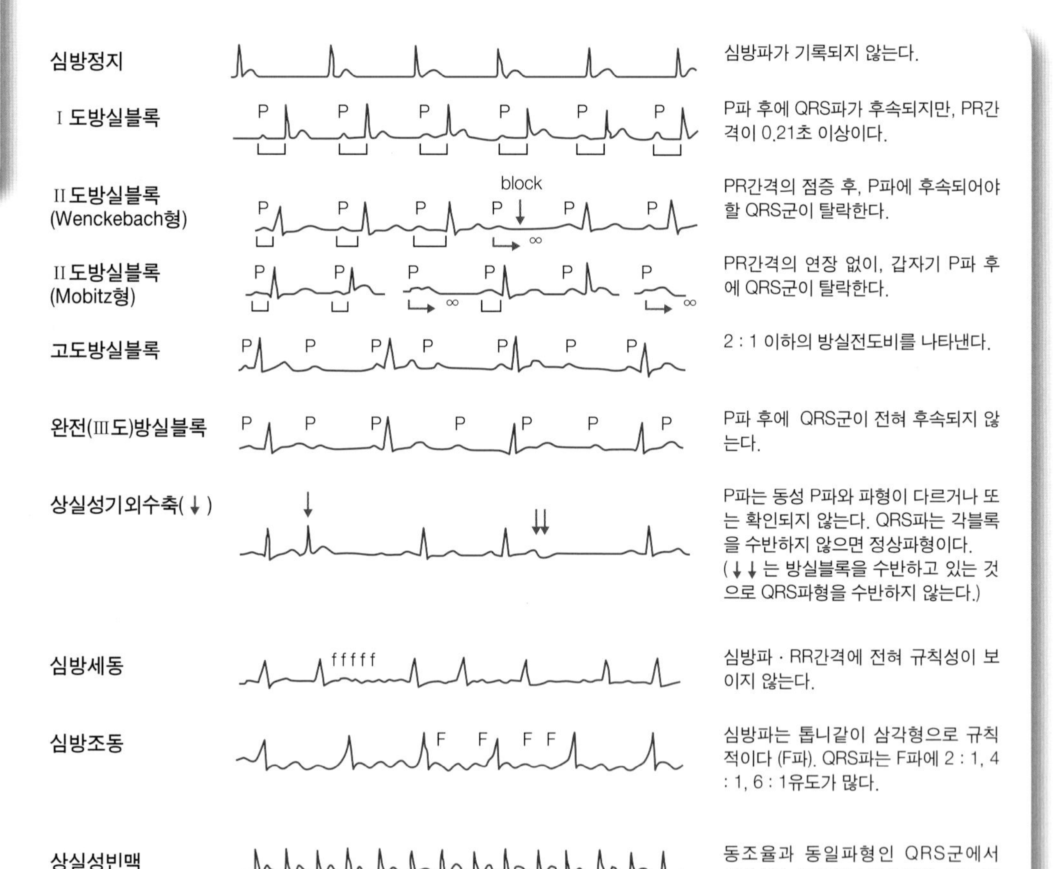

■ 그림 12-6 상실성 (심방 또는 접합부위 유래) 부정맥

(久賀圭祐:「21세기의 부정맥진료」계통적인 심전도의 독영. 성인병과 생활습관병 36 : 1268-1277. 2006 개정)

* narrow QRS : 폭이 좁은 QRS의 빈맥.

- 심실기외수축 : 기본조율의 심주기보다 빨리 심실흥분 (히스다발보다 하위에서의 흥분)이 생기는 것을 심실기외수축 (ventricular extrasystole), 또는 심실조기수축 (ventriculr prematurecontraction)이라고 한다.
- 심실빈맥 (ventricular tachycardia) : 심실 (히스다발 및 히스다발 이하의 자극전도계도 포함한다)을 기원으로 하

는 100박/분 이상의 빈맥을 말한다. QRS파의 폭이 넓어지고 (통상 0.14초 이상), 각블록과는 다른 파형이 된다. 우각블록과 유사한 파형이면 좌심실 유래이며, 좌각블록과 유사한 파형이면 우심실 또는 중격 유래이다. 전기축은 상실성 전도에서는 확인되지 않는 고도의 우축 또는 좌축편위가 되기도 한다. QRS파형이 일정하고 RR 간격이 규칙적인 것을 단형성심실빈맥 (monomorphic ventricular tachycardia)이라고 하고, QRS파형이 1박마다 변화하는 것을 변형성심실빈맥 (polymorphic ventricular tachycardia)이라고 한다. 단형성심실빈맥에서 다형성심실빈맥으로 이행하기도 하며, 또 심실세동으로 이행하기도 한다. 복수의 단형성심실빈맥이 보이는 경우는 다형성심실빈맥 (plemorphism 또는 pleomorphic ventricular tachycardia)이라고 한다.

- 심실세동(ventricular fibrillation) : QRS파와 T파를 판별하지 못하고, 진폭도 주기도 가늘고 불규칙하며, 기선도 보이지 않는 불규칙한 율동을 심실세동이라고 한다.
- QT연장증후군 : 심전도상 QT시간이 현저하게 연장된 증후군이다. QT연장에 합병하여, QRS파의 끝이 상하로 비틀리듯이 선회하는 파형을 나타내는 심실빈맥을 토르사드 · 드 · 포인트 (torsades de pointes)라고 한다. 토르사드 · 드 · 포인트에서 실신, 경련, 돌연사를 일으키기도 한다. 칼륨 (K)이나 나트륨 (Na) 등의 이온채널의 유전적 이상이다.
- Brugada증후군 : ①특징적인 심전도 (우흉부 유도에서의 J파, ST상승, 음성T파), ②확실한 기질적 심질환이 확인되지 않는다, ③다형성 심실빈맥 · 심실세동을 확인한다, 등의 특징이 있는 것을 브루가다(brugada)형 심전도라고 한다. 우흉부 유도 (V1~V3)에서 기록되는 파형의 특징에 따라서, 1)음성T파를 수반하는 2mm이상의 ST상승 (타입1, coved type), 2)양성 또는 2봉성 T파를 수반하는 J파≥2mm 및 ST≥1mm (타입2, saddle back type), 3) coved 또는 saddle back type이면서 ST상승이 〈1mm (타입3), 으로 분류되고 있다. 2005년 consensus conference에서는 음성T파를 수반하는 2mm 이상의 ST상승 (타입1, coved type) 만을 전형적인 브루가다형 심전도라고 인정하였다 (그림 12-9).

심실성 보충조율		QRS파는 폭넓고, QRS파와 T파는 반대 방향, 통상 심박수는 40~60박/분이다.
심실기외수축	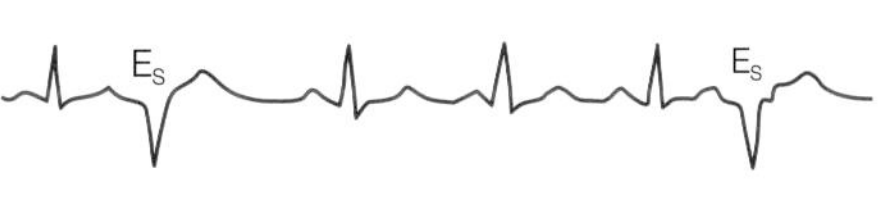	심실기외수축 (ES)의 QRS파는 폭넓고(0.14초 이상), QRS와 T파는 반대 방향이다 (각블록을 수반하는 상실성 기외수축과 감별을 요한다).
심실빈맥	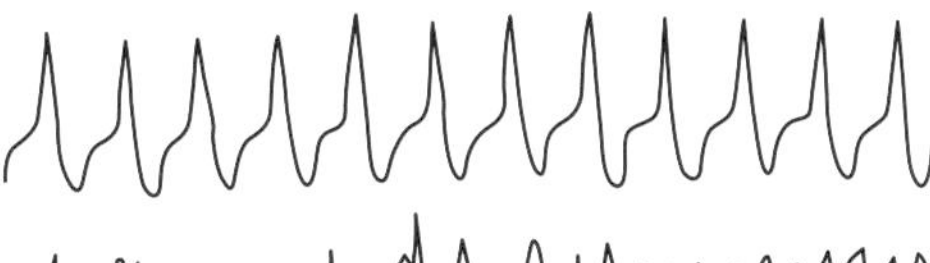	QRS파는 폭넓고 (0.14초 이상), 심박수는 100박/분 이상이다.
토르사드·드·포인트		기선을 중심으로 QRS파의 정점이 비틀리는 듯한 파형을 나타내고, 진폭도 점증 · 점감을 반복한다.
심실세동	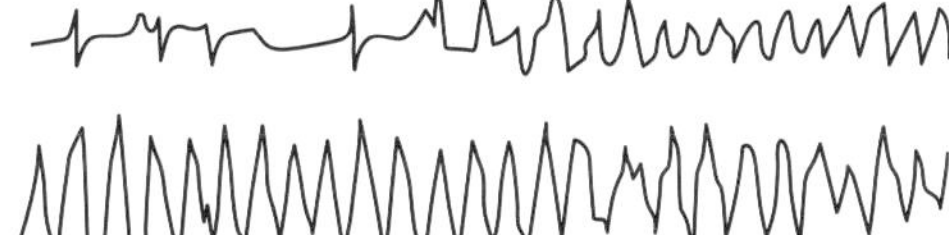	QRS파는 폭넓고 규칙성이 없다.
Brugada증후군	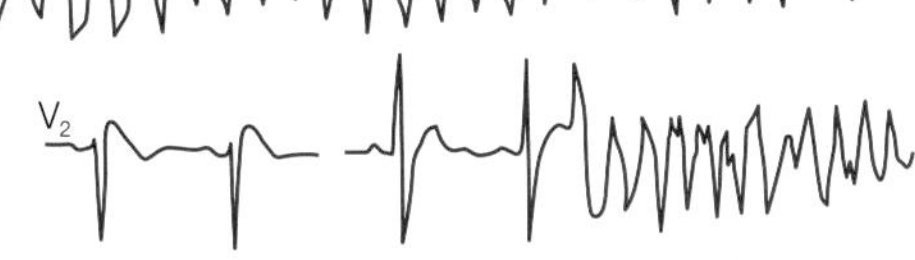	V_1, V_2에서 불완전우각블록형 및 ST상승, 실신발작, 심실세동을 합병한다.

■ 그림 12-8 심실성부정맥

(久賀圭祐 :「21세기의 부정맥진료」계통적인 심전도의 독영. 성인병과 생활습관병 36 : 1268-1277. 2006에서 개변)

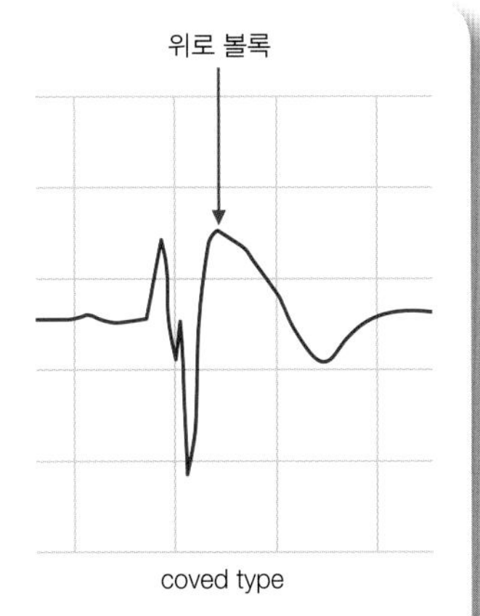

아래로 볼록

saddle back type

■ 그림 12-9 Brugada 증후군의 심전도
(Wilde AA, Antzelevitch C, Borggrefe M, et al : Study Group on the Molecular Basis of Arrhythmias of the European Society of Cardiology. Proposed diagnostic criteria for the Brugada syndrome. Eur Heart J 23 : 1648-1654, 2002 개정)

치료에는 약물요법 (항부정맥제), 카테터 박리법, 페이스메이커, 삽입형제세동기 (ICD), 외과수술 등이 있다.

치료방침

- 부정맥의 위험도와 응급도에 따라서 치료법을 결정한다.
- 심질환, 신질환, 당뇨병 등의 기초질환을 염두에 둔다.

■ 그림 12-10 자동체외제세동기 (automated external defibrillator;AED)의 설치장소

■ 표 12-2 부정맥의 주요 치료제와 분류 (Vaughan-Williams분류)

분류	일반명	구요 상품명	약효발현의 메커니즘		
class I	디소피라미드	Rythmodan, Norpace	나트륨채널차단	I a	활동전위 지속시간 연장
	프로카인아미드염산염	Amisalin			
	키니딘유산염수화물	Quinidine sulfate			
	필메놀염산염수화물	Pimenol			
	리도카인염산염	Xylocaine, Olives		I b	활동전위 지속시간 단축
	멕실레틴염산염	Mexitil			
	아프린딘염산염	Aspenon			
	플레카이니드초산염	탬보코		I c	활동전위 지속시간 불변
	필시카이니드염산염수화물	Sunrythm			
	프로파페논염산염	Pronon			
class II	프로프라논롤염산염	인데랄	교감신경억제 (β 차단제)		
	메토프로롤주석산염	Seloken, Lopressor			
	아테노롤	테놀민			
	나도롤	Nadic			
	핀도롤	Carvisken, Cardilate, Blocklin-L			
class III	아미오다론염산염	Ancaron	칼륨채널차단 (활동전위 지속시간 연장)		
	소타롤염산염	Sotacor			
class IV	베라파밀염산염	Verapamil, Vasolan	칼슘길항제		
	딜티아젬염산염	Herbesser			

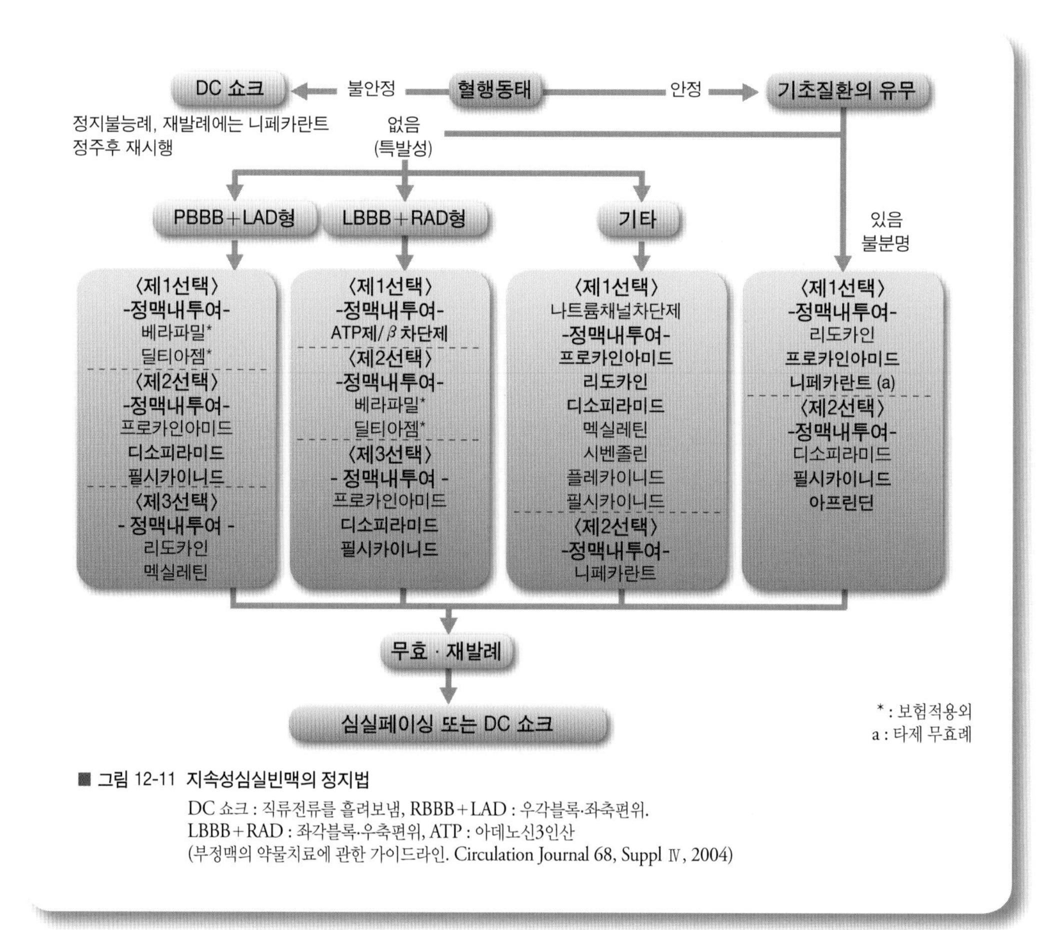

■ 그림 12-11 지속성심실빈맥의 정지법

DC 쇼크 : 직류전류를 흘려보냄, RBBB+LAD : 우각블록·좌축편위.
LBBB+RAD : 좌각블록·우축편위, ATP : 아데노신3인산
(부정맥의 약물치료에 관한 가이드라인. Circulation Journal 68, Suppl Ⅳ, 2004)

약물요법 (항부정맥제)

- 항부정맥제는 Vaughan-Williams분류에 의해서 4가지 class로 분류된다 (표12-2). 심실빈맥에 대한 항부정맥제의 선택방침을 그림 12-11에 나타내었다.

카테터 박리법

- 카테터를 심장내의 부정맥 발생원에 접근시켜서 고주파전류를 흘려보냄으로써, 부정맥원을 소작하는 것이다 (그림12-12).

삽입형제세동기

- 심실빈맥 또는 심실세동 환자의 빈맥에는 고빈도 페이싱/저출력쇼크를, 심실세동에는 고출력쇼크를 송출하는 본체 및 리드로 구성된다 (그림12-13).

외과치료

- 부정맥의 발생원을 외과적으로 절제, 소작 또는 동결시키는 방법이다.

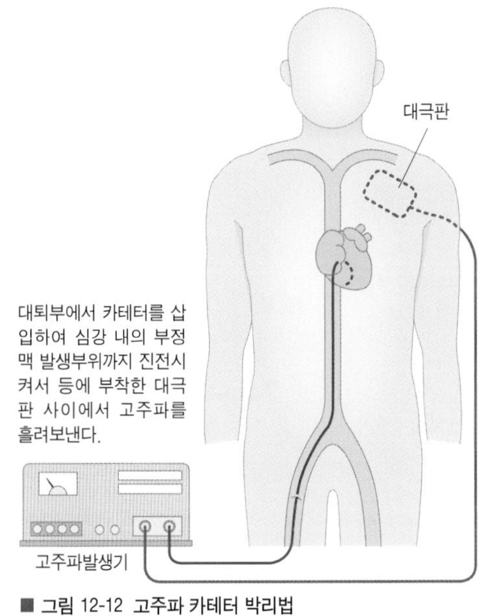

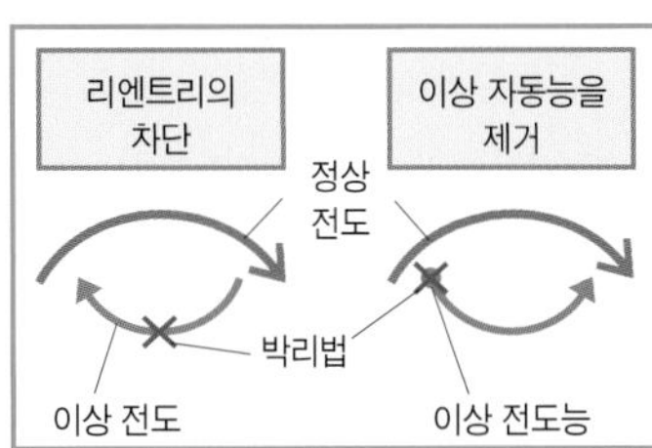

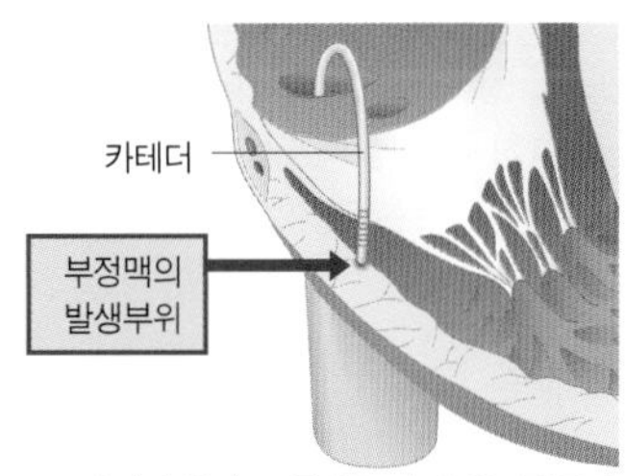

■ 그림 12-12 고주파 카테터 박리법

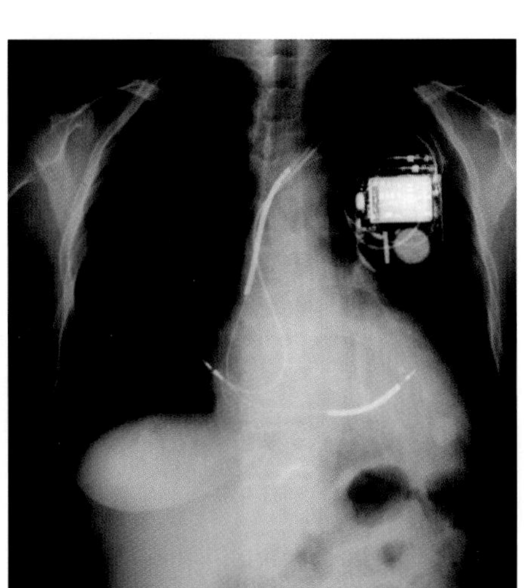

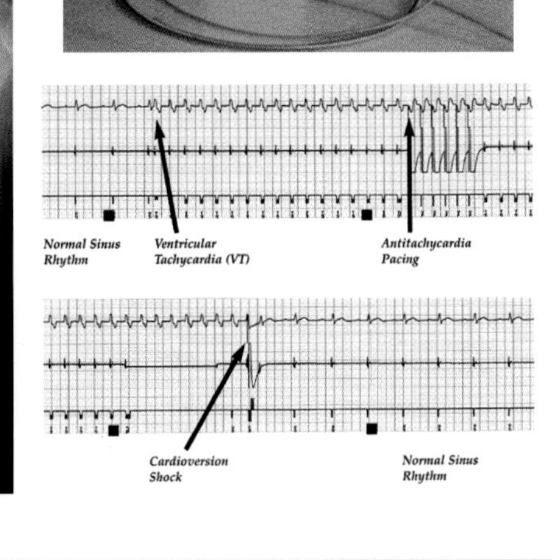

■ 그림 12-13 삽입형제세동기

(久賀圭祐·青沼和隆)

이럴 때!

갑자기 의식을 상실하고, 호흡을 하지 않는다.

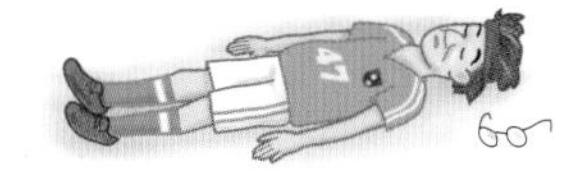

사용법

① AED의 전원을 넣는다.
② 전극패드를 장착한다 (패드에는 붙이는 장소가 명시되어 있다).

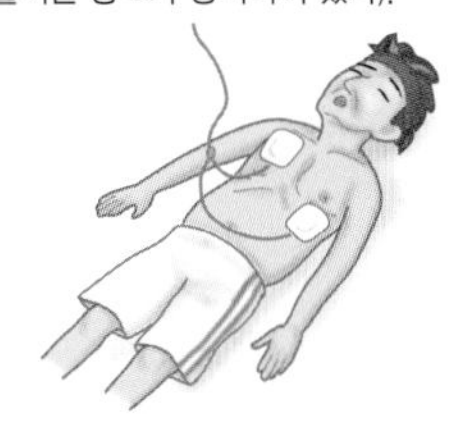

③ 환자로부터 떨어져서, 음성신호에 맞추어 전류를 흘려보낸다.

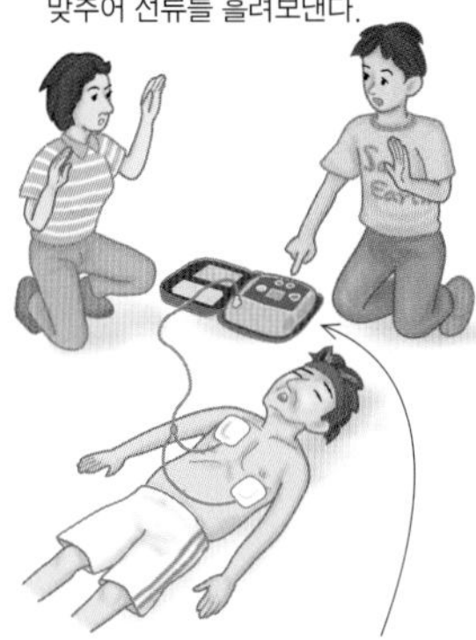

자동적으로 심전도를 해석하여, 전류를 보낼 타이밍을 구조자에게 음성으로 알린다.

■ 그림 12-14 자동체외제세동기 (AED)의 사용법

환자케어

부정맥의 긴장도나 중증도, 빈도 등을 잘 파악하여, 적절히 대처한다. 위험한 부정맥이 출현해도 신속 · 정확하게 대응할 수 있도록 하며, 합병증이나 2차장애를 예방한다. 또 부정맥을 유발하는 인자의 제거 · 경감을 도모한다.

병기 · 병태 · 중증도에 따른 케어

【중등증 부정맥】 발작성상실성빈맥, 고도의 빈맥이나 서맥을 수반하지 않는 심방세동, 심방조동, II도방실블록 (Mobitz II형), 심실기외수축이 해당된다. 심전도나 증상의 확인이 치료방침의 결정에도 중요하다. 환자의 불안 경감과 생활지도에 대한 지지가 필요하다.

【중증 부정맥】 맥이 잡히는 심실빈맥, III도 (완전) 방실블록, 동부전증후군에 의한 서맥 · 동정지가 해당된다. 즉시 심전도를 기록하고, 의사의 지시하에 적절한 조기치료가 필요하다. 급변할 가능성도 있으므로 심폐소생을 언제라도 할 수 있도록 준비해 둔다. 엄중한 관찰과 환자에게의 심리적 지지 역시 중요하다.

【치명적 부정맥】 심정지로 연결될 긴급성이 높은 부정맥으로, 심실빈맥, 심실세동, 심정지, 무맥성심실빈맥이 해당된다. 발생의 위험성이 있는 환자에게는 심전도모니터 등의 모니터링을 시행한다. 발견하면 즉시 심폐소생을 시작해야 하므로, 즉시 주위에 도움을 요청하면서 동시에 심폐소생술을 실시하여 구명을 도모한다. 조기의 적절한 처치가 환자의 생명예후나 QOL을 결정한다. 심박재개 후에는 원인규명과 재발예방, 환자 · 가족에 대한 신체 · 심리 · 사회적 지지가 필요하다.

【경고 부정맥 (warning arrhythmias)】 치명적 부정맥이 발생하기 전에 그 전조가 되는 부정맥으로, 심실성 기외수축의 R on T, 3연발 이상, 2연발 이상, 다원성 (2종류 이상), 빈발성 (1시간에 30개 이상), 산발성 (1시간에 30개 이하)이 있다 (Lown분류). 전조시기에 대응하는 것이 환자의 생명의 안전 · 안락으로 연결되므로 모니터링이 매우 중요하다. 환자에게 심리적 지지 역시 필요하다. 또 이러한 전조 없는 치명적 부정맥이 갑자기 출현하기도 하므로 주의한다.

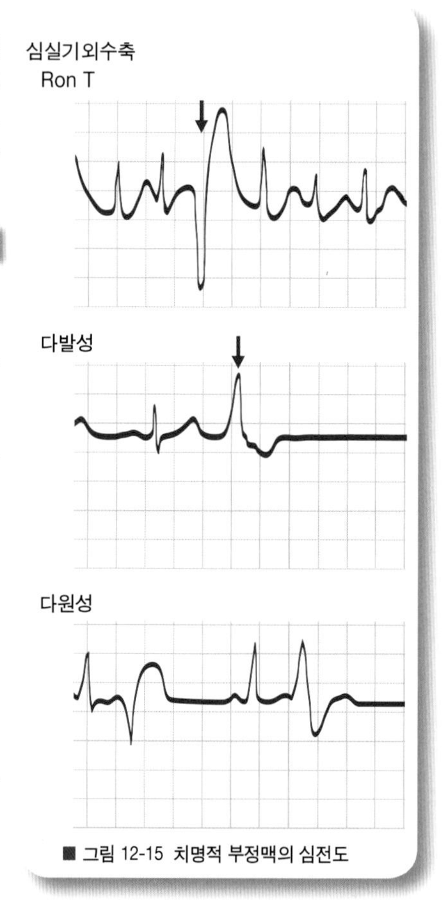

■ 그림 12-15 치명적 부정맥의 심전도

케어의 포인트

치료에 수반되는 합병증의 조기발견 · 대응

- 부정맥의 응급도나 중증도, 빈도 등에 따라서, 약물요법, 업스트림요법, 카테터 박리법, 페이싱요법, 삽입형제세동기, 외과적 치료 (메이즈수술, 폐정맥간격술), 1차구명 (심폐소생, 전흉부 압박, 전기적 제세동), 미주신경자극법 등의 치료가 실시되므로, 그에 수반되는 합병증의 조기발견 · 대응에 힘쓴다.

진료 · 치료의 지지

- 지시된 약물요법을 확실하게 실시한다(약물명, 사용량, 상용량, 약물방법, 치료효과, 효과발현시간, 부작용 등).
- 갑작스런 증상발현시에는 환자의 안전 · 안락을 도모하면서 심전도파형을 명료하게 기록하는 것이 진단 · 치료의 지름길이 된다. 평소부터 장비에 대한 대응방법을 몸에 익혀서, 안전 · 안락 · 신속 · 확실하게 심전도를 기록할 수 있도록 한다.
- 지속심전도 모니터로 모니터링 중에는 노이즈가 없도록 부착부의 피부를 청결히 한다.
- 심전도파형을 신속 · 정확하게 판독하고, 치명적 부정맥으로 이행하기 전의 경고 부정맥 단계에서 닥터콜이 가능하도록 예측적 · 예방적 간호를 하도록 한다.
- 부정맥의 중증도에 따른 응급처치를 의료팀에서 정확 · 신속하게 실시할 수 있도록 습득한다.
- 심폐소생 등을 의료팀에서 신속히 실시할 수 있도록 구조를 위한 연락방법 · 연락망, 응급소생세트의 보관장소 등에 관하여 팀원들과 함께 충분히 숙지한다.
- 치명적 부정맥이 출현할 가능성이 있는 환자 옆에 제세동기를 바로 사용할 수 있도록 준비해 둔다.
- 항부정맥제에는 최부정맥, 심기능억제작용, 심외성 부작용 등의 부작용이 있는 것이 있으므로, 투여할 때는 지시받은 양 · 방법으로 정확하게 투여하고, 투여중 · 후 환자의 상태를 관찰한다.
- 흉부불쾌감 등으로 경구제를 스스로 내복할 수 없는 경우가 있으므로, 필요에 따라서 복용을 돕는다.
- 심전도나 심초음파 등 검사를 실시할 때는 추위나 긴장 · 불안 등 부정맥이 유발되지 않도록 지지한다.
- 부정맥으로 인한 쇼크상태나 중증의 심부전증상 등에서 급격히 상태가 악화되어 응급처치를 필요로 하는 경우는 심전도, 기관삽관, 중심정맥이나 Swan-Ganz 카테터의 삽입을 즉석에서 할 수 있도록 준비해 둔다.

위험한 부정맥 출현시 신속 · 정확한 대응과 부정맥에 의한 합병증 · 2차적 장애의 예방

- 치명적 부정맥으로 이행하기 전의 경고 부정맥이나 중증 부정맥 단계에서 발견하여, 의사의 지시하에 적절한 치료 · 처치를 할 수 있도록 한다.
- 부정맥으로 일어나기 쉬운 Adams-Stokes증후군, 뇌순환장애 위험상태, 심박출량 감소, 심정지가 발생하지 않도록 예측적 간호를 시행한다.
- 심실빈맥이나 심실세동 등의 위험한 부정맥이 출현한 경우는 즉시 응급처치가 필요하므로, 구조를 모색하여 대응한다.
- 치명적 부정맥이나 중증 부정맥의 출현시 1차구명처치 후, 확정진단을 위해서 여러 검사가 필요한 경우

Key word

- 미주신경자극 (vagal impulse)

방실결절은 부교감신경이 지배하고 있으므로, 이것을 흥분시키면 전도를 억제할 수 있다. 부교감신경을 흥분시키는 방법으로 발살바법 (숨을 참는다) 등이 행해진다. 그 밖에 숨을 참으며 냉수에 얼굴을 담그는 방법 등으로 미주신경 자극효과를 높이는 방법도 흔히 사용되고 있다.

가 있으므로, 상태악화를 방지하면서 안전하게 검사가 행해지도록 지지한다.

- 발작성상실성빈맥 시에 행해지는 미주신경을 자극하는 방법 (발살바법)을 이해하고, 실시할 수 있도록 해둔다(원칙적으로는 의사가 시행해야 한다).

부정맥을 유발하는 인자의 제거・경감

- 교감신경의 자극을 최소한으로 하여 이상흥분의 발생을 예방한다 (조용하고 편안한 환경, 정신적 스트레스에 대한 심리적 지지, 추위나 통증 등의 완화, 카페인이 적은 식사, 금연에 대한 지지 등).
- 심장신경을 자극하여 방실전도시간에 영향을 미치지 않게 하는 지지 (배변관리를 통한 배변시의 힘주기를 예방하고, 숨을 참는 스포츠나 업무를 하지 않도록 설명).
- 약제성부정맥도 있으므로, 환자가 사용하고 있는 약물의 작용・부작용 등을 이해한다.
- 환자・가족이 부정맥을 유발하는 인자를 제거・경감할 수 있는 라이프스타일을 추구하도록 지지한다.
- 운동유발성부정맥이 있는 환자는 어떤 활동으로 부정맥이 유발되는지 이해하여 간호지지에 활용한다.
- 부정맥을 유발하는 인자의 제거・경감으로 환자의 활동성을 높일 수 있도록 (유지할 수 있도록) 지지한다.

부정맥에 기인하는 뇌허혈에 의한 낙상과 2차장애의 예방

- 조기발견을 위한 모니터링을 확실히 한다.
- 운동유발성부정맥 환자의 경우 활동시에 옆에 있는다.
- 낙상에 대비하여 환자의 침상 주위를 안전한 환경으로 정비한다.
- 이상을 조기발견하면, 구조를 도모하여 신속・적절하게 대응한다.
- 지시받은 약물요법을 확실하게 실시한다(약물명, 사용량, 상용량, 투약방법, 치료효과, 효과발현시간, 부작용 등).
- 환자나 가족이 낙상사고가 발생하기 쉬운 상황과 그 대책을 이해하도록 지지한다.

환자・가족의 심리・사회적 문제에 대한 지지

- 부정맥에 수반되는 죽음에 대한 공포 등, 환자・가족이 불안하게 생각하고 있는 점이나 기분을 사람들에게 전달할 수 있도록 지지한다.
- 불안이 증가하지 않는 환경을 정비한다 (조용한 방 등).
- 불안이나 공포심을 가중하는 원인을 인식할 수 있도록 지지한다.
- 적절한 대처행동을 취할 수 있도록 지지한다.
- 필요한 경우, 불안이나 긴장을 완화시키는 개입을 제공한다.
- 라이프스타일의 변화에 수반하는 환자의 스트레스를 공감・수용하여 자기효력감을 높일 수 있도록 지지한다.
- 만성적 불안이나 부적응상태에 있는 환자는 정신과에서 상담받을 수 있도록 한다.
- 필요하면 사회자원에 관하여 설명하고, 의료사회사업가를 소개한다.

퇴원지도・요양지도

- 바람직한 보건행동으로 부정맥이나 약물요법에 의한 합병증 및 돌연사를 예방할 수 있도록 지도한다.
- 환자・가족이 유효한 보건행동을 장기간 실행하기 때문에, 잘못된 인식이 없도록 환자의 부정맥의 원인이나 병태를 알기 쉽게 설명한다.
- 부정맥의 원인인 기초질환과 관련된 생활지도를 한다.
- 부정맥을 유발하는 동작을 삼가야할 필요성을 설명하고, 일상생활에 활용하도록 지도한다.
- 부정맥이나 약물요법에 의한 합병증 및 돌연사를 예방하기 위하여 필요한 일상생활상의 유의점을 이해하고, 실천할 수 있도록 지도한다.
- 내복약의 약물명, 투여량, 투여횟수, 작용・부작용과 환자의 이해도에 맞춘 자기모니터링의 방법에 관해서도 지도한다.
- 필요한 라이프스타일에 관해서 가족 (key person)과 함께 의논할 수 있도록 지지한다.
- 정기적 진찰을 통해 급성악화를 예방하는 의의를 이해하고 실시할 수 있도록 지도한다.
- 실신발작의 가능성이 있는 환자에게는 실신발작의 발현 위험성, 병태, 안전한 생활환경의 필요성과 그 구체적 방법을 환자・가족에게 알기 쉽게 설명한다.
- 환자의 상태에 따라서 응급처치의 필요성을 환자・가족에게 설명한다 (1차구명처치, AED 등).

(會田信子)

심장압전

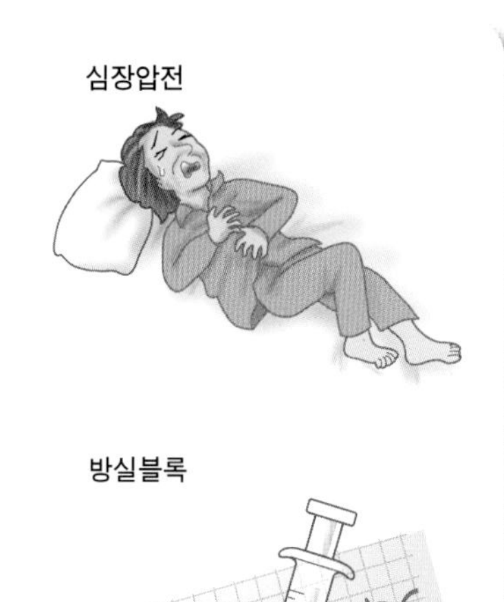

방실블록

혈전색전증

■ 그림 12-16 부정맥치료에 수반되는 합병증

Memo

13 선천성 심질환 (congenital heart disease)

淺野 優 / 三浦英惠

A. 선천성 심질환 총론

병인

- 생리적인 인자에 의해서 혈행동태가 변화하고, 그 변화가 더욱 형태의 이상을 가중시킨다.

[악화인자] 기타 전신질환, 염색체이상, 기도협착, 발달지연에 수반되는 포유장애

역학

- 발생빈도는 1%이고, 일본 내에서의 재발빈도는 2~5%이다.

[예후] 질환에 따라서 다르지만, 진단기술이나 치료법의 진보로 개선되는 경향에 있다.

병태생리

- 심혈관계의 발생이상 때문에 일어난 형태이상이다.
- 심실중격에 구멍이 있으면 혈액은 수축기에 좌심실에서 우심실로 흐른다.
- 좌우단락이 있으면 폐혈류량이 증가하고, 우좌단락이 있으면 감소한다.
- 혈관저항의 상승, 폐혈류량의 증가로 폐고혈압이 발생하면서, 혈류량의 증가, 환류처의 장애로 폐울혈이 생긴다.
- 판역류 또는 단락이 있으면 심실용량부하가 생기고, 협착이나 저항 등의 장애가 있으면 압부하가 생긴다.

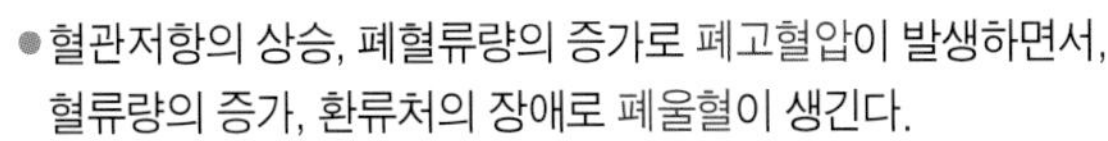

증상

증상 map p.120

- 태아기 : 태아수종(hydrops fetails), 심확대, 자궁내 발육지연, 양수량의 변화, 태아심박도의 이상
- 신생아기 : 현저한 청색증 (극형 Fallot 4징증)
- 영아기 : 심부전·호흡부전의 악화 (심실중격결손증)
- 유아기 : 폐울혈
- 아동기 : 운동량의 저하, 심계항진, 부정맥 (심방중격결손증)
- 임신·출산기 : 순환혈액량·심박출량의 증가, 말초혈관저항의 감소, 상대적 빈혈

[합병증]

- 기도감염 (특히 세기관지염)
- 세균성심내막염 (bacterial endocarditis)
- Eisenmenger증후군
- 신기능 저하

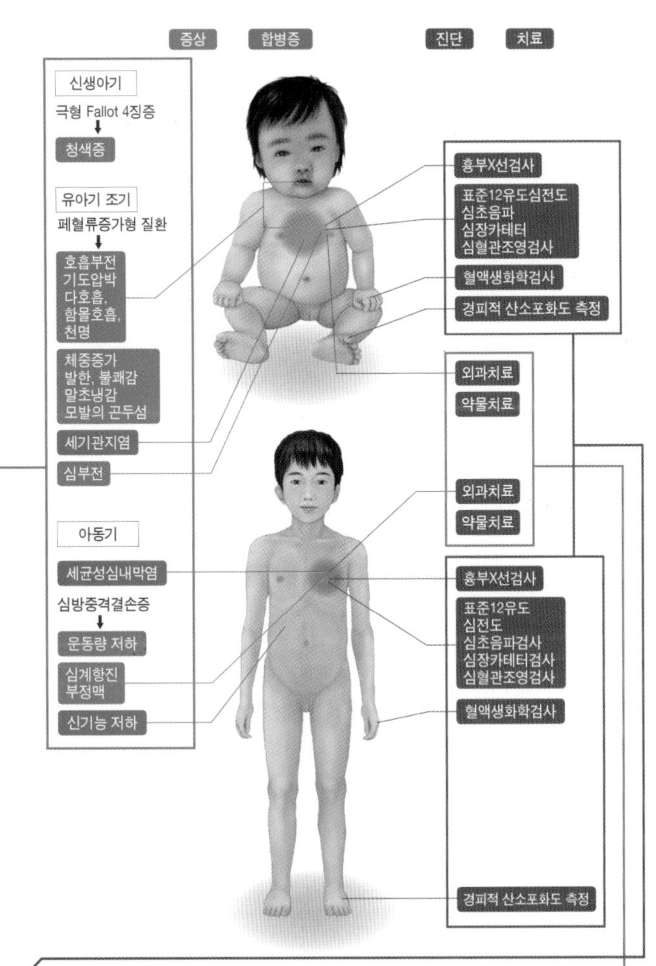

진단

- 표준12유도심전도(12-Lead ECG) : 좌우심실·심방의 부하를 판정할 수 있다.
- 흉부X선검사 : 심확대, 폐혈류량, 폐동맥의 굵기를 알 수 있다.
- 경피적 산소포화도 측정 : 호흡장애 없이 산소포화도가 저하되면 우좌단락일 가능성이 높다.
- 심초음파 : 형태의 이상, 병태를 파악할 수 있다.
- 심장카테터검사·심혈관조영 : 심내 각부위의 압력, 산소포화도를 측정하여 단락량과 혈관저항을 산출함으로써, 보다 직접적으로 진단을 내릴 수 있다.
- 혈액생화학검사 : 상태·합병증 파악에 필요하다.

치료

- 약물요법 : 주로 프로스타글란딘, 이뇨제, 체혈관확장제를 사용하는데, 폐동맥선택성 혈관확장제인 에포프로스테놀나트륨, PDE Ⅴ저해제, 엔도셀린수용체길항제가 유효한 증례도 있다.
- 외과치료 : 1기적으로 근치수술이 희망적인 증례에서는 수술을 선택하고, 성장한 편이 유리한 경우는 2기적으로 시행한다. 폐혈류량의 증가·감소에는 고식수술 (폐동맥교액술, Blalok-Taussig수술)을 시행한다.
- 카테터치료 : 카테터를 사용하여 판성형술, 결손공폐쇄술 등을 시행한다.

병태생리 map

선천성 심질환은 심혈관계의 발생이상 때문에 일어난 형태이상이며, 생리적 인자에 의해서 혈행동태가 변화하고, 그 변화가 더욱 형태의 이상을 가중시킨다 (flow theory).

- 형태와 혈행동태를 이해하는 원칙은 다음과 같다.

① 혈류는 압력이 높은 부위에서 낮은 부위로 흐른다 : 유아기 이후의 좌심실수축기압은 우심실보다 훨씬 높으므로, 심실중격에 구멍이 있으면 혈액이 수축기에 좌심실에서 우심실로 흐른다. 태아기는 좌심실과 우심실이 등압이기 때문에 아무리 큰 결손공이 있어도 혈류는 무시할 수 있다.

② 폐혈류량 증가인가 감소인가 : 본래 폐혈류량과 체혈류량이 같지만, 단락이 있으면 혈류량에 변화가 생긴다.

③ 폐고혈압이 생기는가 폐울혈이 생기는가 : 정상 우심실, 폐동맥의 수축기압은 체혈압의 1/3~1/4이다. 압력=혈관저항×혈류량이므로, 폐고혈압에도 혈관저항이 상승하고 있거나 폐혈류량이 증가하고 있거나 2종류이다. 폐울혈은 혈류량이 증가하거나, 환류에 장애가 있으면 생긴다.

④ 심실용량부하와 심부하 : 판역류로 보내진 혈액이 되돌아오거나 또는 단락에 의해서 통과하는 혈류가 증가하면 심실용량부하가 생긴다. 통과하고 있는 곳에 협착, 저항 등의 장애가 있으면 압부하가 생긴다.

⑤ 좌-우단락과 우-좌단락 : 본래 전신으로 보내는 혈액이 폐로 얼마나 섞여서 보내지고 있는가(좌-우단락), 본래 폐에 흐르는 혈액이 전신에 얼마나 섞여서 가고 있는가(우-좌단락).

병인·악화인자

- 선천성 심질환은 염색체이상, 유전자병 등의 유전요인과 최기형인자, 환경인자 (모체의 풍진, 전신병, 약제 등), 그 밖의 다인자유전에 의해 발생한다.
- 몇 가지 염색체이상, 미세결실, 유전자이상에 대해 밝혀졌지만 심질환 전체에서 보면 아직 소수이며, 유전요인을 변화시키는 것이 어려우므로, 임신 중의 환경요인 (흡연, 음주, 빈혈, 지병, 감염증, 약제 등)을 고려함으로써 심질환 발생률을 낮출 수 있다.
- 심장의 형태이상은 발생시기부터 확인하는 것이 원칙이지만, 증상의 발현시기는 질환, 병태에 따라서 달라진다.
- 태아기에 심부전증상이 나타나는 질환은 병렬의 태아순환에서도 심부하가 발생한다는 점에서 특수한 병태이며, 방실판의 역류를 수반하는 형성부전, 대동맥계의 폐쇄, 심실의 수축부전, 중증부정맥에 한정된다.
- 신생아기에는 태아순환에서 신생아의 직렬순환으로의 이행시기에서 난원공의 폐쇄, 동맥관의 폐쇄, 폐혈관저항의 저하, 폐혈류량의 증가에 수반하는 증상이 출현한다.
- 유아기에는 생리적으로 높은 폐혈관저항이 저하됨으로써, 폐울혈을 초래하는 질환의 증상이 쉽게 나타난다. 또 기도감염에 노출되기 쉬운 시기로, 특히 폐혈류량 증가형 심실중격결손증에서는 기도감염시에 호흡장애 · 심부전이 악화되기 쉽다. 운동발달이 현저한 시기이기도 하며, Fallot 4징증 등의 우-좌단락질환에서는 운동시, 탈수시, 뇌경색 등의 합병증을 계기로 갑자기 상태가 악화되기 쉬워서 주의해야 한다.
- 그 외 전신질환의 유무, 염색체이상, 기도협착, 발달지연에 수반하는 포유장애도 심질환의 악화인자가 된다. 다운증후군에서는 유아기조기부터 폐고혈압 환자가 되기 쉬워서, 기도협착, 포유장애, 기도감염성에 주의를 요한다.
- 심질환이 높은 비율로 합병되는 증후군의 유전자이상에 대한 보고가 있다.

① Williams증후군 : 7q11.23 (7번염색체의 11.23의 부위)의 이상, 대동맥판막상부협착, 요정 같은 안모, 말초성폐동맥협착, 정신발달지연, 치아의 이상, 유아 고칼슘혈증.

② Holt-Oram증후군 : 12q24. 1의 이상, 요골계 골이상, 심방중격결손.

③ Noonan증후군 : 양안해리, 내안각췌피, 안검하수, 특이한 안모, 저신장, 익상경, 외반주, 성선기능저하, 심방중격결손, 비대형심근증, 폐동맥협착.

④ 22q11. 2결손증후군 (CATCH22증후군) : 심기형 (cardiac anomaly), 이상안모 (abnormal faces), 흉선저형성 (thymic hypoplasia), 구개열 (cleft palate), 저칼슘혈증 (hypocalcemia), 심기형은 Fallot 4징증.

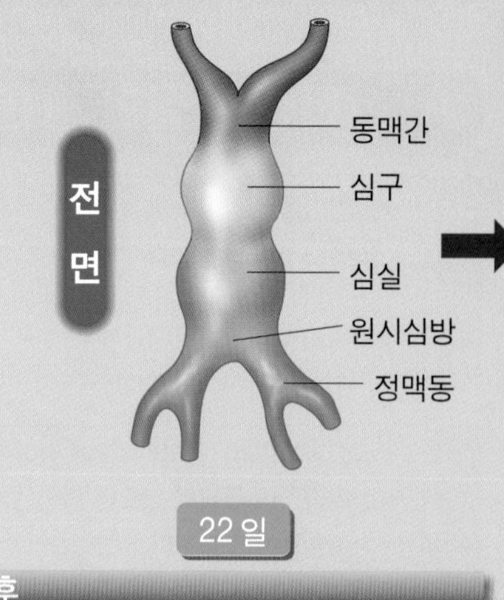

예후

- 일본의 신생아에게서 선천성 심질환의 발생빈도는 1%이다.
- 일본 내에 재발하는 빈도는 2~5%로, 가계 내의 환자수가 많을수록 재발 가능성이 높아진다.
- 예후는 질환에 따라서 크게 달라지지만, 진단기술, 외과기술, 약제, 카테터치료의 발달로 최근 개선되고 있다. 술후 장기합병증이나 성인선천성 심질환 환자의 관리에도 진전이 있다.

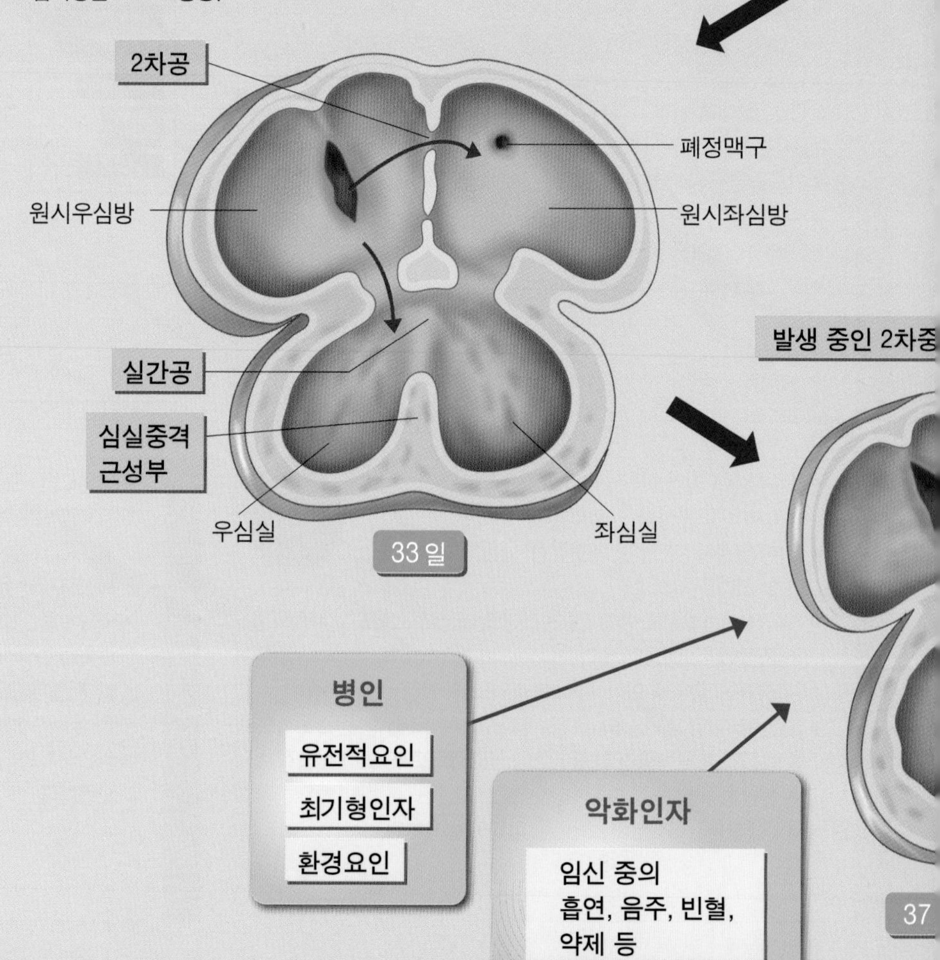

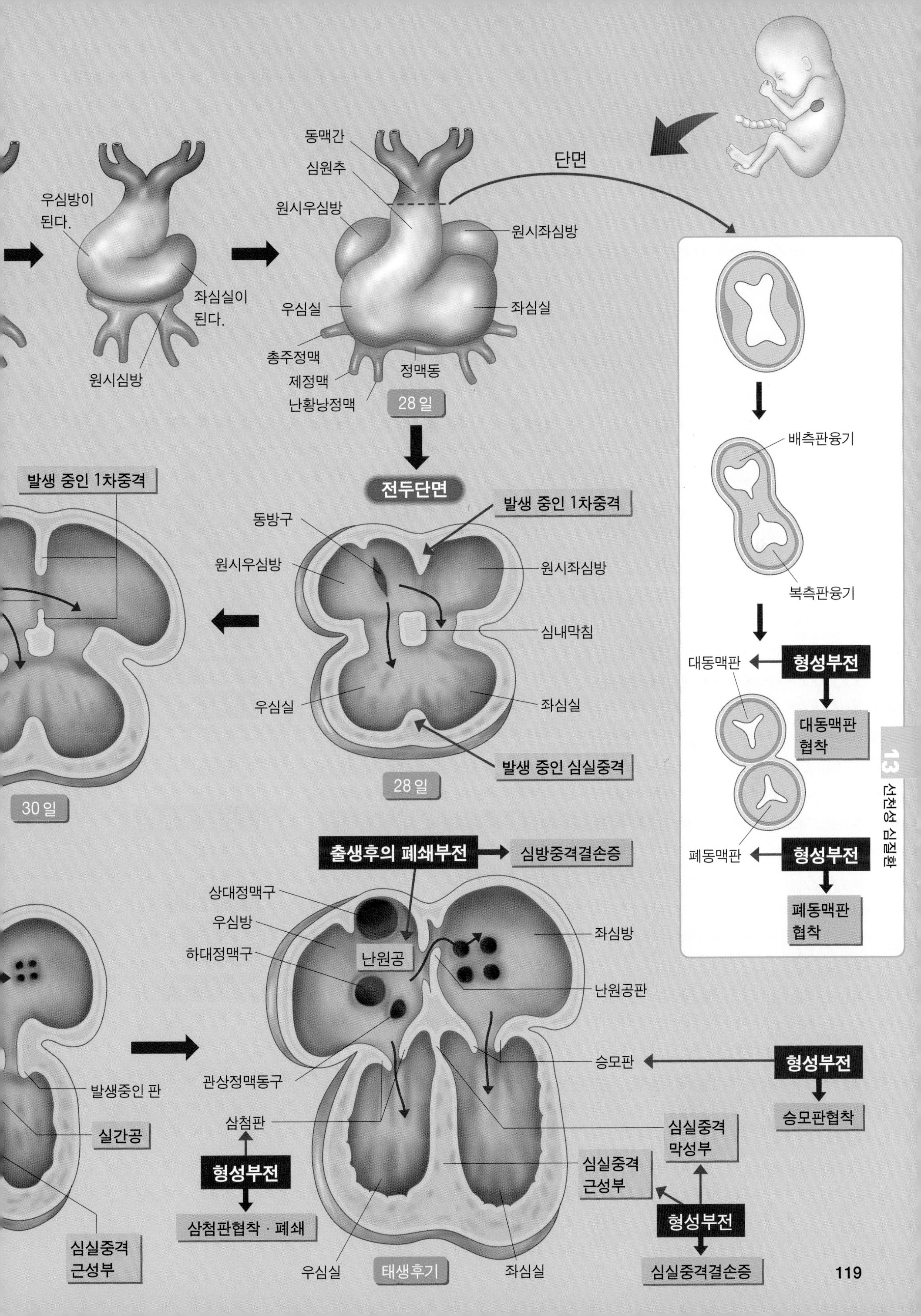

우심방이
된다.
좌심실이
된다.
원시심방
동맥간
심원추
원시우심방
원시좌심방
우심실
좌심실
총주정맥
제정맥
난황낭정맥
정맥동
28 일
단면
배측판융기
복측판융기
대동맥판
형성부전
대동맥판
협착
폐동맥판
형성부전
폐동맥판
협착
발생 중인 1차중격
전두단면
발생 중인 1차중격
동방구
원시우심방
원시좌심방
심내막침
우심실
좌심실
발생 중인 심실중격
28 일
30 일
출생후의 폐쇄부전
심방중격결손증
상대정맥구
우심방
하대정맥구
난원공
좌심방
난원공판
승모판
형성부전
승모판협착
관상정맥동구
삼첨판
형성부전
삼첨판협착 · 폐쇄
발생중인 판
실간공
심실중격
근성부
심실중격
막성부
심실중격
근성부
형성부전
심실중격결손증
우심실
태생후기
좌심실

증상 map

증상의 발현시기는 질환, 병태에 따라서 달라진다. 각 질환이 어떤 경과를 밟는지 파악해 두어야 한다.

증상

- 후유증이 없는 증례이거나 경증이어서 생활에 거의 영향을 미치지 않는 질환도 많지만, 각 질환이 출생시 또는 태아기부터 성인이후까지, 술전부터 술후 원격기까지 어떤 경과를 밟는가 파악해 두어야 한다. 즉 질환, 병태에 따라서 진단하는 시기와 적절한 치료시기가 다양하게 나타난다.

① 태아기 : 질환에 따라서 태아심초음파에 의한 태아진단은 중증례를 적절한 상태에서 치료하는 데 중요하다. 태아기부터 심부전이 생기는 질환에서는 임신후기에 형태 뿐 아니라 혈행동태를 파악하고, 임신상태를 지속시켜서 태아를 성숙시킬 것인가 아니면 출산하여 즉시 치료해야 하는가의 판단이 필요하다. 태아수종, 심확대, 자궁내 발육지연, 양수량의 변화, 태아심박도의 이상이 나타난다. 이후 설명하는 질환에서는 극형대동맥협착증이 태아기부터 심부전을 나타낼 때, 태아치료 또는 심장외과, 산과, 순환기소아과의 협력에 의한 진단과 치료가 필요하다.

② 신생아기 : 극형 Fallot 4징증으로 대부분 폐동맥판막이 폐쇄되고, 폐동맥혈류가 동맥관에 의존하고 있는 증례에서는 출생직후부터 동맥관폐쇄에 수반하여 현저한 청색증이 생기기 때문에 신생아기부터 프로스타글란딘 투여로 동맥관을 여는 치료가 필요하다.

③ 영아기 : 유아기 초기는 폐혈관저항이 저하되는 시기로, 폐혈류증가형 질환에서는 좌우단락량의 증가에 수반하는 심부전, 호흡부전의 악화를 볼 수 있다. 중증 심실중격결손이 여기에 해당된다. 폐동맥확대로 인한 기도압박, 폐확장장애로 인한 다호흡(polypnea), 함몰호흡(inspiratory retraction), 천명, 심부하로 인한 체중증가불량, 교감신경대상에 의한 발한, 불쾌감, 말초냉감, 모발의 곤두섬이 나타난다. 유아기 후기 이후에 진행될 가능성이 있는 질환으로는 중결손의 심실중격결손, Fallot 4징증의 폐동맥협착에 의한 청색증 (이후 서술), 대동맥판막협착이 있다.

④ 유아기 : 심실중격결손증에서는 지름이 3~4mm 미만의 소결손이며 방막양부형, 근성부형인 경우 50% 정도의 가능성으로 자연폐쇄를 기대할 수 있다. 가장 폐쇄가 많은 시기는 유아기 후반이며, 2세까지가 많다.

⑤ 아동기 : 증상이 나타나지 않는 선천성 심질환에서는 거의 정상인 운동능이 있고, 통상적인 생활에서 문제없는 경우가 많다. 합병증으로 가장 주의해야 하는 것은 세균성심내막염이다 (합병증 항에서 설명). 심방중격결손증은 유아기에는 무증상으로, 아동기에 운동량의 저하, 심계항진, 심방조세동 등의 부정맥을 일으키는 경우가 많다. 대동맥판막협착증의 경우에도 자각증상이 부족하고, 운동능력은 정상임에도 불구하고 협착이 진행되는 경우가 있어서 주의를 요한다.

⑥ 성인 선천성 심질환의 임신 · 출산에도 특별한 주의가 필요하다. 심내막염 예방은 전술했지만, 임신 중의 순환동태의 변화로 순환혈액량, 심박출량의 증가, 말초혈관저항의 감소, 상대적 빈혈발생, Eisenmenger증후군, 압교차 50mmHg 이상의 대동맥판막협착, 좌심기능저하례에서는 모체 · 태아 모두 사망률이 높다. 또 대동맥인공판치환례에서의 와파린칼륨내복은 최기형성이 있기 때문에, 임신초기는 헤파린으로 변경하는 것이 바람직하다. 유전상담, 태아진단을 요구받는 경우도 많고, 가족까지 포함하는 심리적 지지도 필요하다.

합병증

※외과적 치료를 요하는 개개의 질환의 합병증에 관해서는 각 질환별로 후술한다.

- 유아기 조기의 기도감염, 특히 세기관지염은 중증화되어 호흡관리가 필요한 경우가 많다. 2세이하의 심부전례, 염색체이상합병례에는 겨울철의 RS바이러스에 의한 중증 호흡기감염을 예방하기 위해 모노클로널 항체를 투여한다.

【세균성심내막염】 ● 선천성 심질환 입원환자의 0.7%에 나타나며, 사망률은 8.8%로 높은 편이다.

- 심장, 대혈관내막의 세균, 진균감염, 발열, 식욕부진, 기운저하 등, 비특이적 증상으로 발생하고, 폐색전에 의한 흉통, 뇌경색, 농양에 의한 중추신경증상, 판역류에 의한 심부전 등이 나타난다.
- 단독 심방중격결손 및 심실중격결손증 수술 후 6개월 이상을 경과하여 속발생이 없는 것을 제외하고 대부분의 선천성 심질환은 위험성의 차이는 있지만 예방 대상이다.
- 균혈증을 일으킬 가능성이 있는 처치, 특히 치과치료시에 항균제인 아목시실린수화물, 또는 클린다마이신염산염, 세파렉신, 아지스로마이신수화물의 처치 1시간전 내복 (또는 처치 6시간후 반량 추가)이 권장되고 있다.

【수술불능례】 ● 경증으로 수술을 적용할 필요가 없는 선천성 심질환의 성인례는 예후가 양호하지만, 완치 수술불능의 상태로 성인에 도달한 증례에는 여러 가지 특별한 문제가 생긴다.

- 주요 질환은 Eisenmenger증후군이나 극형 Fallot 4징증에서 폐동맥저형성, 측부혈관례이다. Eisenmenger 증후군은 다량의 좌우단락 결과, 폐동맥의 폐색성병변이 불가역적이게 되고 폐혈관저항이 현저하게 상승하여 체혈관저항을 상회하므로, 우좌단락을 일으킨 증례를 보인다. 모두 청색증이 있고, 만성조직저산소로 인해서 다혈증, 과점조도증후군, 혈소판감소, 기능이상, 응고이상을 수반하는 출혈경향이 확인되어, 객혈의 위험이 있다.
- 빌리루빈과잉에 의한 담석, 고요산혈증, 사구체경화로 인한 신기능 저하의 합병에도 주의해야 한다.

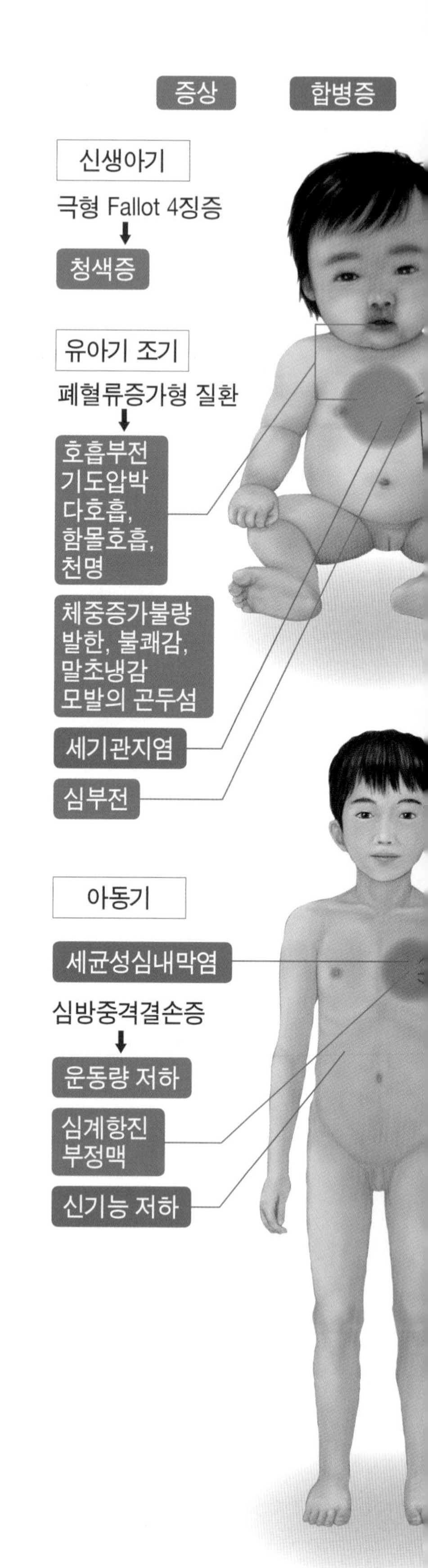

진단 map

표준12유도심전도, 흉부X선검사, 심초음파 등에서 심부하, 폐혈류량, 형태의 이상, 병태를 파악한다.

진단 치료

흉부X선검사

표준12유도심전도
심초음파
심장카테터
심혈관조영검사

혈액생화학검사

경피적 산소포화도 측정

외과치료

약물요법

외과치료

약물요법

흉부X선검사

표준12유도
심전도
심초음파검사
심장카테터검사
심혈관조영검사

혈액생화학검사

경피적 산소포화도 측정

진단·검사치

- 표준12유도심전도에서는 좌우심실, 심방의 부하를 판정할 수 있지만, 영·유아의 경우는 생리적으로 우심실우위이기 때문에, 우심부하의 판정에 주의해야 한다.
- 흉부X선검사에서는 심확대 외에 폐혈류량, 폐동맥의 굵기에 주의한다.
- 경피적 산소포화도판정에서는 호흡장애 없이 산소포화도의 저하가 보이면 심질환에 의한 우좌단락일 가능성이 높아진다.
- 이러한 일반적 검사 외에도 심초음파가 형태진단 및 병태의 파악에 필요하다. 심초음파는 단층법 외에 도플러법 (컬러도플러 포함)에 의해서 심내 각부의 유속 및 방향을 알 수 있고, 압교차를 추정할 수 있으므로, 협착의 정도, 우심실이나 폐동맥수축기압의 판단에 유용하다. 외과수술이나 카테터치료 등 침습적인 치료를 위해서는 경식도심초음파나 3차원에코 등이 이용되기도 한다.
- 심장카테터검사 및 심혈관조영은 보다 직접적으로 선천성 심질환을 진단 내릴 때 이용하는 검사이다. 심내 각부의 압력, 산소포화도를 측정하여, 단락량과 혈관저항을 구한다.
- (대동맥산소포화도-상하대정맥산소포화도) / (폐정맥산소포화도-폐동맥산소포화도)를 이용하여 폐체혈류비를 계산할 수 있다.
- 조영검사를 시행할 때는 폐울혈이 발현하거나 또는 신장에 조영제가 영향을 미쳐 상태가 악화되거나 심근의 카테터자극에 의한 부정맥, 이상수축이 발생할 수 있으므로 주의를 요한다.
- 현재는 초음파기기나 CT, MRA에 의한 입체영상이 발달하면서 필요한 항목에 따른 목적이 확실한 카테터검사를 고려해야 한다.
- 심부전에 의한 쇼크시 산증(acidosis)의 정도, 간 · 신부전의 합병의 유무, 염증반응에 의한 감염증 합병의 유무 판별 등, 중증이 될수록 일반상태의 파악이 중요하다.
- 검사치
- 진단을 위한 검사 외에, 일반적인 혈액생화학검사도 상태 및 합병증의 파악에 중요하다.
- 빈혈은 폐혈류가 증가하는 유아례에서 심부전 · 호흡장애의 악화를 초래한다. 반대로 청색증 심질환에서는 연장아(年長兒) 에서 다혈(plethora)이 나타난다. 이뇨제 투여나 부종으로 인한 전해질이상, 약제로 인한 부작용의 체크도 필요하다.

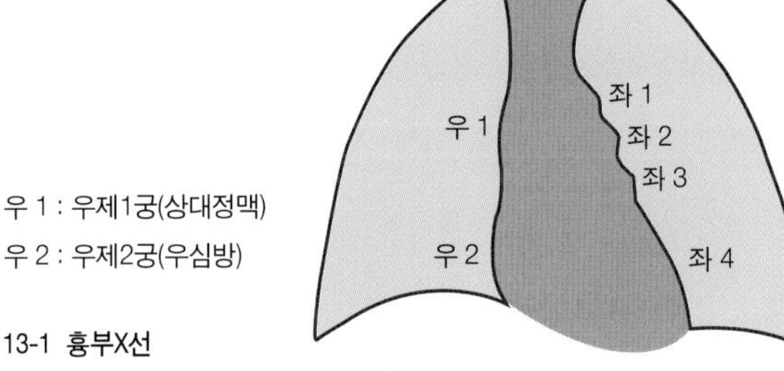
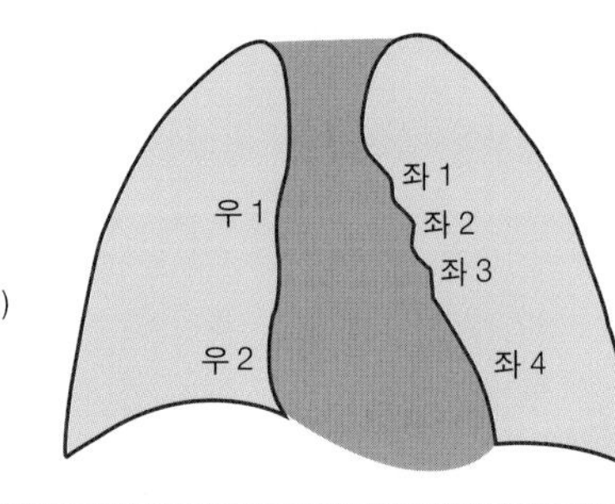

■ 그림 13-1 흉부X선

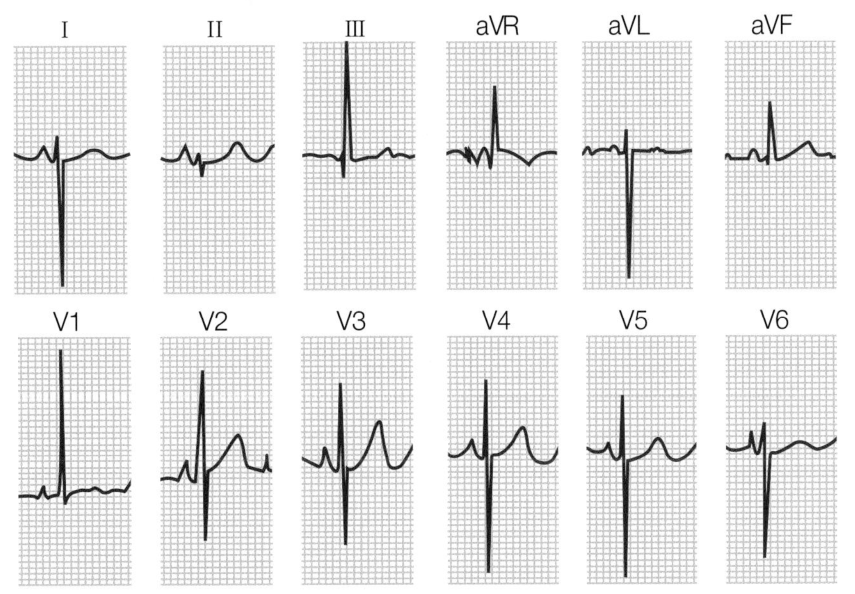

■ 그림 13-2 심전도 우심실부하

치료 map

선천성 심질환은 형태의 이상이므로, 치료해도 그 흔적이 원칙적으로 평생 남는다. 기본적으로 내과치료를 요하는 증례에는 외과치료의 적용이 고려된다.

치료방침

- 신생아기에 동맥관에 폐혈류나 체액류를 의존하고 있는 질환 (극형 Fallot 4징증, 중증대동맥판막협착, 대동맥협착 등)은 프로스타글란딘으로 개존을 도모하며, 상태를 안정시켜서 동맥관을 대신하게 되는 고식적 수술시기를 기다린다.
- 폐혈류가 증가하는 좌우단락성 질환에서는 심장이 체혈류량을 정상으로 유지하도록 보상되며, 단락된 몫만큼 좌심실, 우심방의 용량부하를 떠안는다. 심수축력은 정상 이상이므로, 치료제로는 울혈을 경감시키는 이뇨제와 체혈관저항을 폐혈관저항보다 낮추는 약제가 이용된다. 폐혈류증가로 인한 호흡장애에는 체혈관확장제로 니트로글리세린, 이소프레날린 염산염 (염산이소프로테레놀)이 고려되는데, 치료 중에 단락량, 호흡상태를 평가하는 것이 중요하다. 보조호흡이나 인공호흡관리에서는 저탄산혈증이나 산소투여로 인해 폐혈관저항이 저하되어 단락량이 증가하지 않도록 주의해야 한다.
- 반대로 단락보다도 폐혈관저항이 상승하여 문제가 되는 병태에서는 폐혈관저항을 가능한 선택적으로 낮추는 치료가 필요하다. Eisenmenger증후군이나 심실중격결손증술 직후의 폐고혈압발작이 여기에 해당된다. 마취제에 의한 진정, 100%산소에 의한 과환기, 알칼리증, 일산화질소 (NO) 흡입, PDE (포스포디에스테라제) Ⅲ 저해제 등이 적용된다. 최근, 폐동맥선택성 혈관확장제인 에포프로스테놀 나트륨, 실데나필 구연산염 (PDE Ⅴ저해제), 보센탄 수화물 (엔도셀린수용체길항제)이 치료전략으로 시도되어 유효성을 보이고 있다.

※내과치료가 시도되는 케이스는 각 질환의 항목을 참조

외과요법

- 1기적으로 근치수술이 희망적인 경우 원칙적으로 수술을 선택한다.
- 심내수복술은 체외순환을 필요로 하고, 조작이 복잡하여 침습이 큰 수술, 폐혈관의 전달이 나쁜 예, 인공물이 필요한 신생아례, 성장하는 편이 근치수술에 유리한 예는 2기적 수술을 목표로 한다.
- 고식수술의 대표례로 폐혈류량이 많은 질환에 대한 폐동맥교액술, 폐혈류량이 적은 질환에 대한 체동맥 (쇄골하동맥) 폐동맥단락술 [Blalock-Taussig수술] 이 있다.
- 증례에 따라서 카테터를 이용한 판형성술이나 결손공폐쇄술을 선택한다.

병기 · 병태 · 중증도별로 본 선천성 심질환 총론 흐름도

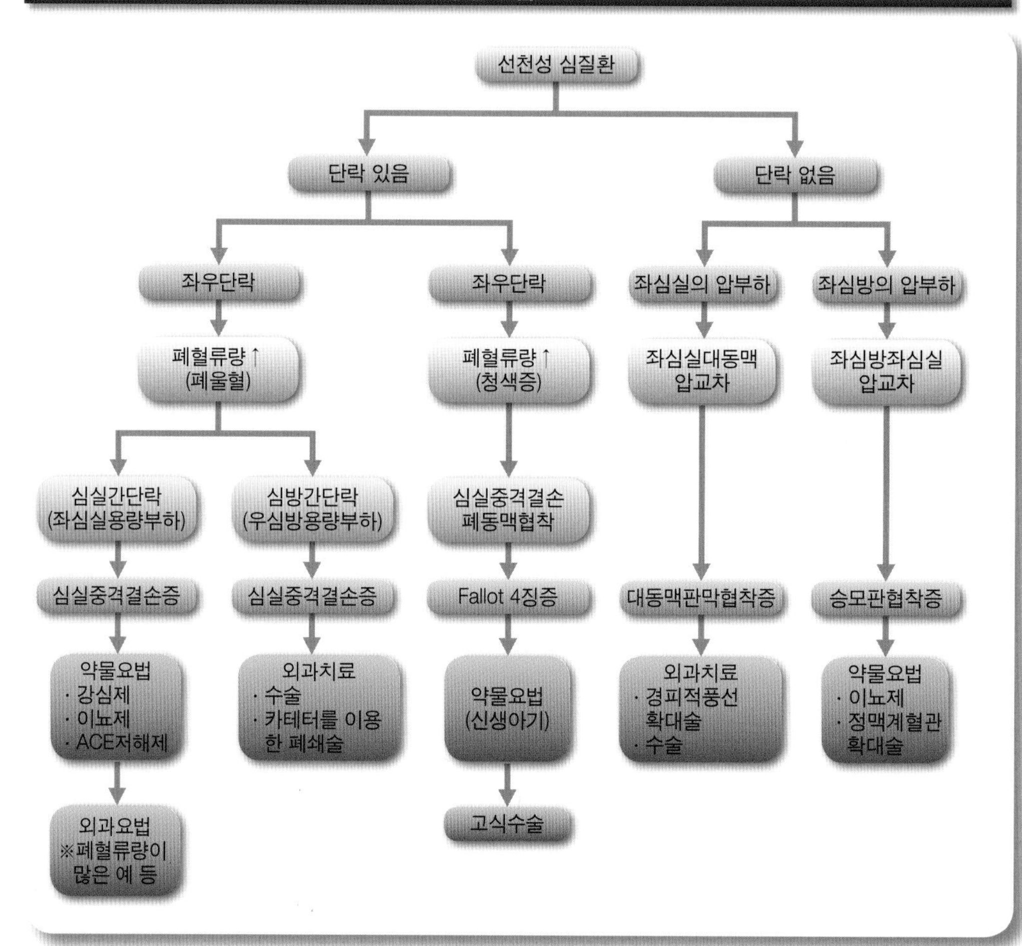

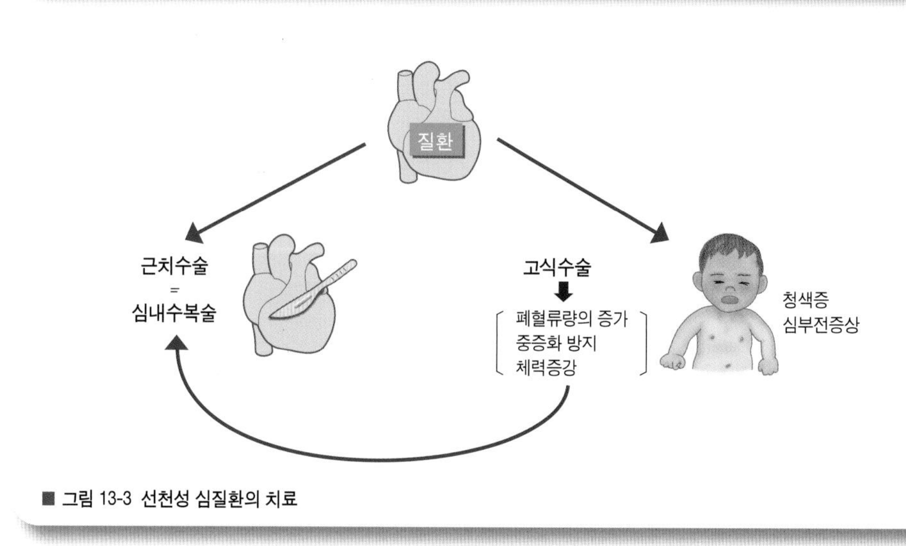

■ 그림 13-3 선천성 심질환의 치료

B. 심실중격결손증 (interventricular septal defect)

병인

- 병인이 불명확하다. 선천적으로 심실중격에 결손공이 존재한다.

[악화인자] 심내 · 심외의 합병이상, 중증호흡기감염증, 술후 창부감염증

역학

- 선천성 심질환의 50%를 차지한다.
- 소결손은 영아기부터 유아기 사이에 자연폐쇄된다.

[예후] 합병증이 없으면 운동을 포함한 일상적인 생활이 가능하다.

병태생리

- 심실중격의 결손공을 통해서 좌심실에서 우심실로 혈류가 흐르고 (좌우단락), 폐혈류량 증가, 폐동맥확대, 좌심실의 용량부하, 폐정맥 · 좌심방의 확대가 초래된다.
- 폐혈류량 증가가 유의한 예에서는 폐동맥압 상승, 폐울혈이 나타난다.
- 해부학적 분류 : 폐동맥판막하형 (누두부의 결손공), 방막양부형 (막양부 중격을 포함하는 부분의 결손공), 근성부형 (심첨부의 결손공)

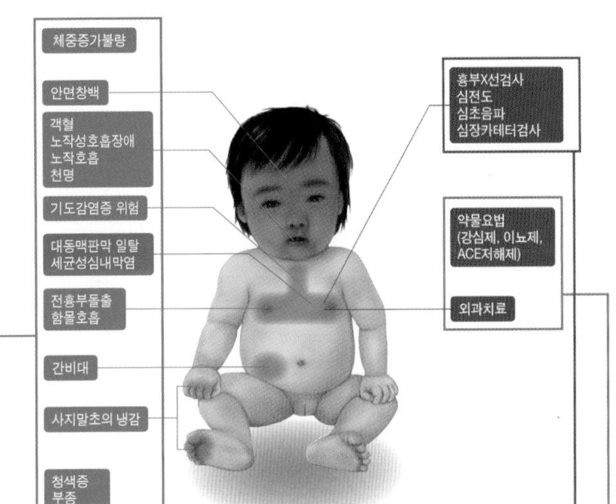

증상

- 태아기는 무증상이다.
- 신생아기 후기부터 유아기에 폐혈류량 증가에 의한 증상 (체중증가불량, 사지말초의 냉감, 안면창백, 기도의 감염성 증가, 함몰호흡, 노력호흡, 폐울혈로 인한 천명, 간비대, 전흉부 돌출)이 출현한다.
- 심잡음
- 결손공이 크면 유아기부터 아이젠멩거화가 진행된다. 우심부전 증상 (간비대, 부종, 노작성호흡장애, 청색증), 객혈(hemoptysis), 돌연사가 나타난다.

[합병증]

- 대동맥판막 일탈
- 세균성심내막염

진단

- 심초음파 : 심실중격의 결손공과 단락혈류를 발견할 수 있다. 폐고혈압의 유무 판단에는 도플러심초음파 (Doppler echocardiography)가 유용하다.
- 심장카테터검사 : 심내 각부의 산소포화도를 측정하여 단락량을 산출할 수 있다.

치료

- 소결손은 치료의 대상이 아니다.
- 약물요법 : 강심제 (디곡신), ACE저해제 (에날프릴말레산염), 이뇨제 (푸로세미드) 등을 사용한다. Eisenmenger증후군에는 강심제, 이뇨제 등을 적용한다.
- 외과치료 : 폐혈류량이 많은 예, 대동맥판막 일탈이나 세균성심내막염을 수반하는 예에는 개심술을 이용한 심실중격결손공폐쇄술을 시행한다. 유아기 조기에 근치수술을 시행할 수 없는 경우는 폐동맥교액술에 이어서 2기적으로 결손폐쇄를 시행한다.

병태생리 map

대부분은 심실중격의 막성주위부 결손공보다 좌심실에서 우심실로 좌우단락이 생기면서 폐혈류량이 증가하면서, 폐동맥압 상승, 폐울혈 등이 발생한다.

- 해부학적 분류는 다음과 같다.

① 폐동맥판막하형 : 심실중격 위쪽의 누두부공. 우심실측에서 보면 유출로의 결손이 있다.
② 방막양부형 : 막양부 중격을 포함한 부분의 결손공. 막양중격류를 형성하여, 결손공의 협소화나 자연폐쇄가 보이기도 한다.
③ 근성부형 : 심첨부의 결손공. 소결손에서는 자연폐쇄도 나타난다.

[혈행동태]

- 좌심실에서 우심실로의 심실레벨의 좌우단락에 의한 폐혈류량 증가, 폐동맥확대, 좌심실의 용량부하, 폐정맥, 좌심방의 확대 (그림13-4).
- 폐혈류량 증가가 유의한 예에서는 폐동맥압 상승, 폐울혈이 나타난다.

역학 · 예후

- 선천성 심질환의 50%를 차지한다.
- 소결손에서 폐고혈압도 없고 단락량이 적으면, 일상생활이 가능하고 예후도 양호하다. 현재는 유아기, 신생아기에 근치수술을 요하는 중증례도 거의 완치할 수 있게 되었다.
- 심내, 심외의 합병이상이 있는 예, 중증 호흡기 감염례, 술후 창부감염례는 치료와 예방에 의한 예후개선이 요망된다.

병인

불명

유전적 요인?

환경요인?

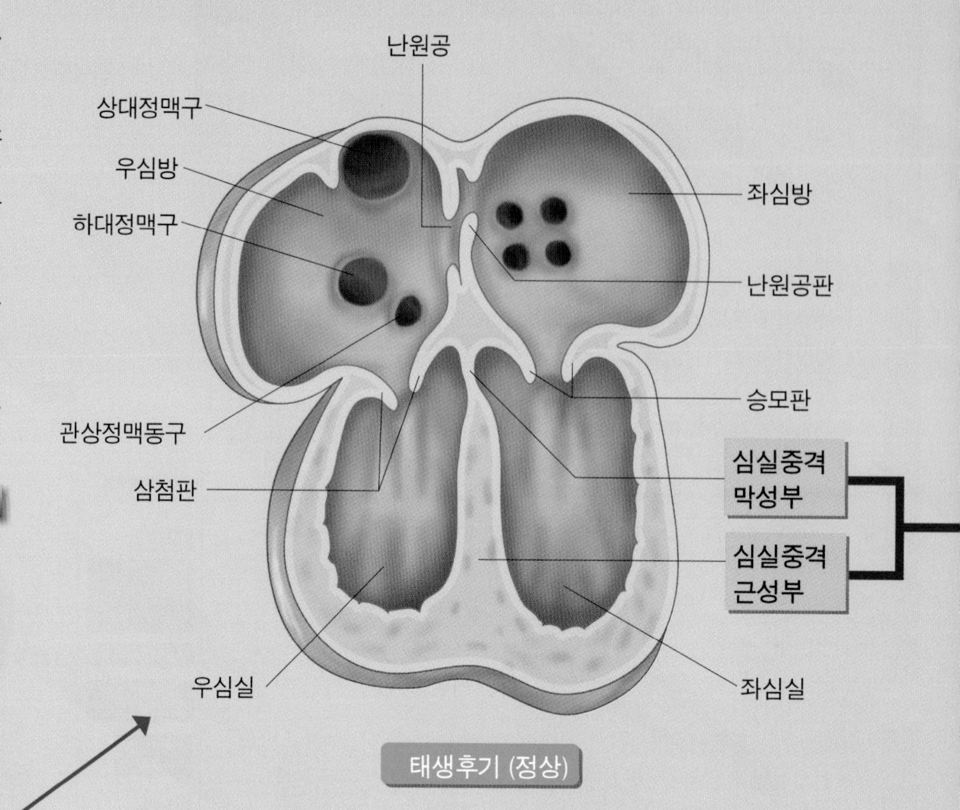

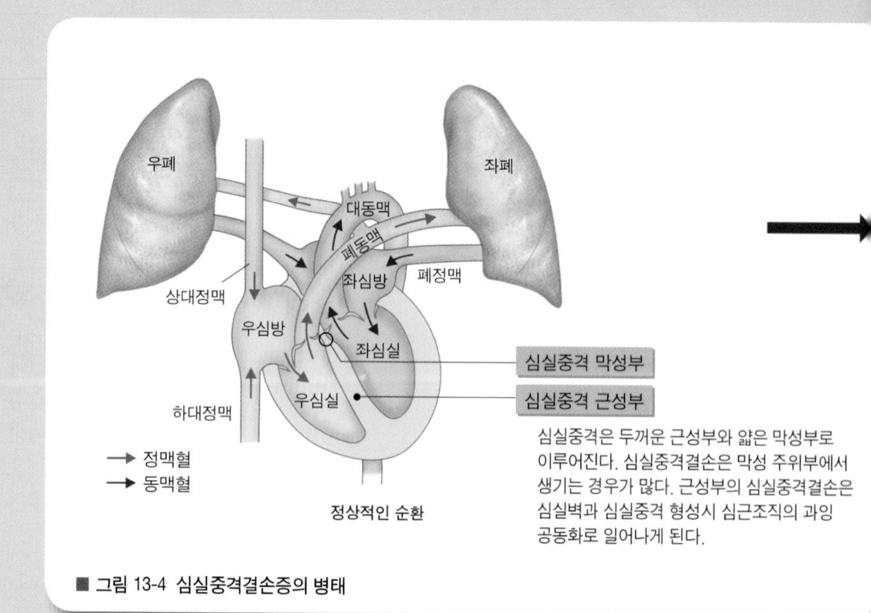

심실중격은 두꺼운 근성부와 얇은 막성부로 이루어진다. 심실중격결손은 막성 주위부에서 생기는 경우가 많다. 근성부의 심실중격결손은 심실벽과 심실중격 형성시 심근조직의 과잉 공동화로 일어나게 된다.

■ 그림 13-4 심실중격결손증의 병태

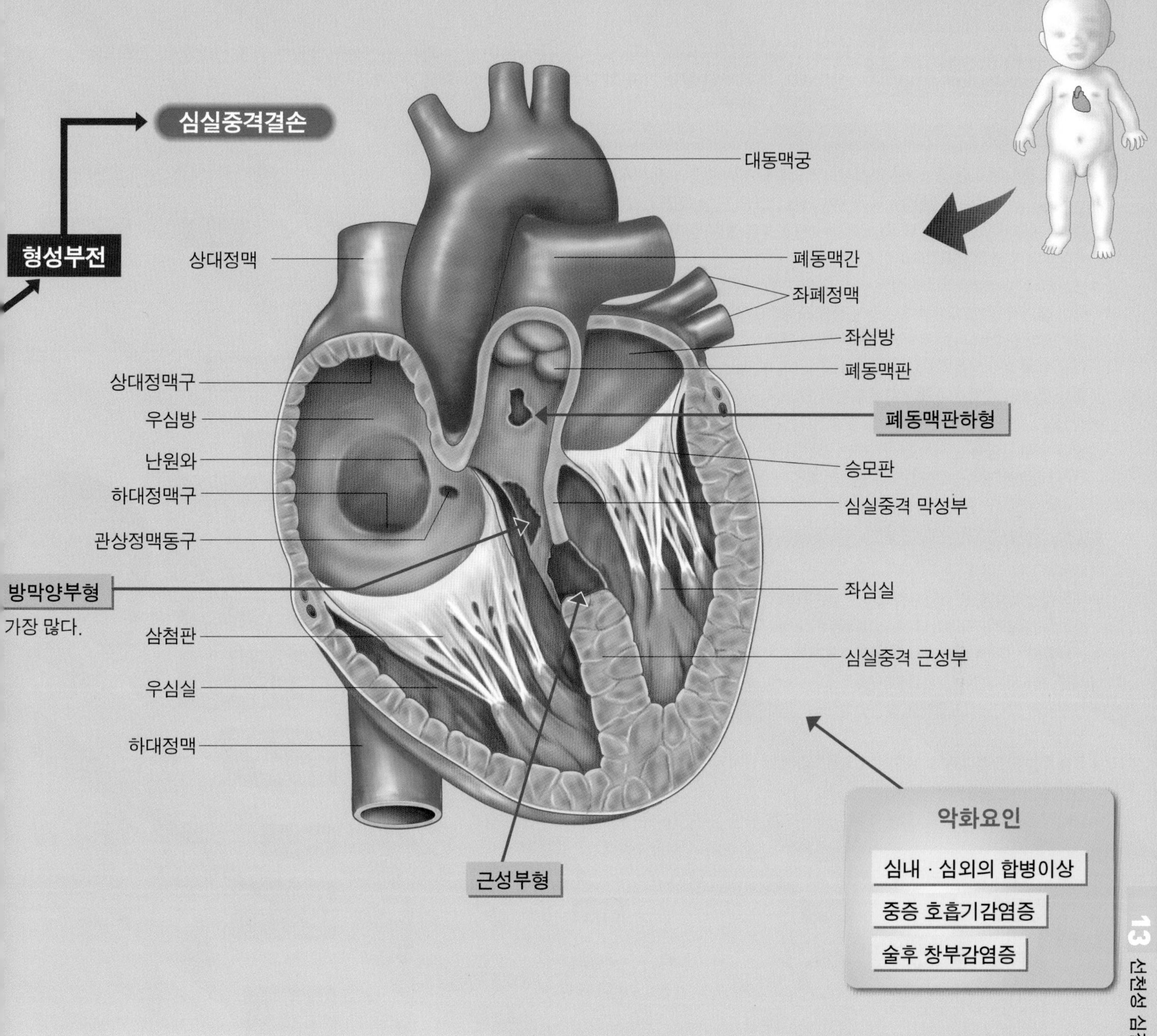
심실중격결손
형성부전
대동맥궁
상대정맥
폐동맥간
좌폐정맥
좌심방
폐동맥판
상대정맥구
우심방
폐동맥판하형
난원와
승모판
하대정맥구
심실중격 막성부
관상정맥동구
방막양부형
가장 많다.
좌심실
삼첨판
심실중격 근성부
우심실
하대정맥
근성부형
악화요인
심내 · 심외의 합병이상
중증 호흡기감염증
술후 창부감염증

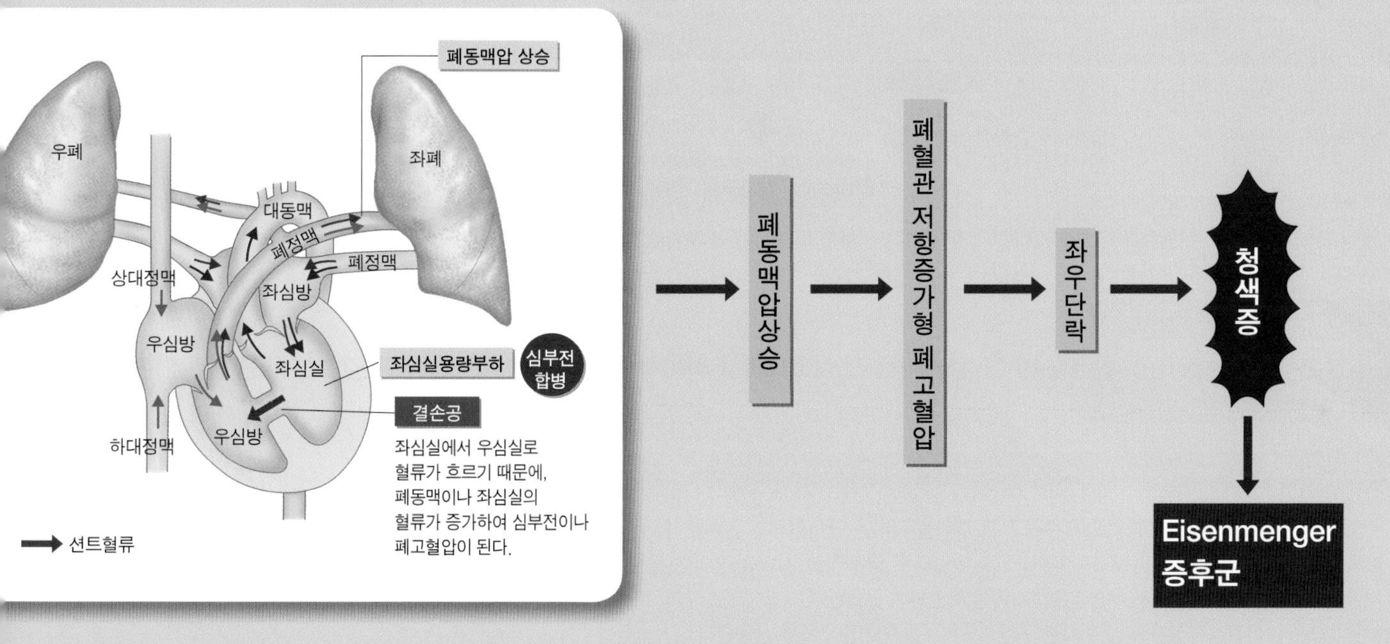
폐동맥압 상승
우폐
좌폐
대동맥
폐정맥
폐정맥
상대정맥
좌심방
우심방
좌심실
좌심실용량부하
심부전 합병
결손공
하대정맥
우심방
좌심실에서 우심실로
혈류가 흐르기 때문에,
폐동맥이나 좌심실의
혈류가 증가하여 심부전이나
폐고혈압이 된다.
션트혈류
폐동맥압상승
폐혈관 저항증가형 폐고혈압
좌우단락
청색증
Eisenmenger
증후군

심실중격결손증

증상 map

태아기에는 증상이 나타나지 않는다. 중결손이상인 예에서는 생리적으로 폐혈관저항이 저하되는 신생아기 후기부터 유아기에 폐혈류 증가에 의한 증상이 나타난다.

증상

- 폐혈류 증가에 의한 증상에는 좌심실의 작업량증가 (체중증가불량)와 보상에 의한 교감신경자극증상 (사지말초의 냉감, 안면창백), 폐동맥에 의한 기도의 압박 (기도감염성 증가 위험, 함몰호흡, 노력호흡), 폐울혈에 의한 천명, 폐고혈압 (간비대, 전흉부 돌출) 등이 해당된다. 호흡장애가 현저한 예는 그 증상부터 수술적응을 고려해야 한다.
- 근성부나 방막양부의 소결절은 유아기에 자연폐쇄된다. 자연폐쇄되지 않아도 단락량이 적고, 합병증이 생기지 않으면, 본증 환자는 운동을 포함하여 일상생활을 영위할 수 있다.
- 결손공이 큰 예에서는 유아기 (염색체이상 등을 수반하는 경우는 보다 조기)부터 폐혈관저항의 상승으로 인해 아이젠멩거화가 나타난다. 간비대, 부종(edema), 노작성호흡곤란, 청색증 등의 우심부전 증상 외에도, 객혈이나 돌연사의 위험이 있다.
- 심잡음 : 수축기에만 빠른 유속의 혈류가 좌심실에서 우심실로 흘러가므로, 전수축기 심잡음이 청취된다. 폐혈류량이 현저하게 증가하는 경우, II음인 폐동맥성분의 항진, 좌심방으로의 환류혈류의 증가에 따른 상대적 승모판협착이 원인인 확장기 럼블음(rumble)을 청취한다.

합병증

【대동맥판막 일탈】

- 폐동맥판막하형, 방막양부형에서는 결손공이 작아 보이는 경우에도 대동맥판막이 우심실측으로 일탈하여 대동맥판막폐쇄부전(aortic insufficiency)을 일으키기도 한다 (주로 유아기 이후에).
- 판역류와 변형이 진행되기 전에 결손공폐쇄술을 시행해야 하는 경우가 많다.

【세균성심내막염】

- 결손공이 있다면, 그 크기에 상관없이, 또는 근치수술 후에도 잔존단락이 보이면 심내막염이 발생할 위험이 있다.
- 균혈증을 일으킬 가능성이 있는 처치를 실시하기 1시간 전에 항균제의 예방내복 (또는 처치 6시간후 반량 추가)을 권장한다.
- 심내막염에 의한 색전증, 항균제 무효, 판파괴로 인한 심부전례에는 외과치료를 적용한다.

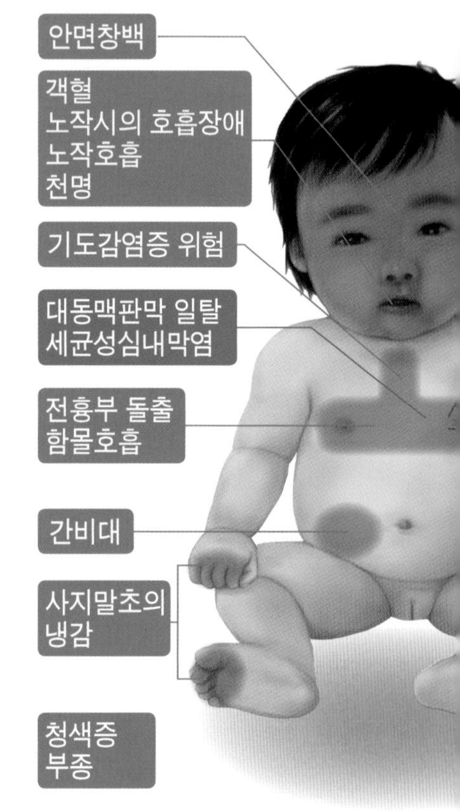

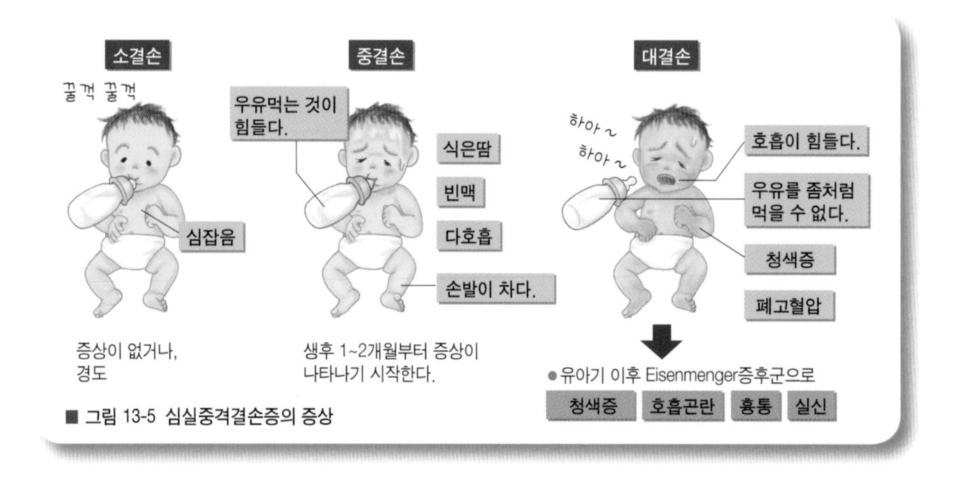

■ 그림 13-5 심실중격결손증의 증상

심근경색

진단 map

흉부X선검사, 심전도, 심초음파를 이용하여 심확대의 유무와 정도, 결손부위 등을 확인한다.

진단 · 검사치

- 심초음파를 이용하여 심실중격의 결손공과 그 부위를 지나는 단락혈류를 검출한다.
- 폐고혈압의 유무는 도플러심초음파(hepatomegaly)로 좌우심실 사이의 압교차를 측정하거나, 삼첨판역류(tricuspid regurgitation)에서 우심실수축기압을 확인하여 판단한다.
- 단락량은 심장카테터검사로 심내 각부의 산소포화도를 측정함으로써 산출한다.

진단 치료

흉부X선검사
심전도
심초음파
심장카테터검사

약물요법
(강심제, 이뇨제,
ACE저해제)

외과치료

중결손 이상인 경우, 유아기에 심부전을 일으키는 예에서는 약물요법을 실시하고, 폐혈류량이 많은 경우나 대동맥판막일탈, 세균성심내막염을 합병한 경우에는 외과치료에 의한 결손공폐쇄술을 실시한다. 소결손은 치료의 대상이 아니다.

■ 표 13-1 심실중격결손증의 주요 치료제

분류	일반명	주요 상품명	약효발현의 메커니즘	주요 부작용
강심제 (디지탈리스)	디곡신	디곡신, 디고신	심수축증가, 체혈관확장	디지탈리스중독, 구토, 방실블록, 심실성부정맥
ACE저해제	에날라프릴말레인산염	Renivace, Enalart	체혈관확장	저혈압, 부종
카테콜라민	도파민염산염	Inovan, Kakodin, Dominin, Predopa	이뇨효과, 혈압상승 심수축력증가 체혈관확장, 기관지확장	빈맥, 심실성부정맥, 말초혈관수축
	도부타민염산염	Dobutrex, Dobupum		
	이소프레나린염산염(염산이소프로테레놀)	Proternol-L		
이뇨제	푸로세미드	라식스, Eutensin	이뇨로 울혈경감	저나트륨혈증, 저칼륨혈증
	스피로노락톤	알닥톤 A, Almatol	이뇨로 울혈경감	고칼륨혈증, 여성형유방
사람심방성이뇨펩티드	카르페리티드	Hanp	혈관확장, 이뇨, 울혈경감	탈수, 혈압저하
프로스타글란딘	에포프로스테놀나트륨 (적용외)	Flolan	폐혈관확장작용	혈압저하, 두통
PDE V저해제	실데나필구연산염 (적용외)	비아그라	폐혈관확장작용	심실성부정맥
엔도셀린수용체 길항제	보센탄수화물 (적용외)	Tracleer	폐혈관확장작용	간기능장애, 빈혈

치료방침

- 내과요법에서 폐울혈례에는 이뇨제 (전부하경감)가, 체혈관확장으로 인한 폐로의 단락혈류를 줄일 목적으로는 ACE (안지오텐신변환효소) 저해제가, 중등증에서는 디곡신(digoxin)이 경험상 유효하다.
- 쇼크시 또는 이뇨를 목적으로 저량으로 카테콜라민(catecholamine)을 사용하는데, 이 약제들은 체혈관저항의 상승 뿐 아니라 폐혈관저항의 저하가 폐혈류량 증가에 작용한다는 점에 주의해야 한다.
- 호흡기감염시에 대처하여 인공호흡관리를 실시할 때는 PEEP (positive endexpiratory pressure ; 호흡종말양압환기)를 높게 하여(기도폐쇄에 의한 무기폐, 환기혈류 불균형 폐울혈로 인한 산소확산장애를 개선할 목적) 산소투여와 과환기에 의한 폐혈류증가가 심부전을 악화시키지 않도록 주의한다.
- 폐혈관저항이 현저하게 상승하는 발작이 술전 호흡장애 합병례나 다운증후군 등의 술후 (특히 수술직후)에 보이기도 한다. 단락이 없는 폐고혈압 관리에는 펜타닐 등의 마취약 진정, 100% 산소를 이용한 과환기, 알칼리증, NO흡입 등이 유효하다. PEDⅢ저해제는 양력변력작용 뿐만 아니라, 폐 · 체혈관저항저하, 확장작용에 유용하다.
- Eisenmenger증후군에서는 우심부전에 강심제, 이뇨제가 기본적으로 사용되는데, 에포프로스테놀나트륨(프로스타글란딘), 실데나필구연산염 (PDE Ⅴ저해제), 보센탄수화물 (엔도셀린수용체길항제)이 좌우단락의 경감 및 예후개선에 유효할 가능성이 있어서, 금후 연구가 기대된다.

약물요법

- 소결손은 치료의 대상이 아니다. 유아기에 심부전증상을 나타내는 경우, 강심제, 이뇨제, ACE저해제 등으로 치료한다.

Px 처방례 중등증 심실중격결손증, 체중 8kg
- 디곡신정 (0.08mg) 分2 ←강심제
- 라식스정 (8mg)+알닥톤A정 (8mg) 分2 ←이뇨제

Px 처방례 중증 심실중격결손증, 체중 5kg
- Renivace정 (2mg) 分2 ←ACE저해제
- 라식스정 (8mg)+알닥톤A정 (8mg) 分2 ←이뇨제

Px 처방례 Eisenmenger증후군, 18세
- 디곡신정 (0.25mg) 分2 ←강심제
- 라식스정 (40mg)+알닥톤A정 (50mg) 分2 ←이뇨제
- Tracleer정 (62.5mg) 2정 分2 보험적용외 (종래에는 단락이 없는 폐동맥성폐고혈압에 적용됨) ←엔도셀린수용체길항제

심실중격결손증의 병기·병태·중증도별로 본 치료흐름도

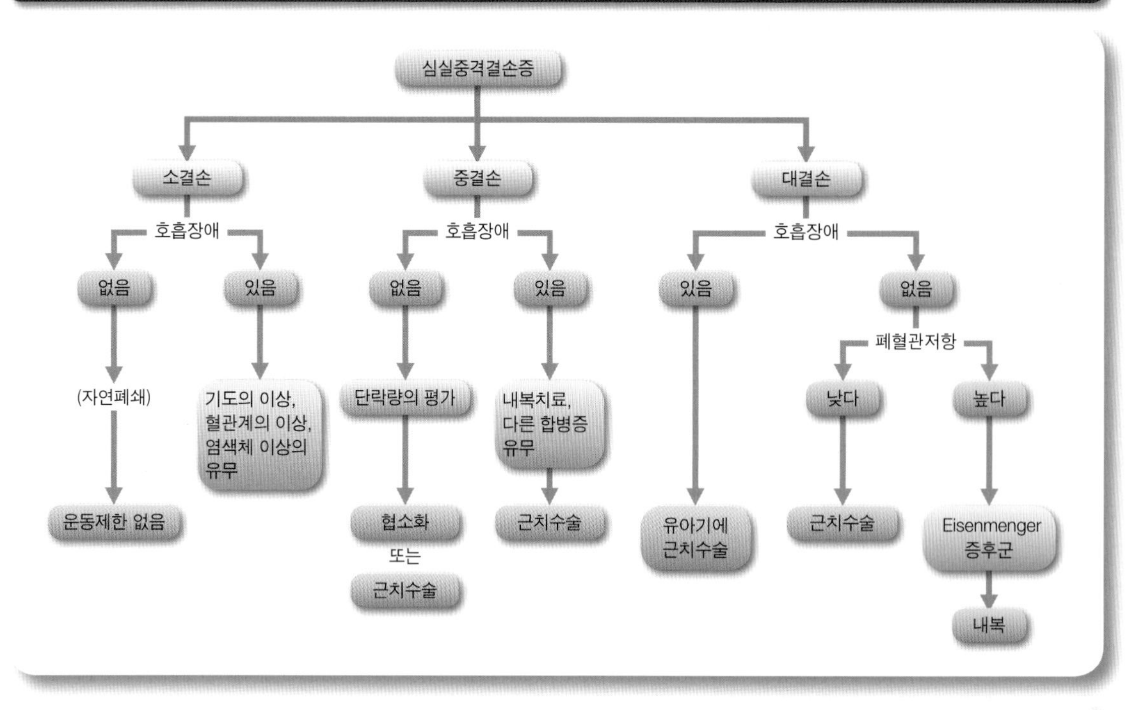

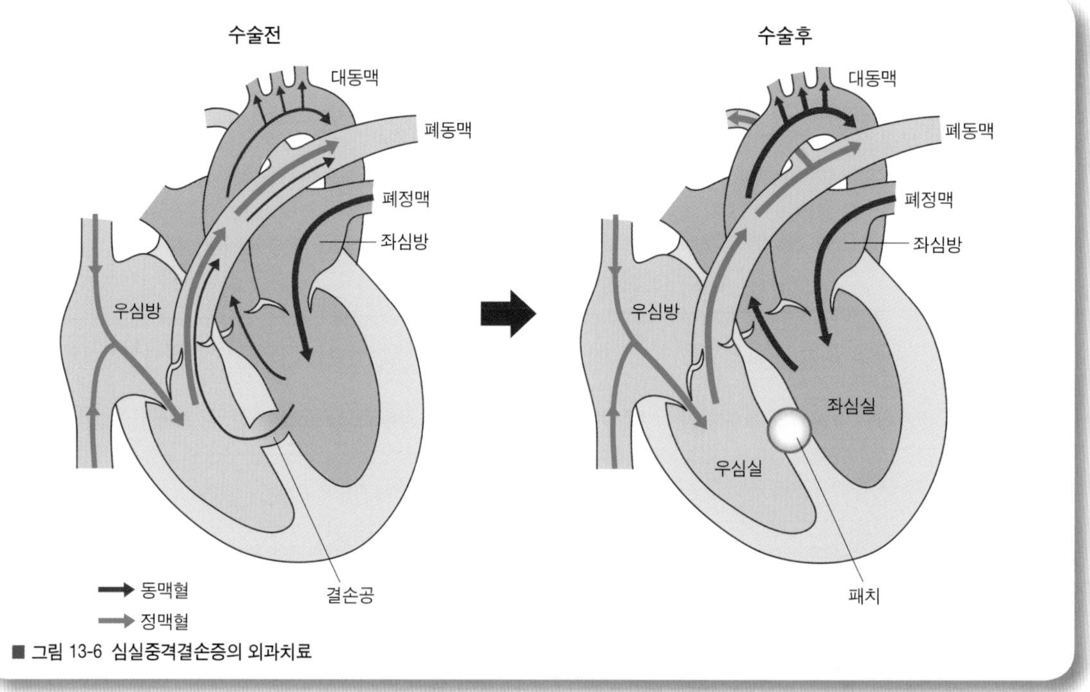

■ 그림 13-6 심실중격결손증의 외과치료

외과치료

- 수술적응 : 폐혈류량이 많은 예 (체폐혈류비가 1.5~2 이상), 대동맥판막일탈 등의 합병증을 일으킨 예, 감염성심내막염을 일으킨 예에서는 개심술을 이용한 심실중격결손공폐쇄술을 적용한다.
- 카테터에 의한 폐쇄술은 현재에는 일반적이지 않다.
- 염색체이상이 있는 다발형태이상례나 승모판, 대동맥판막, 대동맥궁의 이상을 수반하는 신생아의 중증례 이외에는 수술의 성공률도 높고 예후가 양호하다.
- 유아심부전례에서 육중부 근성중격결손 때문에 폐쇄가 어려운 경우, 그 외 전신합병질환 및 사회적 조건으로 유아기 조기에 근치수술을 할 수 없는 경우는 폐동맥교액술에 이어서 2기적으로 결손공폐쇄술을 시행한다.

C. 심방중격결손증 (atrial septal defect)

병인

- 병인이 불명확하다. 선천적으로 심방중격에 결손공이 존재한다.

[악화인자] 폐고혈압, 심부전, 호흡기감염증

역학

- 선천성 심질환의 5~10%를 차지한다.
- 교내에서 심장검진을 실시할 때 심잡음이나 심전도이상 (우각블록)으로 발견되는 경우가 많다.

[예후] 폐고혈압이 없으면 예후가 좋다.

병태생리

- 심방중격의 결손공을 통해서 좌심방에서 우심방으로 혈류가 흐르고 (좌우단락), 또 우심방에서 우심실, 폐동맥으로 흐르며 (우심방 · 우심실의 용량부하), 우심방, 우심실, 폐동맥이 확대된다.
- 폐혈류량이 증가하여, 체혈류의 2배 정도가 되는데, 유아기의 폐고혈압증은 드물다.
- 해부학적 분류 : 중심형2차공결손, 1차공형부분심내막상결손 (승모판폐쇄부전의 합병), 정맥동형 (부분폐정맥환류이상의 합병)

증상 합병증 진단 치료

호흡곤란

심잡음
전흉부돌출
부정맥

폐고혈압증

부정맥
승모판폐쇄부전

흉부X선검사

심전도
심초음파

심장카테터에 의한 치료 (폐쇄술)

증상

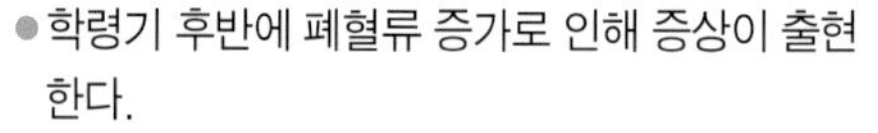

- 학령기 후반에 폐혈류 증가로 인해 증상이 출현한다.
- 연장아(年長兒)에서는 운동시의 호흡곤란, 전흉부돌출(precordial bulging), 심방성부정맥이 출현한다.
- 심잡음
- 성인에서는 아이젠멩거화가 발생한다.

[합병증]

- 폐고혈압증
- 부정맥
- 승모판폐쇄부전 (mitral insufficiency)
- 부분폐정맥환류이상

진단

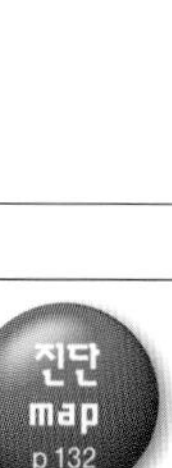

- 심초음파 : 압상승을 수반하지 않는 우심실확대, 우심방확대, 심방중격의 결손과 그 부위를 지나는 단락혈류를 확인한다.
- 심장카테터검사 : 심장카테터검사로는 진단 내리지 않는 경우가 많다.
- 심혈관조영 : 폐정맥의 환류이상, 관상정맥동의 이상 확인에 사용된다.
- 경식도심초음파 : 결손공의 위치와 주변조직의 관계를 상세히 파악할 수 있다. 카테터폐쇄술에는 필수적이다.

치료

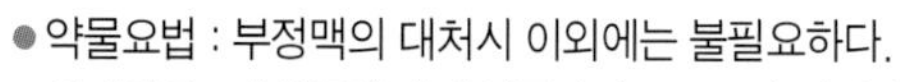

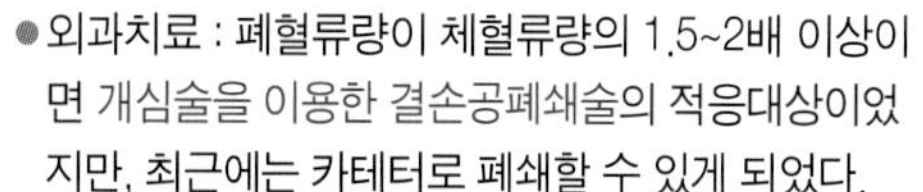

- 약물요법 : 부정맥의 대처시 이외에는 불필요하다.
- 외과치료 : 폐혈류량이 체혈류량의 1.5~2배 이상이면 개심술을 이용한 결손공폐쇄술의 적응대상이었지만, 최근에는 카테터로 폐쇄할 수 있게 되었다.
- 카테터치료 : 카테터폐쇄술이 보험적용 대상이기 때문에, 그 적응이 확대되고 있다.

심방중격결손증

병태생리 map

심방중격의 결손공으로 좌심방에서 우심방으로의 좌우단축이 생기고, 혈류는 우심방에서 우심실, 폐동맥으로 흘러서, 각 부분에서 확대가 일어난다.

- 해부학적 분류
① 중심형2차공결손
② 1차공형부분심내막상결손 : 승모판폐쇄부전의 합병증
③ 정맥동형 : 부분폐정맥환류이상의 합병증
- 혈행동태 (그림13-7) : 좌심방에서 우심방으로의 단락을 나타낸다. 단락된 혈류는 우심방, 우심실, 폐동맥으로 흐르고 (우심방, 우심실의 용량부하), 각 부위의 확대가 나타난다.
- 폐혈류량이 증가하여, 통상적인 체혈류의 2배 정도가 되는데, 유아기의 폐고혈압증은 드물다.
- 성인은 아이젠멩거화될 위험이 있다.

역학 · 예후

- 선천성 심질환의 5~10%를 차지한다.

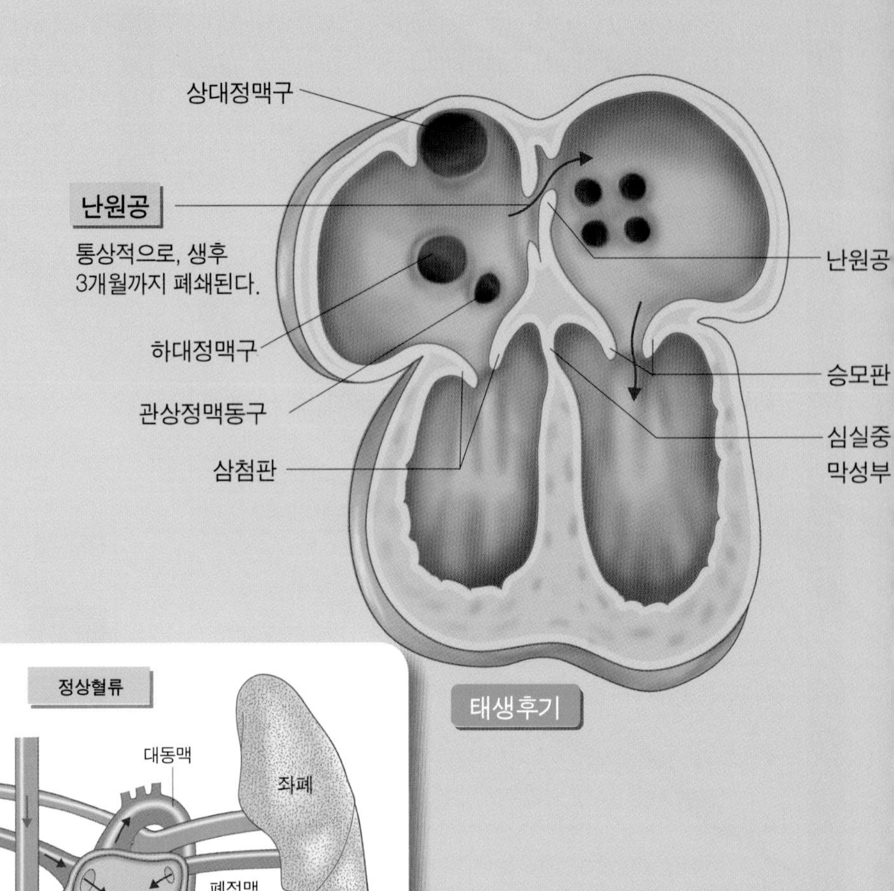

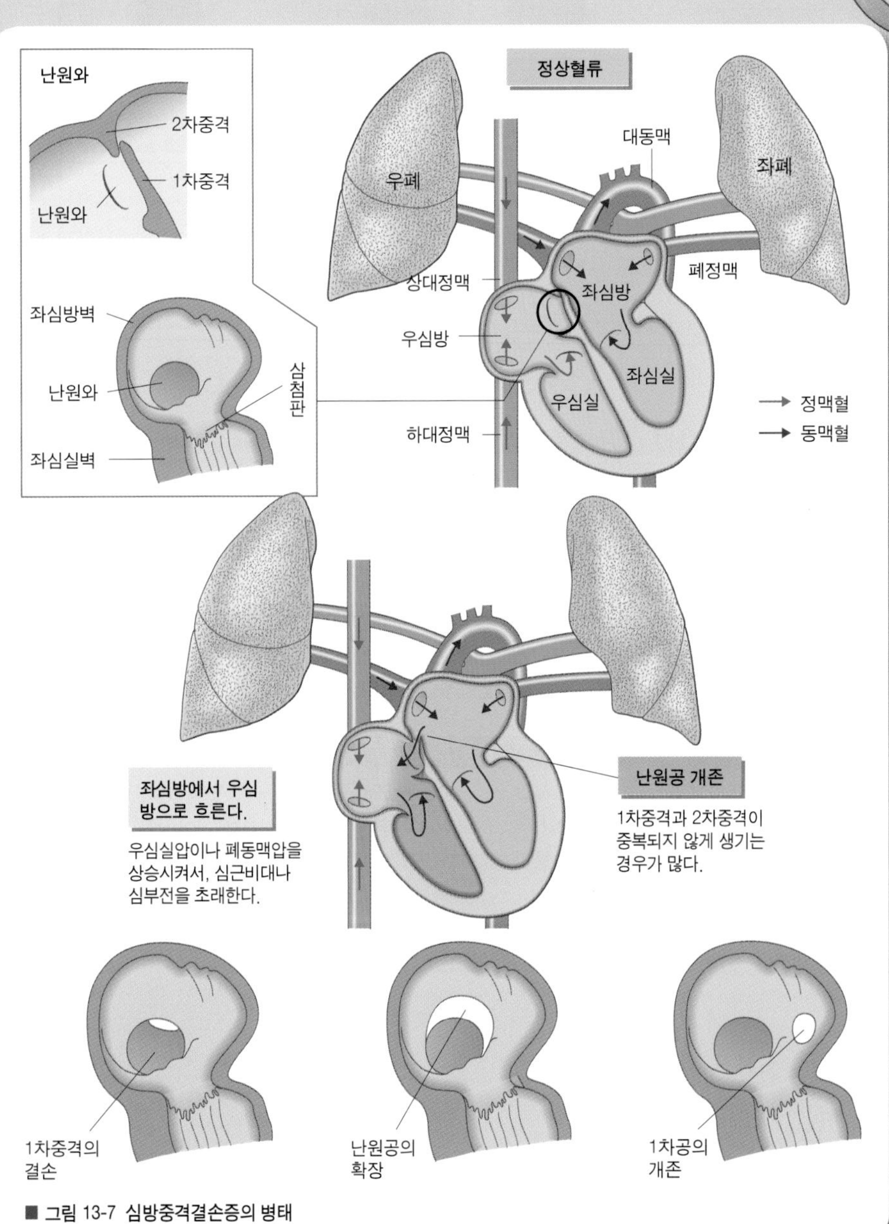

■ 그림 13-7 심방중격결손증의 병태

병인

- 불명
- 유전적요인?
- 환경요인?

악화요인

- 연령
- 폐고혈압
- 심부전
- 호흡기감염증

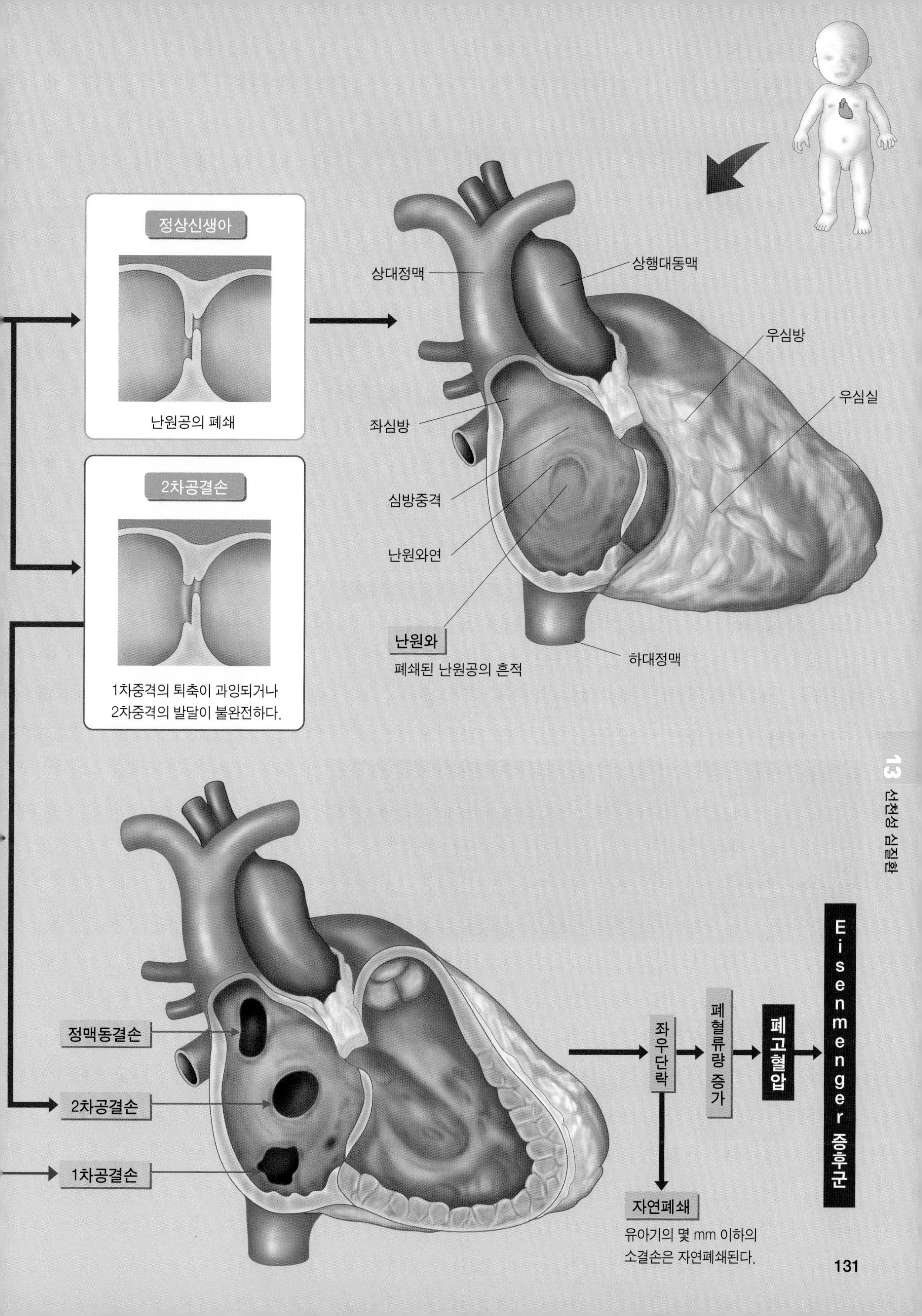

정상신생아
난원공의 폐쇄
2차공결손
1차중격의 퇴축이 과잉되거나
2차중격의 발달이 불완전하다.
상대정맥
상행대동맥
우심방
우심실
좌심방
심방중격
난원와연
난원와
폐쇄된 난원공의 흔적
하대정맥
정맥동결손
2차공결손
1차공결손
좌우단락
폐혈류량 증가
폐고혈압
Eisenmenger 증후군
자연폐쇄
유아기의 몇 mm 이하의
소결손은 자연폐쇄된다.

심방중격결손증

증상 map

폐혈류량 증가로 인한 증상은 유아기에 일부 출현하기도 하는데, 통상적으로는 학령기 후반에 출현한다.

증상

- 교내 심장검진 등에서 심잡음이나 심전도이상 (우각블록)으로 발견되는 경우가 많다. 연장아(年長兒)에서는 운동시의 호흡곤란, 전흉부돌출, 심방성부정맥 등이 나타난다.
- 심잡음
- 심방은 저압계이기 때문에 단락혈류의 유속이 느리므로 원칙적으로 결손공부에서 심잡음이 나타나지 않는다.
- 폐동맥혈류량의 증가에 수반하는 상대적 폐동맥협착에 의한 수축기 구출성 잡음을 폐동맥영역에서 청진한다.
- 우심계의 박출량 증가로 II음의 고정성 분열이 들린다.
- 삼첨판혈류의 증가로 상대적 삼첨판협착의 확장기 럼블음이 청취된다.

합병증

- 폐고혈압증, 부정맥, 승모판폐쇄부전 등
- 세균성심내막염은 극히 드물다.

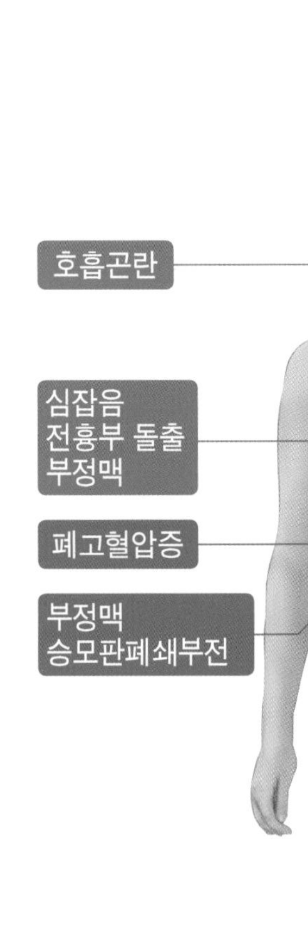

심방중격결손증

진단 map

심초음파로 심확대의 정도, 결손부위, 단락혈류 등을 확인한다.

진단 · 검사치

- 심초음파로 압상승을 수반하지 않는 우심실확대, 우심방확대, 심방중격의 결손공 및 그 부위를 지나는 단락혈류를 확인한다.
- 심장카테터검사로는 진단 내리지 않는 경우가 많다.
- 폐정맥의 환류이상이나 관상정맥동의 이상을 심혈관조영검사로 확인하기도 한다.
- 경식도심초음파를 이용하여, 결손공의 위치와 주변조직의 관계를 상세히 진단할 수 있으므로, 카테터폐쇄술에는 필수적이다.

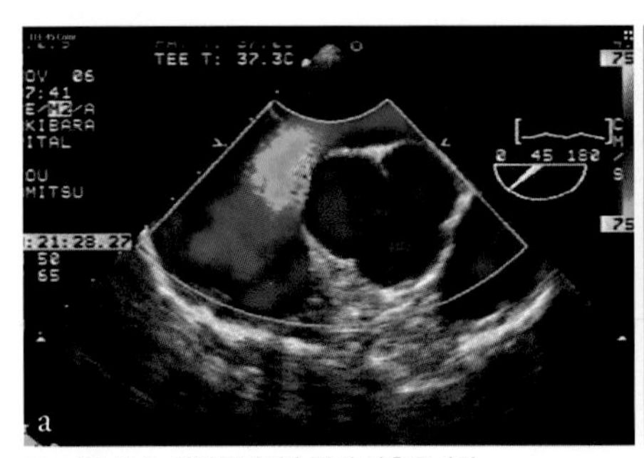

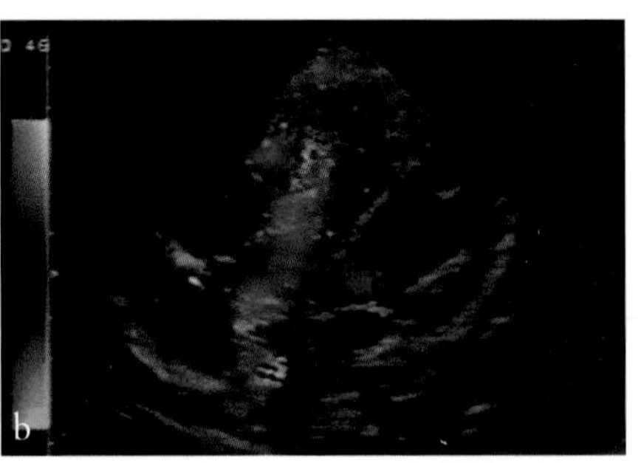

■ 그림 13-8 심방중격결손증의 심초음파상
a는 경식도심초음파. b는 경흉벽심초음파. a에서 더욱 선명한 영상을 얻을 수 있다.

Key word

● 경식도심초음파 (transesophageal echocardiography)
식도에 프로브를 놓고, 식도에서 초음파(에코)를 이용하여 심장을 관찰하는 방법. 식도는 심장의 바로 뒤쪽에 있으므로, 매우 깨끗한 영상을 얻을 수 있다. 통상의 경흉벽심초음파법에서는 도달하기 어려운 영역의 형태를 식도내에서 관찰하는 방법이다.

우심부하, 심방성부정맥이 확인되는 경우에 외과적 또는 심장카테터를 이용한 결손공폐쇄술을 시행한다.

진단 치료

흉부X선검사

심전도
심초음파

심장카테터에 의한 치료 (폐쇄술)

치료방침

- 약물요법은 부정맥의 대처시 이외에는 원칙적으로 불필요하다.
- 폐쇄술의 적응 : 우심부하, 심방성부정맥을 확인하는 증례에 적용한다.

외과요법

- 종래에는 폐혈류량이 체혈류량의 1.5~2배 이상인 경우, 개심술을 이용하여 결손공폐쇄술을 적용했었다. 최근에는 심장카테터를 이용한 폐쇄술이 개발되어, 적합한 증례는 수술을 시행하지 않아도 결손공을 폐쇄할 수 있게 되어서, 해외에서는 적응이 확대되고 있다.
- 우심부하가 확인되는 예, 심방성부정맥이 생기는 예가 폐쇄의 적응대상이다.
- 고령인 환자 중, 다른 요소에 의해 심부하가 가해진 경우나 우심계에 대한 경색의 위험이 있는 경우 등에는 적극적으로 카테터치료가 고려되고 있다.
- 심부전이 생기기 전에 치료되는 경우도 많아서, 폐고혈압이 없으면 일반적으로 예후가 좋다.

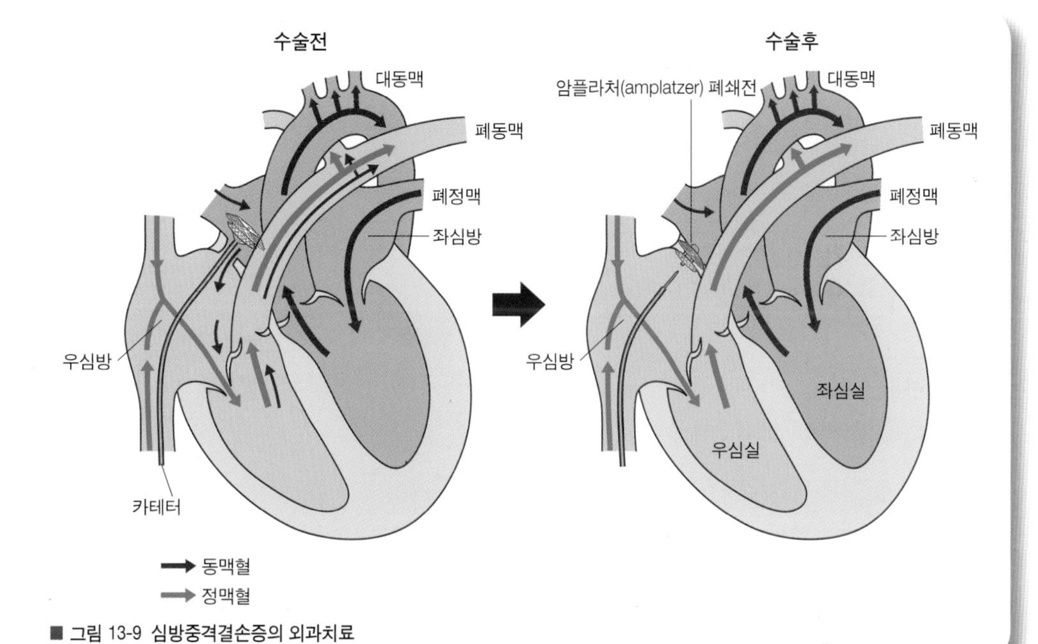

■ 그림 13-9 심방중격결손증의 외과치료

Key word

- 우각블록 (right bundle branch block)

히스다발(His bundle)에서 분기한 우각의 가지 내에서 전도지연이나 전도두절이 생긴 상태를 말한다. 대부분의 경우, 일상생활에는 문제가 없다.

- 확장기 럼블음

확장중기에 방실혈류에 의해서 생긴 저조(低調)한 잡음(원뢰(遠雷)같은 럼블음으로 표현된다)을 의미한다. 승모판협착이나 삼첨판협착에서 청진된다.

D. Fallot 4징증 (Tetralogy of Fallot)

병인

- 병인은 불분명하지만, 22q11.2 결손증후군에서 높은 비율로 보인다.

[악화인자] 고도의 폐고혈압증, 청색증

역학

- 선천성 심질환의 5~10%을 차지한다.

[예후] 생존율은 85~90%로 거의 양호하지만, 수술후 장시간이 경과하고서 돌연사한 예의 보고도 있다.

병태생리

병태생리 map p.135

- 대동맥 기시부의 심실중격이 우심실측으로 어긋남으로써 발생하며, 심실중격결손, 폐동맥협착, 대동맥기승, 우심실비대의 네가지 증상을 나타낸다.
- 폐동맥으로 가야 할 정맥혈의 일부가 전신으로 순환하므로 (우좌단락), 대동맥혈의 산소포화도가 저하되어 청색증이 생긴다.
- 우심실유출로, 폐동맥판막, 폐동맥판막상의 협착이 심할수록 고도의 청색증이 발생한다.
- 극형 Fallot 4징증 : 우심실-폐동맥 사이의 교통이 두절되어, 동맥관에서 폐혈류를 의존하고 있다.

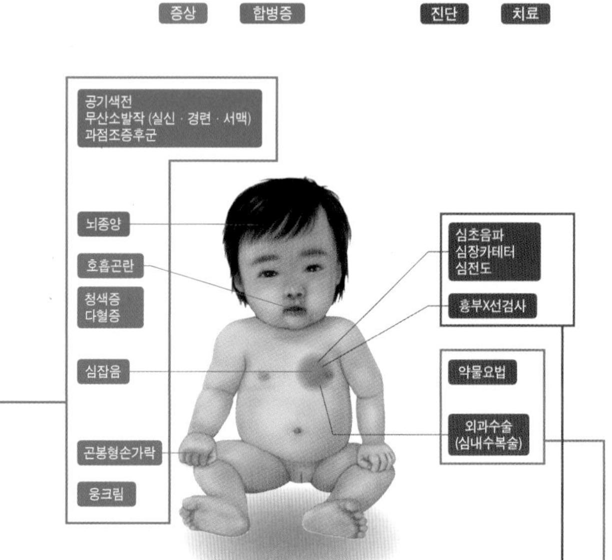

증상

- 태아기는 무증상이다.
- 신생아기에 폐동맥협착이 고도인 예에서는 현저한 청색증이 보인다.
- 유아기에 청색증이 진행되면 곤봉형손가락, 다혈증이 나타난다.
- 운동기능의 저하 [호흡곤란, 웅크림]

[합병증]

- 우좌단락에 의한 뇌농양, 공기색전(air embolism), 과점조도증후군(hyperviscosity syndrome)
- 무산소발작(anoxic spell) : 실신, 경련, 서맥

진단

- 진단은 심초음파 (네가지 증상의 형태 확인)와 심장카테터검사 (혈행동태의 파악)로 내린다.
- 진단은 비교적 용이하지만, 근치수술시에 관상동맥의 주행, 폐동맥의 발달, 폐동맥분기부 협착의 유무 판단은 중요하게 여겨져야 한다.
- 주요 대동맥-폐동맥 측부동맥이 있는 특수형에서는 심장카테터검사로 폐동맥형태의 확인이 필요하다.

치료

치료 map p.137

- 약물요법 : 동맥관폐쇄에 프로스타글란딘, 폐혈류량의 부족례에 β 차단제를 투여하지만, 모든 증례에는 수술이 필요하다.
- 외과치료 : 유아기까지 1기적 근치수술 (심내수복술)을 시행한다. 증례에 따라서는 고식수술 (쇄골하동맥-폐동맥단락술 등) 후에 심내수복을 한다. 극형 Fallot 4징증에서 라스텔리수술을 필요로 하는 증례에서는 유아기 이후에 근치수술을 시행한다.
- 카테터치료 : 잔존이상이나 이상혈관에 행해진다.

Fallot 4 징증

병태생리 map

심실중격결손, 폐동맥협착, 대동맥기승, 우심실비대의 네가지 증상을 나타낸다. 대동맥기시부의 심실중격이 우심실측으로 어긋남으로써 발생한다.

- 우심실에서 폐동맥으로의 경로에 협착이 발생하면서, 대동맥은 심실중격을 통해서 우심실과 좌심실에서 혈류를 받는다.
- 폐동맥으로 가야 할 정맥혈이 일부 전신으로 순환하므로 (우좌단락), 대동맥혈의 산소포화도가 저하되어 청색증이 발생한다. 이때 우심실과 좌심실의 수축기압이 같다.
- 우심실유출로, 폐동맥판막, 폐동맥판막상의 협착 정도가 심할수록 폐혈류량이 저하되며, 폐동맥의 가지도 가늘어지고 발달이 나빠져서, 고도의 청색증이 발생한다.
- 우심실-폐동맥 사이의 흐름이 거의 두절된 증례 (극형 Fallot 4징증)는 동맥관에 폐혈류를 의존하는 상태이다.
- 중등증 증례에서도 폐동맥협착은 생후 서서히 진행되므로, 신생아기에 눈에 띄지 않았던 청색증이 우좌단락의 증가에 따라서 유아기 이후에 확실해지는 경우가 많다.
- 일반적으로 청색증이 고도이고 조기에 현저해지는 증례일수록, 폐동맥의 발달이 불량하므로 근치수술에 불리해진다. 감소한 폐혈류량이 근치수술 후에 체혈류량과 같아지므로, 이를 수용할 폐동맥의 형태가 필요한 것이 그 원인이다.

병인 · 악화인자

- 22q11.2결손증후군에서 높은 비율로 보이고, 대동맥궁이상의 합병이 많다. 다운증후군의 Fallot 4징증은 높은 비율로 심내막상결손증을 수반한다.

역학 · 예후

- 선천성 심질환의 5~10%를 차지한다.
- 생존율은 85~90%로 대개 양호하지만, 수술 후 장시간이 경과하고서 돌연사하는 예도 있어서, 신생아기부터 아동, 성인에 이르기까지 상태에 따른 주의깊은 관찰이 필요하다.

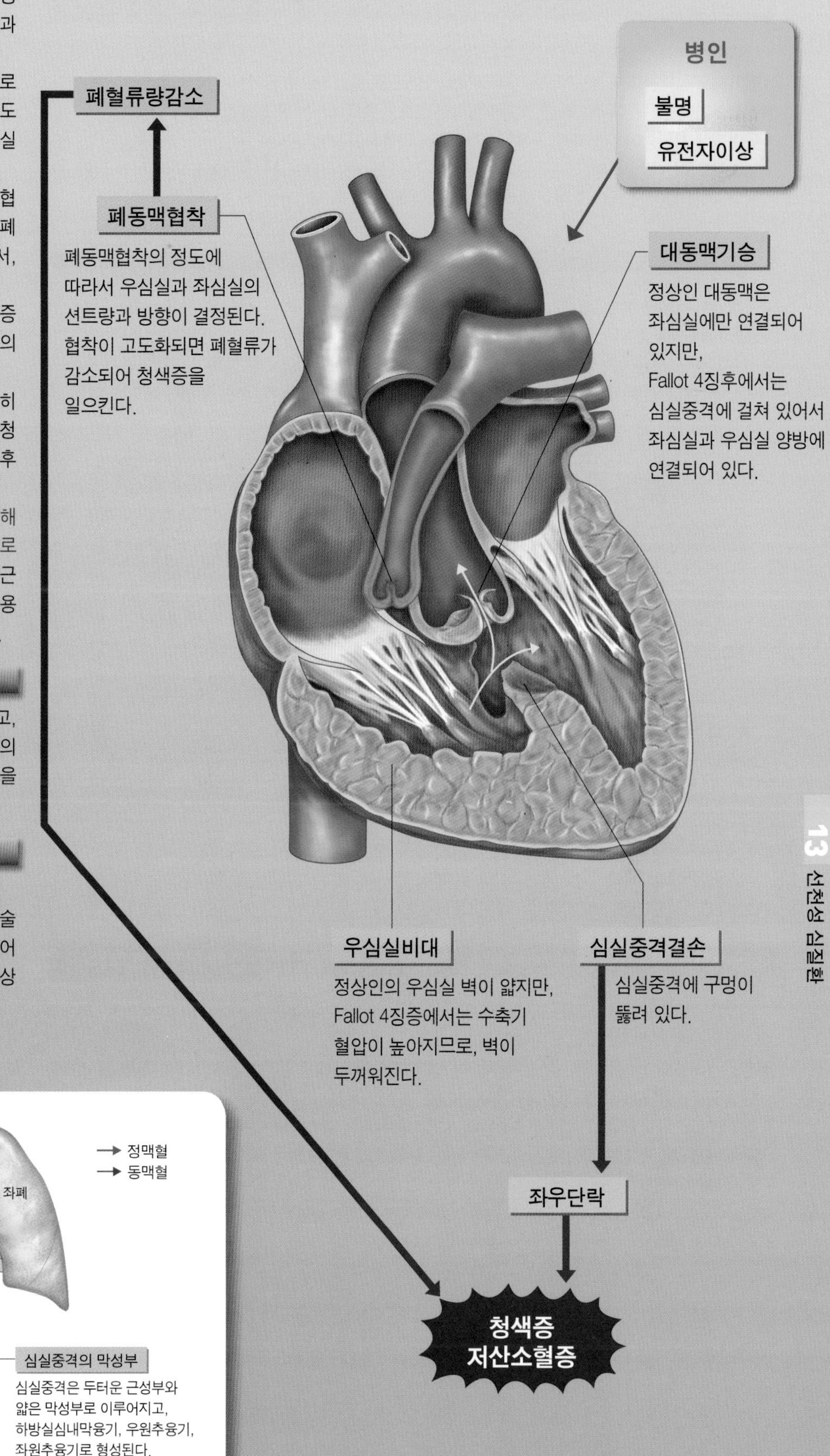

정상 혈류

→ 정맥혈
→ 동맥혈

우폐
좌폐
대동맥
폐동맥
좌심방
폐정맥
상대정맥
우심방
좌심실
하대정맥
우심실

심실중격의 막성부

심실중격은 두터운 근성부와 얇은 막성부로 이루어지고, 하방실심내막융기, 우원추융기, 좌원추융기로 형성된다.

Fallot 4 징증

증상 map

태아기는 무증상이고, 신생아기에 고도인 증례에서는 중증의 청색증이 보인다.

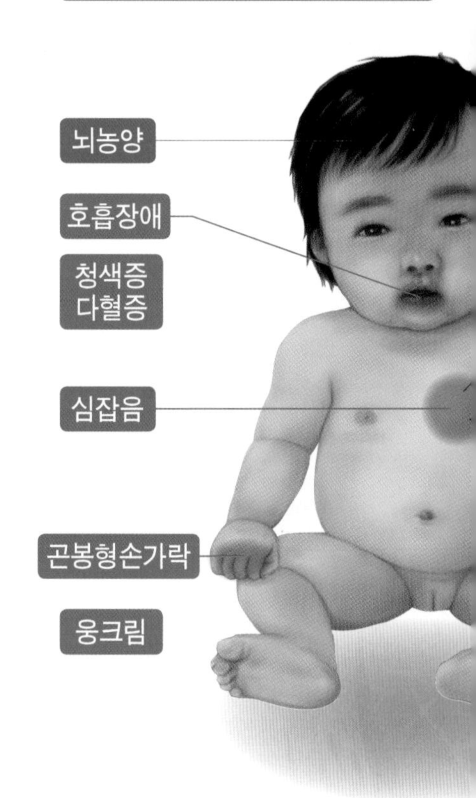

증상

- 태아기는 본래 정상적인 경우에도 우좌단락이 있고, 우심실 및 좌심실은 등압 때문에 무증상이며, 극형에서도 동맥관에서 폐동맥으로 혈류가 보내어지므로 정상적으로 발육한다.
- 신생아기에 동맥관이 폐쇄되면, 폐동맥협착이 고도인 증례에서는 중증의 청색증이 발생한다.
- 유아기에 청색증이 진행되면, 곤봉형손가락이나 다혈증이 보인다.
- 생리적으로는 발달하지만, 운동량이 증가하면 저산소가 증강되는 등, 운동기능의 저하가 나타나게 된다. 예를 들어, 조금만 걸어도 숨이 차서 주저앉게 되고, 웅크리게 된다.

합병증

- 우좌단락에 의한 뇌농양, 공기색전, 다혈로 인한 과점조도증후군 외에, 무산소발작이 비교적 높은 비율로 나타난다.
- 무산소발작 : 우심실유출로의 심근이 현저하게 수축되고 폐동맥으로의 협착이 증강하면서, 저산소로 인한 실신, 경련, 서맥이 일어나는 발작이다. 추운 이른 아침, 울 때, 배변 때문에 배에 힘을 준 후 등에 일어나기 쉽다.

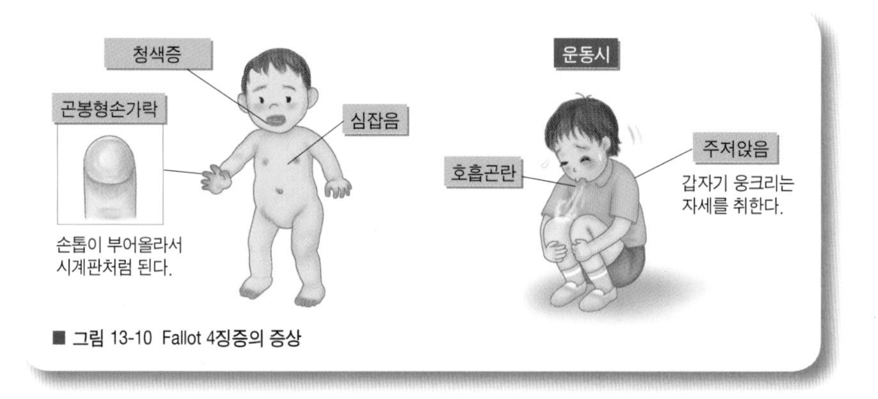

■ 그림 13-10 Fallot 4징증의 증상

Fallot 4 징증

진단 map

심초음파에 의한 네가지 증상의 형태의 확정 및 심장카테터검사에 의한 혈행동태의 파악을 통해 진단내린다.

진단·검사치

- 우심실유출로가 맹단(盲端)된 상태로서 우심실에서 폐동맥으로의 순행성 혈류가 없는 경우, 폐혈류가 동맥관에 의존하고 있어서 판별할 필요가 있다.
- 진단은 비교적 용이하지만, 근치수술시에 관상동맥의 주행, 폐동맥의 발달, 폐동맥분기부 협착의 유무 등의 판단이 술후의 경과에 영향을 미친다.
- 특수형으로 주요 대동맥-폐동맥 측부동맥이 있는 예에서는 흉부 하행대동맥에서의 혈관이 말초폐동맥에 연결되면서, 폐혈류가 유지되고 있다. 이 경우의 폐동맥형태는 복잡하기 때문에 심장카테터에 의한 확인이 필요하다.
- 폐혈류 과다인 예도 있어서, 적절한 폐동맥을 유지하기 위한 2기적 수복술 및 카테터색전술이 필요한 경우가 많다.

Fallot 4징증

치료 map

형태적, 사회적으로 매우 곤란한 예를 제외하면, 기본적인 치료는 외과수술이다.

진단 치료

■ 표 13-2 Fallot 4징증의 주요 치료제

분류	일반명	주요 상품명	약효발현의 메커니즘	주요 부작용
프로스타글란딘제제	알프로스타딜	주사용 Prostandin, Liple, Palux	동맥관 개존	무호흡발작, 저나트륨혈증, 설사
β차단제	칼테올롤염산염	미케란	우심실유출로 협착예방	천식발작악화, 저혈당, 심부전, 서맥
	아테놀롤	테놀민		
	프로프라놀롤염산염	인데랄	우심실유출로 협착해제	

치료방침

- 극형 Fallot 4징증의 동맥관폐쇄에는 신생아기에 프로스타글란딘 경정맥 지속투여 [리포PGE1 (5ng/kg/분), 또는 PGE1 α CD (50ng/kg/분)]로 동맥관을 유지하고, 혈관이 발달한 신생아기 후기에 체동맥 (쇄골하동맥)-폐동맥단락술 (Blalook-Taussig수술)을 시행한다 (고식수술).
- 폐혈류가 적은 예에서는 β차단제인 칼테오롤염산염 (미케란 0.2~0.3mg/kg/일, 分2)을 투여하고, 기관지천식 합병례에서는 아테놀롤 (테놀민 0.5~2mg/kg/일)을 투여하긴 하지만, 성장에 수반하는 폐혈류량을 유지하기 위해서 고식수술이 필요한 경우가 많다.
- 폐혈류가 가장 적당한 예에서도 폐동맥판막륜, 폐혈관상의 발육을 기대하며 β차단제를 투여하는 경우가 많다.
- 측부혈관의 풍부한 폐혈류량의 증가례에서는 이뇨제를 투여한다.
- 무산소발작의 치료 : 슬흉부위에서 안은 상태로 (대뇌동맥압박으로 인한 체혈관저항의 상승) 산소투여, 모르핀염산염 (0.1~0.2mg/kg 근주), 페치딘염산염 (Opystan 0.5~2mg/kg 근주), 대사성산증을 보정한다. β차단제 (인데랄 0.1mg/kg 정주), 체혈관수축제 (Neo-synesin 0.05~0.1mg/kg 정주 또는 근주)를 투여한다. 회피할 수 없는 경우는 신속히 외과치료를 한다.

심초음파
심장카테터
심전도

흉부X선검사

약물요법

- 동맥관폐쇄에 대해서는 프로스타글란딘제제 투여가, 폐혈류량의 부족례에 대해서는 β차단제 투여가 중심이다.

Px 처방례 생후 10개월 체중 8kg 중등증

- 미케란 소아용 세립 (2mg/g) 2mg 分2 ←β차단제

약물요법

외과치료 (심내수복술)

외과치료

- 1기적 심내수복술 (심실중격결손폐쇄 겸 우심실유출로 협착해제)은 유아기까지 시행한다.
- 폐동맥의 저형성, 좌심실용적, 관상동맥의 기시나 주행이상, 이상측부혈관의 유무에 따라서는 쇄골하동맥-폐동맥단락술 등의 고식술 후에 심내수복을 실시하는 전략을 취한다.
- 극형 Fallot 4징증에서 우심실폐동맥 사이에 심외도관을 사용하는 라스텔리 (Rastelli) 수술 (우심실유출로 도관제작술)이 필요한 예에서는 유아기 이후에 근치수술을 하는 경우가 많다.
- 근치수술 후의 문제로 잔유폐동맥협착, 폐동맥판막역류, 삼첨판역류에 의한 우심부하, 대동맥판막역류, 심실성부정맥이 있으며, 증례에 따라서는 충분한 경과관찰을 필요로 한다.
- 잔존이상이나 이상혈관에는 카테터치료도 행해진다.

Fallot 4징증의 병기 · 병태 · 중증도별로 본 치료흐름도

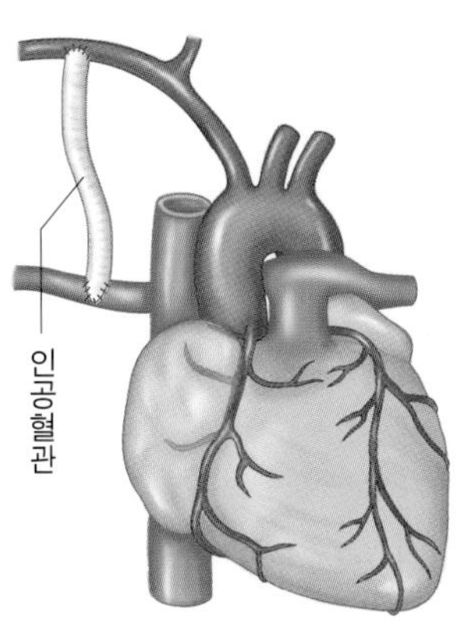

좌 또는 우쇄골하동맥을 폐동맥에 문합한다. 현재는 인공혈관을 이용하는 변법이 주류이다.

■ 그림 13-11 Blalook-Taussig수술

E. 대동맥판막협착증 (aortic stenosis)

※선천성을 중심으로 기술한다.

병인

- 선천성 이첨판이 많다(후천성에서는 판첨의 석회화, 류머티스열).

[악화인자] 동맥경화

역학

- 선천성 심질환의 1.5~5%를 차지한다.
- 태아기에 사망하는 예, 평생동안 심잡음뿐인 예 등, 예후는 다양하다.

[예후] 유아발생 이외는 술후의 관리가 적절하면 예후가 비교적 양호하다.

병태생리

- 대부분은 대동맥판막 삼첨판의 3개의 교련 중 하나가 유합하여 이첨판을 형성하고, 판륜이 협소화되어 좌심실-대동맥 사이에 수축기압교차가 생긴다.
- 압부하로 좌심실이 비대해진다.
- 대동맥판막상부협착(supraaortic stenosis)이 Williams 증후군에서 보이는 경우가 많다.

증상 합병증 진단 치료

실신 (운동시)
피부창백 (중증례)
흉통 (운동시)
심잡음
구출기 클릭음
맥박미약
(중증례)
세균성심내막염
운동능력의 저하

흉부X선검사
심전도
심초음파 (도플러심초음파)
심장카테터
외과치료 (판교련절개술, 판치환술)
경피적풍선확대술

증상

- 중등증 이하인 증례에서는 거의 무증상이다.
- 흉골 상부의 수축기 심잡음, 구출기 클릭음으로 발견되는 경우가 많다.
- 드물게 운동능력의 저하, 운동시의 흉통 · 실신이 나타난다.
- 신생아의 중증례에서는 쇼크증상 (맥박미약, 피부창백)이 나타난다.

[합병증]

- 세균성심내막염

진단

- 심초음파 : 대동맥판막의 돔형성, 판첨 비후, 가동제한, 상행대동맥의 협착후 확장, 좌심실근 · 심실중격의 비후를 확인한다. 신생아의 중증례에서는 판륜이 작고, 판은 젤라틴 같다.
- 도플러심초음파 : 대동맥판막을 통과하는 혈류속도의 증가와 난류를 확인하고, 혈류속도의 계측에서 좌심실-대동맥압 교차를 추정할 수 있다.
- 심장카테터검사 : 수술적응의 경계역 이상의 압교차가 예상되는 경우에 실시한다.

치료

치료 map p.141

- 약물요법 : 중증례에서는 서포트 이외의 효과는 없다.
- 외과요법 : 좌심실-대동맥압교차 50mmHg 이상은 외과적 치료 (판교련절개술, 판치환술, Ross수술) 또는 경피적풍선(balloon)확대술의 적응이 된다.
- 신생아기 중증 대동맥판막협착 : 출생후 호흡관리, 쇼크 및 산증의 보존적 치료, 프로스타글란딘 투여에 추가하여, 조기에 고식적 치료 (경피적풍선확대술;percutaneous balloon dilatation)를 실시하고, 근치수술을 준비한다.

대동맥판막협착증

병태생리 map

대동맥판막 삼첨판 3개의 교련 중 하나가 유합하여 이첨판을 형성한 경우가 많다.

- 좌심실-대동맥 사이에 수축기압교차가 생긴다.
- 좌심실은 압부하로 비후해진다. 연령에 따라서 진행되고, 압차가 증대되는 예도 있다.
- 대동맥판막상부협착은 Williams증후군에 합병되는 경우가 많다.

역학 · 예후

- 선천성 심질환의 1.5~5%를 차지한다.
- 태아기에 사망하는 예부터 평생 심잡음뿐인 예까지, 예후는 여러 가지이다.

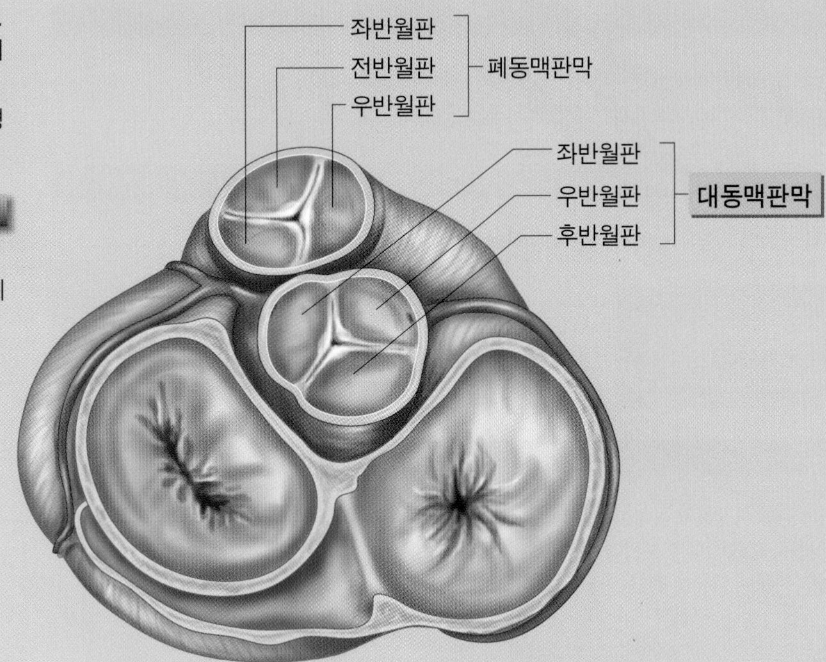

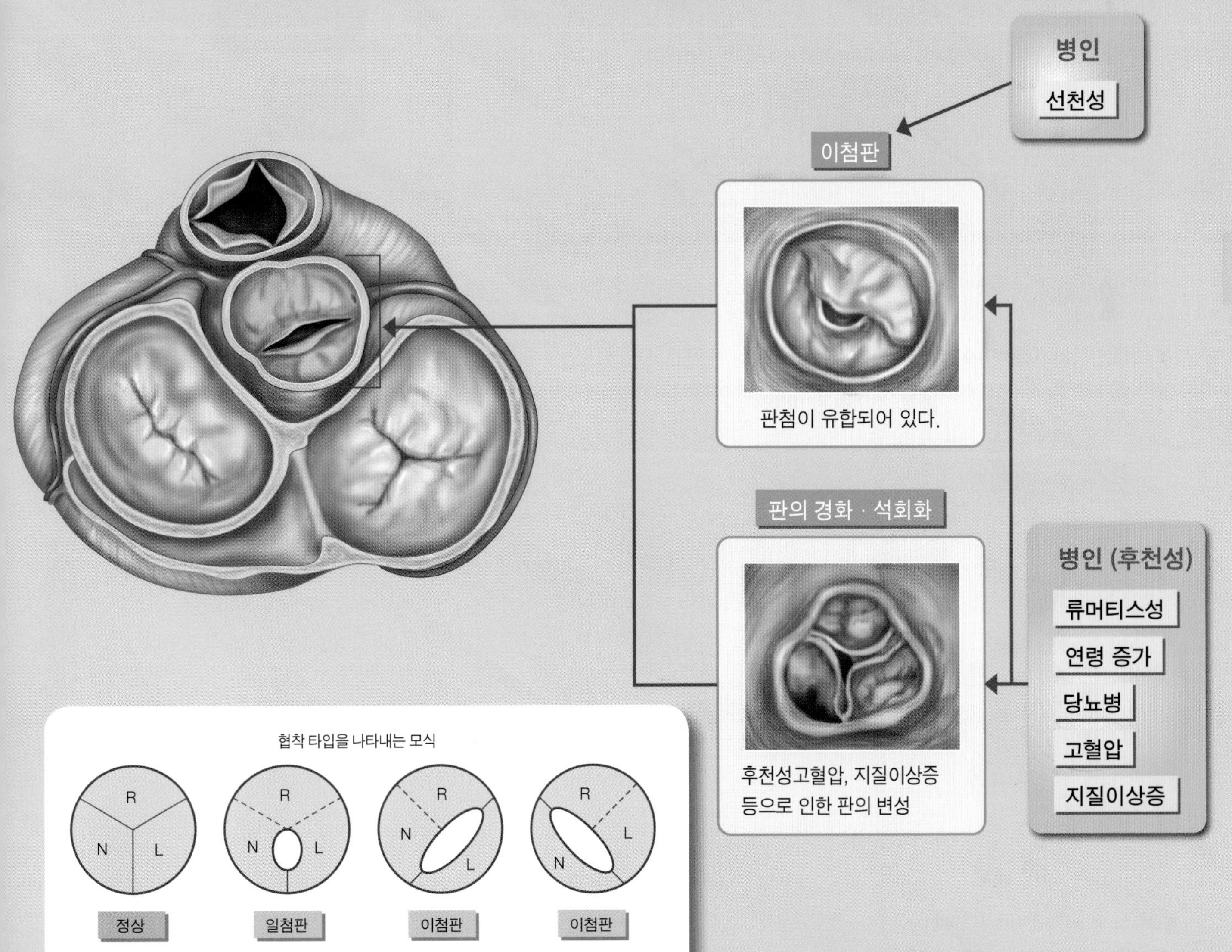

■ 그림 13-12 대동맥판막협착증의 병태

대동맥판막협착증

증상 map

중등증 이하인 증례에서는 거의 무증상이기 때문에, 흉골 상부의 수축기 심잡음 및 구출기 클릭음으로 발견되는 경우가 많다.

증상

- 드물게 운동능력의 저하나 운동시의 흉통, 실신이 나타나는 수가 있다.
- 신생아의 중증례에서는 맥박미약, 피부창백의 쇼크증상이 나타난다.

합병증

- 세균성심내막염의 위험도 있어서 예방적 투약이 필요하다.

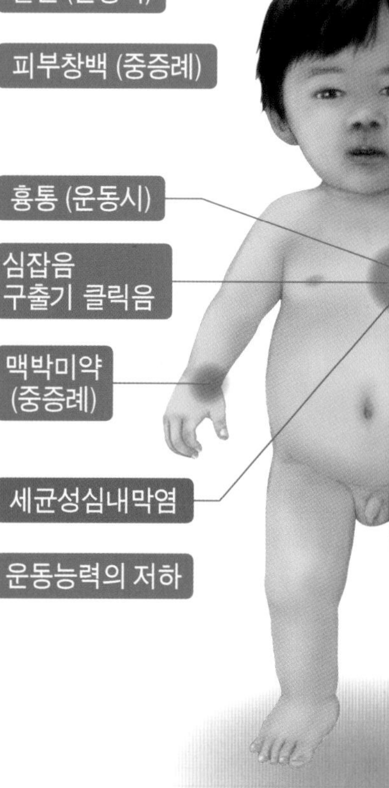

심실중격결손증

진단 map

심초음파에서 대동맥판막의 돔형성이나 판첨비후 등을 확인하고, 도플러심초음파에서 좌심실-대동맥압교차를 지정한다.

진단·검사치

- 심초음파로 대동맥판막의 돔형성, 판첨비후, 가동제한, 상행대동맥의 협착후 확장을 확인한다. 좌심실근 및 심실중격의 비후가 보인다.
- 신생아의 중증례는 판륜이 작고, 판은 젤라틴상이다.
- 도플러심초음파를 통해 대동맥판막을 통과하는 혈류속도의 증가와 난류를 파악할 수 있다. 혈류속도의 계측으로 좌심실-대동맥압교차를 추정할 수 있다.
- 수술적용의 경계역 이상의 압교차가 예측되는 경우, 심장카테터검사의 적응대상이 된다.

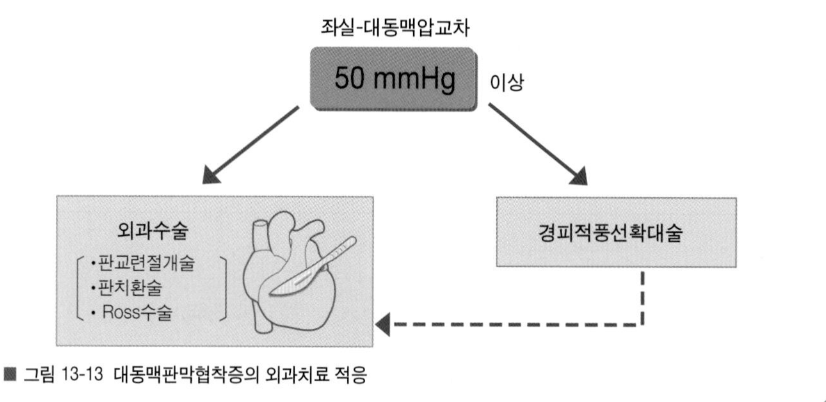

■ 그림 13-13 대동맥판막협착증의 외과치료 적응

■ 그림 13-14 대동맥판막협착 시의 운동제한

좌심실-대동맥압교차가 50mmgHg 이상은 경피적풍선확대술 또는 외과적 치료의 적응대상이다.

진단 치료

흉부X선검사

심전도
심초음파(도플러심초음파)
심장카테터

외과치료(판교련절개술, 판치환술)
경피적풍선확대술

치료방침

- 좌심실-대동맥압교차가 20mmHg 이하인 경증례는 운동에 제한이 없다.
- 좌심실-대동맥압교차가 20mmHg 이상이면 경피적풍선확대술, 외과적 치료 (판교련절개술, 판치환술, Ross수술)을 적응한다.
- 신생아기 중증 대동맥판막협착 : 약물요법, 호흡관리, 경피적풍선확대술(고식적)을 실시하고, 근치술을 준비한다.

외과요법

- 중증례에서는 서포트 이외에는 내과적 약물요법은 효과가 없다.
- 학령기에 좌심실-대동맥압교차가 20mmHg 이상으로 나타나면 운동부에 가입하지 않는 것이 바람직하다. 50mmHg 이상은 경피적풍선확대술이나 외과치료의 적응대상이다.
- 수술법에는 판교련절개, 판치환술 [또는 곤노(今野)수술에 의한 판륜확대병용], 로스(Ross)수술 (자기폐동맥판막을 대동맥판막으로 치환한다)이 있다.
- 연령증가에 따른 협착의 진행 뿐만 아니라 풍선확대술이나 교련절개술을 받은 후에도 재협착의 가능성이 있으므로, 정기적인 경과관찰이 필요하다.
- 유아발생 이외는 관리가 적절하면, 예후가 비교적 양호하다.

신생아기 중증 대동맥판막협착

- 태아기는 동맥관에 의해서 하행대동맥으로의 혈행이 유지되지만, 좌심실에서의 박출량은 감소하고, 압부하 때문에 좌심실벽이 비후해진다. 보상할 수 없어지면 수축이 저하되고, 심내막의 비후로 인해 심내막섬유탄성증이 발생한다. 좌심저형성이나 대동맥협착이 합병되기도 한다.
- 태아기에 보상불능에 빠진 중증례는 제왕절개로 출생한 후, 호흡관리, 쇼크 및 산증에 대한 보존적 치료, 프로스타글란딘 투여에 추가하여, 조기에 카테터를 이용한 경피적풍선확대술을 고식적으로 시행하고, 외과적인 근치수술을 준비한다.
- 신생아기나 유아기 조기에 저심박출증상을 나타내는 예에도 카테콜라민을 투여하고 호흡관리하면서, 풍선확대술 등의 외과수술을 신속히 시행한다.

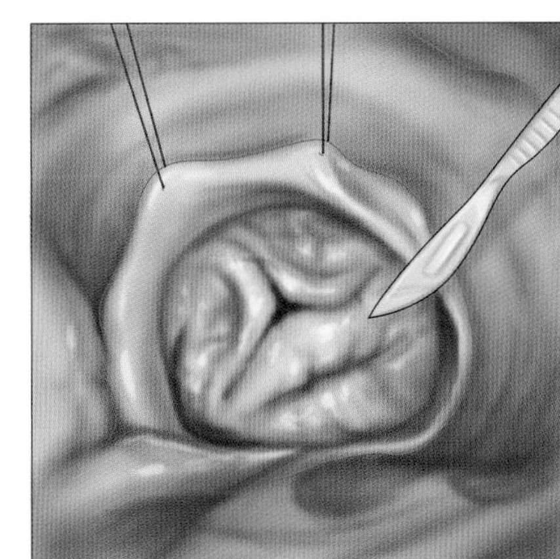
판을 절제한다.

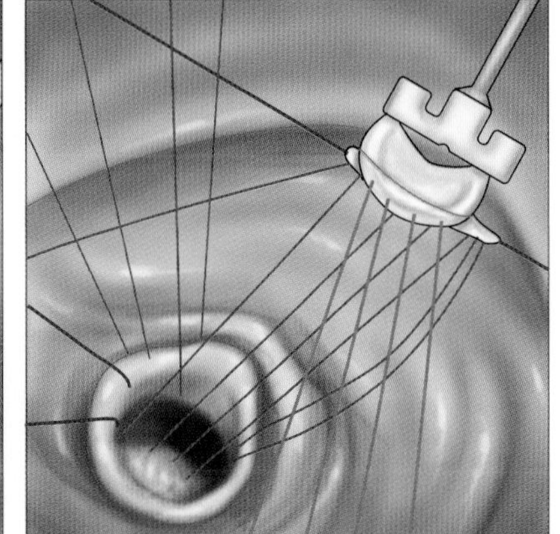
판륜에 실을 걸어 인공판을 삽입한다.

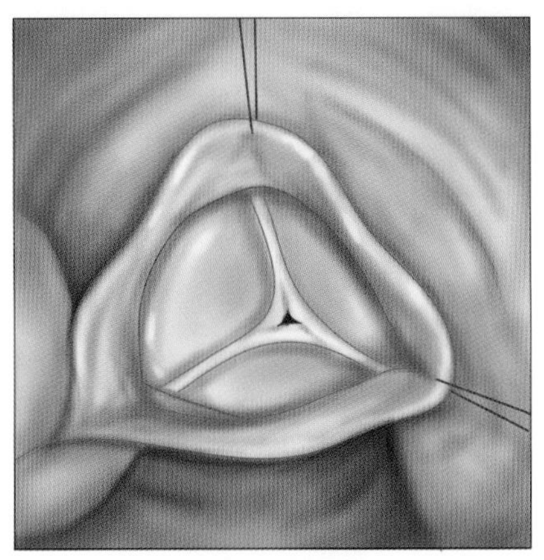
인공판을 꿰맨다.

■ 그림 13-15 대동맥판막치환술

F. 승모판협착증 (mitral stenosis)

※선천성을 중심으로 기술한다.

병인

● 선천성 형태이상이다(후천성의 대부분은 류머티스열의 후유증으로 출현한다).

[악화인자] 심방세동

역학

● 선천성 심질환의 0.1~0.2%를 차지한다.

[예후] 증례에 따라서는 예후가 불량한 경우도 있다.

병태생리

● 승모판구가 좁아져서, 좌심방에서 좌심실로 혈액이 잘 흐르지 않게 되어, 좌심실의 유입로에 압교차가 생긴다.

● 형태이상형 : 승모판륜의 협소, 판첨비후, 유합, 판하조직의 이상, 낙하산승모판(parachute mitral valve), 해먹승모판(hammock mitral valve), 승모판상협착

● 숀복합체 (Shone complex) : 태아기부터 좌심계의 혈류량이 감소되고, 대동맥판막협착이나 대동맥축착 등이 수반된다.

증상 합병증 진단 치료

포유곤란
다호흡
함몰호흡
폐고혈압
말초순환부전
심장세동
감염성 심내막염

심초음파도 (도플러 심초음파)
심장카테터
심전도
흉부X선검사
약물요법 (이뇨제, 정맥계 혈관확장제)
외과치료

증상

● 폐정맥울혈로 인한 호흡기증상 (다호흡, 함몰호흡, 포유곤란)

● 중증례에서는 울혈로 인한 폐고혈압, 저심박출량에 의한 말초순환부전

[합병증]

● 심방세동

● 세균성심내막염

진단

● 심초음파 : 본증의 진단에는 심초음파를 통한 형태진단이 중요하다.

● 도플러심초음파 : 좌심실유입 혈류속도의 증대가 확인된다.

● 심장카테터검사 : 침습적인 검사로서 조영시에 전신상태가 악화될 위험이 있으므로, 합병이상의 확인을 위해 필요한 경우를 제외하면, 가능한 신중하게 실시한다.

치료

치료 map p.145

● 약물요법 : 이뇨제, 정맥계 혈관확장제가 적용된다. 폐동맥 확장작용이 있는 약제는 폐울혈을 조장하므로 금기시 된다.

● 외과치료 : 판형성술은 효과를 기대하기 어렵다. 인공판치환술은 유아의 경우에는 한계가 있다.

승모판협착증

병태생리 map

좌심실의 유입로에 압교차가 생긴다.

- 승모판륜의 협소, 판첨비후, 유합, 판하조직의 이상, 낙하산승모판 (단일유두근에서 짧은 건삭)이 수반된다. 해먹형승모판 (hammock mitral valve), 승모판상협착 등 각종 형태이상이 있다.
- 태아기부터 좌심계 혈류량이 감소되고, 높은 비율로 대동맥판막협착이나 대동맥축착 등이 합병되는 경우를 숀복합체 (Shone complex)라고 하며, 진단에 주의를 요한다.

역학 · 예후

- 선천성 심질환의 0.1~0.2%를 차지한다.

전첨
중격첨
후첨
삼첨판 (우방실판)

승모판 (좌방실판)
전첨
후첨

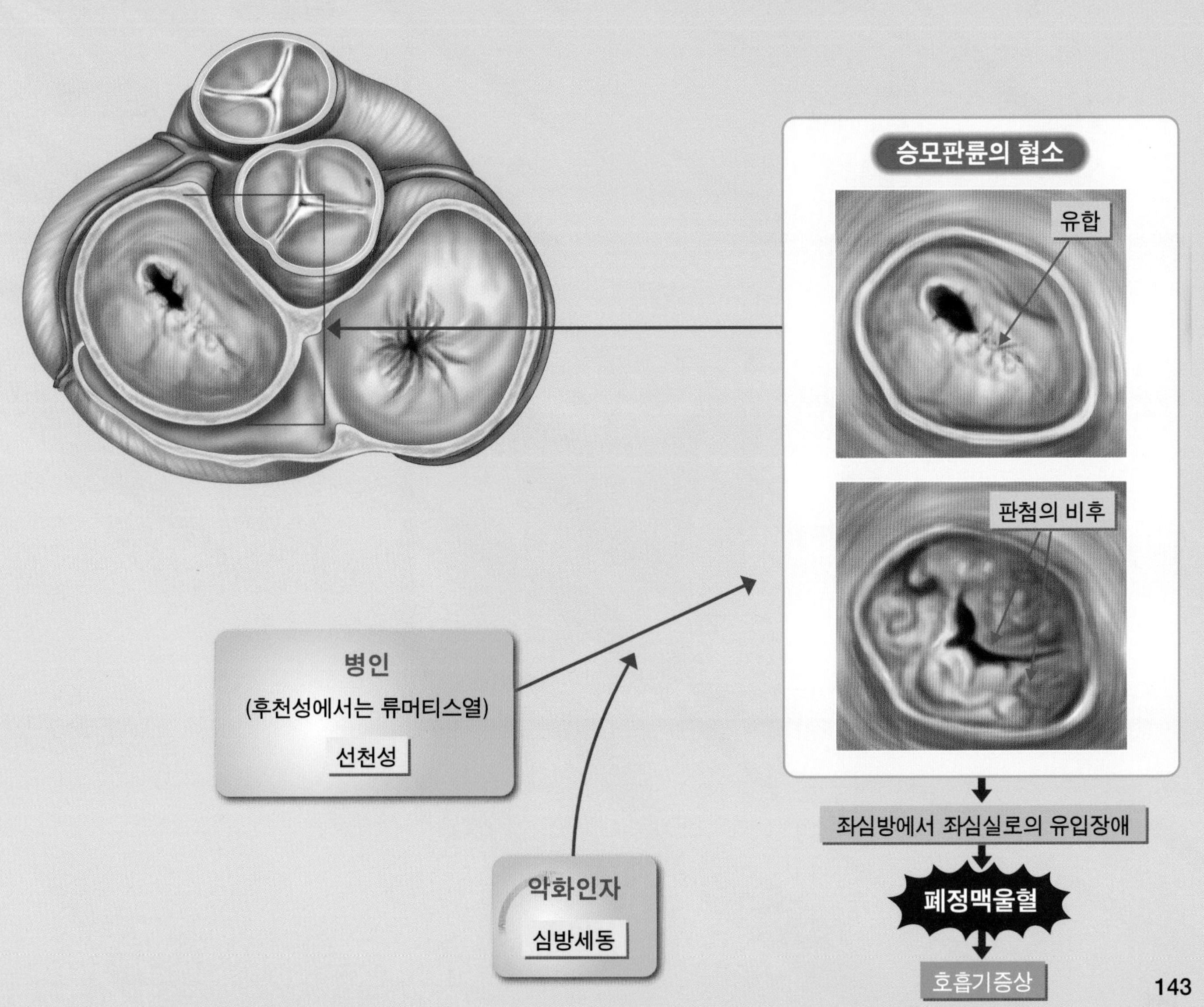

승모판협착증

증상 map

폐정맥울혈로 인한 다호흡, 함몰호흡, 포유곤란 등이 보인다.

증상

- 폐정맥울혈로 인한 호흡기증상 (다호흡, 함몰호흡, 포유곤란), 중증례에서는 울혈에 의한 폐고혈압, 저심박출량에 의한 말초순환부전이 나타난다.

합병증

- 심방세동, 세균성심내막염

증상 합병증

포유곤란
다호흡

함몰호흡

폐고혈압

말초순환부전

심방세동
세균성심내막염

승모판협착증

진단 map

심초음파를 이용하여 형태를 진단하고, 도플러심초음파로 좌심실유입 혈류속도의 증대를 확인한다.

진단·검사치

- 진단시에는 심초음파에 의한 형태진단이 중요하다. 도플러심초음파로 좌심실유입 혈류속도의 증대를 확인한다.
- 침습이 있는 심장카테터는 특히 조영시에 폐울혈의 악화를 초래하며, 급격히 전신상태가 악화될 위험이 있으므로, 합병이상의 확인이 필요한 경우를 제외하면, 가능한 신중히 실시한다.

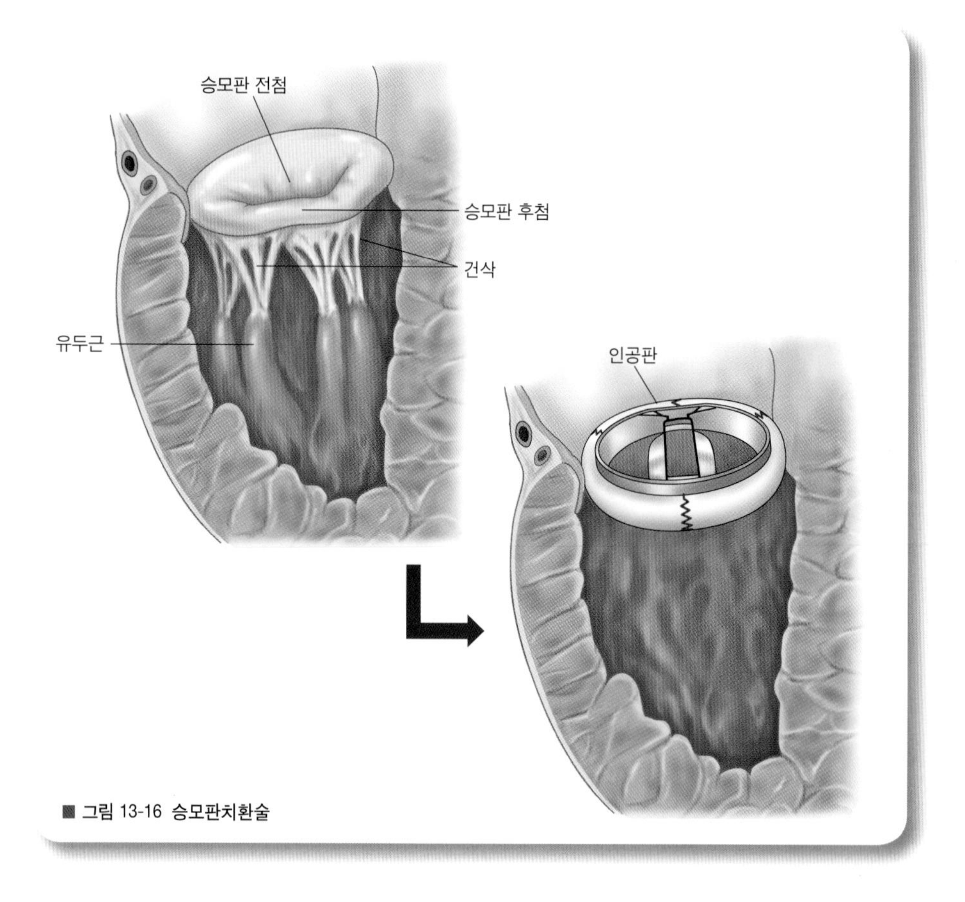

■ 그림 13-16 승모판치환술

폐울혈에 이뇨제, 정맥계 혈관확장제를 투여한다.

진단 치료

심초음파 (도플러심초음파)
심장카테터
심전도

흉부X선검사

약물요법
(이뇨제, 정맥계 혈관확장제)

외과치료

치료방침

- 일상생활에서 심박수가 증대되는 과잉노작을 피한다.
- 약물요법 : 이뇨제로 울혈을 개선한다.
- 심방세동이 수반되는 경우 : ①디지탈리스제제에 의한 심박수 관리, ②항응고요법에 의한 뇌색전 예방.
- 외과치료 : 상태에 따라서 판형성술, 판치환술을 시행한다.

치료법 · 예후

- 내과치료 : 폐울혈에 대한 이뇨제 외에, 정맥계 혈관확장제가 적용되는데, 이때 폐동맥확장작용이 있는 약제는 폐울혈을 조장하므로 금기인 점에 주의가 필요하다.
- 외과치료 : 판하조직의 복잡한 이상이 수반되기 쉽고, 판형성술은 효과를 얻기 어렵다. 또 유아의 경우에는 인공판치환도 한계가 있어서, 증례에 따라서는 예후가 불량할 수 있다.

(淺野 優)

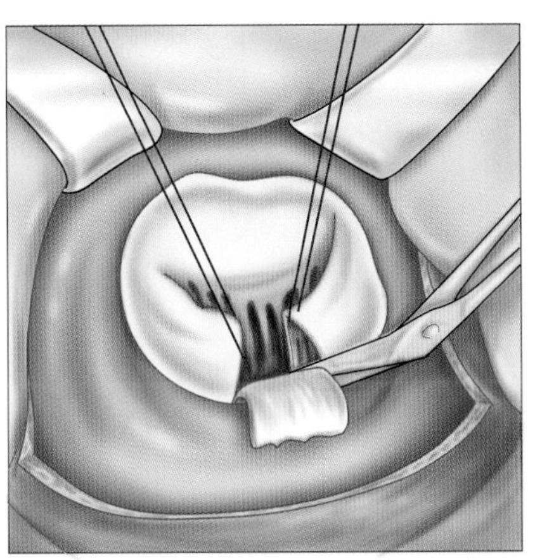

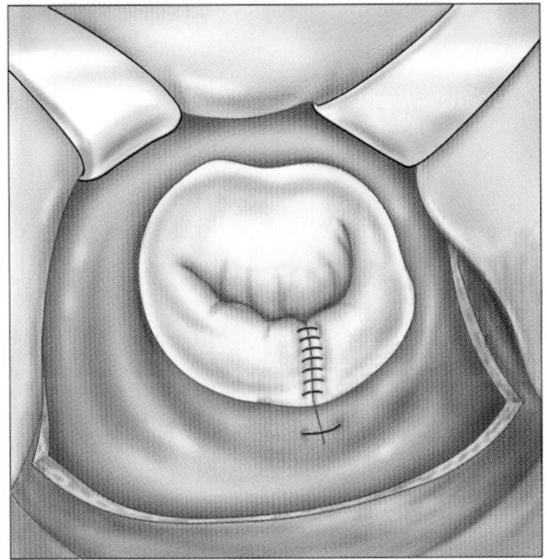

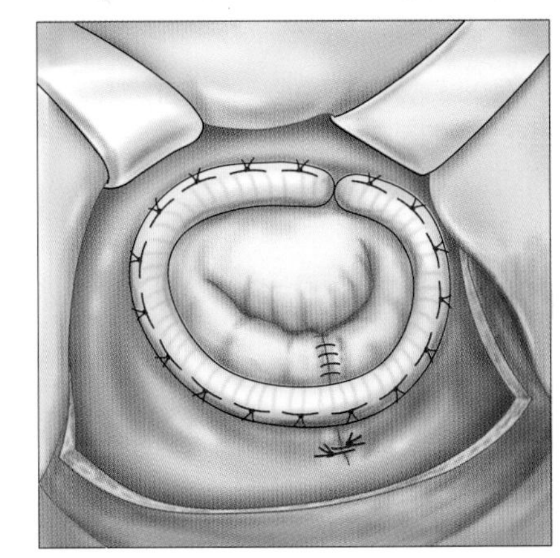

■ 그림 13-17 승모판형성술

환자케어

심실중격결손증 · 심방중격결손증은 결손공의 크기, 부위 등에 따라서 증상이 크게 다르므로 증상에 맞춘 케어를 제공한다. 대동맥판막협착증 · 승모판협착증에는 심부전의 악화방지와 감염예방이 중요하다.

선천성 심질환의 외과적 치료성적이 비약적으로 개선됐을 뿐 아니라, 심부전이나 부정맥의 내과적 치료가 진보하면서, 성인기에 도달하게 되는 선천성 심질환의 증례가 증가하고 있다. 또 심방중격결손증 등 자연폐쇄를 기대하여 외과적 치료를 하지 않았던 증례나 증상이 부족하여 스크리닝되지 않았다가 성인기에 이르러 아이젠멩거화되는 중증례도 있어서, 여기에서는 성인기 환자를 전제로 한 환자케어를 소개한다.

A. 심실중격결손증, 심방중격결손증

병기 · 병태 · 중증도에 따른 케어

【내과적 치료기】 결손공의 크기, 형태, 부위에 따라서 증상도 크게 다르며, 그에 맞추어 치료가 행해진다. 자연 경과한 심방중격결손증, 심실중격결손증 성인환자인 경우, 폐고혈압, 세균성심내막염, 부정맥, 심부전이 합병되어 있는 경우가 많아서, 증상이 악화되기 전에 적절한 치료를 받을 수 있도록, 일상생활, 활동, 복용에 관한 지도를 하는 것이 중요하다.

【외과적 치료기】 아이젠멩거화되지 않은 환자는 수술의 적응대상이다. 술후에는 결손공이 폐쇄되기 때문에, 순환동태는 정상화되지만, 급격한 용량부하에 의한 좌심부전을 일으키기 쉽고, 자극전도계의 장애로 인해 부정맥이 출현할 가능성이 있으므로, I/O관리와 심전도모니터의 관찰이 중요한 케어사항이 된다.

케어의 포인트

증상의 진행 (심부전의 악화)과 합병증의 예방
- 결손공의 크기, 형태, 부위, 폐고혈압의 상태에 따라서 증상 및 치료가 크게 다르다.
- 성인기의 심방중격결손증에서는 심방세동 등의 부정맥이나 심계항진, 호흡곤란 등의 심부전증상이 생기기 쉬우므로, 병세 및 증상을 잘 관찰하는 것이 중요하다.
- 심실중격결손증에서는 결손공이 과류하면서 세균성심내막염이 생기기 쉬우며, 좌우단락량이 많은 예에서는 폐고혈압이 진행되기 쉬워서, 아이젠멩거화되어 있지 않은가의 여부에 따라서 치료, 예후가 크게 다르다. 적절한 시기에 치료받을 수 있도록, 증상의 관찰과 환자에 대한 일상생활지도가 중요하다.

증상에 따른 일상생활의 지지
- 혈압 · 심박수의 현저한 변동 없이, 호흡곤란을 일으키지 않는 활동이나 행동을 할 수 있도록 지지한다.
- 적당한 휴식과 수면을 취할 수 있도록, 편안한 체위를 연구하는 등으로 지지한다.

환자 · 가족의 심리적 문제에 대한 지지
- 질환에 관해서 환자 · 가족에게 알기 쉽게 설명하고, 불안을 해소하도록 지지한다.
- 환자 · 가족이 심려나 불안을 표출할 수 있는 기회 및 환경을 제공하고, 지지적인 태도로 대하도록 유의한다.

퇴원지도 · 요양지도

- 증상의 유무, 심부전의 정도에 따라서, 필요한 퇴원지도나 요양방법도 크게 다르다. 의사가 설명한 활동, 복용의 필요성, 수분제한의 필요성 등을 이해하고 실행할 수 있도록 환자가 의문을 가지고 있는 내용을 파악하여 지도한다.
- 폐울혈로 인해 상기도감염이 일어나기 쉽고, 심부전도 악화되는 경향이 있다. 따라서 손씻기나 양치질 등으로 감염증을 예방하도록 지도한다.
- 특히 심실중격결손증은 결손공에서의 혈액분출과류나 충치 및 발치치료로 세균성심내막염을 일으키기 쉬우므로, 발열 등의 감염징후를 관찰할 필요성이 있음을 설명한다.
- 일상생활, 활동, 운동에 관한 범위는 심부전의 정도와 병태에 따라서 다르지만, 환자가 활동을 너무 제한받지 않도록 필요한 활동에 관하여 지도한다.

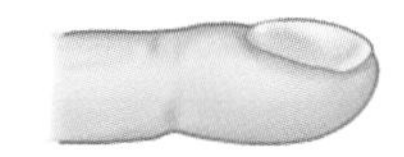

· 객혈 · 부정맥

■ 그림 13-18 아이젠멩거화 증상

B. 대동맥판막협착증, 승모판협착증

병기 · 병태 · 중증도에 따른 케어

【내과적 치료기】 장애가 생긴 판의 부위에 따라서 일어날 수 있는 병태가 다르지만, 심부전으로 인한 호흡기증상, 순환기증상, 심방세동 등의 부정맥이나 혈전색전증, 심박출량 감소에 수반되는 협심통 등의 이상을 조기발견할 수 있도록 관찰함과 동시에 증상이 악화되지 않도록 지지하는 것이 중요하다. 심부전증상의

악화를 방지하기 위한 식사요법 (염분제한 · 수분제한)이나 의사로부터 지시받은 범위 내에서의 활동, 안정의 유지, 약물요법이 기본이므로, 치료방침에 준하여 환자의 일상생활을 지도하는 것이 중요하다.

【외과적 치료기】 술후에 발생할 수 있는 합병증의 예방이 중요하다. 특히 인공판치환술을 받은 환자는 판에 세균이 부착되기 쉬워서 감염예방이 중요하며, 또 퇴원후에도 인공판의 기능을 유지하기 위해서 와파린 칼륨 등의 항응고제의 내복이 필요하다. 확실한 내복의 지도와 그 부작용에 관한 지도, 식사관리, 운동, 혈압관리에 관한 생활지도를 한다.

케어의 포인트

증상의 진행 (심부전의 악화)과 합병증의 예방

- 대동맥판막협착증인 경우, 좌심실비대로 인한 협심통이나 저심박출에 의한 뇌혈류량 저하 때문에 실신발작 등의 증상이 출현할 가능성이 있다. 또 폐동맥압 상승으로 폐울혈이 생길 가능성, 심부하가 가해지면 치명적 부정맥에 의한 돌연사가 발생할 가능성도 있어서, 심부전의 악화를 방지함과 더불어 감염예방이 중요하다.
- 승모판협착증은 증상이 진행되면, 심방압 상승, 심방확대로 심방세동이 초래되어 심박출량이 감소하는 경우가 있다. 또 심방세동으로 좌심방 내에 혈전이 생기고 그것이 유리되면 뇌경색 등의 색전증이 일어난다. 따라서 합병증예방을 위해서 혈전용해제의 확실한 내복과 혈전색전증에 주의해야 한다.

심기능 · 심부전에 맞춘 일상생활의 지지

- 현저한 혈압 · 심박수의 변동이 없으며, 호흡곤란을 유발하지 않는 활동이나 행동을 하도록 지지한다.
- 적당한 휴식과 수면을 취할 수 있도록, 편안한 체위를 연구하는 등의 지지를 한다.
- 식욕부진, 변비가 생긴 경우에는 섭취하기 쉬운 식사내용이나 시간을 연구함과 더불어, 의사에게 상담하여 완하제를 사용하여 조정한다.
- 부종이 생긴 경우는 욕창이 생기기 쉽다. 환자의 안정도에 따라서, 욕창방지 에어메트리스 등의 사용이나 동일체위를 삼가는 등의 지도를 하여, 피부손상을 예방한다.

환자 · 가족의 심리 · 사회적 문제의 지지

- 질환에 관하여 환자 · 가족에게 알기 쉽게 설명하여, 불안을 해소하도록 지지한다.
- 환자 · 가족이 염려나 불안을 표출할 수 있는 기회 및 환경을 제공하고, 지지적인 태도로 대하도록 유의한다.

퇴원지도 · 요양지도

- 심부전의 악화요인인 체액과다를 방지하기 위하여, 식사요법의 기본은 염분제한이며, 필요에 따라서 수분제한이 지시되는 경우도 있다. 식사요법의 필요성을 이해하고, 실행할 수 있도록 환자의 라이프스타일에 맞춤과 동시에, 상황에 따라서 영양사와 상담하면서 지도한다.
- 심부전의 예방과 증상의 악화방지, 합병증예방을 위해 중요한 약 (강심제, 이뇨제, 강압제, 항응고제)을 내복하고 있는 경우가 많다. 이 약들의 효과와 부작용, 내복시의 주의점을 설명하고, 약으로 인한 유해반응을 예방할 수 있도록 지도함과 더불어, 환자가 확실한 복용을 할 수 있도록 지도, 지지한다.
- 폐울혈로 상기도감염을 일으키기 쉽고, 그로 인해서 심부전도 악화되는 경향이 있다. 따라서, 손씻기나 양치질 등의 감염증예방행동을 실시하도록 지도한다.
- 극단적으로 활동을 제한할 필요는 없지만, 심기능에 맞추어 심부하를 가하지 않도록 일상생활 · 행동을 취하도록 설명한다.
- 변비, 배변시 힘주기는 심장에 부담이 가므로 변비에 걸리지 않도록 하며, 필요하면 의사와 상담하고 완하제를 처방받아서 배변관리를 하도록 지도한다.

(三浦英惠)

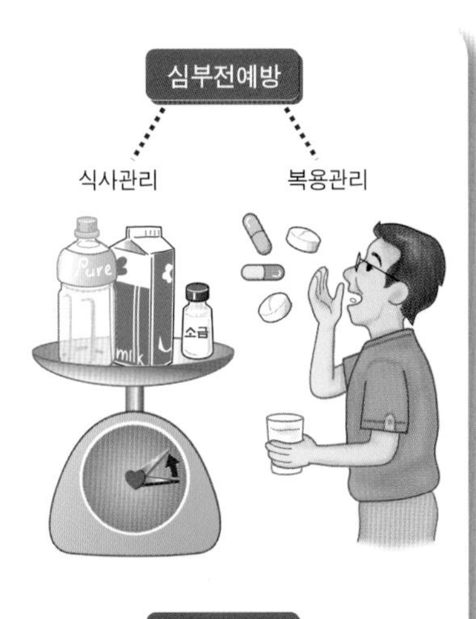

■ 그림 13-19 대동맥판막협착증, 승모판협착증환자의 셀프케어

Memo

14 고혈압증, 동맥경화증 (hypertension, arteriosclerosis)

下門顯太郎 / 有田清子

전체 map

병인

- 고혈압 : 체질로 인한 본태성고혈압과, 신질환, 내분비질환, 대동맥경화 등으로 인한 2차성고혈압(secondary hypertension)이 있다.
- 동맥경화 : 혈관의 만성염증으로 인해서 내막에 지질이 축적되어 협소화된다.

[악화인자] 생활습관병, 흡연, 가족력, 연령

역학

- 고혈압 : 남성은 5명에 1명, 여성은 7명에 1명이 발병하고, 70세 이상은 30% 이상이 고혈압 환자이다.
- 수축기혈압이 10mmHg 상승하면 뇌졸중 및 심질환의 이환・사망위험은 15% 이상 증가한다.

[예후] 강압치료로 개선

병태생리

- 고혈압 : 혈압이 높은 상태가 과도하게 지속되는 병태로, 혈관・뇌・심장・신장 등의 장기에 장애가 발생한다. 고혈압으로 인한 장기장애에는 뇌출혈(cerebral hemorrhage), 관동맥질환, 뇌경색, 사지의 동맥폐색성질환, 신경화증, 고혈압성 심질환이 있다.
- 동맥경화 : 고혈압, 고혈당, 지질이상으로 혈관내피에 장애가 발생하면서, 혈관내벽에 지질이 침착되어, 혈관내막이 비후해지고 혈전이 형성된다. 혈전은 심근경색, 뇌경색의 원인이 된다.

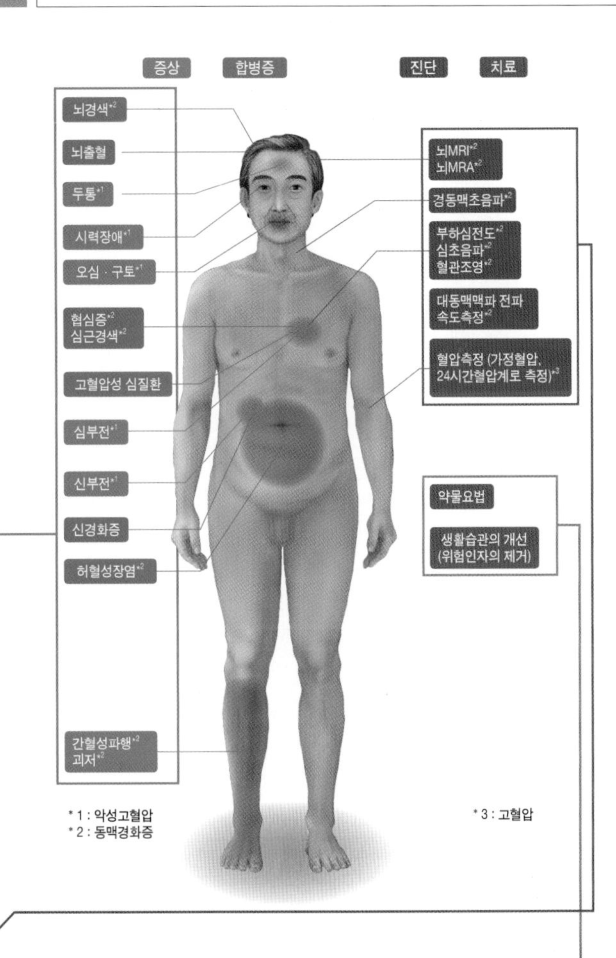

증상

- 고혈압 : 대부분 자각증상이 없다. 장기장애를 수반하는 악성고혈압에서는 두통, 오심・구토, 시력장애가 나타난다.
- 동맥경화 : 장기의 허혈증상 (뇌경색, 협심증, 심근경색, 허혈성장염, 신혈관성고혈압, 사지동맥의 폐색증상)

[합병증]

- 뇌출혈
- 동맥경화
- 관상동맥질환
- 고혈압성 심질환
- 신경화증 (nephrosclerosis)

진단

[고혈압]

- 고혈압은 진찰실혈압 140/90mmHg 이상, 가정혈압 135/85mmHg 이상으로 정의된다.

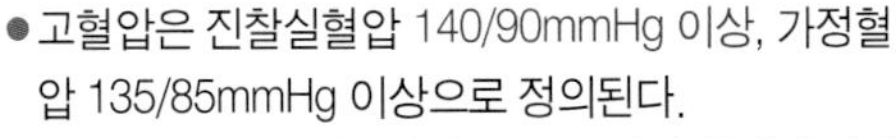

- 혈압은 몇 분의 여유간격을 두고 여러 차례에 걸쳐 측정하고, 2회 이상 다른 기회에 측정한 진찰실혈압치에 근거하여 진단한다.
- 가족혈압, 24시간혈압도 참고로 하여 진단을 확정하고, 혈압치에 근거하여 뇌심혈관 위험도를 분류한다(고혈압치료 가이드라인 2009).
- 증상이나 치료저항성으로 2차성고혈압을 확인한다.

[동맥경화]

- 각 장기의 허혈을 진단하는 방법 (뇌MRI, 부하심전도, 심초음파, 뇌MRA, 경동맥초음파 등)이 주체가 된다.
- 대동맥맥파전파속도 (PWV)는 동맥경화의 지표가 된다.

치료

치료 map p.156

- 저위험군은 3개월, 중등위험군은 1개월 이내의 생활지도로 개선되지 않으면 강압제 치료를 시행한다. 고위험군은 즉시 강압제치료를 시행한다.
- 약물요법 : 중증도, 장기장애의 유무, 약제의 특성을 고려하여, 칼슘길항제, 안지오텐신II수용체길항제 (ARB), 안지오텐신변환효소 (ACE) 저해제, 이뇨제에서 선택한다.
- 생활지도 : 식사요법 (염분 6g/일 미만 등), 적정체중 유지, 운동, 음주제한, 금연
- 외과치료 : 2차성고혈압의 경우 종양적출술이나 혈관형성술을 적용한다.

병태생리 map

고혈압은 혈압이 과도하게 높은 상태가 지속되는 상태로, 연령 증가와 더불어 혈압이 상승하는 본태성고혈압과 호르몬생산종양 등으로 인한 2차성고혈압이 있다.

- 고혈압은 혈압이 과도하게 높은 상태가 지속되는 병태로, 혈관 · 뇌 · 심장 · 신장 등의 장기에 장애가 발생한다. 체질에 따라서 연령 증가와 더불어 혈압이 상승하는 본태성고혈압과 승압 호르몬생산종양 등으로 인한 2차성고혈압으로 구분된다.

〈혈압유지기구와 고혈압 (그림14-1)〉

- 혈압은 심장에서 나온 혈액이 전신을 돌기 위한 압력으로, 심박출량×말초혈관저항으로 규정된다. 심장에서 박출된 혈액은 대동맥이 이른바 풍선처럼 부풀면서 압력이 약해져서 말초로 보내진다. 이것이 수축기혈압으로, 좌심실의 수축기압보다 낮다. 심장의 확장기에는 심장의 구출압이 제로가 되지만, 부푼 대동맥이 수축하는 압력으로 말초로 혈액을 계속 보낸다. 이때의 압력이 확장기압이다.
- 염분의 과잉섭취는 체액량의 증가를 유발하여 심박출량을 증가시킴으로써 혈압을 상승시키고, 또 따뜻한 방에서 갑자기 추운 곳으로 나와도 혈관이 수축되어 말초혈관저항이 증가함으로써 혈압이 상승한다.
- 혈압이 저하되면 생명유지에 필수적인 장기로의 혈액공급이 불가능해지므로 인체에는 혈압을 일정 이상으로 유지하는 메커니즘이 몇 가지 갖추어져 있다. 신경계에 의한 혈관수축이나 심장의 박동 제어나 레닌-안지오텐신-알도스테론계에 의한 혈관수축, 체액량 조절제어가 대표적이다. 예를 들어, 출혈로 인해서 체액량이 감소하여 심박출량이 저하되면, 심박수가 증가하여 1회박출량의 저하를 보충함과 동시에, 말초혈관이 수축되어 혈압이 유지된다. 또 신장에서의 Na배설이 감소되어 체액량 유지에 작용한다.
- 언제부터 고혈압으로 판단하는가는 혈압상승으로 심혈관질환의 발생이 증가하는 역학적 연구에서 얻은 혈압치를 기초로 결정되고 있으며, 다분히 편의적이다. 본태성고혈압은 생리적 혈압유지메커니즘이 높게 설정되어 발생하고, 2차성고혈압은 주로 혈압조절메커니즘의 일부가 폭주함으로써 생긴다. 또 고령자의 수축기고혈압에서는 대동맥이 경화되어 심장의 구출압을 완충하는 작용이 저하되어 수축기압이 상승하고, 반대로 확장기압이 감소된다.

〈고혈압에 의한 장기장애〉

- 높은 혈압에 노출된 혈관계에는 장애가 발생하게 되고, 높은 압력에 대항하여 혈액을 보내면서 심장이 비대해진다.

· 혈관 : 뇌혈관의 괴사 → 뇌출혈
  동맥경화 → 관동맥질환, 뇌경색, 사지의 동맥폐색성질환
  신사구체의 파괴 → 신경화증 (단백뇨, 말기에는 신부전)

· 심장 : 고혈압성 심질환 (심비대, 말기에는 심부전)

병인 · 악화인자

① 본태성고혈압 : 체질
② 2차성고혈압 : 신질환 (신혈관협착, 신실질질환), 내분비질환 (원발성알도스테론증, 갈색세포종, 쿠싱증후군, 갑상선기능항진증 등), 대동맥경화(그림 14-2).

역학 · 예후

- 일본인 남성 5명에 1명, 여성은 7명에 1명이, 또 70세 이상에서는 30% 이상이 고혈압 환자이다. 수축기혈압이 10mmHg 상승하면, 뇌졸중의 위험은 남성에게는 20%, 여성에게는 15% 증가하고, 심질환의 위험은 15% (남녀) 증가한다.

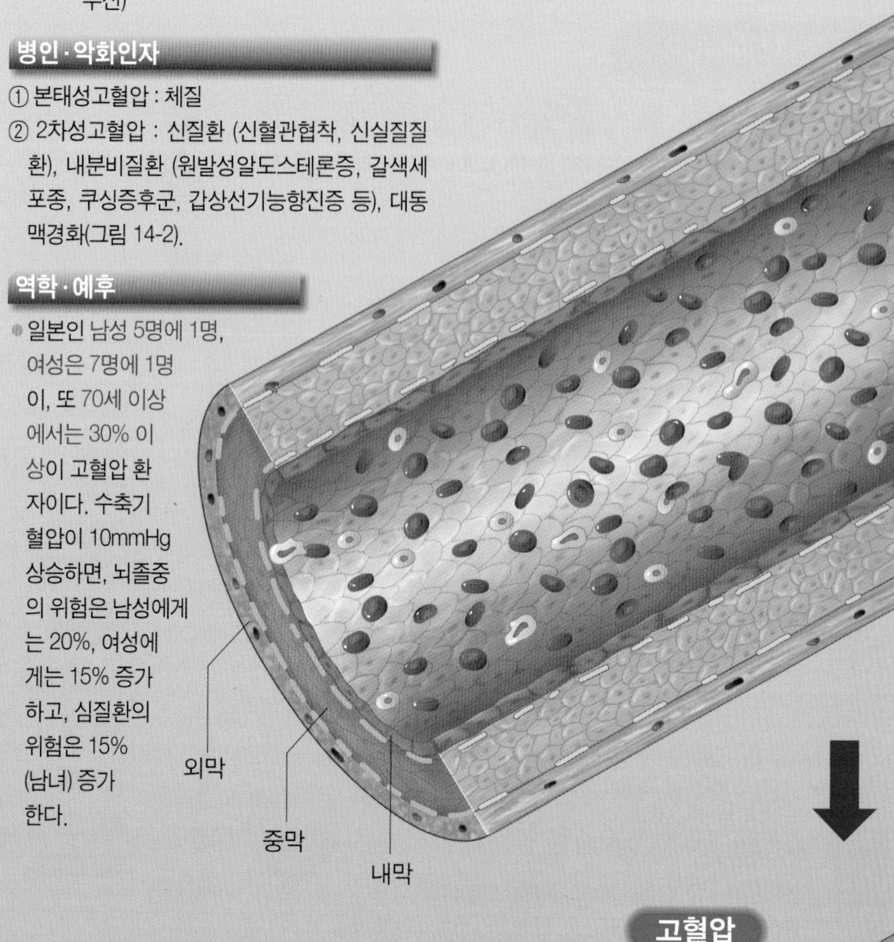

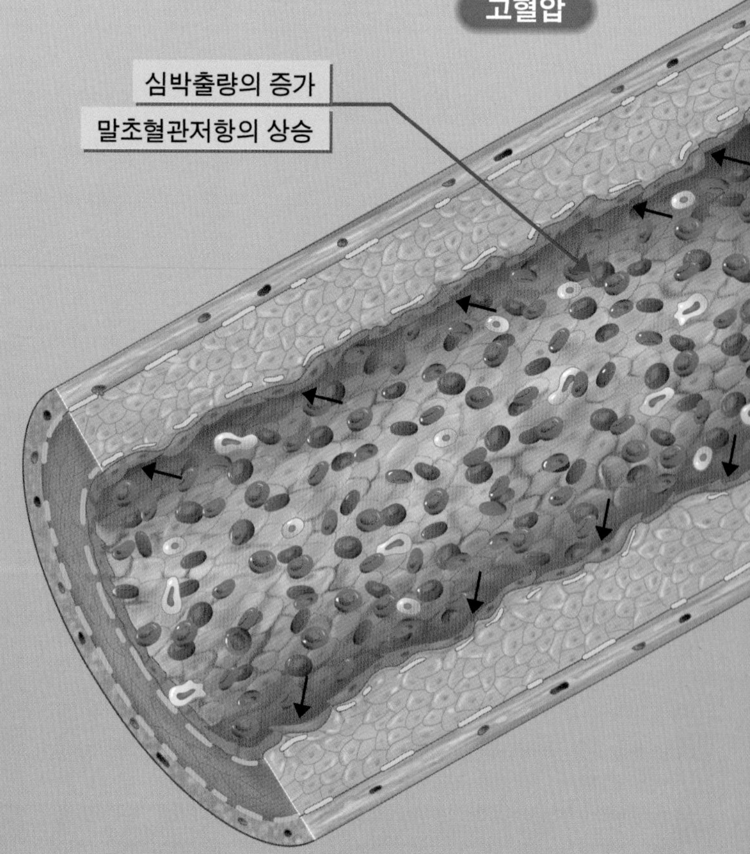

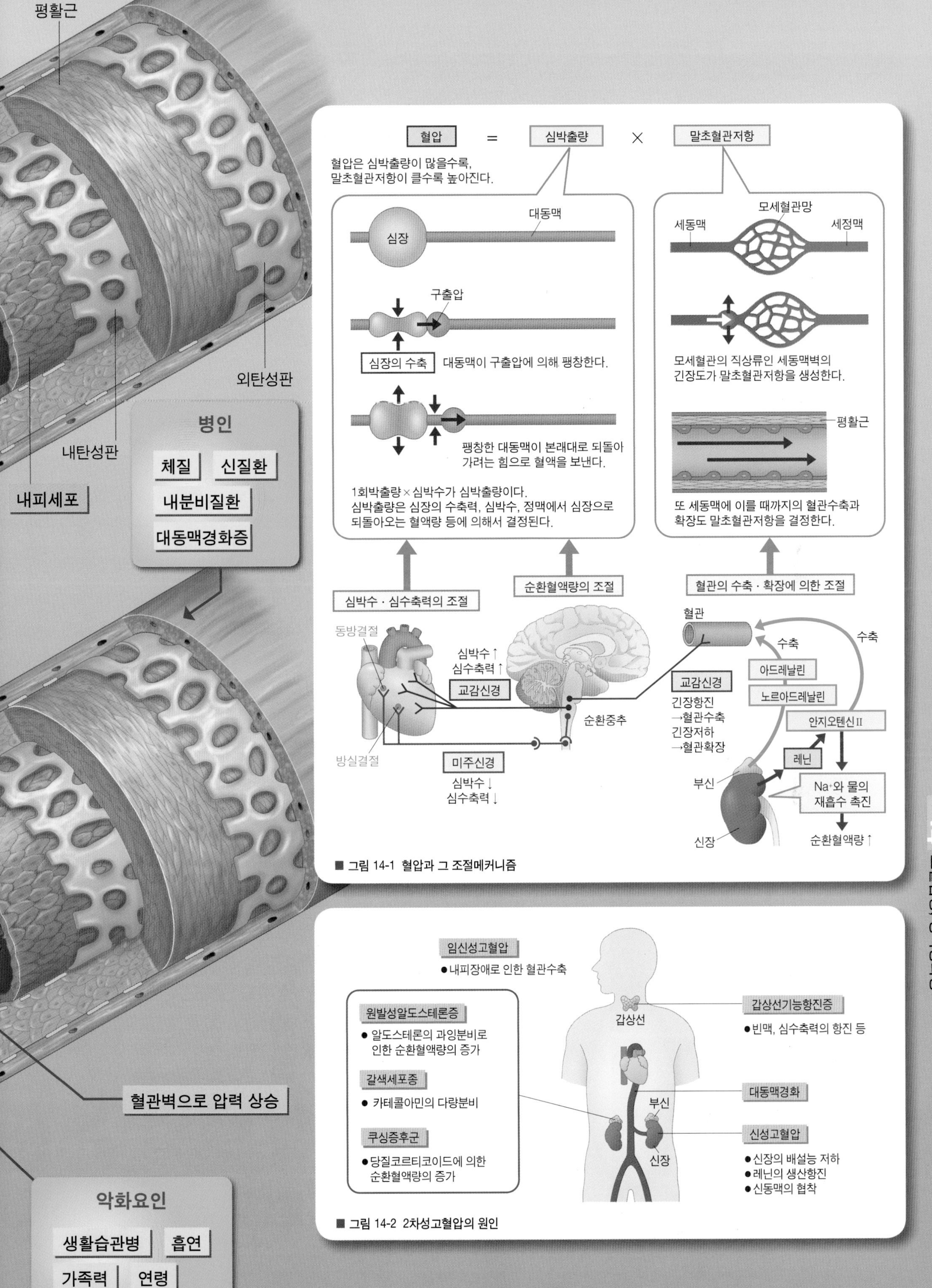

■ 그림 14-1 혈압과 그 조절메커니즘

■ 그림 14-2 2차성고혈압의 원인

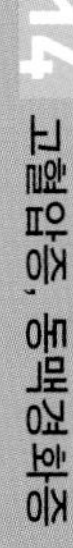

병태생리 map

동맥경화증은 혈관벽에 지질 축적을 수반하는 만성염증으로 인하여 혈관내강의 협착이 나타나는 질환이다.

- 고콜레스테롤혈증(hypercholesterolemia), 흡연, 고혈당(hyperglycemia), 고혈압 등으로 혈관내피가 손상을 입어 생긴 염증에 의해서, 혈관벽 내막에 지질 침착을 수반하는 섬유화병변이 발생한다.
- 항응고작용이 있는 내피가 손상을 입어서 혈전이 생기기 쉬워지는데, 병변을 덮고 있는 피막이 찢어지면 급격히 큰 혈전이 형성되어, 소구경의 혈관이 폐색된다.
- 급성심근경색의 대부분은 이와 같은 동맥경화 병변의 파열 (불안정플라크의 파열)로 생긴다.

병인·악화인자

- 당뇨병, 고혈압, 지질이상증, 흡연, 소아청소년기 심근경색의 가족력, 남성, 폐경후의 여성 (관상동맥의 위험인자에 관해서는 「3권 2. 지질이상증」 참조).

역학·예후

※ 「3권 2. 지질이상증」 참조.

병인 · 악화인자
- 지질이상증
- 당뇨병
- 고혈압
- 흡연
- 연령 · 성별
- 가족력

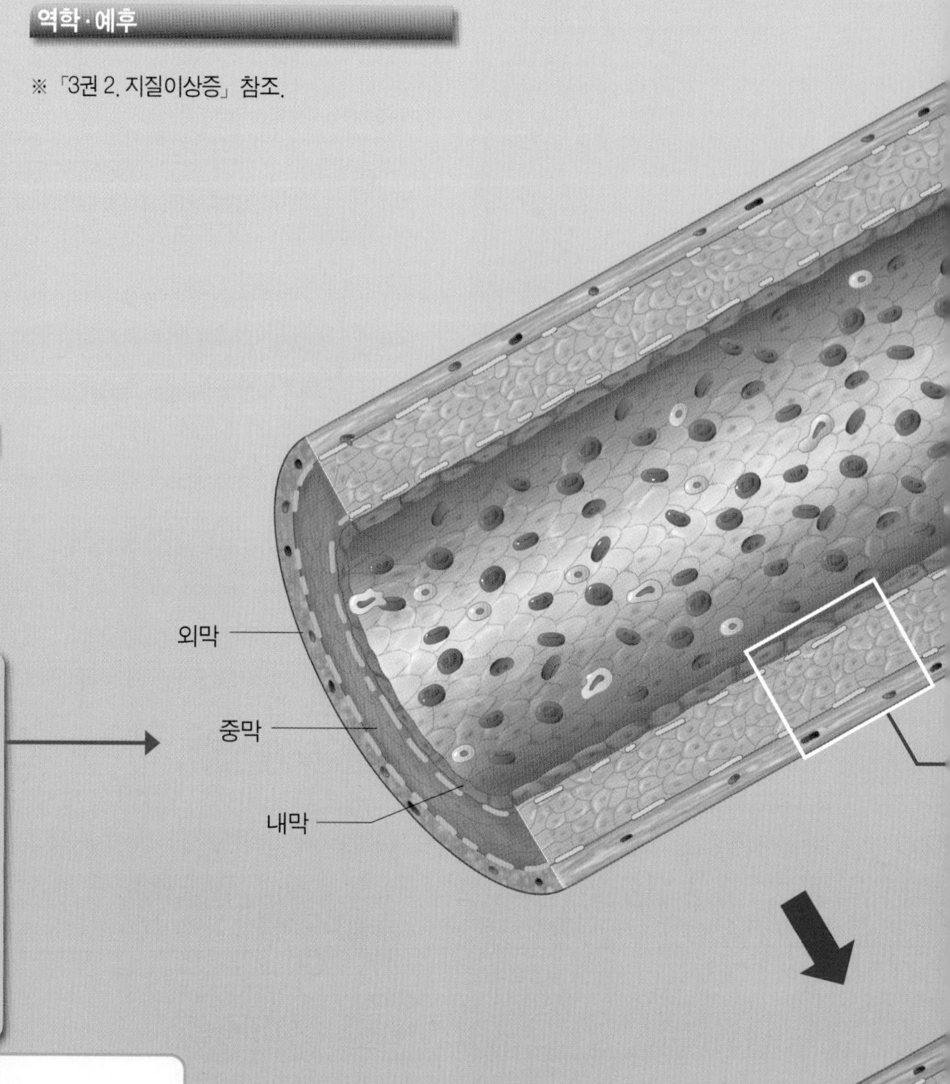

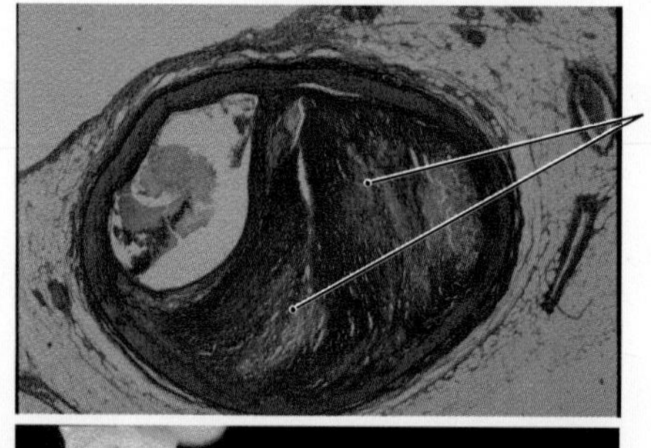

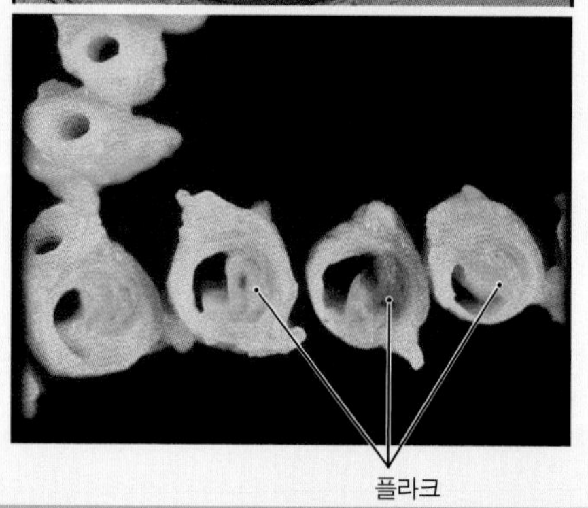

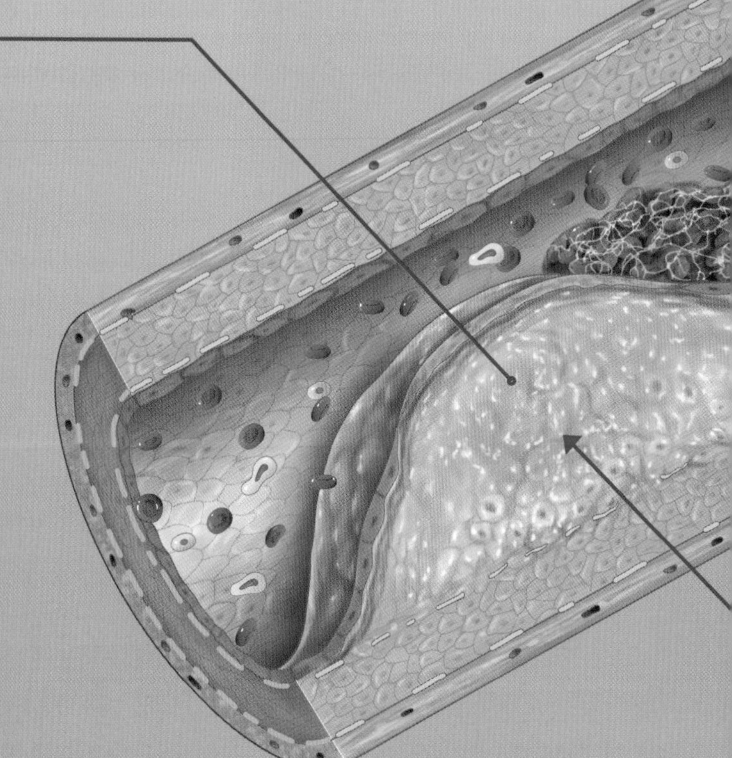

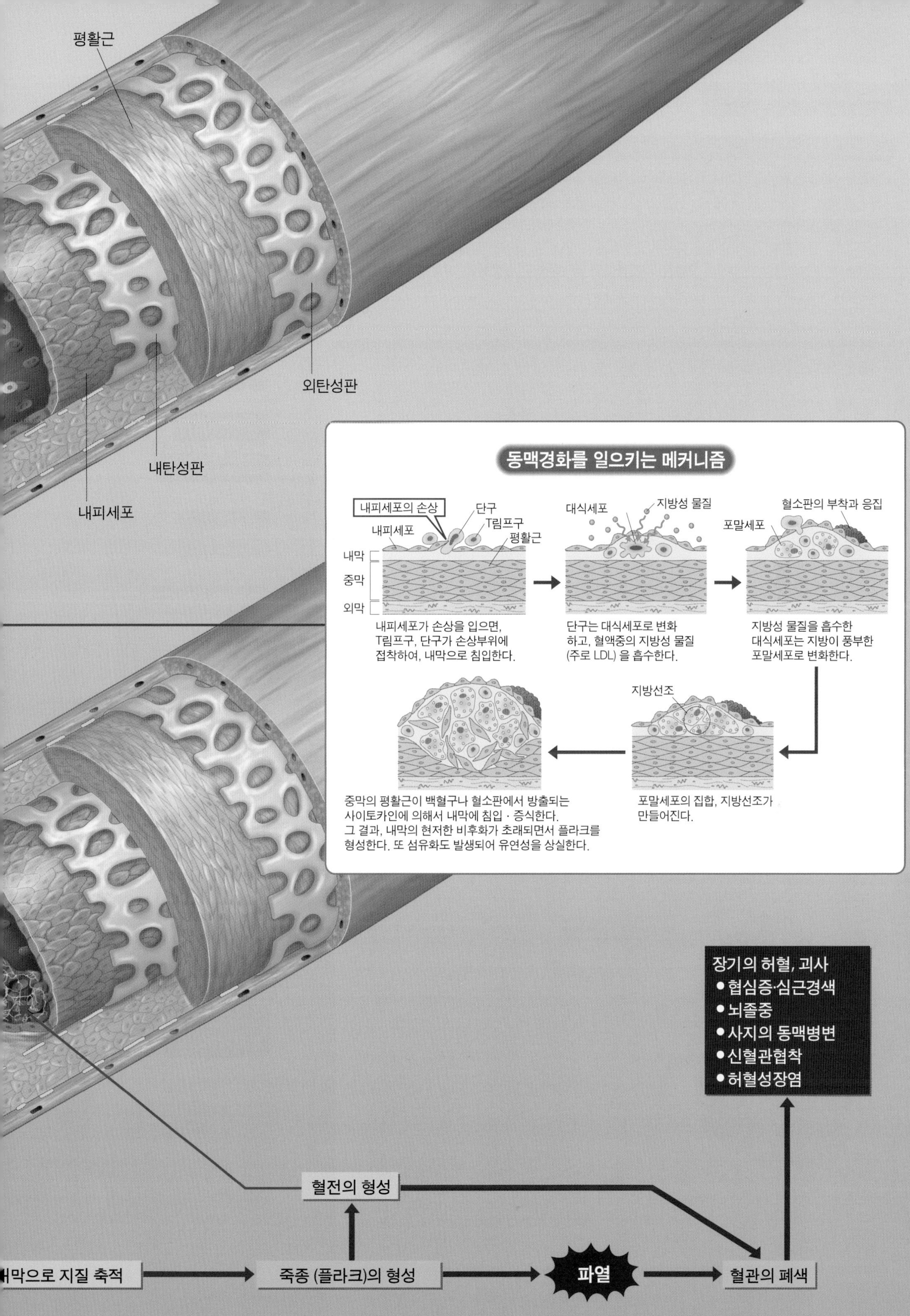

평활근
외탄성판
내탄성판
내피세포

동맥경화를 일으키는 메커니즘

내피세포의 손상
단구
T림프구
내피세포
평활근
내막
중막
외막

내피세포가 손상을 입으면, T림프구, 단구가 손상부위에 접착하여, 내막으로 침입한다.

대식세포
지방성 물질

단구는 대식세포로 변화하고, 혈액중의 지방성 물질(주로 LDL) 을 흡수한다.

혈소판의 부착과 응집
포말세포

지방성 물질을 흡수한 대식세포는 지방이 풍부한 포말세포로 변화한다.

지방선조

포말세포의 집합, 지방선조가 만들어진다.

중막의 평활근이 백혈구나 혈소판에서 방출되는 사이토카인에 의해서 내막에 침입 · 증식한다. 그 결과, 내막의 현저한 비후화가 초래되면서 플라크를 형성한다. 또 섬유화도 발생되어 유연성을 상실한다.

내막으로 지질 축적 → 죽종 (플라크)의 형성 → 파열 → 혈관의 폐색

죽종 (플라크)의 형성 → 혈전의 형성 → 혈관의 폐색

혈관의 폐색 → 장기의 허혈, 괴사

장기의 허혈, 괴사
- 협심증·심근경색
- 뇌졸중
- 사지의 동맥병변
- 신혈관협착
- 허혈성장염

증상 map

중증 고혈압에서는 두통, 오심 · 구토, 시력장애, 심부전이나 신부전증상이 나타나지만, 통상적으로 자각증상은 확인되지 않는다. 동맥경화에서는 장기의 허혈증상이 나타난다.

증상

- 고혈압 : 중증 고혈압을 제외하고, 대부분 자각증상을 수반하지 않는다. 장기장애를 수반하여 급속히 진행되는 「악성고혈압」 에서는 두통, 오심 · 구토 등의 뇌압항진증상, 시력장애, 심부전이나 신부전의 증상을 수반하기도 한다.
- 동맥경화 : 동맥경화 결과, 혈액을 충분히 공급받을 수 없게 된 장기의 허혈증상, 뇌경색, 협심증, 심근경색, 허혈성장염, 신혈관성 고혈압, 사지동맥의 폐색증상 [간헐성파행, 괴저 (그림14-3) 등]이 나타난다.

합병증

- 뇌출혈, 동맥경화, 관동맥질환, 고혈압성 심질환(그림 14-4), 신경화증(그림 14-5).

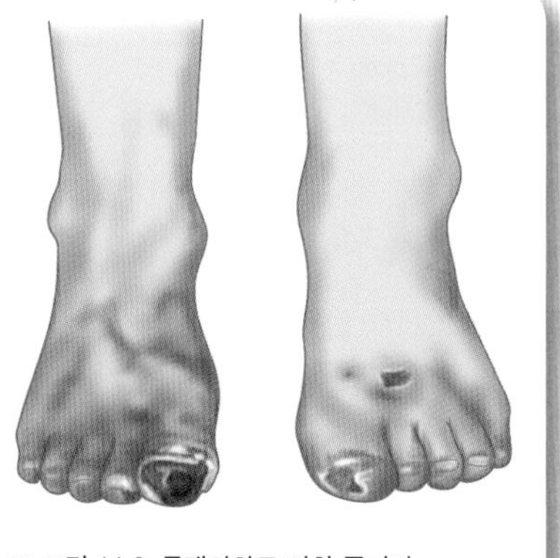

■ 그림 14-3 동맥경화로 인한 족괴저

고혈압이라고 불리우는 만성 압부하에 대해 심수축력을 높여서 보상하기 위하여 형성된 비대심이 압부하의 가중으로 인해 심기능을 정상으로 유지하지 못하여 생긴 병태이다.

■ 그림 14-4 고혈압성 심질환

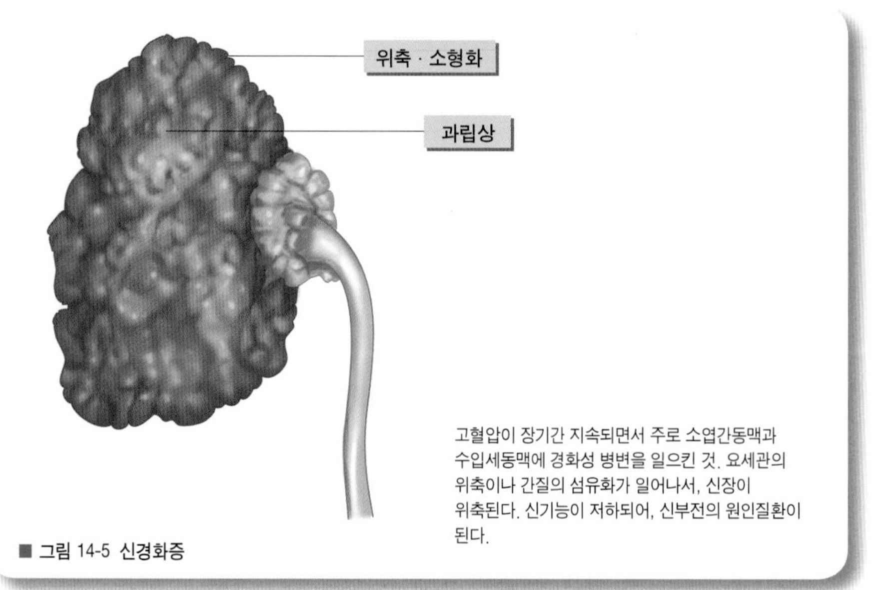

고혈압이 장기간 지속되면서 주로 소엽간동맥과 수입세동맥에 경화성 병변을 일으킨 것. 요세관의 위축이나 간질의 섬유화가 일어나서, 신장이 위축된다. 신기능이 저하되어, 신부전의 원인질환이 된다.

■ 그림 14-5 신경화증

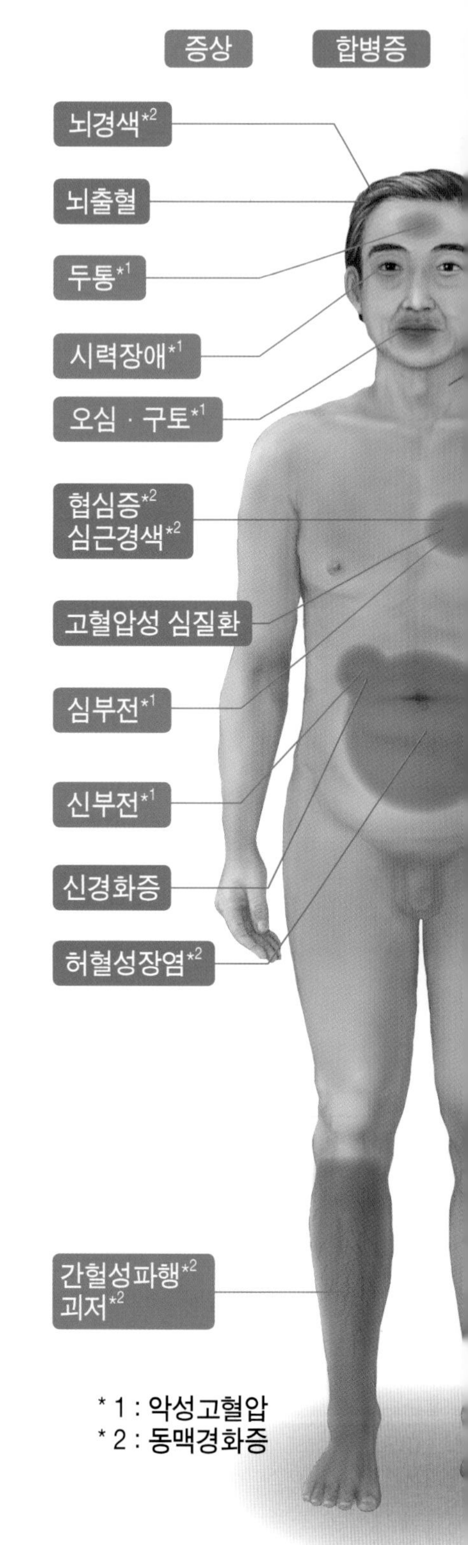

진단 map

고혈압은 외래진료실에서의 혈압측정 결과가 140/90mmHg 이상인 경우이며, 동맥경화는 각 장기의 허혈상태를 MRI, 심초음파 등으로 진단한다.

진단 | 치료

뇌 MRI*2
뇌 MRA*2

경동맥초음파*2

부하심전도*2
심초음파*2
혈관조영*2

대동맥맥파전파속도측정*2

혈압측정 (가정혈압, 24시간혈압계에 의한 측정)*3

약물요법

생활습관의 개선 (위험인자의 제거)

* 3 : 고혈압

진단·검사치

- 고혈압
- 외래에서의 혈압이 140/90mmHg 이상인 경우를 고혈압이라고 진단한다(표14-1). 외래에서 5분 이상 안정좌위에서 몇 분 간격을 두고 여러 차례 측정한다. 진단확정을 위해서는 날을 바꾸어 측정하거나, 가정혈압이나 24시간혈압계의 측정치를 참고로 한다. 가정혈압은 백의고혈압(white coat hypertension)이나 가면고혈압(masked hypertension;병원에서는 낮은 수치인데, 가정에서는 높은 수치인 경우)을 제외하므로 유효하며, 135/85mmHg 이상을 고혈압이라고 판정한다. 24시간혈압계에 의한 측정은 일내변동의 평가에 사용한다.
- 심장, 뇌, 신장, 전신의 혈관장애 정도, 또 고혈압과 함께 동맥경화를 촉진하는 다른 위험인자의 유무를 확인하고, 고혈압 환자의 위험도를 분별한다(표 14-2).
- 소아청소년기 고혈압, 약제저항성고혈압, 2차성고혈압을 의심케 하는 증상을 수반하고 있는 고혈압의 경우에는 2차성고혈압을 확인한다(예 : 달덩이얼굴(moon face)→쿠싱증후군(Cushing's syndrome), 저칼륨혈증→원발성알도스테론증(primary aldosteronism), 발작성 혈압상승→갈색세포종(pheochromocytoma)).
- 동맥경화
- 각 장기의 허혈을 진단하는 진단방법이 중심이 된다. 허혈로 인한 장기의 장애를 검출하는 방법 (뇌 MRI, 부하심전도, 심초음파검사 등)과, 혈관벽의 비후, 내강의 협착이나 폐색을 진단하는 방법 (뇌 MRA, 혈관조영, 경동맥초음파) 등이 있다. 또 대동맥의 경화도를 대동맥맥파전파속도 (pulse wave velocity : PWV)로 측정하고, 동맥경화의 지표로 삼는 방법도 있다.
- 검사치
- 2차성고혈압의 선별검사 : 레닌, 알도스테론, 코르티졸, 카테콜라민, 신 · 부신초음파, 리노그래피(renography; 신장촬영술), 검뇨 등.

■ 표 14-1 고혈압의 중증도 분류

		수축기혈압 (mmHg)		확장기혈압 (mmHg)
정상혈압		< 130	이고	< 85
고혈압	Ⅰ도 (경증)	140~159	또는	90~99
	Ⅱ도 (중등도)	160~179	또는	100~109
	Ⅲ도 (중증)	≧180	또는	≧110

■ 표 14-2 고혈압 환자의 위험도 분별

혈압 분류 / 혈압 이외의 위험요인	Ⅰ도 (경증) 고혈압 140~159/90~99mmHg	Ⅱ도 (중등증) 고혈압 160~179/100~109mmHg	Ⅲ도 (중증) 고혈압 ≧180/≧110mmHg
위험인자 없음	저위험	중등위험	고위험
당뇨병이외의 1~2개의 위험인자, 대사증후군 있음	중등위험	고위험	고위험
당뇨병, 만성신장병 (CKD), 장기장애, 심혈관병, 3개 이상의 위험인자, 중의 하나이다.	고위험	고위험	고위험

(일본 고혈압학회 고혈압치료 가이드라인 작성위원회편 : 고혈압치료 가이드라인 2009, 일본 고혈압학회, 2009)

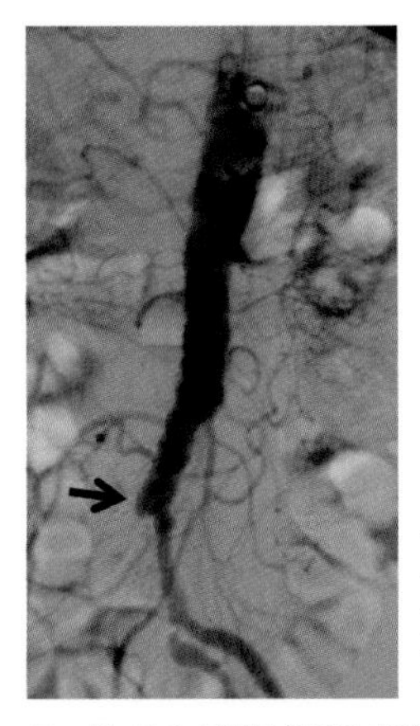

복부대동맥에서 나뉜 장골동맥의 우측이 기시부(화살표)에서 두절되어 있다. 이는 우하지의 간헐성파행, 괴저의 원인이 된다.

■ 그림 14-6 동맥경화증의 대동맥조영

치료 map

환자의 위험도를 분별하고, 저 · 중등위험군에서는 우선 생활습관 시정을 시작한다. 고위험군은 즉시 약물치료를 개시한다.

치료방침

- 환자의 위험도를 분별하고, 저위험군에서는 3개월, 중등위험군에서는 1개월간 생활습관을 시정해도 고혈압이 지속되는 경우에는 강압제를 이용하는 치료를 개시한다. 고위험군에서는 생활습관 시정과 동시에 약물치료를 개시한다.
- 젊은층·중년층에서는 130/85 mmHg 미만, 고령자에서는 140/90mmHg 미만, 당뇨병이나 만성 신질환이 있는 환자에게는 130/80mmHg 미만을 목표로 강압한다.

- 6g/일 미만의 감염
- 야채와 과일, 생선의 적극적 섭취

- BMI 25 미만으로 감량
- 매일 30분 이상을 목표로 하는 유산소운동 (심혈관질환이 없는 환자)

- 에탄올 양은 남성 20~30mL/일 이하, 여성 10~20mL/일 이하
- 금연

■ 그림 14-7 고혈압증 환자의 생활습관 시정

약물요법

- 중증도, 장기장애의 유무, 약제의 특성을 고려하여 약제를 선택한다. 부작용을 방지하기 위해서, 무효인 경우에는 증량보다도 타제와의 병용을 고려한다. 일본 고혈압학회의 가이드라인에서는 제1선택제로 칼슘길항제, ARB, ACE저해제, 이뇨제, β차단제를 들고 있다.

Px 처방례 다음 중에서 적용한다.

1) 암로딘정 (2.5mg) 1정 (조식후) ←칼슘길항제
2) 디오반정 (80mg) 1정 (조식후) ←안지오텐신II수용체길항제

※단제로 효과가 없는 경우에는 이 양자 또는 디오반과 Dichlotride 25mg를 병용한다. 암로딘은 5mg까지, 디오반은 160mg까지 증량할 수 있다. 당뇨병이 합병된 고혈압에서는 단백뇨를 감소시키는 안지오텐신II수용체길항제 (ARB)나 안지오텐신변환효소 (ACE) 저해제가 제1선택제가 된다.

Px 처방례 노작성협심증이 있는 경우는 β차단제의 좋은 적응대상이다.

- 테놀민정 (50mg) 1정 (조식후) ←β차단제

※강압효과가 충분하지 않은 경우는 ARB를 병용한다.

■ 표 14-3 고혈압의 주요 치료제

분류	일반명	주요 상품명	약효발현의 메커니즘	주요 부작용
칼슘길항제	암로디핀베실산염	노바스크, 암로딘	혈관확장	안면홍조, 두통, 하지의 부종
	니페디핀	아달라트, Sepamit		
	딜티아젬염산염	Herbesser		서맥
안지오텐신II 수용체 길항제	올메사르탄-메독소밀	올메텍	안지오텐신II저해	임신고혈압에서는 금기, 신혈관성고혈압 · 고칼륨혈증에서는 주의
	칸데사르탄-실렉세틸	Blopress		
	텔미사르탄	미카르디스		
	발사르탄	디오반		
ACE저해제	이미다프릴염산염	Tanatril	안지오텐신생성저해	임신고혈압에서는 금기, 신혈관성고혈압 · 고칼륨혈증에서는 주의, 기침
	캡토프릴	캡토프릴		
	에날라프릴말레인산염	Renivace		
이뇨제	히드로클로로티아지드	Dichlotride	나트륨배설, 체액량감소	저칼륨혈증, 내당능 악화, 고요산혈증
	트리클로르티아지드	Fluitran		
	푸로세미드	라식스, Eutensin		고칼륨혈증, 여성형유방, 월경이상
	스피로놀락톤	알닥톤A	알도스테론길항	기관지천식 · COPD악화, 서맥, 활력저하
β차단제	아테놀롤	테놀민, Atenolol	교감신경차단	기관지천식 · COPD
	메토프로롤주석산염	Seloken, Lopressor		
α차단제	독사조신메실산염	Cardenalin	교감신경차단, 혈관확장	기립성저혈압

생활습관 시정

- ①식염섭취제한 : 6g/일 미만, ②야채 · 과일의 섭취, ③적정체중 유지, ④운동, ⑤알콜섭취 제한, ⑥금연

외과요법

- 호르몬생산종양으로 인한 2차성고혈압에서는 종양적출술(tumorectomy)이, 신혈관성고혈압의 일부에서는 혈관형성술(angioplasty)이 행해진다.

고혈압증의 병기 · 병태 · 중증도별로 본 치료흐름도

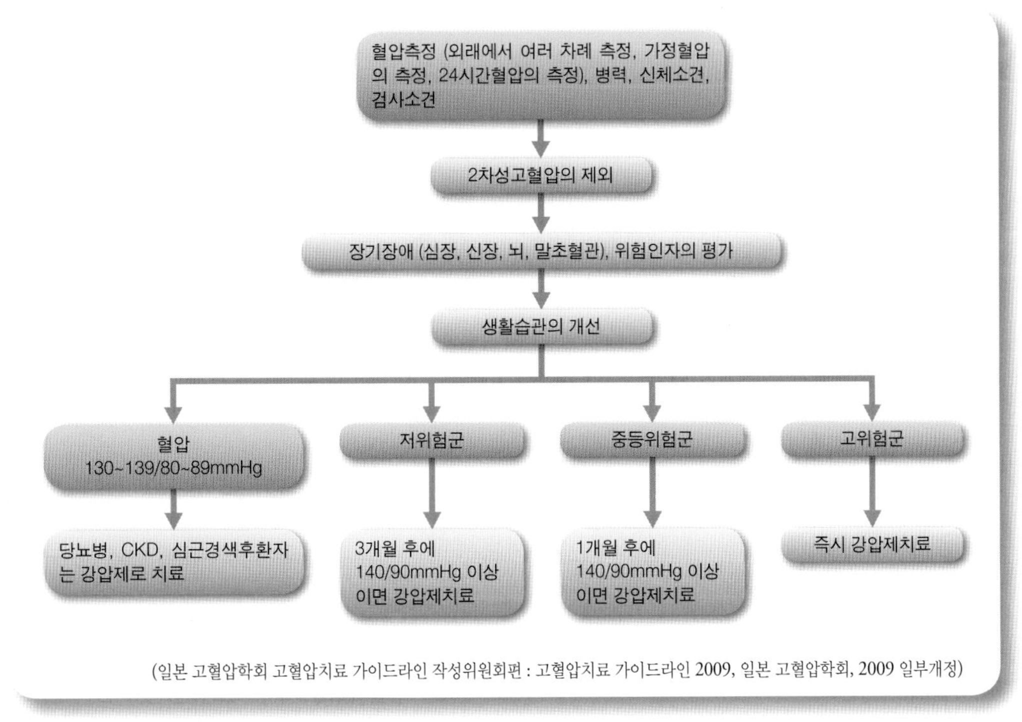

(일본 고혈압학회 고혈압치료 가이드라인 작성위원회편 : 고혈압치료 가이드라인 2009, 일본 고혈압학회, 2009 일부개정)

(下門顯太郎)

환자케어

합병증을 예방하기 위해서는, 식사요법, 약물요법, 생활습관의 변경이 필수이다. 이를 균형있게 실시할 수 있도록 지지한다.

병기·병태·중증도에 따른 케어

【급성기】 뇌경색이나 심근경색은 급격히 증상이 출현하여, 병이 치명적인 상태로 진행되는 경우가 많다. 이 때문에 급성기는 구명을 제1 목표로 하고, 전신관리를 할 때 환자 · 가족이 증상에 대하여 불안을 가지기 쉬우므로, 심리적 지지도 제공한다.

【만성기】 생명의 위기를 벗어나서, 일반상태가 안정되는 시기이지만, 질환에 따른 합병증이나 2차장애 때문에 일상생활을 변경해야 하는 수가 있다. 질환의 자기관리를 위한 지식이나 정보를 환자 뿐 아니라 가족에게도 제공하는 것이 중요하다.

【회복기】 증상이 안정되고, 심근경색이나 뇌경색이 재발하지 않도록, 식사요법, 약물요법, 그 밖에 변경된 생활습관을 계속할 수 있도록 지지한다. 또 자각증상이 없어도, 중요장기에 장애가 미치기 전에 식사나 생활습관에 관해 지도하는 것 역시 중요하다.

■ 그림 14-8 고혈압증, 동맥경화증 환자의 생활습관 개선과 셀프케어

케어의 포인트

합병증의 예방

- 동맥경화증 및 고혈압증의 합병증을 예방하기 위해서는 식사요법, 약물요법, 생활습관의 변경이 필요하다. 이를 균형있게 실시할 수 있도록, 환자 · 가족의 이야기를 잘 듣고 실행 가능한 계획을 세운다.

식사요법의 지지

- 환자 자신이 계속할 수 있는 수준을 목표로, 칼로리제한, 염분제한을 실시한다.
- 약물요법과 식사요법의 관련성을 이해할 수 있도록 지도한다.
- 가정 내에서 식사 준비를 하는 사람에게도 환자와 똑같은 내용을 지도한다.
- 알콜류는 금지할 필요가 없으며 적당량은 섭취할 수 있다는 점을 환자 · 가족에게 지도한다.

약물요법의 지지

- 강압제를 계속해서 확실히 복용할 수 있도록 지지한다.
- 혈압측정을 매일 하고, 강압목표치 내에 있는가를 평가한다.
- 약물요법의 부작용이 발현하고 있는 경우는 의사와 상담하여 약물의 양을 조정한다.
- 약물요법을 실시할 때는 혈압이 강압목표치 내라도, 자가판단으로 내복약의 양을 조정하거나, 중도에 내복을 중지하지 않도록 지도한다.

생활습관 변경에 대한 지지

- 적당한 운동은 강압이나 감량효과가 있다고 알려져 있다. 보행, 빨리 걷기, 등의 가벼운 유산소운동을 권장한다. 운동 중에는 혈압상승이 나타나므로, 운동요법은 심혈관계에 합병증이 없는 중등증 이하의 고혈압 환자를 대상으로 실시한다.
- 운동요법을 개시할 때, 사전에 메디컬체크를 실시하고, 운동내용에 관해서 상담하도록 지도한다.

퇴원지도 · 요양지도

- 엄격한 식사요법의 지속, 생활습관의 변경이 어려운 경우가 많다. 이 때문에 환자가 할 수 있는 범위의 식사요법, 생활습관을 변경하고, 서서히 그 범위를 넓혀간다.
- 약물요법만으로 동맥경화증 및 고혈압을 관리하는 것은 어렵다. 약물효과를 높이기 위해서, 계속적인 식사요법, 운동요법 등의 필요성, 생활습관의 개선을 환자에게 충분히 이해시킨 후에 지도한다.
- 계속적인 약물요법, 식사요법, 운동요법, 생활습관의 변경은 불편함을 수반하는 경우가 많으므로, 환자 자신의 이야기를 잘 듣고, 정보가 부족하면 영양사, 약제사, 의사들에게 정보를 제공받을 기회를 부여한다.
- 체중이나 혈압을 매일 정해진 시각에 측정함으로써, 자신의 신체 상태를 객관적으로 평가할 수 있는 점을 설명한다.

(有田清子)

15 해리성대동맥류, 심낭압전 (dissecting aortic aneurysm, cardiac tamponade)

宮城　直人·荒井裕國 / 三浦英惠

전체 map

병인

- 고혈압을 기초로 한 동맥경화성 병변에 생기는 해리성대동맥류가 많다.
- 그 밖에 외상, 대동맥염, 결합조직이상증 등

[악화인자] 고혈압, 동맥경화, 유전성 질환

역학

- 남녀비는 3 : 1이고, 호발연령은 40~70세이다.
- 서구에서의 급성A형해리의 발생률은 연간 100만명당 5.2명이다.

[예후] 치료하지 않을 경우에 A형해리는 발생 48시간 이내의 사망률 80%이고, B형해리는 예후가 양호하다.

병태생리

병태생리 map p.160

- 해리성대동맥류 : 대동맥내 균열부에서 혈액이 혈관내막 · 외막 사이로 유입되어, 대동맥피열(심낭압전 등), 대동맥분지폐색 (심근경색, 뇌경색 등)을 초래하는 질환이다. 스탠포드분류에서는 상행대동맥에 해리가 있는 것을 A형해리, 상행대동맥에까지 해리가 없는 것을 B형해리라고 한다.
- 심낭압전 : 심막강에 액체가 저류되어 심장이 압박받고, 심실의 확장장애와 심박출량의 저하를 초래한다. 급성에서는 해리성대동맥류파열에 의한 것, 심근파열에 의한 것 등이 있다.

증상 / 합병증 / 진단 / 치료

- 뇌경색
- 중심정맥압 상승
- 심부전 / 심박동 증가 / 흉통
- 심근경색
- 혈압저하 / 맥압저하
- 척수경색
- 등통증
- 신부전
- 등허리통증
- 장관허혈
- 출혈성쇼크
- 하지허혈

- 초음파검사 / CT검사 / 혈관조영검사
- 외과치료 / 심낭배액
- 약물요법
- 통증 · 혈압관리

증상

증상 map p.164

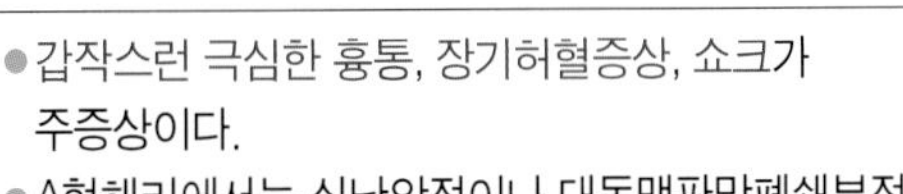

- 갑작스런 극심한 흉통, 장기허혈증상, 쇼크가 주증상이다.
- A형해리에서는 심낭압전이나 대동맥판막폐쇄부전 증상이 합병된다.
- 심낭압전에서는 급속히 진행되는 심부전, 혈압저하, 맥압저하, 심박수 증가 등이 나타난다.
- 취약해진 대동맥 외막의 파열로 인해 출혈성쇼크가 나타난다.

[합병증]

- 심근경색
- 뇌경색
- 척수경색 (대마비, 방광직장장애)
- 장관허혈
- 신부전
- 하지허혈

진단

진단 map p.165

- 진단은 박리내막의 확인에 의해 확정된다.
- 초음파검사 : 흉부 · 복부에 박리내막을 확인할 수 있으면 진단을 확정한다. 심낭액의 저류, 대동맥판막폐쇄부전증 합병의 유무 진단에 유용하다.
- CT : 진단확정이나 치료방침결정에 가장 유용한 검사이다. 해리의 범위, 위강의 혈전화 · 파열 · 심낭압전의 유무 등을 알 수 있다.
- 혈관조영 : 검사에 시간이 걸리므로 적용 빈도가 낮다.

치료

치료 map p.165

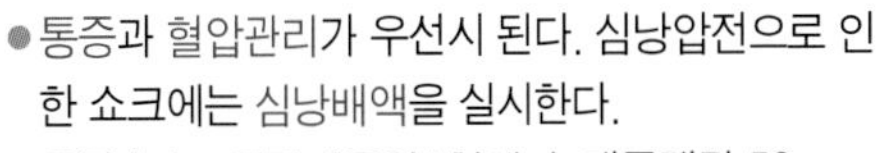

- 통증과 혈압관리가 우선시 된다. 심낭압전으로 인한 쇼크에는 심낭배액을 실시한다.
- 응급수술 : 위강개존형A형해리, 대동맥경 50mm 이상 또는 위강경 11mm 이상인 위강혈전형A형해리, 합병증이 있는 B형해리, 고도의 대동맥판막폐쇄부전이나 심낭압전의 합병례에 적용된다.
- 약물요법 : 합병증이 없는 B형해리, 수술 후의 위강잔존례에 적응된다. 강압목표는 120mmHg 이하이다.
- 외과치료 : 내막균열부 (엔트리) 절제를 포함한 대동맥인공혈관치환술 외에, 상행대동맥치환술, 궁부전치환술, 대동맥기부치환술 등이 있다.

해리성대동맥류

병태생리 map

해리성대동맥류는 대동맥 내막 균열부에서 혈액이 혈관내막과 외막 사이로 유입되어, 대동맥파열, 대동맥분지의 폐색 등을 초래하는 질환이다.

- 해리성대동맥류는 엔트리의 위치와 해리가 미치는 범위에 따라서 De Bakey분류 또는 스탠포드분류 (그림15-1)에 의해 분류된다.
- 주요병태는 해리로 인해 취약해진 대동맥벽이 파열된 경우 (심낭내로 출혈→심낭압전, 종격, 흉강, 후복막, 복강 등)와 박리내막이 대동맥분지를 협착 · 폐색한 경우 (심근경색, 뇌경색, 사지허혈, 복부장기허혈, 척수경색 등)의 2가지이다.

병인·악화인자

- 해리성대동맥류는 고혈압을 기초로 한 동맥경화성 병변에 생기는 경우가 가장 많은데, 외상, 대동맥염, 그 밖에 Marfan증후군이나 Ehlers-Danlos증후군과 같은 결합조직이상증에도 발생하기도 한다.

역학·예후

- 남녀비는 약 3 : 1이며, 호발연령은 40~70세이고, 서구에서의 급성A형해리의 발생률은 연간 100만명당 5.2명이다.
- 치료를 하지 않을 경우에 A형해리는 증상발생 48시간 이내의 사망률이 80%로 추정된다. 최근에는 의학의 발전에 따라 수술치료시에는 사망률이 10% 이하가 되었다. 한편, B형해리는 일부 증례를 제외하고 급성기 예후가 양호 (사망률 약 10%)하므로, 보존적 치료를 선택한다.

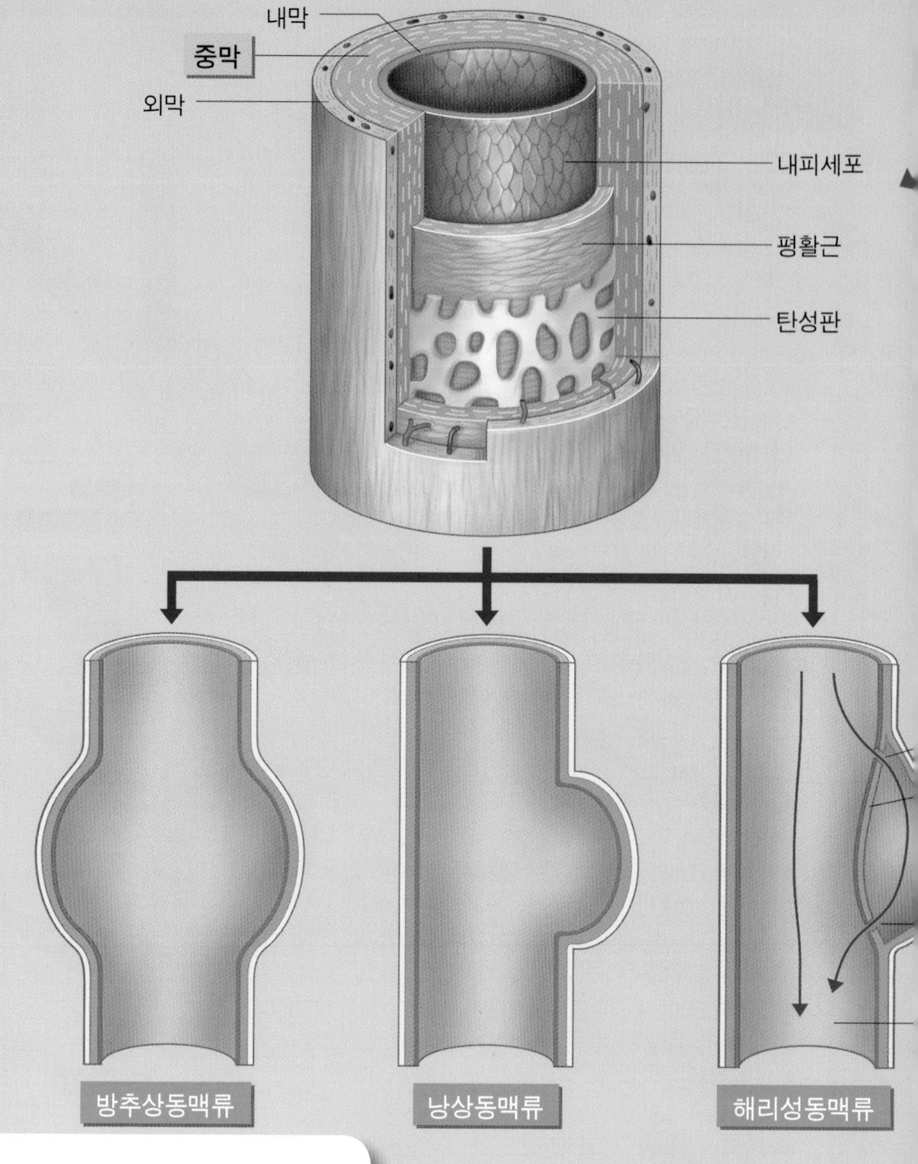

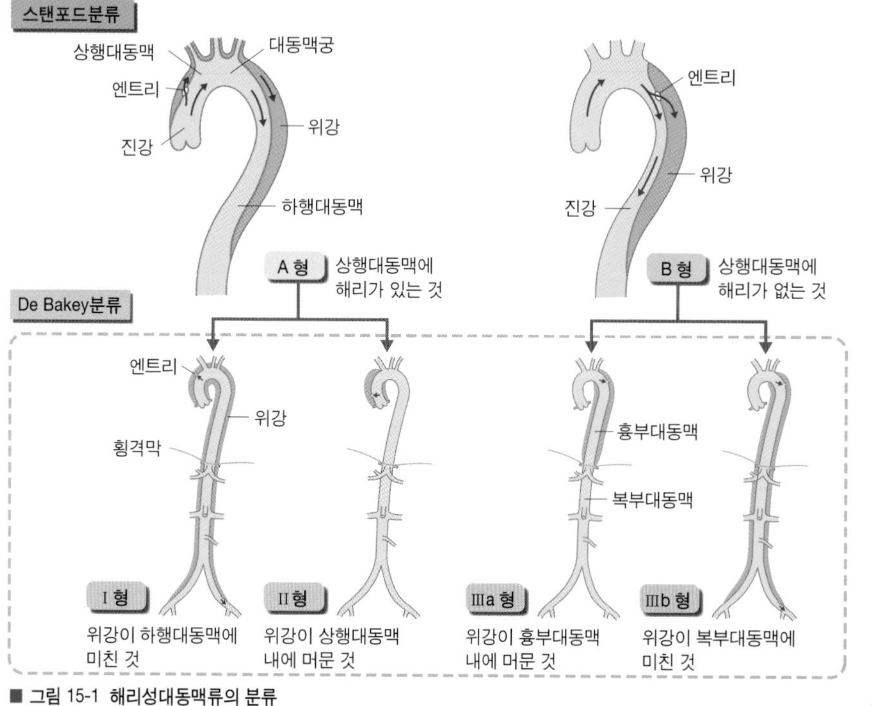

■ 그림 15-1 해리성대동맥류의 분류

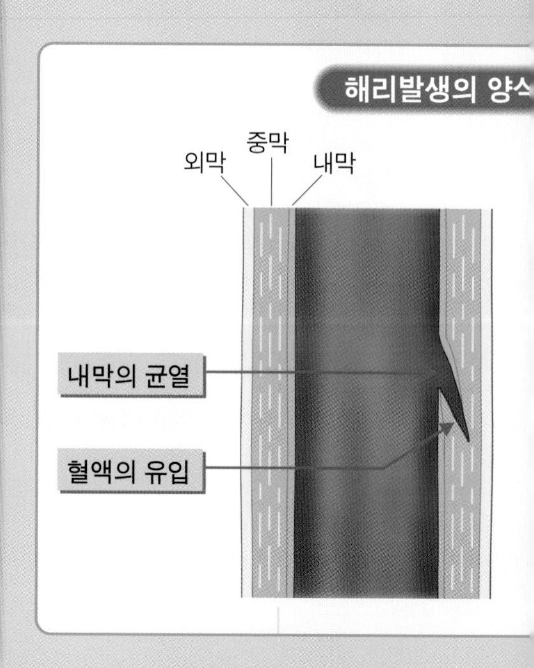

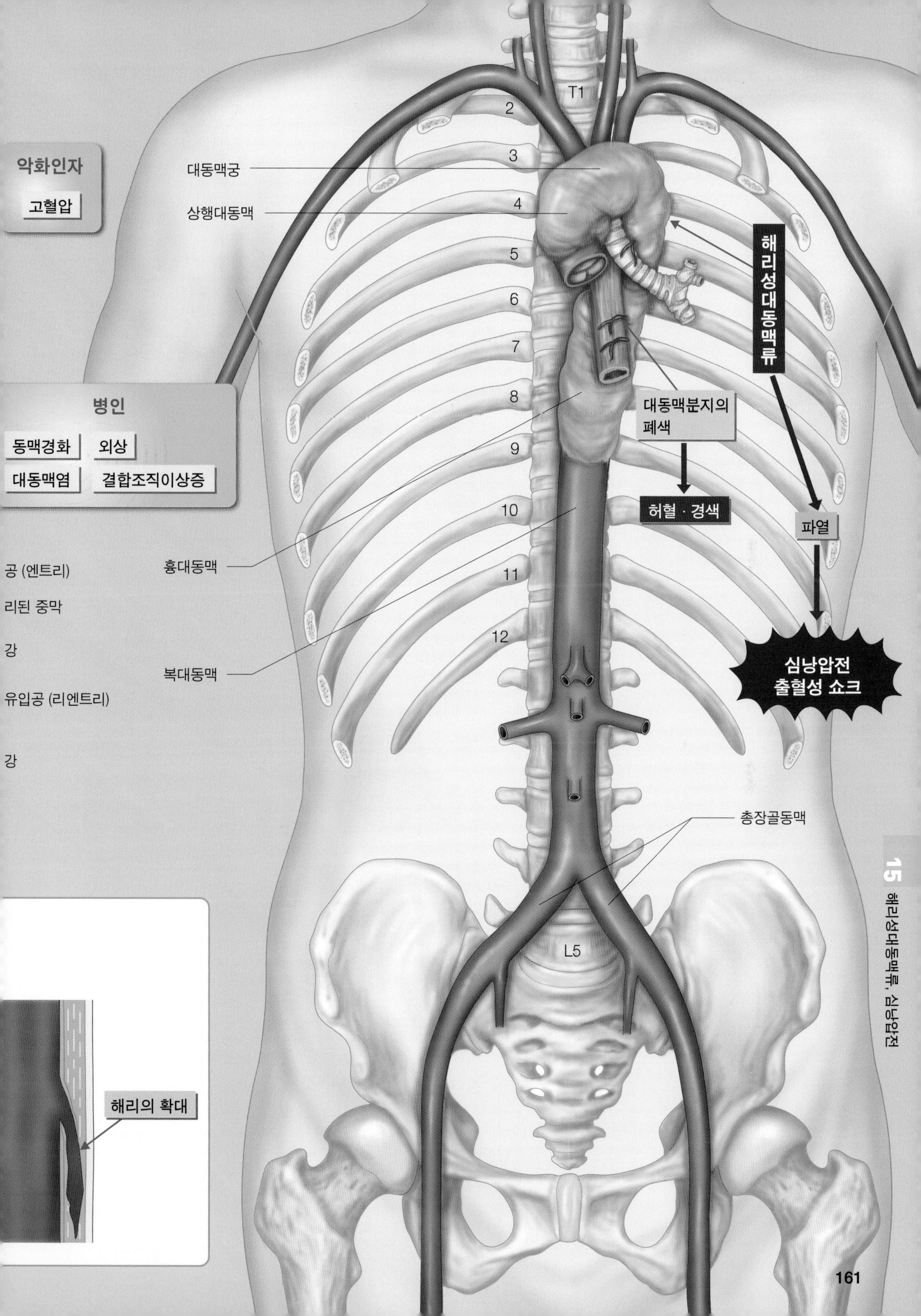
T1
2
3
4
5
6
7
8
9
10
11
12
L5
악화인자
고혈압
대동맥궁
상행대동맥
해리성대동맥류
병인
동맥경화
외상
대동맥염
결합조직이상증
대동맥분지의
폐색
허혈 · 경색
파열
공 (엔트리)
리딘 중막
강
흉대동맥
복대동맥
유입공 (리엔트리)
강
심낭압전
출혈성 쇼크
총장골동맥
해리의 확대

병태생리 map

심낭압전은 심막강에 유입·발생한 액체로 인해 심낭내압이 상승하여, 심장이 압박을 받게 되면서 심실의 확장장애와 심박출량의 저하가 초래된 상태이다.

- 해리성대동맥류에 의한 심낭압전은 상행대동맥이 파열되면서 심낭내로 출혈이 초래됨에 따라 생긴다. 급속한 심낭내저류로 진행되는 경우가 많으므로, 신속한 진단과 적절한 대처가 필요하다.

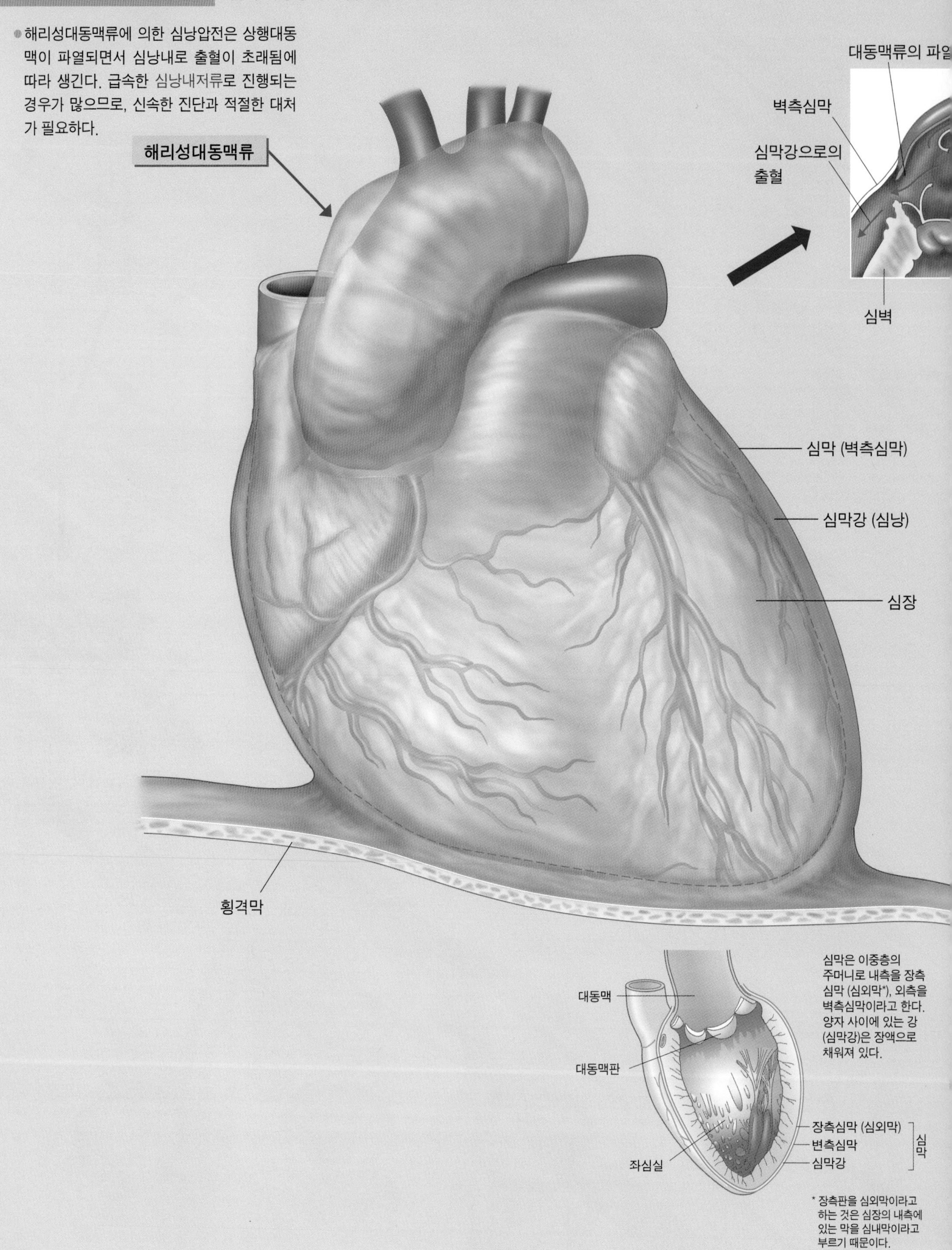

심막은 이중층의 주머니로 내측을 장측심막 (심외막*), 외측을 벽측심막이라고 한다. 양자 사이에 있는 강 (심막강)은 장액으로 채워져 있다.

* 장측판을 심외막이라고 하는 것은 심장의 내측에 있는 막을 심내막이라고 부르기 때문이다.

대동맥

심장

대동맥

심막강으로 출혈

심낭압전

혈액의 저류

심장내압의 상승

심장의 압박

심장의 확장장애

심박출량의 저하

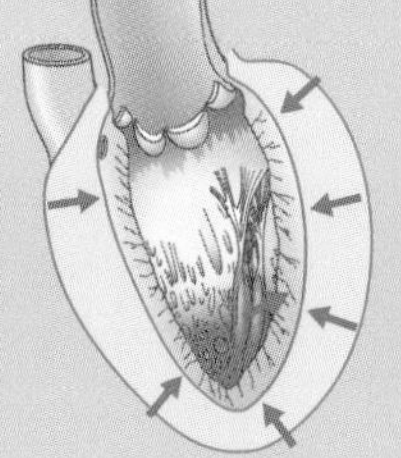

심막강에 삼출액이나 혈액 등의 액체가 고이면서 심장을 압박하여 펌프기능에 현저한 장애가 발생한 상태를 말한다.

심낭압전

증상 map

갑작스런 극심한 흉통, 장기허혈증상, 쇼크가 주요 증상이다.

증상

- 갑작스런 극심한 흉통, 등통증, 등허리통증을 주로 호소하는 경우가 많다.
- 사지에서 이상 혈압이 나타나기도 한다.
- 대동맥해리의 박리된 내막이 대동맥분지를 협착 · 폐색하면, 여러 가지 장기허혈증상이 발생한다.
- 상행대동맥에 해리가 진전되어 있는 경우 (A형해리), 심낭압전이나 대동맥판막폐쇄부전증이 합병할 가능성이 높다. 급속히 진행되는 심부전, 혈압저하, 맥압저하, 심박수 증가, 중심정맥압 상승 (경정맥확장) 등의 증상을 나타낸다.
- 취약해진 대동맥 외막의 파열로 인해 출혈성쇼크(hemorrhagic shock)가 발생하기도 한다.

합병증

- 심근경색, 뇌경색, 척수경색 (대마비, 방광직장장애), 장관허혈, 신부전, 하지허혈 등.

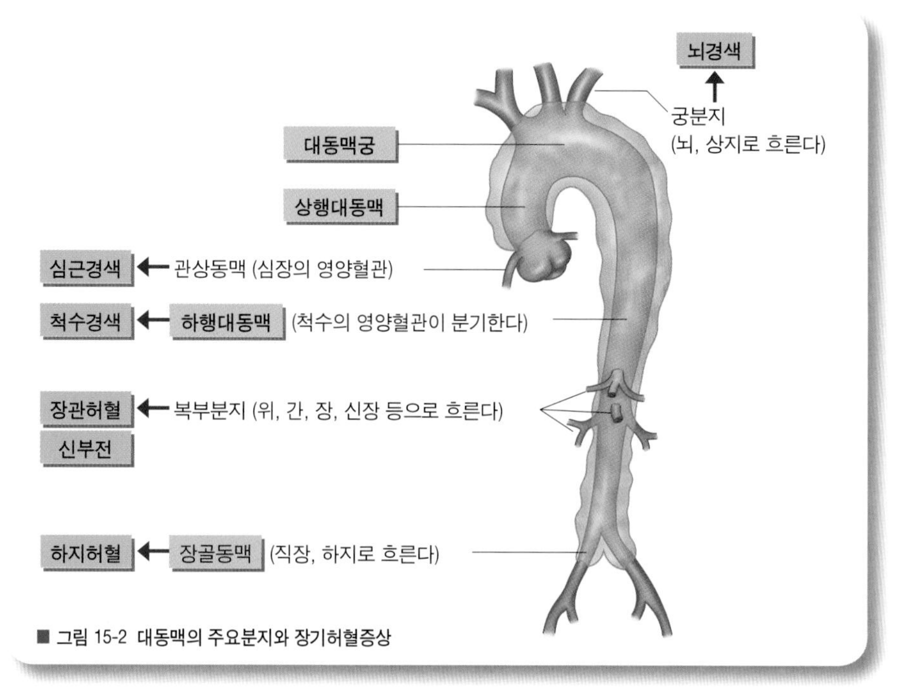

■ 그림 15-2 대동맥의 주요분지와 장기허혈증상

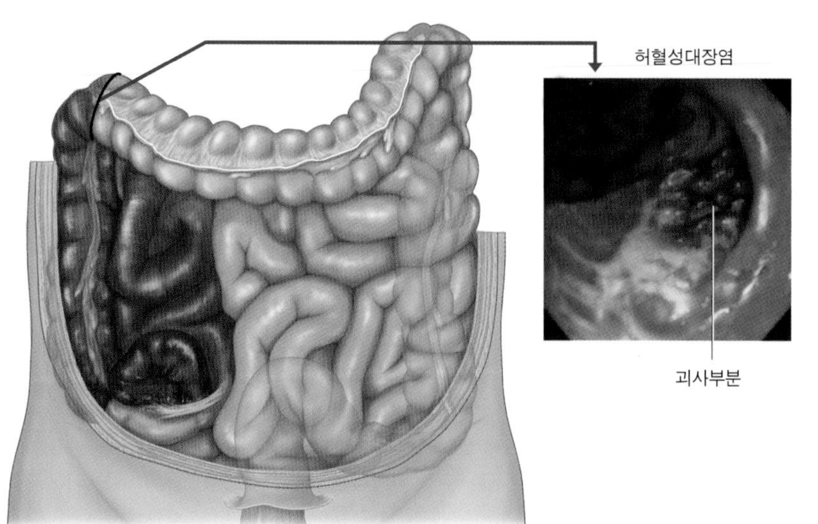

장관허혈에는 갑작스런 심한 복통, 설사, 하혈로 발생하는 허혈성대장염, 하혈이 적은 허혈성소장염 등이 있다. 일과성허혈에서 장관괴사까지 다양한 정도의 증상이 발현한다.

■ 그림 15-3 장관허혈

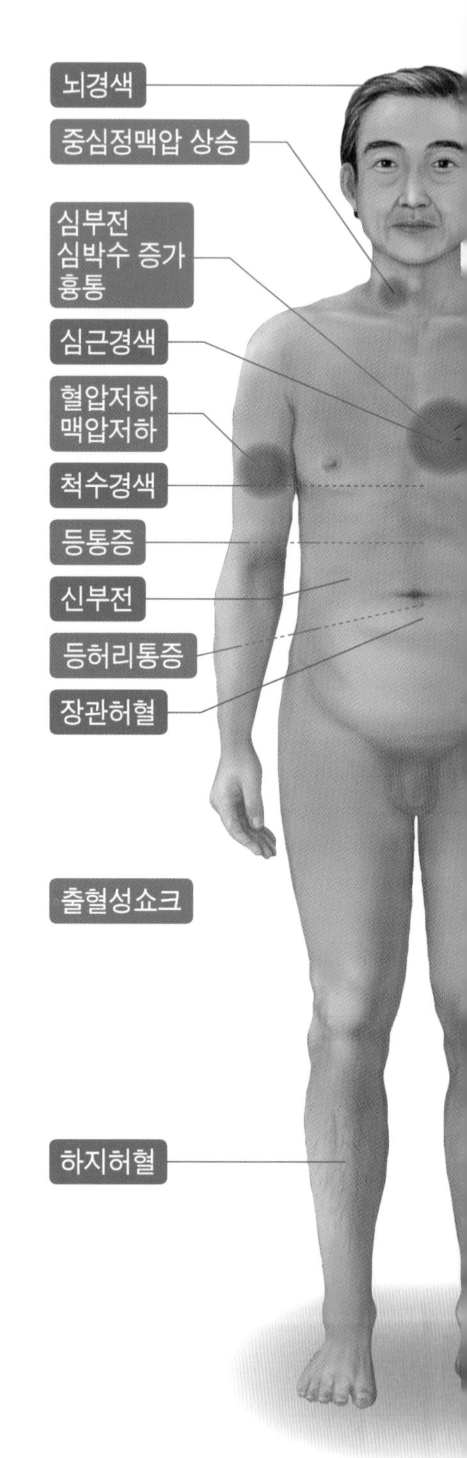

해리성대동맥류 , 심낭압전

진단 map

진단은 초음파검사를 이용하여 박리내막을 확인하면 확정한다.

진단 치료

초음파검사
CT검사
혈관조영검사

외과치료
심낭배액

약물요법

통증 · 혈압관리

진단·검사치

- 초음파검사 : 흉부와 복부에서 박리내막을 확인하면, 대동맥해리의 진단이 확정된다. 심낭액의 저류나 대동맥판막폐쇄부전증 합병 유무 진단에도 유용하다.
- CT : 진단확정, 치료방침의 결정에 가장 유용한 검사이다. 해리범위의 특정, 위강의 혈전화 유무, 파열의 유무, 심낭압전의 유무 등, 얻을 수 있는 정보가 많다.
- 혈관조영 : 급성심근경색 진단에서 관상동맥조영을 시행했을 때에 대동맥해리가 발견되는 경우가 있는데, 검사에 시간이 걸려서 대동맥해리의 진단에는 사용하지 않는 경우가 많다.
- 검사치

① 특이적인 이상을 나타내는 혈액검사치는 없다.
② 출혈이 있으면 빈혈의 진행 정도를 확인하지만, 급성기인 경우 혈액검사에 반영하지 않는 경우가 많다.
③ 비특이적이지만 위강의 혈전화가 있는 경우, 응고기능의 이상 (FDP상승, 혈소판수 · 피브리노겐치의 저하, PT 연장 등)을 나타내는 수가 있다.

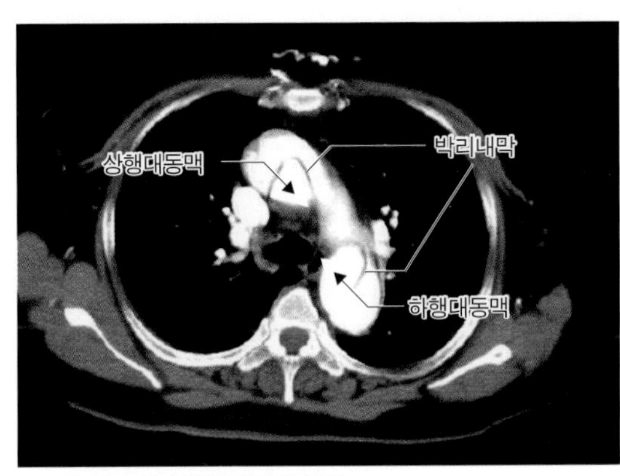

■ 그림 15-4 해리성대동맥류의 CT상

해리성대동맥류 , 심낭압전

치료 map

급성기에는 통증과 혈압관리를 기본으로 대동맥인공혈관치환술을 비롯한 응급수술을 시행한다.

치료방침

- 우선 통증과 혈압을 관리한다.
- 심낭압전에 의한 쇼크가 나타난 경우, 수술에 앞서 심낭배액을 하고, 혈행동태의 안정화를 꾀한다.
- 일반적으로 위강개존형A형해리는 응급수술의 적응대상이다. B형해리에서는 파열이나 절박파열, 장기허혈이나 하지허혈 등의 합병증이 있는 예는 응급수술의 적응대상이 되지만, 그 밖의 경우, 강압요법을 중심으로한 내과적 치료를 제1선택으로 한다. 또 위강혈전형A형해리에 적용하는 치료에 대해서는 의견이 분분하지만, 대동맥류 · 대동맥해리 진료가이드라인 (2006년 개정판)에 따르면, 대동맥지름이 50mm이상 또는 혈전화된 위강의 지름이 11mm 이상의 예는 고위험군이라고 생각되며, 응급수술을 고려한다. 단, 그 이하의 증례에서도 고도인 대동맥판막폐쇄부전이나 심낭압전을 합병한 증례는 응급수술의 적응대상이다.

외과요법

- 내막균열 (엔트리)을 포함한 대동맥인공혈관치환술을 시행한다. 상행대동맥에 엔트리가 존재한다면 상행대동맥치환을, 궁부에 엔트리가 존재하면 근위궁부치환 또는 궁부전치환술을 실시한다.
- 대동맥판막역류를 일으킨 증례인 경우, 대동맥판막 거상을 고려한다. 내막균열이 발살바동 깊이 침입해 있는 증례나 대동맥판막륜확장을 일으키고 있는 증례에서는 대동맥기시부치환술 (Bentall수술), 또는 자기대동맥판막 온존술식 (aortic valve sparing operation)을 적용한다.

Key word

- 심막천자법과 심낭 (심막) 배액

심막천자법은 심낭압전을 신속히 개선하는 점에서 유용하다. 천자는 투시하 또는 초음파가이드하에서 시행하고, 액체가 흡인되면 내개침(內蓋針)을 발거하고 지속 흡인한다(배출).

약물요법

- B형해리에서 내과적 치료를 선택한 경우, 또는 수술 후에도 위강이 잔존해 있는 증례에서는 수축기혈압의 강압목표치는 120mmHg 이하이다.

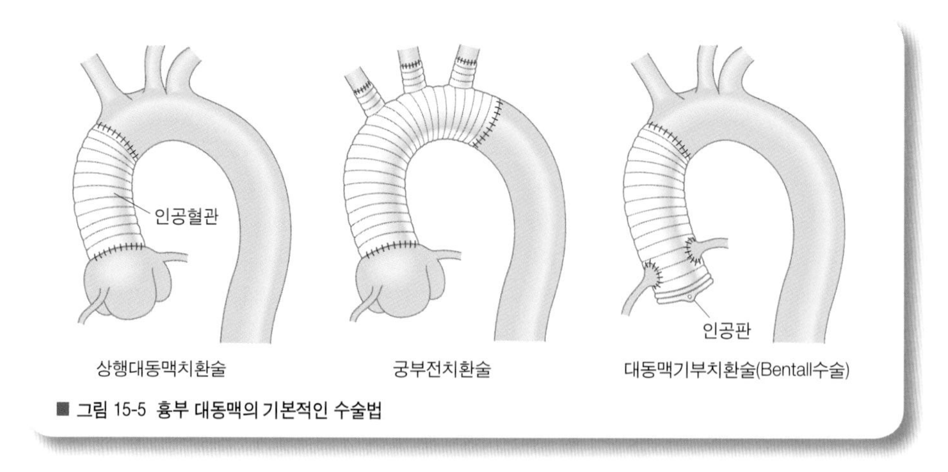

■ 그림 15-5 흉부 대동맥의 기본적인 수술법

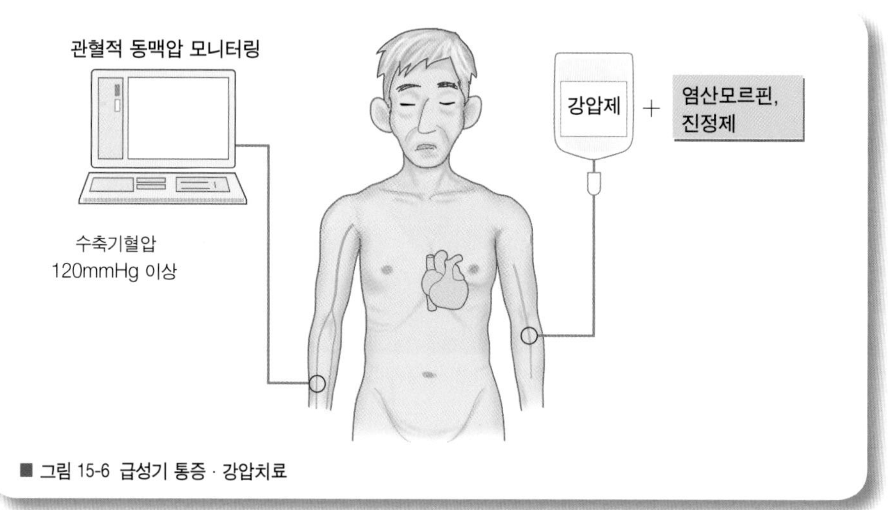

■ 그림 15-6 급성기 통증 · 강압치료

해리성대동맥류, 심낭압전의 병기 · 병태 · 중증도별로 본 치료흐름도

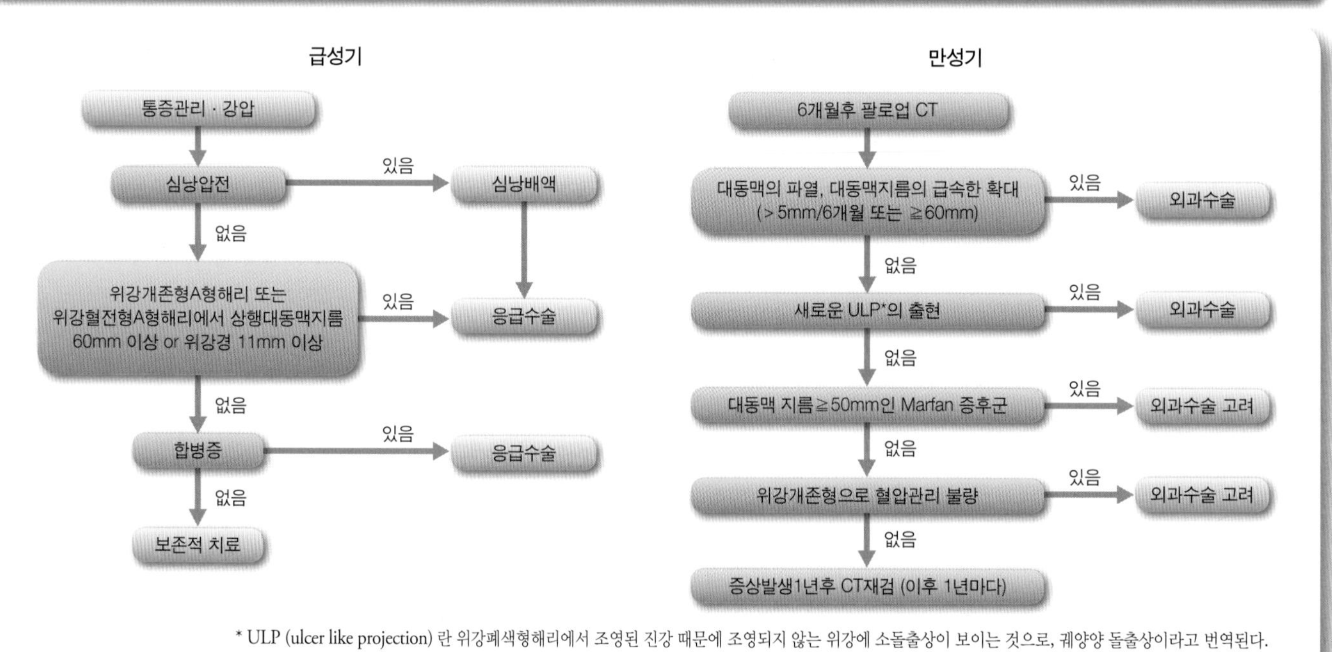

* ULP (ulcer like projection) 란 위강폐색형해리에서 조영된 진강 때문에 조영되지 않는 위강에 소돌출상이 보이는 것으로, 궤양양 돌출상이라고 번역된다.

(宮城 直人·荒井裕國)

환자케어

급성기에는 안정상태를 엄수하고, 적절한 혈압관리를 시행한다. 갑작스런 증상발생, 응급수술을 필요로 하는 경우가 많으므로, 심리적인 케어도 중요하다. 급성기가 지나면 적절한 혈압유지와 생활상의 주의점을 지도한다.

병기·병태·중증도에 따른 케어

【급성기】 엄밀한 점적관리에 의한 집중강압요법을 시행하고, 적절한 혈압관리를 함과 동시에 혈압상승을 방지하기 위해 안정상태를 엄수한다. 또 혈관해리에 의한 통증부위 · 정도를 잘 파악하고, 적절한 약물을 투여하면서 안정을 유지하도록 힘쓴다.

【수술요법을 받는 시기】 갑작스런 증상발생, 응급수술을 필요러 하는 경우가 많으므로, 환자는 상황을 파악하기 어려워한다. 상황을 이해할 수 있는 관계와 불안을 표출할 수 있는 환경을 갖추면서, 수술부위 이외에 해리가 잔존하는 경우도 많으므로, 술후에도 혈압관리를 엄중히 하면서, 술후 합병증에 주의하는 것이 중요하다.

【만성기】 급성기가 지나면 무증상이 되지만, 잔존하는 해리강의 확대나 새로운 종양의 발생을 방지하기 위하여 계속해서 적절한 혈압을 유지해야 한다. 식생활지도, 강압제에 관한 복용지도를 확실히 하고, 활동 등 일상생활상의 주의점을 설명하는 것이 중요하다.

케어의 포인트

치료의 지지

- 해리강의 혈전화가 안정되기까지는 파열, 재해리의 발생가능성이 높으므로, 혈압관리에 충분히 주의하고, 확실히 강압제를 투여한다.
- 해리의 진행, 종양의 지름 확대로 인한 분지혈관의 장기허혈증상이나 압박증상 등, 다양한 증상이 나타난다. 특히 심낭압전, 심근경색, 출혈성쇼크 등은 예후가 불량하므로, 신속히 의사에게 보고하고, 지시받은 처치를 시행하는 것이 중요하다.

안정과 불안경감을 도모하는 지지

- 환자는 갑작스런 격통 발생으로 인해 생명의 위기를 느끼므로, 강한 불안감을 갖게 된다. 환자의 표정이나 언동에 충분히 주의하고, 호소를 경청하면서 불안을 경감시키도록 한다.
- 혈압상승을 피하기 위해서 침상안정이 지시되는데, 이때 환자의 신체적 고통 (요통 등), 정신적 고통은 매우 크다. 의사와 상담하면서 적절한 진통제, 수면제 등의 투여로 안정을 유지하면서, 수면 · 휴식을 취할 수 있는 환경을 정비하는 것도 중요하다.

■ 그림 15-7 해리성대동맥류 환자의 생활상의 주의점

퇴원지도 · 요양지도

- 고혈압이나 동맥경화의 진행을 방지하는 식사지도를 한다(염분제한 · 지방 제한 식사 등).
- 강압제를 내복하고 있는 경우는 그 작용과 목적을 설명하고, 확실히 내복하도록 지도한다.
- 흡연자인 경우, 금연을 지도한다.
- 변비로 인한 힘주기는 혈압상승을 초래한다는 점을 설명하고, 배변관리의 중요성을 설명한다.
- 수술요법으로 인공혈관치환술을 받은 환자에게 감염예방 (감기예방, 충치치료의 필요성 등)에 대하여 지도한다.
- 서서히 활동범위를 확대하여 일상생활에 익숙해지도록 하면서, 스포츠나 여행은 의사와 상담 후에 하도록 지도한다.
- 종양지름의 확대, 재발의 가능성도 있으므로, 정기적인 외래진찰의 필요성을 설명하고, 격통이나 지속되는 고열 등 이상증상의 출현시에는 신속히 의료기관에서 진찰받도록 설명한다.

(三浦英惠)

Memo

색인